D1582832

afgeschreven

De onzaligen van Łódź

Steve Sem-Sandberg

De onzaligen van Łódź

Vertaald uit het Zweeds
door Geri de Boer

Anthos|Amsterdam

Deze uitgave is tot stand gekomen met financiële steun van Swedish Arts Council.

Eerste druk februari 2011
Tweede druk april 2011

ISBN 978 90 414 1599 8
© 2009 Steve Sem-Sandberg
© 2011 Nederlandse vertaling Ambo|Anthos *uitgevers*,
Amsterdam en Geri de Boer
Oorspronkelijke titel *De fattiga i Łódź*
Oorspronkelijke uitgever Albert Bonniers Förlag
First published by Albert Bonniers Förlag, Sweden
Published by arrangement with Nordin Agency, Sweden
Omslagontwerp Roald Triebels, Amsterdam
Omslagillustratie © Juedische Museum, Frankfurt
Foto auteur © Cato Lein

Verspreiding voor België:
Veen Bosch & Keuning uitgevers n.v., Antwerpen

Memorandum

Łódź, 10 december 1939
Vertrouwelijk
Geheim

De vorming van een getto in de stad Łódź

Volgens een redelijke schatting wonen er momenteel circa 320.000 Joden in de stad Łódź. Het is ondoenlijk deze allemaal in één keer te evacueren. Een grondig onderzoek, uitgevoerd door de betrokken autoriteiten, heeft aangetoond dat het onmogelijk is hen allemaal te concentreren in één enkel gesloten getto. In de tussentijd wordt het Jodenvraagstuk als volgt opgelost:

1) Alle Joden woonachtig ten noorden van de lijn die wordt gevormd door Listopadastraat, Plac Wolności en Pomorskastraat dienen in een gesloten getto te worden ondergebracht, zodanig dat ten eerste een sterk Duits centrum rondom het Vrijheidsplein (Plac Wolności) wordt ontdaan van Joden en ten tweede dit getto ook de noordelijke delen van de stad omvat, die reeds vrijwel uitsluitend door Joden worden bewoond.

2) Joden uit de overige delen van Łódź die in staat zijn te werken, worden georganiseerd in speciale arbeidseenheden en gehuisvest in barakken, waar ze onder streng toezicht worden gehouden.

De voorbereidingen voor en de uitvoering van dit plan worden opgedragen aan een stafbestaande uit vertegenwoordigers van de volgende organisaties:

1 NSDAP [de Nationalsozialistische Deutsche Arbeiderpartei]
2 De afgevaardigde van Łódź bij het regeringspresidium in Kalisz

5

3 De Dienst Woonruimte, Werk en Gezondheid van de stad Łódź

4 De ordedienst van de politie

5 De *Sicherheitspolizei*

6 De doodskopeenheden [ss-troepen]

7 De Kamer van Koophandel

8 De financiële burelen

Daartoe dienen de volgende preliminaire maatregelen te worden genomen:

1) Een inschatting van welke maatregelen nodig zijn om straten af te sluiten en in- en uitgangen van gebouwen te barricaderen, et cetera.

2) Een inschatting van wat vereist is om bewakingstroepen te stationeren langs de grenzen van het getto.

3) Van het stadhuis al het materiaal verkrijgen dat nodig is om het getto af te sluiten.

4) De maatregelen nemen die nodig zijn om de gezondheidszorg in het getto te regelen – vooral om epidemieën te voorkomen – door het overbrengen van genees- middelen en medische voorzieningen.

5) Toekomstige faciliteiten voorbereiden die tot doel hebben vuilnis en afval te verwijderen uit het getto en lijken naar de Joodse begraafplaats te transporteren of een dergelijke begraafplaats in het getto aan te leggen.

6) Ervoor te zorgen dat het getto de beschikking krijgt over de noodzakelijke hoeveelheden brandstof.

Zodra deze voorbereidende maatregelen zijn genomen en een voldoende aan- tal wachtposten beschikbaar is, zal ik een datum voor de totstandkoming van het getto bepalen; dat wil zeggen: op een gegeven ogenblik zullen de eerder vastge- stelde grenzen worden bemand door wachtposten en de straten worden verzegeld met prikkeldraad en andere versperringen. Tegelijkertijd zullen gevels door arbei- ders uit het getto dichtgemetseld of anderszins geblokkeerd worden. In het getto zal Joods zelfbestuur worden ingesteld. Dat zal bestaan uit een *Judenälteste* en een uitgebreide Raad voor de Joodse Gemeente [*kehila*].

Het distributiekantoor van de stad Łódź zal het getto voorzien van voedsel en brandstof, die naar speciale plaatsen in het getto zullen worden vervoerd, waar de Joodse beheerders er verder zorg voor zullen dragen. Het uitgangspunt hierbij moet zijn dat het getto slechts met goederen, stoffen, textiel en dergelijke voor le- vensmiddelen en brandstof kan betalen. Op deze manier zullen we alle waardevol- le zaken die de Joden hebben verduisterd en opgehoopt, extraheren.

Andere delen van de stad moeten worden doorzocht, zodat alle Joden die niet

6

kunnen werken, naar het getto worden overgebracht zodra het gereed is of onmiddellijk daarna. De Joden die wel tot werken in staat zijn, worden in speciale arbeidseenheden ondergebracht in bewaakte barakken, die de plaatselijke overheid en de Sicherheitspolizei hebben laten bouwen.

Ten aanzien van het bovenstaande moet het volgende worden geconcludeerd. Alle Joden die in arbeidseenheden worden ondergebracht, moeten Joden zijn die buiten het getto wonen. Degenen die in barakken worden ondergebracht, maar die niet in staat blijken tot werken of die ziek zijn, moeten worden overgebracht naar het getto. De Joden in het getto die nog kunnen werken, moeten in het getto noodzakelijke werkzaamheden uitvoeren. Ik zal later beslissen of arbeidsgeschikte Joden uit het getto naar de werkbarakken moeten worden overgeplaatst.

Uiteraard is de vorming van een getto slechts een tijdelijke maatregel. Ik behoud mij het recht voor te bepalen wanneer en op welke wijze de stad Łódź gezuiverd zal worden van Joden. Hoc dan ook moet het uiteindelijke doel zijn om dit besmettelijke abces voor eens en voor altijd weg te branden.

[was getekend]

Übelhör

Litzmannstadt Getto

1940-1944

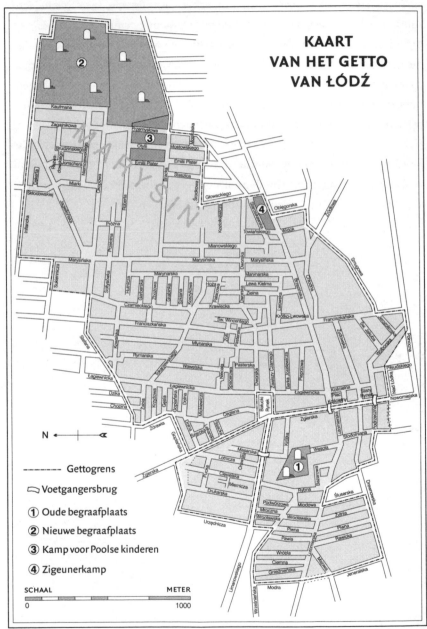

KAART
VAN HET GETTO
VAN ŁÓDŹ

N ◄━━┼━━◄

------- Gettogrens

◁ Voetgangersbrug

① Oude begraafplaats

② Nieuwe begraafplaats

③ Kamp voor Poolse kinderen

④ Zigeunerkamp

SCHAAL   METER
0   1000

© Zbigniew Janeczek

Enkele straten in het getto
met hun Poolse en Duitse namen

Bałucki Rynek – Baluter Ring (Bałutyplein)
Plac Kościelny – Kirchplatz (Kerkplein)
Radogoszcz – Radegast

Brackastraat – Ewaldstrasse
Brzezińskastraat – Sulzfelderstrasse
Czarnieckiegostraat – Schneidergasse
Drewnowskastraat – Holzstrasse
Drukarskastraat – Zimmerstrasse
Dworskastraat – Matrosengasse
Franciszkańskastraat – Franzstrasse
Gnieźnieńskastraat – Gnesenerstrasse
Jagiellońskastraat – Bertholdstrasse
Jakubastraat – Rembrandtgasse
Karola Miarkistraat – Arminstrasse
Łagiewnickastraat – Hanseatenstrasse
Limanowskiegostraat – Alexanderhofstrasse
Lutomierskastraat – Hamburgerstrasse
Marysińskastraat – Siegfriedstrasse
Mickiewiczastraat – Richterstrasse
Młynarskastraat – Mühlgasse
Okopowastraat – Buchdruckergasse
Pieprzowa – Pfeffergasse
Próżnastraat – Leere Gasse
Rybnastraat – Fischgasse
Urzędniczastraat – Reiterstrasse
Wesołastraat – Dellwormstrasse
Zagajnikowastraat – Bernhardstrasse
Zgierskastraat – Hohensteinerstrasse

Proloog

De Voorzitter alleen

(1-4 september 1942)

Al wat uw hand vindt om naar uw vermogen te doen, doe dat,
want er is geen werk of overleg of kennis of wijsheid
in het dodenrijk, waarheen gij gaat.

Prediker 9:10

Het was op die dag geweest, die voor eeuwig in het geheugen van het getto gegrifte dag waarop de Voorzitter aan iedereen had laten mededelen dat hij geen andere keus had dan de kinderen en de bejaarden te laten gaan. Nog dezelfde middag waarop hij deze kennisgeving deed, zat hij op zijn kantoor aan het Bałutyplein te wachten tot hogere machten zouden ingrijpen om hem te redden. De zieken van het getto had hij al eerder moeten laten vertrekken. Nu waren er alleen nog de ouden van dagen en de kinderen. Meneer Neftalin, die een paar uur eerder andermaal de commissie had laten bijeenroepen, had hem verzekerd dat alle lijsten uiterlijk om middernacht klaar moesten zijn om aan de Gestapo te worden overhandigd. Hoe moest hij hun uitleggen wat voor afschuwelijk verlies dit voor hem betekende? *Zesenzestig jaar leef ik al, nooit heb ik het geluk gekend vader te worden genoemd, en nu verlangen de autoriteiten*[1] *van me dat ik al mijn kinderen offer.*

Vroeg iemand van hen zich weleens heel even af hoe hij zich op dit moment voelde?

('Wat moet ik tegen ze zeggen?' had hij dokter Miller gevraagd toen de commissie die middag bijeenkwam, en dokter Miller keerde zijn misvormde gezicht boven de tafel naar hem toe en aan zijn andere zijde keek ook rechter Jakobson hem diep in de ogen, en beiden zeiden: *Zeg hun de waarheid. Als je niets beters weet, moet je de waarheid zeggen.* Maar hoe kan er Waarheid zijn als er geen Wet is, en hoe kan er een Wet zijn als er geen Wereld meer is?)

Met de stemmen van de stervende kinderen nog nadreunend in zijn hoofd haalde de Voorzitter zijn colbert van de haak aan de barakwand waaraan juffrouw Fuchs het voor hem had opgehangen, frummelde de sleutel in het slot en slaagde er maar ternauwernood in de deur open te krijgen voordat hij opnieuw door de stemmen werd overmand. Voor de deur van zijn kantoor stond echter geen Wet, en ook geen Wereld; daar stond slechts wat er nog over was van zijn persoonlijke staf: een half dozijn door slaapgebrek uitgeputte klerken in het kielzog van de onvermoeibare juffrouw Fuchs, die op deze dag net als op alle andere haar haar in een knot had en keurig gekleed ging in een pasgestreken, blauw-witgestreepte blouse.

Hij zei:

Als het de bedoeling van de Heer was om deze stad, zijn laatste, ten onder te laten gaan, had Hij dat tegen me moeten zeggen. Hij had me toch tenminste een teken kunnen geven.

Maar de staf staarde hem slechts onbegrijpend aan:

Meneer de Voorzitter, zeiden hun blikken, we zijn al een uur te laat.

◆

De zon was zoals hij meestal is in de maand Elul, een zon als de naderende dag des oordeels, een zon als duizend door de huid prikkende naalden. De lucht was zwaar als lood en er stond geen zuchtje wind. Een schare van vijftienhonderd mensen had zich verzameld op het terrein van de brandweer. Hier had de Voorzitter vaak zijn toespraken gehouden. De mensen waren doorgaans uit nieuwsgierigheid komen luisteren. Ze waren gekomen om de Voorzitter te horen praten over zijn toekomstplannen, over komende voedselleveranties, over werk dat te doen stond. Degenen die er vandaag waren, waren niet gekomen uit nieuwsgierigheid. Nieuwsgierigheid was waarschijnlijk niet genoeg geweest om de mensen ertoe te brengen de rijen voor de aardappeldepots en de distributiekantoren te verlaten en het hele stuk naar het brandweerterrein te lopen. Niemand kwam om nieuws te horen. De mensen kwamen om te vernemen welk vonnis er over hen werd geveld: levenslang of, God verhoede, een doodvonnis. Vaders en moeders kwamen horen welk vonnis hun kinderen kregen. Ouden van dagen mobiliseerden hun laatste krachten om te vernemen welk lot hun wachtte. De meeste toegestroomden waren oude mensen, steunend op dunne wandelstokken of aan de arm van hun kinderen. Of jonge mensen die hun kinderen stevig aan de hand hielden. Of de kinderen zelf.

Met hun gebogen hoofden, hun van verdriet verwrongen gezichten, hun opgezwollen ogen en hun kelen waarin het huilen werd gesmoord, leken al deze mensen – alle vijftienhonderd die naar het plein waren gekomen – op een stad, een gemeenschap in haar laatste uur, onder de zon wachtend op haar Voorzitter en op haar ondergang.

Józef Zelkowicz: *In jejne koshmarne teg*
(In deze nachtmerrieachtige dagen, 1944)

◆

Het hele getto was die middag op de been.

Hoewel de lijfwachten het grootste deel van het gepeupel op afstand hadden weten te houden, waren er toch een paar deugnieten van jongens in geslaagd op de koets te klimmen. Hij had achterovergeleund tegen het vouwdak, niet de kracht gehad hen met zijn wandelstok weg te slaan, zoals anders. Het was alsof boze tongen achter zijn rug de hele tijd hadden gezegd dat het met hem gedaan was, dat zijn tijd als Preses van het getto voorbij was. Naderhand zouden ze over hem zeggen dat hij een valse *shofet* was geweest die verkeerde besluiten had genomen, en *eved hagermanim* die helemaal niet het beste voor zijn volk voor ogen had gehad, maar alleen macht en eigen gewin.

Toch had hij nooit iets anders voor ogen gehad dan het beste voor het getto.

Heer God, hoe kunt U mij dit aandoen? dacht hij.

Toen ze bij het brandweerterrein aankwamen, stonden de mensen al opeengepakt in de broeiende zon. Daar moesten ze al uren hebben gestaan. Zodra ze zijn lijfwachten in het oog kregen, stortten ze zich als een stel wilde dieren op hem. Enkele politiemannen vormden helemaal vooraan een keten en hakten en sloegen met hun wapenstokken op de menigte in om die achteruit te drijven. Maar dat hielp nauwelijks. Smalende gezichten drongen nog steeds boven de ruggen van de agenten uit.

Afgesproken was dat Warszawski en Jakobson eerst zouden spreken, terwijl hijzelf in de schaduw van het podium zou wachten – dit om zo mogelijk de pijn te verzachten van de harde woorden die hij genoodzaakt was te zeggen. Maar toen het moment voor hem naderde om het provisorische spreekgestoelte dat ze in elkaar hadden gezet te betreden, was er geen schaduw en ook geen podium: alleen een simpele stoel boven op een wankele tafel. Op deze doorbuigende ondergrond zou hij moeten staan, terwijl de weerzinwekkende zwarte massa hem honend aangaapte vanaf de schaduwzijde van het terrein. Dit opzwellende, duistere organisme, dat in niets leek op wat hij tot dan toe had gekend, joeg hem angst aan. Precies zo, begreep hij nu, moesten ook de profeten zich hebben gevoeld op het moment dat ze voor hun volk gingen staan: Ezechiël, die in de belegerde stad Jeruzalem, de *bloedstad*, sprak over de noodzaak om de stad te reinigen van alle kwaad en alle ongerechtigheid, en een merkteken te zetten op het voorhoofd van degenen die het ware geloof nog trouw waren.

Zo sprak Warszawski:

Gisteren heeft de Voorzitter bevel gekregen om meer dan twintigduizend mensen weg te sturen… onder hen onze kinderen en onze alleroudsten.

Hoe wonderlijk wisselvallig zijn toch de winden van het noodlot. We kennen onze Voorzitter allemaal!

We weten allemaal hoeveel jaren van zijn leven, hoeveel van zijn kracht, zijn werk en zijn gezondheid hij heeft gewijd aan het opvoeden van de Joodse kinderen.

En nu vragen ze dit van hem, van alle mensen uitgerekend van HEM…

◆

Vaak had hij zich voorgesteld dat je een gesprek kon voeren met de doden. Slechts degenen die al aan opsluiting ontkomen waren, hadden kunnen zeggen of hij juist of onjuist handelde door hen te laten gaan die nog geen ander leven hadden gehad.

In de eerste, moeilijke tijd – toen de autoriteiten net begonnen waren met de deportaties – had hij de koets besteld om de begraafplaats in Marysin te bezoeken.

Eindeloze dagen in het begin van januari of in februari, toen het vlakke land rondom Łódź, met zijn geweldige aardappel- en bietenvelden, gehuld lag in een bleke, klamme nevel. Eindelijk smolt de sneeuw, de lente kwam en de zon stond zo laag boven de horizon dat hij het hele landschap in brons leek te gieten. Elk detail viel op in het tegenlicht: het strenge raster van de bomen tegen de okerbruine akkers, hier en daar een scherpe violetspat van een plasje of een beekje, verborgen achter de welving van de vlakte.

Op zulke dagen zat hij ineengedoken, onbeweeglijk, zo ver mogelijk achter in de koets, achter Kuper, wiens rug net zo'n boog beschreef als de paardenzweep die hij op schoot had.

Aan de andere kant van de omheining stond een van de Duitse wachtposten stokstijf in zijn veldgroene uniform, of hij liep juist rusteloos heen en weer bij zijn wachthokje. Op sommige dagen woei er een krachtige wind over de open velden en akkers. De wind sleepte zand en lössgrond met zich mee, maar blies ook papiersnippers over het hek en de muren, en met de rokende aarde kwam ook de zure lucht van sulfiet van de fabrieken in Litzmannstadt mee, evenals gekakel en geloei van het pluimvee en rundvee van de Poolse boerderijen daar in de buurt. Dan werd duidelijk hoe willekeurig de plaats van de omheining was gekozen. De wachtpost stond machteloos, zich schrap zettend tegen de hardnekkige wind, met zijn uniformjas zinloos om zijn armen en benen klapperend.

Maar de Voorzitter zat daar, even stil, even roerloos, terwijl zand en aarde om hem heen wervelden. Als alles wat hij zag en hoorde hem al raakte, dan liet hij dat niet merken.

Józef Feldman was de naam van een man die als grafdelver werkte in een graafploeg van Baruk Praszkier. Zeven dagen per week, ook op sabbat als de autoriteiten daar bevel toe gaven, delfde hij graven voor de doden. De graven die hij groef, waren niet groot: zeventig centimeter diep en een halve meter breed. Diep genoeg voor een lichaam. Maar wie bedenkt dat het om twee- tot drieduizend graven per jaar ging, begrijpt dat het zwaar werk was. Meestal terwijl de wind en de lössgrond hem in het gezicht sloegen.

's Winters was het onmogelijk om te graven. Met de graven voor de winter moest al in het zomerseizoen worden begonnen, en daarom werkten Feldman en de anderen in de graafploeg dan het hardst. In het winterseizoen trok hij zich terug in zijn 'kantoor' en rustte uit.

Voor de oorlog had Józef Feldman een eigen hoveniersbedrijfje gehad in Marysin. In twee kassen had hij tomaten, komkommers en groenten verbouwd: Chinese kool en bladspinazie; hij had ook uien verkocht en zakjes zaad voor de voorjaarszaai. Nu stonden de kassen leeg en verlaten, met kapotte ruiten. Józef Feldman overwinterde zelf in een eenvoudige blokhut, die grensde aan een van de kassen en die hij vroeger als kantoor gebruikte. Tegen de verste muur stond een lage houten brits. Hier was ook een haard met een pijp dwars door het raam en een kleine kookplaat, die werkte op propaangas.

Officieel waren alle onbewerkte grond en alle oude volkstuintjes in Marysin eigendom van de Judenälteste, die ze naar eigen goeddunken kon verpachten. Dat gold ook voor grond die vroeger collectief eigendom was, zoals de *hachsharot* van de zionisten, eenentwintig omheinde stukken grond met lange rijen zorgvuldig gesnoeide fruitbomen, waarop de pioniers van het getto dag en nacht plachten te werken: Borochovs kibboets, de vervallen boerderij van het *Hashomer*-collectief aan de Próznastraat, waar groenten werden verbouwd, en de jeugdcoöperatie Chazit Dor Bnej Midbar. Ook de grote open ruimtes achter de oude, vervallen gereedschapsschuur die bekend stond onder de naam 'Praszkiers werkplaats', waar de weinige overgebleven melkkoeien van het getto graasden. Dat was allemaal van de Voorzitter.

Maar om de een of andere reden had de Voorzitter Feldman zijn eigendommen laten behouden. De twee werden vaak samen in Feldmans kantoor gezien. De grote en de kleine man. (Józef Feldman was klein van stuk. Ze zeiden van hem dat hij amper boven de rand uitkwam van de graven die hij delfde.) De Voorzitter vertelde dan over zijn plannen om het gebied rondom Feldmans tuinderij te veranderen in één gigantisch bietenveld en fruitbomen te planten op de helling naar de weg eronder.

Vaak werd over de Voorzitter gezegd dat hij in wezen de voorkeur gaf aan het gezelschap van eenvoudige mensen boven dat van de rabbi's en de raadsleden in het getto. Hij voelde zich meer thuis bij de chassieden in het leerhuis aan de Lutomierskastraat of tussen de ongeschoolde, maar diep gelovige orthodoxe Joden die zolang het was toegestaan naar de grote begraafplaats aan de Brackastraat gingen. Daar zaten ze urenlang ineengedoken tussen de graven met hun gebedssjaals over hun hoofd en hun beduimelde gebedenboeken voor hun gezicht. Allemaal hadden ze net als hij iemand verloren – een vrouw, een kind, een rijk en welvarend familielid dat hun voedsel en woonruimte had kunnen geven nu ze oud waren. Het was hetzelfde eeuwige *shokeln*, hetzelfde geweeklaag als van alle tijden:

Waarom wordt de gave van het leven geschonken aan wie zo bitter wordt gekweld,
aan wie op de dood wacht zonder dat er een dood komt,
aan wie slechts vreugde zou gevoelen wanneer hij zijn graf vond,
aan wiens weg gehuld is in het duister:
wie in benauwenis is, opgesloten door God?

Van de jongeren kwamen minder hooggestemde geluiden:

'Als Mozes ons in Mitsrajim had laten blijven, hadden we allemaal in een café
in Caïro kunnen zitten in plaats van hier opgesloten te zijn.'
'Mozes wist wat hij deed. Als we Mitsrajim niet hadden verlaten, waren we niet
gezegend met de Thora.'
'En wat heeft onze Thora ons gegeven?'
'Im ein Torah, ein kemach; im ein kemach, ein Torah, staat er geschreven: zonder Thora geen brood, zonder brood geen Thora.'
'Ik weet heel zeker: ook al hadden we hier naar de Thora kunnen leven, dan hadden we toch geen brood gehad.'

De Voorzitter betaalde Feldman voor het uitvoeren van het winteronder-
houd van zijn zomerresidentie aan de Karola Miarkistraat. De bestuurders
van de Joodse Raad beschikten bijna allemaal behalve over een stadsappartement binnen in het getto ook over een 'zomerwoning' in Marysin, en
van sommigen werd beweerd dat ze dat nooit verlieten, zoals de schoonzuster van de Voorzitter, prinses Helena, van wie gezegd werd dat ze haar
zomerresidentie alleen verliet voor concerten in het Cultuurhuis of als een
of andere rijke ondernemer een feestelijk diner aanbood aan de shpitsn van
het getto; dan maakte ze juist altijd haar opwachting, met op haar hoofd
een van haar vele elegante hoeden met brede, opgekrulde randen, en in
een mand van henneptouw enkele van haar favoriete vinkjes. Prinses Helena verzamelde vogels. In de tuin bij haar huis in Marysin had ze haar par-
ticulier secretaris, de alleskunner meneer Tausendgeld, een grote volière
laten bouwen, die niet minder dan vijfhonderd verschillende soorten vogels bevatte, vele daarvan zo zeldzaam dat ze op deze breedtegraden niet
werden waargenomen, zeker niet in het getto, waar je zelden andere vogels zag dan kraaien.

Zelf schuwde de Voorzitter alle overdaad. Ook zijn vijanden konden bevestigen dat hij gematigd was in zijn leefwijze. Sigaretten rookte hij echter in grote hoeveelheden, en wanneer hij tot laat in de avond in zijn kantoor in de barak aan het Bałutyplein zat te werken, gebeurde het niet zelden dat hij ter verkwikking een of meer glazen wodka dronk.

Het kon dan gebeuren, ook midden in de winter, dat juffrouw Dora Fuchs van het Secretariaat belde en zei dat de Voorzitter onderweg was, en dan moest Feldman zijn kolenkitten pakken en het hele stuk naar de Miarkistraat lopen om de kachel aan te steken, en wanneer de Voorzitter dan kwam, stond hij onvast op zijn benen en vloekte dat het nog koud en vochtig was in huis, en dan was het aan Feldman om de ouwe naar bed te brengen. Als weinig anderen was Feldman vertrouwd met alle stemmingswisselingen van de Voorzitter, hij kende de oceanen van haat en jaloezie die er onder diens zwijgende blik en sarcastische, tabaksbruine glimlach sluimerden.

Feldman was ook verantwoordelijk voor het onderhoud van het Groene Huis op de hoek van de Zagajnikowa- en de Okopowastraat. Het Groene Huis was het kleinste en meest afgelegene van de in totaal zes tehuizen voor weeskinderen die de Voorzitter in Marysin had opgezet, en het gebeurde vaak dat Feldman hem hier aantrof, ineengedoken zittend op Kupers koets, pal tegenover het hek dat het speelplein omheinde.

Het was duidelijk dat de oude rust vond in het kijken naar de spelende kinderen.

Kinderen en doden. Hun blikveld was beperkt. Ze hadden alleen een mening over wat zich vlak onder hun ogen bevond. Ze lieten zich niet misleiden door alle intriges van de levenden.

Ze spraken over de oorlog, Feldman en hij. Over het machtige Duitse leger dat zijn opmars op alle fronten leek voort te zetten en over de vervolgde Joden van Europa die erin moesten berusten dat ze aan de voeten van de machtige Amalek leefden. En de Voorzitter bekende dat hij een droom had. Of liever gezegd: hij had twee dromen. Over de ene sprak hij met velen; dat was de droom over het Protectoraat. De andere roerde hij slechts bij weinigen aan.

Hij droomde, zei hij, dat hij de autoriteiten zou laten zien wat voor flinke arbeiders de Joden zijn, zodat hij hen voor eens en voor altijd kon overhalen het getto uit te breiden. Ook andere delen van Łódź zouden dan deel gaan uitmaken van het getto, en als de oorlog afgelopen was, zouden de autoriteiten uiteindelijk moeten toegeven dat het getto een *bijzondere* plek was. Hier stond de vlijt in hoog aanzien, hier werd geproduceerd als nooit tevoren. En iedereen had er baat bij dat de opgesloten bevolking van Litzmannstadt werkte. Wanneer de Duitsers dat eenmaal inzagen, zouden ze het getto uitroepen tot protectoraat binnen die delen van Polen die bij het Duitse Rijk ingelijfd waren: een Joodse vrijstaat onder Duits oppergezag, waar de vrijheid eerlijk was gewonnen tegen de prijs van hard werken.

Dat was de droom over het Protectoraat.

In de andere, geheime droom stond hij op de voorplecht van een groot passagiersschip op weg naar Palestina. Het schip had de haven van Hamburg verlaten nadat hij persoonlijk de uittocht uit het getto had geleid. Wie er, behalve hijzelf, exact tot het elitegroepje behoorden dat toestemming had gekregen om te emigreren, maakte de droom nooit duidelijk. Maar Feldman begreep dat het in meerderheid kinderen waren. Kinderen van de ambachtsscholen en de kindertehuizen van het getto, kinderen die heer Preses zelf het leven had gered. In de verte, voorbij de rand van de zee, was een kust: bleek in de zonnehitte, met een reep witte gebouwen vlak bij het water en daarboven zacht glooiende heuvels die onmerkbaar overgingen in de witte hemel. Hij wist dat het *Eretz Israel* was dat hij zag, meer bepaald Haifa; maar meer kon hij niet onderscheiden, omdat alles samenvloeide: het witte scheepsdek, de witte hemel, de witte, brekende golven.

Feldman bekende dat hij vond dat deze twee dromen maar moeilijk met elkaar te rijmen waren, de droom over het getto als vergroot protectoraat en de droom over de uittocht naar Palestina. De Voorzitter antwoordde zoals hij altijd antwoordde: dat het doel afhing van de middelen en dat men realistisch moest zijn, dat men moest zien welke mogelijkheden zich voordeden. Na al die jaren was hij nu vertrouwd met de manier van doen en denken van de Duitsers. En hij van zijn kant had ook in hun gelederen veel vertrouwelingen verworven. Eén ding wist hij echter zeker. Iedere keer dat hij wakker werd en besefte dat hij deze droom weer had gehad, werd hij van trots vervuld. Wat er ook gebeurde, met hem en met het getto, zijn volk zou hij nooit in de steek laten.

En toch was dat precies wat hij zou doen.

Over zichzelf of waar hij vandaan kwam, sprak de Voorzitter maar zelden. Dat zijn allemaal afgesloten hoofdstukken, zei hij altijd wanneer bepaalde gebeurtenissen uit zijn verleden ter sprake werden gebracht. Toch kwam hij soms, wanneer hij de kinderen om zich heen verzamelde, terug op gebeurtenissen die zouden hebben plaatsgevonden toen hij zelf nog jong was en waarover hij kennelijk nooit was opgehouden na te denken. Een van deze verhalen ging over de eenogige Stromka, die leraar was geweest aan de Talmoedschool bij hem in Ilino. Net als de blinde dokter Miller had Stromka een wandelstok gehad, en die was zo lang dat hij er in het kleine schoollokaaltje alle leerlingen stuk voor stuk op ieder gewenst moment mee kon raken. De Voorzitter liet de kinderen zien hoe Stromka te werk ging met zijn wandelstok, en waggelde vervolgens met zijn zware lijf net zo als Stromka altijd heen en weer waggelde tussen de schoolbanken, waarin de leerlingen ineengedoken boven hun boeken zaten, en af en toe sloeg de stok woedend uit en klapte een onoplettend kind op de handen of in de nek. *Daar!* zei de Voorzitter. De kinderen hadden de stok 'het verlengde oog' gedoopt. Het was of Stromka kon *zien* met de punt van zijn wandelstok. Met zijn blinde, echte oog keek hij in een andere wereld, een wereld buiten die van onszelf, waar alles volmaakt was, zonder wantoestanden en gebreken, een wereld waarin de leerlingen het Hebreeuwse schrift tot in uiterste perfectie beheersten en hun Talmoedverzen zonder hakkelen of zonder ook maar de geringste twijfel opzegden. Stromka leek met volle teugen te genieten van het kijken in die volmaakte wereld, maar hij haatte wat hij daarbuiten zag.

Er was nog een verhaal – maar dat vertelde de Voorzitter niet even graag.

De stad Ilino, waar hij opgroeide, lag aan de rivier de Lovat, in de buurt van de stad Velikiye Luki, waar later in de oorlog vele, zware gevechten om zouden worden geleverd. De stad bestond in die tijd bijna uitsluitend uit smalle, dicht tegen elkaar aan gebouwde, gammele houten huizen. Op de korte hellingen tussen de huizen, die in de lente, als de regen kwam en de rivier overstroomde, veranderden in vormeloze moddervelden, was ruimte voor kleine bouwlandjes. De hoofdzakelijk Joodse gezinnen die hier woonden, handelden in stoffen en kruidenierswaren die op karren helemaal uit Vilna en Vitebsk kwamen. De streek was arm, maar de synagoge zag eruit als een oosters paleis, met twee kloeke pilaren ervoor; alles van hout.

Aan de oever van de rivier stond het badhuis. Voorbij het badhuis lag een stenig strand, waar de kinderen na de Talmoedschool weleens heen gingen. De rivier was hier ondiep. 's Zomers leek dat op het groezelige bronwater dat zijn moeder altijd naast het trapje bij de voordeur had staan wanneer ze de was deed en waar hij zo graag zijn hand in stak – warm als zijn eigen urine.

Als het water laag stond viel er ook een klein eilandje droog, een vlak strookje land in het midden van de rivier, waar vogels naar vis stonden te turen. Het was echter een verraderlijk stukje grond. Aan de andere kant van het 'eiland' helde de rivierbodem steil af en werd het heel diep. Hier was eens een kind verdronken. Dat was gebeurd lang voordat hijzelf ter wereld was gekomen, maar er werd in het dorp nog steeds over gesproken. Misschien gingen zijn schoolkameraden er ook om die reden heen. Iedere middag waagden hele scharen kinderen zich om strijd naar het eiland, dat daar naakt en kaal in het midden van de rivier lag. Hij herinnert zich dat een van de jongens bijna tot aan zijn middel het water in was gewaad en met zijn ellebogen omhoog midden in het omgewoelde, in de zon schitterende water naar de anderen stond te roepen dat ze gauw moesten komen.

Net zoals hij zich herinnert dat hijzelf niet bij de jongens was die zich vervolgens door het water naar het midden ploegden.

Misschien had hij aangegeven dat hij mee wilde doen, maar was hij afgewezen. Misschien hadden ze gezegd (zoals zo vaak) dat hij te dik was, te log, te lelijk.

Op dat moment was hij op een idee gekomen, als bij ingeving: hij had besloten naar Stromka te gaan en hem te vertellen wat de anderen uitspookten. Naderhand begreep hij nauwelijks meer wat hij zich daarbij had voorgesteld. Door te klikken zou hij op de een of andere manier Stromka's respect verkrijgen, en als hij maar eenmaal respect kreeg, dan zouden de andere kinderen hem niet meer buitensluiten bij hun spel.

Er volgde een kort ogenblik van triomf toen de blinde Stromka schreeuwend naar de rivier kwam, met zijn lange stok als een pendel voor zich. Maar het ogenblik van triomf duurde niet lang. Stromka's gunst scheen hij in elk geval niet te hebben verworven. Integendeel, het boze oog staarde hem sindsdien met zo mogelijk nog grotere minachting en boosaardigheid aan. De andere kinderen ontweken hem. Ze stonden elke dag dat hij op school kwam een stukje bij hem vandaan te fluisteren. En toen, op een middag toen hij op weg was naar huis, liepen ze aan alle kanten met hem mee. Hij was omgeven door een grote schare roepende en lachende kinderen. Dat was wat hij zich later zou herinneren. De plotselinge geluksroes die hem beving toen hij zich opgenomen en ingesloten voelde in hun midden. Hoewel hij meteen begreep dat er iets stijfs en onnatuurlijks was aan hun glimlachjes en hun kameraadschappelijke porren in zijn rug. Ze maken grappen en spelen, ze zeggen tegen hem dat hij het water in moet waden, ze zeggen dat hij dat toch niet durft.

Dan gaat alles heel snel. Hij staat tot zijn middel in het water en achter hem rapen degenen die het dichtstbij staan een steen op van de oever. En voordat hij beseft wat er gebeurt, heeft de eerste steen hem op zijn schouder geraakt. Hij wordt duizelig, krijgt een bloedsmaak in zijn mond. Hij kan zich niet eens omdraaien en het water uit rennen voordat de volgende steen aan komt vliegen. Hij maait met zijn armen, probeert op de been te komen, maar valt weer; en om hem heen slaan de stenen neer in het water. Hij ziet dat ze zo worden gemikt dat ze hem naar de diepe riviergeul jagen. Op het moment dat hij dat beseft – dat ze hem dood willen hebben – raakt hij in paniek. Tot op de dag van vandaag weet hij niet precies hoe hij het deed, maar met zijn ene arm maaiend om zich een weg door het water te banen en met zijn andere boven zijn hoofd om zich te beschermen, weet hij op de een of andere manier op de kant te komen, zijn benen onder zich te krijgen en strompelend en hinkend te vluchten, gevolgd door een regen van stenen.

Daarna moest hij met zijn rug naar de klas staan en bukken, terwijl Strom-ka hem sloeg met zijn stok. Vijftien snelle tikken op zijn achterwerk en dij-benen, die al gezwollen en blauw waren waar de stenen ze hadden ge-raakt. Dat was niet omdat hij lesuren had verzuimd, maar omdat hij kwaad had gesproken over zijn kameraden.

Maar wat hij zich naderhand zou herinneren was niet het klikken of de straf, maar het moment waarop de lachende kindergezichten bij de rivier plotseling veranderden in een hatelijke muur en hij besefte dat hij als het ware in een kooi zat. Ja, keer op keer zou hij (ook tegenover zijn 'eigen' kinderen) terugkomen op die open kooi, op de stenen en stokken die on-ophoudelijk door de spijlen naar hem toe werden gegooid en gestoken – gevangen was hij, nergens kon hij heen en niets had hij om zich te bescher-men.

Wanneer begint de leugen?

De leugen, zei rabbi Fajner altijd, heeft geen begin. De leugen loopt als een haarwortel in eindeloze vertakkingen naar beneden. Volgt men de haarwortels echter, dan vindt men nooit een ogenblik van inspiratie en inzicht, maar alleen allesoverheersende vertwijfeling en wanhoop.

De leugen begint altijd in ontkenning.

Er is iets gebeurd – maar toch wil men niet toegeven dat het is gebeurd.

Dan begint de leugen.

◆

Dezelfde avond als waarop de autoriteiten zonder zijn medeweten besloten de ouden van dagen en de zieken van het getto te laten deporteren, had hij samen met zijn broer Józef en zijn schoonzuster Helena het Cultuurhuis bezocht om te vieren dat het op de dag af een jaar geleden was dat het brandweerkorps van het getto was gevormd. De dag daarna was het precies drie jaar geleden sinds Duitsland Polen had aangevallen en de oorlog en de bezetting waren begonnen. Maar dat werd natuurlijk niet gevierd.

De soiree werd geopend met een paar muzikale impromptu's; daarna werden er enkele nummers gespeeld uit de 'gettorevue' van Moshe Puławer, die juist die dag haar honderdste voorstelling had.

De Voorzitter vond muzikale voorstellingen over het algemeen uiterst vermoeiend. De doodsbleke juffrouw Bronisława Rotsztat kronkelde zich om haar viool heen alsof er keer op keer een stroomstoot door haar heen ging. De muzikale gevoelsuiting van juffrouw Rotsztat werd door de vrouwen echter zeer gewaardeerd. Daarna waren de tweelingzusjes Schum aan de beurt. Hun nummer kwam altijd op hetzelfde neer. Eerst sloegen ze hun ogen ten hemel en maakten een reverence. Dan snelden ze naar de coulissen en kwamen als de ander terug. Omdat ze sprekend op elkaar leken, was dat natuurlijk geen probleem. Ze wisselden gewoon van kleren. Dan verdween eerst de ene – en de andere zus zocht haar. In koffers en in dozen zocht ze. Dan dook de verdwenen zus op en begon te zoeken naar degene die eerst had gezocht (en die nu op haar beurt was verdwenen) – of het was dezelfde zus die de hele tijd zocht. Allemaal zeer verwarrend.

Dan kwam meneer Puławer zelf het toneel op en vertelde plotki.

Een van die verhalen ging over twee Joden die elkaar tegenkwamen. De eerste kwam uit Insterberg. De tweede vroeg: 'Nog nieuws uit Insterberg?' De eerste antwoordde: 'Niets.' De tweede: 'Niets?' De eerste: 'A hintel hot gebilt. Er heeft een hond geblaft.'

Het publiek lachte.

De tweede: Heeft er een hond geblaft in Insterberg? Is dat alles wat er is gebeurd?

De eerste: Weet ik veel? Er schijnen een hoop mensen bij elkaar gekomen te zijn.

De tweede: Zijn er een hoop mensen bij elkaar gekomen? Heeft er een hond geblaft? Is dat alles wat er in Insterberg gebeurd is?

De eerste: Ze hebben je broer opgepakt.

De tweede: Hebben ze mijn broer opgepakt? Waarvoor?

De eerste: Ze hebben je broer opgepakt omdat hij wissels heeft vervalst.

De tweede: Heeft mijn broer wissels vervalst? Dat is toch geen nieuws?

De eerste: Dat zei ik toch: geen nieuws uit Insterberg.

De hele zaal lachte zich slap, behalve Józef Rumkowski. De broer van de Voorzitter was de enige in de zaal die niet begreep dat de grap over hem ging.

Er werden ook verhalen verteld over Rumkowski's jonge vrouw Regina en over de onverbeterlijke broer van mevrouw Regina, Benji, van wie men zei dat de Voorzitter hem had opgesloten in een gekkenhuis aan de Wesołastraat, omdat hij 'te veel lawaai maakte', dat wil zeggen dat hij de Voorzitter recht in zijn gezicht zei wat de Voorzitter niet wilde horen.

De populairste verhalen gingen echter over de schoonzuster van de Voorzitter, Helena. Die vertelde Moshe Puławer zelf, terwijl hij op de rand van het podium stond, met zijn handen kwajongensachtig in zijn broek-zakken gestoken. Alleen noemde hij haar de prinses van Kent. *Ver hot zi ge-kent un ver vil zi kenen?* vroeg hij, en plotseling was het podium vol acteurs die hun hand boven hun ogen hielden en speurden naar de verdwenen prin-ses: *De prinses van Kent? De prinses van Kent?* Het publiek jubelde en wees naar de voorste rij, waar prinses Helena vuurrood werd onder haar breedgeran-de hoed.

De overige acteurs bleven in het publiek turen: *Waar is ze? Waar is ze?*

Er kwam een andere acteur het toneel op, die schaamteloos de eenden-pas van prinses Helena imiteerde. Met zijn gezicht naar het publiek vertel-de hij dat er een noodoproep was binnengekomen bij het brandweerstati-on in Marysin. Een ongebruikelijk bericht: een vrouw had zich opgesloten in haar huis en weigerde eruit te komen. Eten liet ze zich door haar man thuisbezorgen. Ze at maar en at maar, en toen het eindelijk tijd voor haar werd om naar het gemak te gaan, was ze zo ontzettend opgezwollen dat ze niet meer door de deur naar buiten kon. De brandweer moest uitrukken en haar door het raam tillen.

DAT WAS DUS DE ONBEKENDE PRINSES VAN KENT!

Waarop het hele ensemble het toneel op stormde, elkaars hand pakte en uitbarstte in gezang:

S'iz kaidanken kain,
S'iz gite tsaitn
Kainer tit zikh haint nisht shemen
Jeder vil du haint nor nemen;
Abi tsi zain tsu zat[2]

Dat was het meest boosaardige en schaamteloze zang- en dansnummer dat meneer Puławer tot dusverre had geschreven. Dichter aan majesteits-schennis kon het niet grenzen, en het was typerend voor de stemming van chaos en moedeloosheid die de laatste maanden in het getto had geheerst. Hoewel de Voorzitter probeerde zijn gezicht in de plooi te houden en op de juiste momenten te applaudisseren, voelde zelfs hij een duidelijke opluch-ting toen het geacteer afgelopen was en de musici het podium weer betra-den.

Juffrouw Bronisława Rotsztat sloot af met een luimig scherzo van Liszt en streek zo met haar goedgeharste strijkstok de hele beklemmende voorstelling weg.

◆

De volgende ochtend, dinsdag 1 september 1942, stond Kuper als altijd met de koets te wachten voor de zomerresidentie aan de Miarkistraat en de Voorzitter stapte zoals gewoonlijk in met een nauwelijks hoorbaar gebrom als enige groet. WAGEN DES ÄLTESTEN DER JUDEN staat er op een zilverwit bordje aan elke kant van de koets. Niet dat iemand zich daarin zou kunnen vergissen. Er was maar één zo'n koets in het getto.

De Voorzitter liet zich vaak door het getto rijden. Omdat alles in het getto hem toebehoorde, moest hij er af en toe immers wel langs rijden om zich ervan te vergewissen dat alles nog in goede staat verkeerde. Dat zijn arbeiders netjes in de rij stonden voor de houten bruggen van het getto voordat ze eroverheen liepen; dat zijn fabrieken elke ochtend hun grote poorten openden om de enorme stroom arbeiders binnen te laten; dat zijn ordepolitie paraat was om erop toe te zien dat er geen onnodige schermutselingen ontstonden; dat zijn arbeiders onmiddellijk bij hun arbeidswerktuigen gingen staan wachten tot zijn fabrieksfluiten klonken, liefst allemaal tegelijk, op hetzelfde moment.

Dat deden de fabrieksfluiten ook deze ochtend. Het was een heel normaal heldere, zij het ietwat kille dageraad in het getto. Spoedig zou de hitte van de dag de laatste restjes vocht in de lucht wegbranden en dan zou het weer warm zijn, zoals het de hele zomer al was en zoals het de rest van deze gruwelijke septembermaand zou blijven.

Dat er iets ongewoons aan de hand was, merkte hij pas toen Kuper van de Dworskastraat afsloeg, de Łagiewnicka in. Voor de door de *Schupo* bewaakte slagboom bij de ingang van het Bałutyplein stond het vol mensen, en niemand van hen was op weg naar zijn werk. Hij zag hoofden zich in zijn richting keren en handen naar het vouwdak van zijn koets reiken. Een of meer mensen schreeuwden naar hem met hun gezichten wonderlijk naar voren gerekt op hun lichaam. Toen kwamen Rozenblats mannen aanrennen, de ordetroepen omringden de koets en nadat de Duitse gendarmes de slagboom hadden geopend konden ze rustig doorrijden, het plein op.

Meneer Abramowicz stak zijn hand al uit om hem te ondersteunen bij het uitstappen. Juffrouw Fuchs kwam aangesneld uit de barak, gevolgd door alle klerken, telefonistes en secretaresses. Hij keek van het ene verschrikte gezicht naar het andere en vroeg toen: *Wat staan jullie te staren?* De jonge Abramowicz was de eerste die moed vatte. Hij stapte uit de groep naar voren, schraapte zijn keel en zei:

Weet u het niet, meneer de Voorzitter? Het bevel is vannacht gekomen.
Ze halen alle zieken en ouden van dagen uit de ziekenhuizen!

Er zijn diverse getuigenissen van de reactie van de Voorzitter toen hij op deze manier voor het eerst kennisnam van dit bericht. Sommigen zeiden dat hij geen seconde aarzelde. Onmiddellijk daarna zagen ze hem 'als een wervelwind' naar de Wesołastraat gaan om zijn naasten zo snel mogelijk te proberen te redden. Anderen meenden dat hij het nieuws aanhoorde met in zijn ogen iets wat nog het meeste leek op spot. Tot op het laatst zou hij hebben ontkend dat er een deportatie gaande was. Hoe zou zoiets in het getto kunnen plaatsvinden zonder dat hij er weet van had?

Maar er waren er ook die meenden te zien dat er plotseling onzekerheid en angst door het autoritaire masker van de Voorzitter heen braken. Was hij het uiteindelijk niet die in een toespraak had gezegd: *Mijn devies is: elk Duits bevel altijd minstens tien minuten vóór zijn.* Het bevel was in de loop van de nacht gegeven. Commandant Rozenblat moest op de hoogte zijn gebracht, want de gettopolitie was tot de laatste man op de been. De nauwst betrokkenen leken allemaal geïnformeerd te zijn, behalve de Voorzitter, die naar het cabaret was!

Toen de Voorzitter bij het ziekenhuis arriveerde, tegen acht uur op dinsdagochtend, was de hele omgeving van de Wesołastraat afgezet. Bij de ingang van het ziekenhuis vormden Joodse agenten een keten waar je onmogelijk doorheen kon. Aan de andere kant van deze muur van Joodse politsajten had de Gestapo vrachtwagens met grote open laadbakken laten neerzetten, met aan elk voertuig nog eens twee of drie laadwagens gekoppeld. Onder toezicht van de Duitse politiebevelhebbers waren de mannen van Rozenblat zieke en oude mensen uit het ziekenhuis aan het slepen. Sommige zieken hadden hun pyjama nog aan, anderen alleen hun onderbroek of helemaal niets; ze hielden hun uitgemergelde armen kruiselings over hun borst en ribbenkast. Enkele patiënten slaagden erin door het politiekordon te breken. Een witgeklede gestalte met kaalgeschoren hoofd stormde naar de afzetting met zijn blauw-witgerande gebedssjaal als een banier achter zich aan. Meteen richtten de Duitse soldaten hun geweren. De onbegrijpelijke triomfkreet van de man brak abrupt af en hij viel voorover in een wolk van verspreide kledingresten en bloed. Een andere vluchter probeerde zich te verstoppen op de achterbank van een van de beide zwarte limousines die bij de vrachtwagens en hun aanhangers stonden en waarbij een handjevol Duitse officieren al een tijdlang onverschillig naar de opschudding stond te kijken. De vluchter was juist bezig via het achterportier naar binnen te kruipen toen de chauffeur ss-*Hauptscharführer* Günther Fuchs op de indringer opmerkzaam maakte. Met zijn gehandschoende hand sleepte Fuchs de wild om zich heen slaande man uit de auto, schoot hem eerst door zijn borst en vervolgens – toen de man al op de grond lag – door zijn hoofd en hals. Onmiddellijk snelden twee ordebewakers toe, grepen de man bij zijn armen en benen, en slingerden het lijk met het nog bloedende hoofd op een van de aanhangwagens, waar al een honderdtal opgepakte patiënten opeengedrongen stond.

Terwijl dit allemaal plaatsvond, liep de Voorzitter rustig en beheerst naar de commandant van het *Einsatzkommando*, een zekere ss-*Gruppenführer* Konrad Mühlhaus, en vroeg toestemming om het ziekenhuis binnen te gaan. Mühlhaus weigerde, waarbij hij erop wees dat dit een *Sonderaktion* was, geleid door de Gestapo, en dat geen Jood door de afzetting heen mocht. De Voorzitter vroeg toen of hij naar zijn kantoor mocht om een dringend telefoongesprek te voeren. Toen ook dit verzoek werd geweigerd, zou de Voorzitter hebben gezegd:

U kunt mij neerschieten of laten deporteren. Maar ik heb als Judenälteste toch een zekere invloed op de Joden in het getto. Als u wilt dat deze actie rustig en waardig verloopt, doet u er verstandig aan mijn verzoek in te willigen.

De Voorzitter was een kleine dertig minuten weg. Intussen liet de Gestapo nog meer aanhangwagens komen en een paar man uit Rozenblats ordepolitie kreeg bevel in de tuin van het ziekenhuis naar patiënten te gaan zoeken die via de achteringang probeerden te vluchten. De patiënten die zich in de ziekenhuistuin schuil hadden gehouden, werden met een klap van de wapenstok of een geweerkolf neergeslagen; degenen die per ongeluk op straat terechtkwamen, werden door Duitse bewakers in koelen bloede neergeschoten. Regelmatig waren er schreeuwen en gesmoorde kreten te horen vanuit de groep familieleden buiten het ziekenhuisterrein, die niets konden doen om de weerloze patiënten, die nu een voor een uit het ziekenhuis werden geleid, te helpen. Tegelijkertijd richtten steeds meer ogen zich op de ingang van het huis tegenover het ziekenhuis, waar de mensen het witharige hoofd van de Voorzitter verwachtten te zien opduiken om bekend te maken dat de actie beëindigd was, dat alles op een misverstand berustte, dat hij met de autoriteiten had gesproken en dat alle zieke en oude mensen naar huis mochten.

Maar toen de Voorzitter zich na dertig minuten in de deuropening vertoonde, keek hij niet eens naar de volgepakte laadwagencolonne. Hij liep alleen maar in hoog tempo terug en ging in zijn rijtuig zitten, waarna de hele equipage omdraaide en terugreed naar het Bałutyplein.

Die dag – de eerste van de septemberactie – werden in totaal 674 patiënten uit de zes ziekenhuizen van het getto naar verzamelkampen overal in het getto gebracht en vandaar met de trein weggevoerd. Tot de gedeporteerden behoorden de twee tantes van Regina Rumkowska, Lovisa en Bettina, en ook Regina's geliefde broer, de heer Benjamin Wajnberger.

Naderhand verbaasden velen zich erover dat de Voorzitter niets had gedaan om zelfs maar zijn naaste verwanten te helpen, hoewel iedereen hem toch voor het ziekenhuis had zien staan praten, eerst met ss-Gruppenführer Mühlhaus en daarna ook met commissaris Fuchs.

Sommigen dachten te weten waar deze inschikkelijkheid uit voortkwam. In het korte telefoongesprek dat Rumkowski later in het ziekenhuis zou hebben gehad met de gouverneur van het getto, Hans Biebow, zou hij een belofte hebben gekregen. Als hij alle oude en zieke mensen zou laten vertrekken, zou de Voorzitter in ruil daarvoor onder degenen die voor deportatie waren aangewezen een persoonlijk lijstje hebben mogen samenstellen van *tweehonderd volwaardige en gezonde mannen*, mannen die onontbeerlijk waren voor de voortzetting van het onderhoud en de administratie van het getto, mannen die dus mochten blijven hoewel ze formeel boven de leeftijdsgrens vielen. De Voorzitter zou met dit duivelspact hebben ingestemd omdat hij meende dat dit de enige manier was om het voortbestaan van het getto op termijn veilig te stellen.

Anderen zeiden daarentegen dat Rumkowski al op het moment dat de deportaties waren begonnen zonder dat hij er weet van had, inzag dat het gedaan was met de beloftes aan hem. Dat alles wat de autoriteiten tot dan toe hadden beloofd, leugens en loze woorden waren gebleken. Wat betekende het leven van een enkel familielid als het enige wat hij nog kon doen was onthutst en machteloos toezien hoe het hele geweldige imperium dat hij had opgebouwd, langzaam instortte?

I

Binnen de muren

(april 1940 – september 1942)

Geto, getunya, getokhna, kokhana,
Tish taka malutka e taka shubrana
Der vos hot a hant a shtarke
Der vos hot oyf zikh a marke
Krigt fin shenstn in fin bestn
Afile a ostn oykh dem grestn

[Getto, gettootje lief en klein,
Zo dierbaar en toch zo vilein
Wie de meeste kracht heeft
Wie op de grootste voet leeft
Wordt met nog meer macht gekroond
En met nog meer overvloed beloond]

Jankiel Herszkowicz, 'Geto, getunya'
(gecomponeerd en uitgevoerd in het getto, ca. 1940)

Het getto: plat als een pannendeksel tussen het onweerswolkenblauw van de hemel en het betongrijs van de aarde.

Alleen gelet op de afwezigheid van geografische hindernissen zou het tot in het oneindige kunnen doorgaan: een samenraapsel van gebouwen bezig te herrijzen uit hun ruïnes of opnieuw in te storten. Hoe uitgestrekt het werkelijk is, wordt echter pas volledig zichtbaar wanneer men zich *binnen* de omheining van grove planken en prikkeldraadversperringen bevindt die de Duitse bezetters eromheen hebben opgetrokken.

Als het ondanks alles mogelijk was om zich – bijvoorbeeld vanuit de lucht – een beeld te vormen van het getto, zou men duidelijk zien dat het uit twee helften of lobben bestaat.

De noordelijke lob is het grootst. Die strekt zich uit van het Bałutyplein en het oude kerkplein met de Mariakerk in het midden – de hoge dubbele torens ervan zijn overal vandaan te zien – door de resten van wat ooit de 'oude stad' van Łódź was, tot aan de tuinstad Marysin.

Voor de oorlog was Marysin vooral een verloederd volkstuinhuisjesgebied, vol van schijnbaar willekeurig gebouwde werkplaatsjes, varkensstallen en schuren. Na de afsluiting van het getto zijn de kleine groentetuintjes en volkstuinhuisjes veranderd in een buurt met zomerhuizen en recreatieverblijven van speciaal geselecteerde leden van de bestuurlijke elite van het getto.

In Marysin ligt ook de grote Joodse begraafplaats en, aan de andere kant van de omheining: het goederenemplacement bij Radogoszcz, waar de zwaarste materiaaltransporten binnenkomen. Eenheden van dezelfde *Schutzpolizei* die het getto dag en nacht bewaken, leiden elke ochtend brigades Joodse arbeiders het getto uit om te helpen bij het laden en lossen aan het perron; en dezelfde politie-afdeling ziet er aan het eind van de werkdag nauwlettend op toe dat de arbeiders het getto weer in worden gedreven.

Tot de noordelijke gettolob behoren alle buurten ten noorden en ten oosten van de straat die het getto doorsnijdt, de Zgierskastraat. Al het doorgaande verkeer, ook het tramverkeer tussen Oost- en West-Łódź, gaat door deze straat, die bij welhaast ieder huizenblok bewaakt wordt door Duitse politie. De twee drukste van de in totaal drie houten bruggen van het getto overspannen de Zgierskastraat. De eerste van die bruggen bevindt zich bij het Oude Plein. De andere brug, door de Duitsers *Hohe Brücke* genoemd, loopt van het stenen fundament van de Mariakerk naar de Lutomierskastraat, aan de andere kant van de Kirchplatz. De zuidelijke lob omvat de buurten rond de oude Joodse begraafplaats en het Bazarowaplein, waar de oude synagoge ooit stond (nu omgebouwd tot paardenstal). De weinige huurpanden van het getto die stromend water hebben, bevinden zich in deze buurten.

Een andere grote straat, de Limanowskiegostraat, komt vanuit het westen in het getto en verdeelt zo de zuidelijke lob in twee kleinere delen. Ook hier is een houten brug, zij het een minder drukke: die verbindt de Masarska- en de Wesołastraat met elkaar.

In het midden van het getto, precies daar waar de twee hoofdstraten, de Zgierska- en de Limanowskiegostraat bij elkaar komen, ligt het Bałutyplein. Dit plein is als het ware de maag van het getto. Al het materiaal dat het getto nodig heeft, wordt hier verteerd en dan doorgestuurd naar de *resorty* van het getto. En hier*vandaan* gaan ook de meeste goederen die in de fabrieken en werkplaatsen van het getto worden geproduceerd. Het Bałutyplein is de enige neutrale zone in het getto waar Duitsers en Joden elkaar ontmoeten, volkomen afgezonderd, omgeven door prikkeldraad, met slechts twee, voortdurend bewaakte 'poorten': een noordelijke bij de Łagiewnickastraat en een zuidelijke, naar het 'arische' Litzmannstadt, bij de Zgierskastraat.

De Duitse gettoadministratie heeft ook een lokaal kantoor aan het Bałutyplein, in een paar barakken die pal naast het secretariaat van Rumkowski liggen: het 'hoofdkwartier', zoals het in de volksmond heet. Hier bevindt zich ook het Centrale Arbeidsbureau (*Centralne Biuro Resortów Pracy*), onder leiding van Aron Jakubowicz, die het werk in de resorty van het getto coördineert en eindverantwoordelijk is voor de gehele productie en handel met de Duitse overheid.

44

Een overgangsgebied.

Een niemands- of misschien liever gezegd een *allemansland* midden in dit streng bewaakte Jodenland waar zowel Duitsers als Joden toegang toe hebben – zij het de laatstgenoemden alleen op voorwaarde dat ze een geldig pasje kunnen laten zien.

Of misschien gewoon het *knelpunt* bij uitstek, midden in het getto, dat verklaart waarom het getto er eigenlijk *ís*. Een enorme verzameling vervallen, onhygiënische gebouwen rond wat in wezen niet meer is dan een gigantisch exportstation.

Hij had al vroeg ontdekt dat er als het ware een stomheid om hem heen heerste. Hij praatte en praatte maar, maar niemand luisterde of de woorden kwamen niet aan. Het was alsof hij opgesloten was in een koepel van doorzichtig glas.

De dagen toen zijn eerste vrouw Ida op sterven lag: in februari 1937, tweeënhalf jaar voordat de oorlog uitbrak en na een lang huwelijk dat tot zijn grote verdriet geen vrucht had gedragen. De ziekte, die misschien verklaarde waarom Ida kinderloos bleef, maakte dat haar lichaam en ziel langzaam wegkwijnden. Toen hij op het laatst het dienblad naar de kamer bracht waar zij door twee jonge dienstmeisjes werd verzorgd, herkende ze hem niet meer. Op sommige momenten was ze beleefd en correct, als tegen een vreemde; andere keren was ze kortaf en stuurs. Een keer sloeg ze het dienblad uit zijn hand en schreeuwde dat hij een *dibek* was en dat hij verdreven moest worden.

Hij waakte over haar terwijl ze sliep; alleen op die manier kon hij er zeker van zijn dat hij haar nog volledig bezat. Ze lag ingesnoerd in haar van zweet doordrenkte lakens en sloeg wild om zich heen. *Raak me niet aan*, schreeuwde ze, *blijf met je vieze poten van me af.* Hij liep naar het trapportaal en riep naar de dienstmeisjes dat ze gaüw een dokter moesten halen. Maar ze stonden hem onder aan de trap alleen maar aan te staren, alsof ze niet begrepen wie hij was of wat hij zei. Het draaide erop uit dat hij zelf moest gaan. Hij wankelde als een dronkenman van deur tot deur. Ten slotte kreeg hij een dokter te pakken die twintig złoty vroeg alleen maar om zijn jas aan te trekken.

Maar toen was het te laat. Hij boog over haar heen en fluisterde haar naam, maar ze hoorde het niet. Twee dagen later was ze dood.

Hij had ooit zijn geluk gezocht als pluchefabrikant in Rusland, maar de revolutie van de bolsjewieken kwam ertussen. Zijn haat tegen alles wat socialist en bundist was, stamde uit die tijd. Ik weet het een en ander over communisten wat niet geschikt is voor beschaafde salons, zei hij wel.

Hij beschouwde zichzelf als een eenvoudig en praktisch mens, zonder gekunstelde maniertjes. Wanneer hij sprak, deed hij dat in klare taal, luid en duidelijk, en met een indringende, ietwat schelle stem, waardoor velen zich ongemakkelijk voelden en hun blik afwendden.

Hij was lang lid van de Centrale Zionisten, de partij van Theodor Herzl, maar meer uit praktische overwegingen dan vanuit een vurig geloof in de zionistische zaak. Toen de Poolse regering in 1936 de verkiezingen voor de lokale Joodse raden opschortte uit angst dat de socialisten ook daarin de macht zouden grijpen, traden alle zionisten uit de kehila van Łódź af en lieten ze Agudat Israel de raad alleen besturen. Allemaal, behalve Mordechai Chaim Rumkowski, die weigerde zijn plaats in de raad ter beschikking te stellen. Zijn critici, die reageerden door hem uit de partij te zetten, zeiden dat hij als het erop aankwam nog zou samenwerken met de duivel zelf. Ze wisten niet hoezeer ze gelijk hadden.

Ooit had hij er ook van gedroomd dat hij een rijk en succesvol stoffenfabrikant zou worden, zoals de andere legendarische namen in Łódź: Kohn, Rozenblat of de ongeëvenaarde Izrael Poznanski. Een tijdje had hij een weverij gehad, samen met een compagnon. Maar hij miste het vereiste geduld voor zaken. Hij liep rood aan van woede om elke levering die te laat kwam, vermoedde verraad en bedrog achter elke factuur. Ten slotte was het ook tot conflicten gekomen met zijn compagnon. Daarop volgden het Russische avontuur en het faillissement.

Toen hij na de oorlog terugkeerde naar Łódź ging hij als agent en commissionair werken voor verzekeringsmaatschappijen als Silesia en Prudential. Er verschenen nieuwsgierige en verschrikte gezichten voor de ramen wanneer hij aanklopte, maar niemand durfde de deur open te doen. Men noemde hem Pan Śmierć, meneer Dood, en het gezicht van de Dood had hij ook wanneer hij zich door de straten voortsleepte, omdat hij van zijn verblijf in Rusland hartziek was geworden. Vaak zat hij alleen in een van de chique cafés aan de Piotrkowskastraat, waar de artsen en advocaten zaten in wier voorname kringen hij ook graag gezien zou willen worden.

Maar niemand wilde een tafel met hem delen. Ze wisten dat hij een on-geletterd man was, die zijn toevlucht nam tot de grofste dreigementen en beledigingen om zijn verzekeringen aan de man te brengen. Tegen een verfhandelaar aan de Koscielnastraat zei hij dat die dood mocht neervallen als hij zijn gezin niet onmiddellijk inschreef, en de volgende ochtend vond men hem dood onder het opklapluik van zijn toonbank, en zijn vrouw en zijn zevenkoppige kinderschaar hadden plotseling geen middelen meer om in hun levensonderhoud te voorzien. Aan de cafétafel van meneer Dood kwamen en gingen mannen met geheime mededelingen: ze zaten met de rug naar de anderen toe en lieten hun gezicht niet zien. Er werd ge-zegd dat hij toen al omging met bepaalde mensen die later in het getto deel uit zouden maken van de Beirat – 'derderangs "types", met weinig gevoel voor het algemeen belang en nog minder voor normale rechtschapenheid en fatsoen'. In plaats van de 'grote mannen' die hij benijdde, was het een soort schooiersge-spuis dat hem op de voet volgde waar hij ook ging.

Maar toen gebeurde er iets: een bekering.

Voor de kinderen en de kindermeisjes in het Groene Huis zou hij het la-ter beschrijven als het woord van de Heer dat zich plotseling en onver-wacht aan hem openbaarde met de kracht van een vermaning. Vanaf die dag, zei hij, was de ziekte van hem geweken alsof het een uiterst vluchtige hersenschim was geweest.

Het was 's winters. Neerslachtig had hij zich door een van de donkere steegjes in Zgierz gesleept, toen hij opeens een meisje aantrof dat ineen-gedoken onder een metalen afdak bij een tramhalte zat. Het meisje deed hem stilstaan en vroeg met een stem die trilde van de kou of hij iets te eten voor haar had. Hij deed zijn lange jas uit, sloeg die om het meisje heen, en vroeg toen wat ze zo laat nog buiten deed en waarom ze niets te eten had. Ze antwoordde dat haar ouders allebei dood waren en dat ze geen onder-dak had. Geen van haar familieleden had haar in huis willen nemen of haar iets te eten willen geven.

Toen nam de toekomstige Voorzitter het meisje met zich mee naar de top van de heuvel waar de klant die hij wilde bezoeken woonde, op de bovenste verdieping van een groot en statig huis. Het was een zakelijke kennis van de beroemde stoffenhandelaar en filantroop Heiman-Jarecki. Rumkowski zei tegen deze man dat hij, als hij een beetje wist wat Joodse *tsdóke* inhield, dit weesmeisje onmiddellijk binnen zou laten, haar een voedzame maaltijd zou geven en een warm bed om in te slapen; en de zakenman, die op dat moment begreep dat hij met de dood speelde als hij weigerde, waagde het niet Rumkowski niet te gehoorzamen.

Vanaf die dag veranderde Rumkowski's leven radicaal.

Vervuld van nieuwe energie verwierf hij zich een vervallen boerenhuis in Helenówek, vlak bij Łódź, en stichtte daar een kolonie voor weeskinderen. Het idee was dat geen enkel Joods kind zou hoeven op te groeien zonder eten en onderdak en ten minste een rudimentaire schoolopleiding. Hij las veel, nu voor het eerst ook werken van de stichters van de zionistische beweging: Ahad Haam en Theodor Herzl. Hij droomde ervan vrije kolonies te stichten, waar kinderen niet alleen de grond konden bewerken als echte *kibbutznikim*, maar ook eenvoudige ambachten konden leren ter voorbereiding op de ambachtsscholen die hun wachtten wanneer ze het kindertehuis eenmaal verlieten.

Middelen om zijn *Kinderkolonie* te drijven kreeg hij onder meer van de Amerikaans-Joodse hulporganisatie JDC, *Joint Distribution Committee*, die ruim en overvloedig bijdroeg aan allerlei welzijnsinstellingen in Polen. De rest van het geld haalde hij net zo binnen als hij levensverzekeringen had verkocht. Hij had zo zijn methodes.

Dus daar hebben we meneer Dood weer. Maar ditmaal verkoopt hij geen levensverzekeringen, maar steun voor onderhoud en educatie van weeskinderen. Hij heeft namen voor al zijn kinderen. Ze heten Marta, Chaja en Elvira en Sofia Granowska. Hij heeft foto's van hen in zijn portefeuille. Kleine, krombenige drie- of vierjarigen, met de ene hand in hun mond en de andere omhoogtastend naar een onzichtbare volwassene.

En nu kunnen de toekomstige verzekeringnemers zich niet meer achter de gordijnen verscholen houden. Meneer Dood heeft zich een beroep verschaft dat maakt dat hij boven leven en dood staat. Hij zegt dat het de morele plicht van iedere Jood is om te geven aan de zwakken en behoeftigen. En als Rumkowski van de gever niet krijgt wat hij begeert, dan dreigt hij alles op alles te zetten om diens reputatie te bezoedelen.

Zijn Kinderkolonie groeide en bloeide.

In het jaar voordat de oorlog begon, woonden er zeshonderd weeskinderen in Helenówek, en allemaal beschouwden ze Rumkowski als een vader; en allemaal groetten ze hem blij wanneer hij vanuit de stad de lange oprit naar het boerenhuis op kwam rijden. Zijn zakken zaten altijd vol met snoepgoed, dat hij als confetti over hen heen gooide om ervoor te zorgen dat zij achter hém aan renden en niet hij achter hén aan.

Maar meneer Dood is meneer Dood, welke jas hij ook draagt.

Er is een bepaald roofdier, vertelde hij de kinderen in het Groene Huis een keer. Het is samengesteld uit kleine stukjes van alle dieren die de Heer ooit geschapen heeft. De staart van dit dier is gespleten en men kan het op vier benen zien lopen. Het heeft schubben als een slang of een hagedis en tanden zo scherp als een everzwijnbeer. Onrein is het; zijn buik sleept over de grond. Zijn adem is heet als vuur en verbrandt alles om hem heen tot as.

Zo'n roofdier kwam er in de herfst van 1939 naar ons toe. Alles veranderde het. En mensen die vroeger vreedzaam naast elkaar leefden, werden een deel van het lichaam van dit roofdier.

De dag nadat Duitse tanks en legervoertuigen het Plac Wolności in Łódź op reden, liep er een groep ss'ers door de hoofdstraat van de stad, de Piotrkowskastraat, dronken van goedkope Poolse wodka, en sleurden Joodse kooplieden uit hun winkel of uit hun *dróshke*. Het heette dat er ergens goedkope Joodse arbeidskracht nodig was. De Joden mochten niet eens hun eigendommen bij elkaar rapen. Ze werden in grote groepen bij elkaar gebracht, in rijen opgesteld en kregen bevel een bepaalde kant op te marcheren.

De zakenlieden sloten hun winkels. De gezinnen die dat konden, barricadeerden zich in hun eigen huis. De Duitse bezettingsautoriteiten vaardigden toen een decreet uit dat de Gestapo toestond alle huizen binnen te gaan waar Joden zich verborgen of waarvan men zei dat ze er rijkdommen verstopt hielden. Alles van waarde werd in beslag genomen. Wie protesteerde of zich verzette, werd gedwongen tot allerlei vernederende handelingen voor het oog van iedereen. Een hoge Gestapo-officier spuugde op straat. Achter hem liepen drie vrouwen die gedwongen werden met elkaar te vechten om wie er het eerst bij was om het speeksel op te likken. Andere vrouwen kregen opdracht de openbare toiletten van de stad met hun eigen tandenborstels en ondergoed schoon te maken. Joodse mannen, jong en oud, werden voor wagens en karren gespannen en gedwongen die, volgeladen met stenen of afval, van de ene plaats naar de andere te trekken. Dan uitladen en vervolgens weer alles opladen. Gewone Polen stonden er zwijgend naast – of riepen domweg instemmend.

De leden van de Joodse gemeenteraad probeerden met de nieuwe machthebbers te onderhandelen; samen of ieder voor zich stapten ze naar de nieuwe Duitse stadscommissaris, Leister. Ten slotte stemde Leister ermee in een zekere doctor Klajnzettel te ontvangen in het Grand Hotel, waar hij op dat moment een bespreking had met politiecommissaris Friedrich Übelhör. Doctor Klajnzettel was jurist en had een lange lijst met protesten bij zich tegen onteigening van Joodse gronden en eigendommen na de Duitse inval.

Er stond een grote walnotenboom voor het hotel. Na twintig minuten kwam Klajnzettel uit het hotel, begeleid door twee geüniformeerde ss'ers die een lang touw pakten, de doctor bij zijn enkels en zijn knieën vastbonden en ophesen, zodat hij ondersteboven aan de boom hing. Rondom de boom had zich een grote drom Poolse mannen en vrouwen verzameld die eerst ontzet waren, maar toen begonnen te lachen om het gekronkel van de ondersteboven aan de boom hangende Klajnzettel. Er stonden ook een paar Joden in de menigte, maar niemand durfde in te grijpen. Een paar soldaten die voor het hotel op wacht stonden en niets te doen hadden, begonnen stenen naar Klajnzettel te gooien om een eind te maken aan diens geroep en geschreeuw. Na een poosje begonnen een paar Polen in de groep ook stenen te gooien. Ten slotte hagelde het stenen naar de walnotenboom, en de man die daar als een vleermuis hing, met zijn eigen jaspanden voor zijn gezicht, bewoog niet meer.

Een van degenen die getuige waren van de steniging van doctor Klajnzettel was Mordechai Chaim Rumkowski. Hij wist uit eigen ervaring waar een steniging toe kon leiden en meende bovendien iets te weten over de aard van het monster dat de Poolse bevolking van de stad in zijn ruwe hagedissenhuid leek te hebben opgeslokt. Hij meende te weten dat wanneer de Duitsers het hadden over Joden, ze het dan niet hadden over mensen, maar over wellicht nuttige, doch in wezen verwerpelijke gebruiksgoederen. Een Jood was een afwijking op zichzelf; alleen al het feit dat Joden iets van een eigen aard hadden, was een monstruositeit. Naar Joden kon men slechts verwijzen in *collectieve* vorm. In vastgestelde hoeveelheden. Quota, kwantiteiten. Dit dacht Rumkowski: *om het monster te laten begrijpen wat je be-*

doelde, was je zelf gedwongen te gaan denken zoals het monster dacht. Niet de enkeling zien, maar de velen.

Op dat moment besloot hij zich per brief tot Leister te wenden. Hij zorgde er zorgvuldig voor te benadrukken dat de brief zijn *persoonlijke* mening uitsprak en dat hij dus niet noodzakelijkerwijs werd gedeeld door de overige leden van de kehila van Łódź. Maar een voorstel bevatte de brief niettemin:

> *Wanneer u zevenhonderd arbeiders nodig hebt, wend u dan tot ons: wij leveren u zevenhonderd arbeiders.*
>
> *Hebt u er duizend nodig, dan leveren wij u er duizend.*
>
> *Maar zaai geen angst onder ons. Sleur mannen niet van hun werk, vrouwen uit hun huis, kinderen uit hun gezin.*
>
> *Laat ons in vrede, rust en stilte leven – en wij beloven dat we u zo lang mogelijk zullen bijstaan.*

Toen luisterde er eindelijk iemand naar Rumkowski.

In een bekendmaking van 13 oktober 1939 liet Albert Leister mededelen dat hij de oude kehila van Łódź had opgeheven en in plaats daarvan Mordechai Chaim Rumkowski had benoemd tot voorzitter van een nieuwe bestuurlijke Ältestenrat, die slechts aan hem verantwoording schuldig was.

De mars naar het getto –

Het is februari 1940.

Sneeuw op de grond. De lucht erboven witglanzend, roerloos.

Over de sneeuw rollen knarsende wagenwielen, koetsen met bezwijkende vering, trekkarren volgestapeld met koffers en ternauwernood vastgesjorde meubels.

Sommigen gaan voorop en trekken het gespan, anderen lopen aan de achterkant of aan de zijkant te duwen om erop toe te zien dat de kolossale berg tassen en koffers er niet aftuimelt.

Tienduizenden mensen in beweging. Hoge heren en arbeiders. De grijze winterdag maakt geen verschil. Sommigen lopen ondanks de kou slechts in een jurk of in een overhemd met korte mouwen, of met een deken of een jas om hun schouders, uit hun schuilplaatsen verdreven door de Gestapo, die doorgaat met huiszoekingen in elk Joods huis. In de huizen zijn sporadisch schoten te horen. Er ligt gebroken glas op de sneeuw.

Hij zingt wanneer hij de kinderen uit Helenówek begeleidt.

Alles hebben ze bij zich: ook oude huisjuffen, kokkinnen en kindermeisjes.

Ze zijn net een reisgezelschap. Vastgesjorde potten en pannen rammelen.

Ze hebben vijf koetsen tot hun beschikking; daaronder het rijtuig dat later zijn eigen *dróshke* zal worden, met uitklapbare opstap en zilveren bordjes aan de zijkanten.

Hij zit in de voorste koets naast de koetsier, Lev Kuper, samen met enkele van de kinderen: met zijn dikke wintermuts op en zijn jas met bontstiksels en -kraag. Ze rijden langs de ruïnes van de tempelsynagoge aan de Kósciuszkistraat.

Aan de kinderen vertelt hij over de plaats waar hij vandaan komt.

Die lijkt op de plaats waar ze naartoe gaan: Een *piepklein* plaatsje, legt hij uit. Zo klein dat het in een lucifersdoosje past.

Hij houdt zijn tabaksbruine handen omhoog en laat het zien.

Hij heeft een licht, bijna pieperig stemmetje. Het is de combinatie van zijn dunne, eentonige stem en de zwaarte van zijn lichaam (hij is niet lang of anderszins fors, maar *zwaar*) die een zo overweldigende indruk maakt op de kinderen die de pech hadden hem tegen te komen; dit en de woede die in hem op kon komen, plotseling en volkomen overweldigend van intensiteit. Met zijn ogen opengesperd en het speeksel over zijn lippen sproeiend laat hij de sarcasmes op de stagiairs, kantoorbedienden of dagloners neerhagelen die hun taak niet naar behoren hebben uitgevoerd, en een seconde later volgt zijn wandelstok. Ook wanneer zijn stem zacht en warm klinkt, wat vaak het geval is, beseft men dat die geen tegenspraak duldt.

Hij is zich ook sterk bewust van het effect dat hij op anderen heeft; op dezelfde intuïtieve manier als waarop een acteur zich bewust is van het uitdrukkingenregister dat hem op het toneel ten dienste staat. De kinderlijke idioot spelen. Of de volhardende, onvermoeibare, trouwe arbeider. Een oud, wijs man met halfblinde ogen en een gebarsten stem die het hele leven heeft zien passeren. Hij is er bijna griezelig goed in deze verschillende gedaantes aan te nemen of verschillende mensen zo in de rede te vallen dat hij precies zo klinkt als zij –

Een schoenmaker was er in deze kleine stad en een smid.

(Imiteert hij:)

Er was een bakker en een lijndraaier.

Er was een kuiper en een apotheker.

Er was een meubelmaker en een touwslager.

En natuurlijk was er ook een rabbi.

(die woonde diep in de synagoge in een onverwarmde kamer vol boeken en paperassen)

En een schoolleraar was er ook, een leraar die niet was zoals jullie leraren, maar een met een goed oog en een kwaad.

(met het goede oog hield hij iedereen in de gaten die nuttig bezig was – en met het kwade oog iedereen die maar wat aan het niksen en lui was)

Wanneer hij tegen of in het bijzijn van kinderen spreekt, is zijn dunne stem vlak en gelijkmatig als een steen, maar hij heeft dan tegelijk ook een wat pietluttige toonval. Zijn tong en gehemelte houden provisorisch halt bij elke lettergreep om zich ervan te verzekeren dat de kinderen luisteren.

En de kinderen luisteren ook werkelijk: de oudere met een uitdrukking van blinde fascinatie op het gezicht, alsof ze niet genoeg kunnen krijgen van de weloverwogen, ritmische metronoomtik van die dunne stem.

Voor de jongere kinderen is die stem zo mogelijk nog hypnotiserender. Zodra de Voorzitter begint te praten is het alsof de mens achter de stem verdwijnt en alleen de stem overblijft, vrij in de lucht hangend als de gloed van de sigaret die hij ergens tijdens zijn verhaal uit een zilveren etui heeft gehaald en opgestoken.

En er was er een die zo'n beetje alles kon van datgene waarover ik jullie nu vertel: Kamiński heette hij.

Hij schoor en vilde ossen en schapen.

Hij verstond ook de kunst de huid op de oude manier te looien, wat inhield dat de huiden met vet werden ingesmeerd en boven open vuur werden verbrand.

Hij verstond zelfs de kunst klokken te repareren.

Hij maakte van kruiden aftreksels die wonden schoonmaakten en zwellingen deden slinken.

Hij wist exact welk soort klei er nodig was om de ovenstenen van kapotgebrande fornuizen dicht te voegen.

Zelfs wilde wolven zei men dat hij kon temmen.

De Voorzitter zweeg even.

Het puntje van zijn sigaret gloeide rood op en doofde weer wanneer hij een trek nam, en dan nog een. *Hij heette Kamiński,* voegde hij er nog stilletjes voor zichzelf aan toe.

Het oplichten van de sigarettengloed verzachtte zijn gegroefde, oude gezicht en gaf hem iets naar binnen gekeerds. Alsof hij zelf duidelijk de man voor zich zag die hij nu voor hen probeerde op te roepen:

Hij heette Kamiński...

En op deze Kamiński was iedereen woedend.

(de rabbi was woedend, omdat hij een gezant van Satan in hem zag, maar ook de bakker, de leerlooier, de stratenmaker, de slotenmaker en de apotheker waren woedend, omdat ze hem ervan verdachten dat hij hun klanten onder hun ogen wegkaapte...)

Eensgezind besloten daarom alle leden van onze kehila hem uit de stad te laten deporteren.

Maar eerst werd bepaald dat hij in een kooi gezet zou worden en op het marktplein tentoongesteld.

Veertig dagen zat hij in de kooi, een gevangen dier dat zijn tanden ontblootte als een wolf, terwijl hij intussen de kinderen die om de kooi heen zwermden liet zien hoe je matses bakt –

klap klap met beide handen

(zo!)

De Voorzitter klemde zijn sigaret tussen zijn lippen. Stak zijn handen op en liet het zien door zijn handpalmen tegen elkaar te slaan en te klappen.

Brood, zei hij glimlachend.

De Heer schiep en ordende de wereld in zeven dagen.

Rumkowski deed er drie maanden over.

Al op 1 april 1940, exact een maand voordat het getto dichtging, opende hij een kleermakerij aan Łagiewnickastraat 45 en droeg hij de krachtdadige fabrikant Dawid Warszawski op het werk daar te leiden. Dat was het resort dat later de Centrale Kleermakerij werd gedoopt. Vlak daarna, in mei, werd er nog een kleermakerij in gebruik genomen, aan de Jakubastraat, vlak bij de gettogrens. Op 18 juli werd er, in dezelfde ruimtes als de Centrale Kleermakerij, een schoenmakerswerkplaats geopend.

En zo ging het maar door:

14 juli: een meubelmakerij en een houtwarenfabriek aan Drukarska 12-14, met bijbehorende houtwarenopslag op het erf.

18 juli: nog een kleermakerij, aan Jakuba 18.

4 augustus: een werkplaats voor het stofferen van meubels aan Urzędnicza 9. Ook matrassen werden hier gemaakt, evenals zitbanken en fauteuils (met vulling van gedroogd zeewier).

5 augustus: een linnenfabriek aan Młynarskastraat 5.

10 augustus: een leerlooierij aan Urzędnicza 5-7 (hier werden zolen en bovenleer gelooid voor schoenen en laarzen die later voor de Wehrmacht zouden worden geproduceerd).

15-20 augustus: een ververij, een schoenmakerij (eigenlijk een pantoffelfabriek) in Marysin; en nog een kleermakerij, ditmaal aan Łagiewnickastraat 53.

23 augustus: een metaalfabriek aan Zgierska, die onder meer vaten, kuipen, teilen en allerlei soorten emmers van metaal maakte, zelfs metalen af-

dekkingen voor gasaggregaten en dergelijke, in eerste instantie voor militair gebruik.

17 *september:* (nog) een kleermakerij, aan Młynarskastraat 2.

18 *september:* andermaal een kleermakerij, Zabiastraat 13.

8 *oktober:* een bontfabriek, Ceglana 9.

28 *oktober:* weer een kleermakerij, Dworskastraat 10.

Behalve uniformen voor het Duitse leger maakte men in de kleermakerijen (voor hetzelfde leger): veiligheids- en camouflagekleding; allerlei soorten schoeisel: gewone schoenen, legerkistjes, laarzen; leren riemen met metalen gespen; dekens, matrassen. Maar ook allerlei soorten dames-onderkleding: korsetten en bustehouders. En voor heren: oorwarmers en wollen jassen van het type dat in die tijd verkocht werd onder de naam 'golfjacks'.

Zijn bestuurskantoor richtte Rumkowski op bevel van de autoriteiten in in een aantal samengevoegde houten barakken aan het Bałutyplein. In een paar soortgelijke barakken ernaast had de Duitse *Gettoverwaltung* haar plaatselijke kantoor. Het deel van de gettoadministratie dat viel onder het stadsbestuur lag aan de Moltkestrasse in het centrum van Litzmannstadt.

Hoofd van de Gettoverwaltung was Hans Biebow.

Biebow ondersteunde al vanaf het begin de plannen van Rumkowski. Als Rumkowski Biebow vertelde dat er honderd stofsnijmachines te weinig waren, dan regelde Biebow honderd stofsnijmachines.

Of naaimachines.

Naaimachines waren in deze oorlogs- en crisistijden moeilijk te vinden. Veel van de mensen die voor de Duitse invasie uit Polen waren gevlucht, hadden hun vrij eenvoudige machines meegenomen.

Maar ook naaimachines regelde Biebow. Ze kwamen weleens in defecte toestand aan, want Biebow probeerde altijd een zo laag mogelijke offerte te krijgen. Maar Rumkowski's reactie was dat het niet uitmaakte of de Singers bruikbaar waren of niet. Hij had het probleem voorzien en twee reparatiewerkplaatsen voor naaimachines laten inrichten in het getto. De ene aan Rembrandtgasse (Jakuba) 6, de andere aan Putzigerstrasse (Pucka) 18.

Zo verliep hun samenwerking in het begin: wat de een als noodzakelijk beschouwde, regelde de ander.

Zo groeide het getto: uit niets ontstond plotseling de belangrijkste materialenleverancier van het Duitse leger.

◆

Ziehier Biebow. Hij geeft een tuinfeest voor zijn personeel op een lommerrijk binnenplein in de buurt van het kantoor van het stadsbestuur van de Duitse bezetters aan de Moltkestrasse. Het is zijn verjaardag.

Op de achtergrond: een lange tafel, gedecoreerd met bloemenkransen en verse snijbloemen. Hoge, smalle glazen rij aan rij opgesteld. Stapels bordjes. Schalen met koekjes, gebakjes en fruit. Rondom de tafel staan veel glimlachende mensen, de meesten in uniform.

Biebow zelf op de voorgrond, gekleed in licht kostuum met donkere stropdas en een colbert met smalle revers. Zijn haar is militair hoog opgeschoren in de nek en opzijgekamd, wat zijn hoekige gezichtsvormen met de geprononceerde kin en jukbeenderen accentueert. Naast hem zijn financieel chef Joseph Hämmerle en Wilhelm Ribbe, hoogstverantwoordelijke voor goederenleveranties en materialeninkoop van het getto, zichtbaar. Het smalle, bijna vosachtige gezicht van laatstgenoemde komt tevoorschijn tussen twee wat corpulente vrouwen, die hij tegelijkertijd om hun middel vasthoudt. De twee vrouwen hebben gewatergolfd haar en duidelijk zichtbare kuiltjes in hun wangen. Waar ze om lachen is de Thorarol die Biebow in zijn hand heeft en die hij als verjaardagscadeau heeft gekregen.

Daarbij gaat het om een van de schriftrollen die de plaatselijke rabbijnen in november 1939 op het laatste moment wisten te redden uit de brandende synagoge aan de Wolborskastraat en die de Duitsers als het ware nógmaals geconfisqueerd hebben, ditmaal uitsluitend met het doel hem Biebow als *Geburtstagsgeschenk* te geven. Het is onder de hogergeplaatste Duitse officieren en functionarissen in Łódź algemeen bekend dat Biebow een grappig zwak heeft voor allerhande judaïca. Hij beschouwt zich zelfs als een soort expert op het gebied van Joodse kwesties. In een brief aan het Reichssicherheitshauptamt in Berlijn heeft hij zichzelf al aangeboden om bestuur en administratie van het concentratiekamp in Theresienstadt over te nemen. Daar waren gecultiveerde Joden, in tegenstelling tot de arme, ongeschoolde arbeiders die hier in overvloed zaten.

Rumkowski meent dat hij Biebow tegen deze tijd vrij goed heeft leren kennen. *Er ist uns kein Fremder*, pleegt hij over hem te zeggen. Niets was verder bezijden de waarheid.

Biebow is een grillige bestuurder. Het gebeurt wel dat hij weken niet in het getto komt, om dan met een grote delegatie binnen te stormen en een onmiddellijke inventarisatie van alle manufacturen te eisen. Met zijn lijfwachten in zijn kielzog gaat hij dan van fabriek naar fabriek en snuffelt de materiaalvoorraad door op jacht naar alles wat weggemoffeld zou kunnen zijn. Als hij op weg naar het kantoor aan de Baluter Ring toevallig een paard-en-wagen of handkar met aardappels of groenten erop passeert die op weg is naar de gaarkeukens van het getto en als er dan ook maar één aardappel van de laadbak afrolt, houdt hij de hele equipage met een majesteitelijk handgebaar tegen en gaat op zijn knieën om de gevallen aardappel op te rapen. Dan borstelt hij hem zorgvuldig af aan de mouw van zijn colbert alvorens hij hem met een voorzichtig, bijna eerbiedig gebaar teruglegt op de laadbak.

Men moet zuinig zijn op het weinige dat men heeft.

Deze zorg voor elk in het getto over het hoofd gezien detail laat zich maar moeilijk verenigen met Biebows verder op zijn zachtst gezegd expansieve persoonlijkheid. Als hij op kantoor arriveert, is hij zelden nuchter, en wanneer hij zich in deze in zijn eigen woorden 'gezegende toestand' bevindt, roept hij zijn Judenälteste vaak bij zich. Op een keer zit hij, als Rumkowski komt, achter zijn bureau te janken als een hond. Bij een andere gelegenheid kruipt hij op handen en voeten voor zijn bureau en imiteert een dampende locomotief. Dat was de dag nadat het eerste uitreisbevel was gegeven: het bevel tot de eerste treinkonvooien naar de vernietigingskampen in Chełmno.

Meestal slaat Biebow een veel vriendelijker toon aan. Hij wil *redeneren.* Hij wil praten in termen van productiequota en levensmiddelenleveranties. Zulke gesprekken maakten soms dat er een merkwaardige, valse vertrouwelijkheid tussen hen ontstond. *Nou zeg, je krijgt een behoorlijk buikje, Rumkowski,* kon hij bijvoorbeeld zeggen terwijl hij zijn armen om Rumkowski's middel sloeg.

Dat was geen gezicht, natuurlijk: de koffiehandelaar uit Bremen die de Judenälteste omklemde als een onwillige pilaar. Rumkowski stond met zijn hoed in zijn hand en zijn hoofd onderdanig gebogen, zoals altijd. Bij dit soort gelegenheden kwam Biebow altijd met uiteenzettingen over zijn stelling dat iemand die honger heeft het hardst werkt.

Arbeiders met een volle maag worden papperig, zei hij.

Ze kunnen hun gereedschap niet vasthouden, zei hij.

Ze zakken op hun kont.

En als ze niet op hun kont zakken, kunnen ze hun ogen niet van de klok aan de muur houden, die hun vertelt wanneer ze weg mogen om hun vetgemeste lijven te laten uitrusten.

Nee, theoretiseerde hij verder, het is zaak de zwijnen op het niveau te houden dat ze wel íéts hebben, maar nooit echt genoeg. Als ze werken, denken ze de hele tijd aan eten, en de gedachte dat ze straks eten krijgen, maakt dat ze een beetje werken en een beetje wanhopen, de hele tijd op de grens van volhouden, maar toch net niet: *op de grens*, Rumkowski, op de grens.

(*Snapt u?* vroeg hij en keek de Voorzitter daarbij met smekende ogen aan, alsof hij er toch niet zeker van was dat Rumkowski de volledige strekking doorgrondde van wat hij had gezegd.)

◆

Er was een Schuld. Biebow herinnerde hem daar voortdurend aan. De uiterlijke vorm van deze Schuld was een lening van twee miljoen rijksmark die stadscommissaris Leister Rumkowski had verleend om de uitbreiding van de getto-industrie te kunnen bekostigen. Deze lening moest nu worden afgelost, de rente moest worden betaald, en dat gebeurde in de vorm van confiscatie van Joodse eigendommen en productie van goederen, die nu in een steeds gestagere stroom het exportstation aan de Baluter Ring passeerden.

De Schuld had echter ook een innerlijke vorm. Op basis daarvan was vastgesteld wat het werk in het getto feitelijk waard was. Er was een dagrantsoen ingesteld voor iedere gettobewoner: *dertig pfennig*; meer mocht een gettobewoner niet kosten. Dit *jodenrantsoen* was door Biebows hoofd financiën Joseph Hämmerle uitgerekend op grond van wat het kostte om het getto voedsel en brandstof te leveren.

Niemand kon worden geacht op een dagrantsoen van dertig pfennig te kunnen overleven. Als extra toeslag voor gezinnen die kinderen of bejaarden in huis hadden, golden de kosten van melk – voor zover er al melk verkrijgbaar was –, elektriciteit en brandstof. De Voorzitter zette een van zijn mannen erop om de zaak uit te rekenen. Om overleving te garanderen, had elke volwassene in het getto een voedselrantsoen ter waarde van minstens één mark en vijftig pfennig per dag nodig, dus vijf keer zoveel als het door de Duitsers vastgestelde dagelijkse quotum.

Het grootste deel van de leveranties die in het getto aankwamen, was ook nog van minderwaardige of zonder meer ondermaatse kwaliteit. Van een partij van 10.000 kilo aardappels die in augustus 1940 in het getto aankwam, was slechts 1500 kilo te redden. De rest van de partij was zo door en door verrot dat ze in de latrinekuilen in Marysin begraven moest worden.

Wat moet je doen om een getto van 160.000 monden te voeden met 1500 kilo aardappels?

Het was slechts een kwestie van tijd voordat er een hongeroproer zou uitbreken.

In augustus 1940 begonnen de rellen dan ook.

De demonstranten waren aanvankelijk niet gewelddadig, maar ze maakten wel veel lawaai. De ene golf arme, haveloos geklede Joden na de andere welde op uit de gebouwen aan de Lutomierska- en de Zgierskastraat, en algauw kon je in het getto geen andere kant meer op lopen dan die waarheen de protestmars voerde.

Rumkowski besefte meteen dat hij voor een groot dilemma stond.

Leister had al vanaf het eerste moment duidelijk gemaakt dat als hij, Rumkowski, er niet in slaagde de rust en orde in het getto te bewaren, de Gestapo de Joodse Raad met onmiddellijke ingang zou opheffen en dat het zelfbestuur voor de gettojoden waarvan hij had gedroomd, nog slechts een herinnering zou zijn.

Een eigen politiemacht om in te zetten had hij echter niet. Slechts gewapend met hun eigen vuisten en een rubberen stok per man ging de vijftig man ordepolitie die commandant Rozenblat op de been had weten te brengen niet eens in het gelid staan voor de demonstranten. Ze wierpen liever versperringen op in de straten en verdwenen dan weer snel. Maar de demonstranten trokken zich nauwelijks iets aan van versperringen. Algauw stonden ze voor Ziekenhuis Nr. 1 aan de Łagiewnickastraat, waar de Voorzitter zijn 'privécomplex' had, te schreeuwen en te vloeken en leuzen te scanderen. Ze stuurden ook een boodschapper, die eiste dat de

Voorzitter naar buiten kwam om hen 'toe te spreken'.

In het ziekenhuis probeerde de blinde dokter Wiktor Miller telefonisch meer artsen op te roepen om dienst te doen. Dokter Miller had als veldarts deelgenomen aan de vorige Duitse oorlog en toen hij na een Franse artillerieaanval een gesneuvelde soldaat moest helpen wegdragen, was er vlakbij een munitiedepot in de lucht gevlogen. De explosie had zijn rechterbeen en delen van zijn rechterarm weggeblazen, en door beide ogen waren er splinters in zijn schedel gedrongen die hem voor altijd blind hadden gemaakt. Voor die inzet hadden de Duitsers hem wegens 'moed en dapperheid te velde' vereerd met het ijzeren kruis. Maar het was om zijn inzet tijdens het hongeroproer in het getto dat hij voor eens en voor altijd werd vereerd met het epitheton 'de Rechtvaardige'. Terwijl het wondweefsel in zijn gehavende gezicht wit werd onder zijn zwarte bril, en met behulp van alleen maar zijn stok en een paar verwarde verpleegsters, rende hij af en aan om de meest heetgebakerde demonstranten te kalmeren, terwijl hij tegelijkertijd de gewonden op brancards hielp, zodat ze naar de tot provisorische behandelkamers omgevormde wachtkamers konden worden gedragen. Tot dusverre was het de schuld van de meeste gewonden zelf: ze waren door de menigte vertrapt of ten prooi gevallen aan uitputting of uitdroging. Ze hadden immers niets te eten, hoe zouden ze dan in staat zijn te demonstreren? Voor de wachtkamer lag een man die hevig bloedde uit een hoofdwond, veroorzaakt door een straatsteen die eigenlijk bedoeld was voor de twee ramen op de eerste verdieping van het huis van de Voorzitter.

Het was nu duidelijk dat het oproer zich over het hele getto had verspreid.

Intussen waren Rumkowski's broer Józef en diens vrouw Helena gearriveerd bij de kamers in de burelen van het ziekenhuis waar de Voorzitter verbleef. Vanuit het raam op de eerste verdieping zagen ze Rozenblats mannen in het wilde weg slaan met hun onschadelijke stokken, in een zielige poging de menigte te verspreiden. Er ontstonden vechtpartijen in geïsoleerde groepjes, waar mannen weigerden weg te duiken voor de stokslagen en hun aanvallen met stenen en houten stokken voortzetten.

Prinses Helena was hevig verontwaardigd en verklaarde tegenover alle aanwezigen dat het precies zo was als tijdens de revolutie in Parijs, toen de mensen 'hun verstand verloren' en zich tegen hun eigen volk keerden. Ze wankelde onafgebroken heen en weer tussen het raam en het bureau, terwijl ze de hele tijd kreetjes slaakte en met haar armen maaide. Het aanzien van de tumultueuze scènes voor het raam werd haar ten slotte te veel. *Ze zullen ons allemaal vermoorden,* gilde ze met hese stem, en vertoonde vervolgens een van haar meest indrukwekkende bezwijmingen.

Zoals altijd wanneer prinses Helena door een of andere *malaise* werd getroffen, beende Józef Rumkowski op hoge poten naar zijn broer. En daar stond hij dan: vlak voor zijn broer, zijn ogen beschuldigend op hem gericht. Zo had hij zich al gedragen toen ze nog klein waren.

En, wat denk je eraan te doen? vroeg hij.

En Rumkowski? Zoals altijd in zulke gevallen voelde hij hoe gevoelens van ontoereikendheid en schaamte werden vermengd met een onberedeneerde haat: tegen de rigide verwijten van zijn broer en tegen diens onderdanigheid jegens een vrouw die met alle haar ten dienste staande middelen de aandacht van de desbetreffende situatie probeerde af te leiden naar haar eigen grenzeloze zelfbeklag. In normale omstandigheden zou zijn woede op dit moment tot uitbarsting zijn gekomen. Maar tegen Józef hielp geen woede-uitbarsting. Zijn broer bleef hem gewoon aanstaren. Er was geen ontkomen aan, aan deze onbuigzame blik.

Gelukkig hoefden ze geen van beiden iets te doen.

De Duitsers waren al onderweg.

Vanuit de Zgierska waren de sirenes van de wagens van de Duitse politie al te horen – en geheel begrijpelijk ontstond er niet alleen onrust in de gelederen van de demonstranten, maar ook onder de politiemensen die Rozenblat had opgeroepen, van wie de meeste al tegen de grond waren geslagen of dekking hadden gevonden tegen de huismuren van de Spacerowastraat. Zouden ze van de situatie profiteren en proberen eruit te zien alsof ze 'krachtig optraden' wanneer de Duitsers kwamen of zouden ze doen als de demonstranten: zo snel mogelijk zien te vluchten?

De meesten deden het laatste, maar kwamen, net als de demonstranten, niet ver voordat een heel commando van de Duitse ordepolitie alle uitvalswegen met patrouillewagens blokkeerde en met terreinwagens oprukte. Vanuit de wagens openden machinegeweren het vuur om de vluchters, die niet wisten welke kant ze op moesten, in verwarring te brengen, en het volgende moment kwamen er soldaten uit elke doorgang en steeg, hoe klein ook, aanstormen. Binnen een paar minuten was de hele Łagiewnickastraat schoongeveegd en lagen er alleen nog een paar lichamen, met daartussen een zielige verzameling losgebroken straatstenen, achtergebleven petten en vertrapte pamfletten en spandoeken. Die nacht riep Rumkowski een vergadering bijeen waaraan commandant Rozenblat, de blinde dokter Wiktor Miller en het hoofd van het bevolkingsregister, Henryk Neftalin, deelnamen, evenals enkele van de districtscommandanten van het politiekorps, in wie Rozenblat speciaal vertrouwen zei te hebben.

De Voorzitter spoorde de aanwezigen aan verstandig over de situatie na te denken.

Mensen gingen niet zomaar de deur uit, zeker mannen die een gezin te verzorgen hadden niet, als ze daar niet toe aangezet waren. Er waren relschoppers in elke buurt. En deze aanstichters moesten ze te pakken krijgen: communisten, bundisten en activisten uit de linkervleugel van Poale Zion[3]; er waren talloos veel mensen die in het getto geheime partijcellen vormden. *Verraderlijke* mensen. Mensen die alles deden om te bewijzen dat er geen verschil bestond tussen de getrouwen in zijn gettobestuur en die gehate nazi's. Het gerucht ging bovendien dat er ook in zijn eigen Joodse Raad mannen zaten die probeerden te profiteren van de situatie, mensen die de boze plannen van de aanstichters probeerden aan te wakkeren teneinde de Duitsers ertoe te brengen de hele *Beirat* af te zetten.

Van Rozenblat en Neftalin wilde de Voorzitter *namen* hebben. Op basis van deze namenlijsten moesten alle politie-eenheden met ingang van de volgende nacht bevel krijgen om de huizen van de verdachten binnen te vallen. Of het socialisten, bundisten of alleen maar gewone criminelen en onruststokers waren, maakte niet uit. Hij had gevangeniscommandant Schlomo Hercberg al opdracht gegeven speciale cellen in te richten voor verhoor.

De strategie bleek verrassend effectief te zijn. Van september tot december deden zich geen verdere incidenten voor; het getto was kalm. Maar toen kwam de winter, en de winter was de beste vriend van zijn vijand.

De honger.

Andermaal werden de ontevredenen de straten op gejaagd, en nu waren ze zo wanhopig dat ze nergens voor terugdeinsden, en al helemaal niet voor een paar simpele stokslagen.

◆

Het was de eerste gettowinter.

In het getto zei men dat het zo koud was dat zelfs het speeksel in je mond bevroor. Het gebeurde wel dat mensen niet naar hun werk kwamen omdat ze 's nachts in hun bed doodgevroren waren.

Op het brandstofdepartement werden werkploegen samengesteld die bouwvallige huizen afbraken en het hout meenamen. Op uitdrukkelijk bevel van de Voorzitter moest alle brandstof naar de werkplaatsen en manufacturen en naar de gaarkeukens en de bakkerijen, die anders niets hadden gehad om hun ovens mee te stoken. Een deel ervan afhouden voor privégebruik was uitgesloten. Wat er natuurlijk toe leidde dat de brandstofprijzen op de zwarte markt binnen een paar dagen vertienvoudigden. Hier, op de zwarte markt, kwam het merendeel van het opgezaagde hout terecht. Terwijl de brandstofcrisis verergerde, bleven de leveranties van meel naar de bakkerijen uit. Toen de Voorzitter dit met de autoriteiten besprak, zeiden deze dat hun eigen noodleveranties er ten gevolge van sneeuw en ijs niet eens door kwamen. Hij probeerde tijd te winnen door de rantsoenen tijdelijk in te krimpen, maar hij merkte dat het in de fabrieken weer begon te gisten.

Elke dag hetzelfde beeld. Besneeuwde straten, karren waar geen beweging in te krijgen was omdat de wielen en glijijzers in de sneeuw waren vastgevroren. Er waren minstens vier mannenschouders nodig om handkarren weer in de platgereden karrensporen te krijgen. En bij de gaarkeukens aan de Zgierskastraat, de Brzezińska, de Młynarska en de Drewnowska zaten rijen vrouwen- en mannenruggen dicht bijeen onder mantels en dassen en dekens, en ze slurpten een steeds wateriger wordende soep op, terwijl dikke wolken sneeuwrook door straten en stegen woeien.

De onlusten die nu ontstonden, waren van een andere aard.

De meute was ditmaal zeer beweeglijk. Ze had niet een bepaald doel wanneer ze zich op straat verzamelde, maar verplaatste zich snel van de éne buurt naar de andere.

Ze werd voortgedreven door het gerucht.

A ratsie is du, a ratsie is du!

Overal waar deze woorden klonken, draaiden de mensen om en volgden de mensenmassa daarheen waar ze meenden dat de levensmiddelenkonvooien op weg naartoe waren.

Een voedseltransport was de Radogoszczpoort nog niet gepasseerd of het werd aangevallen. De wagenmenners werden op de grond getrokken, vijf of zes man zetten hun schouders ertegen en slaagden er onder luid gejubel in de hele kar omver te duwen. Wanneer de eerste mannen van de onhandig opererende ordepolitie aan kwamen rennen, was elke aardappel of koolraap van de gekapseisde vracht geplunderd.

Er ging een gerucht dat er timmerhout te halen was op een adres in de Brzezińskastraat. Het betrof een krot dat het brandstofdepartement om de een of andere reden had overgeslagen toen het zijn inventarisatie van de houtreserves van het getto maakte.

En meteen was het gepeupel ter plaatse.

Sommigen gingen voorop en lieten zich op het dak tillen, terwijl anderen met bijlen en houtzagen alles te lijf gingen wat zich liet weghakken of -trekken, en algauw stortte het bouwsel in. Van de mannen en vrouwen die binnen waren werden er een stuk of zes doodgetrapt. Toen de politie arriveerde, werd ze gehinderd door mannen die zich verzetten om hun kameraden de kans te geven zoveel mogelijk van het felbegeerde hout mee te nemen voordat ze vluchtten.

In deze situatie besloot het personeel van de zes ziekenhuizen van het getto in staking te gaan. Ze werkten in drie ploegen – 24 uur per dag, en dan nog in ruimtes die zo koud waren geworden dat de chirurgen de messen die ze in hun hand hadden haast niet meer voelden – in hun poging uitgehongerde volwassenen en kinderen te redden, die werden binnengebracht met bevriezingsletsel of met verbrijzelde of gebroken armen en benen nadat ze waren geslagen of vertrapt bij de distributiecentra. Van de voedselkonvooien die uit Radogoszcz onderweg waren, kwam slechts een fractie aan. Als ze niet onderweg vanaf het goederenstation werden overvallen, werden ze wel aangevallen wanneer ze het getto binnenkwamen. Een paar mannen sprongen over de lage muur die het centrale groentedepot omgaf en ook al had Rozenblat tegen die tijd de politie al opdracht gegeven dubbele diensten te draaien om alle voedselleveranties te beschermen (er liepen nu twee politiemannen met elk levensmiddelenkonvooi mee en er waren er minstens drie bij elk depot), ze konden de massa er niet van weerhouden zich vanuit de stegen te bedienen, en in de loop van een paar uur was de hele voorraad geplunderd.

De honger was het probleem.

Welke maatregelen de Voorzitter ook nam om een eind te maken aan de wetteloosheid in het getto, hij zou die nooit kunnen beteugelen als hij niets aan de honger wist te doen.

Om de indruk van kracht en besluitvaardigheid te wekken, schafte de Voorzitter alle extra rantsoenen af en verhoogde hij het broodrantsoen collectief. Iedereen in het getto die werk had, zou ongeacht zijn functie en zijn positie in de gettohiërarchie recht hebben op een rantsoen van vierhonderd gram brood per week.

Het afschaffen van de speciale rantsoenen leek op het eerste gezicht een verstandig besluit. Later zou blijken dat het de grootste fout van de Voorzitter was geweest, die bijna leidde tot een openlijke opstand tegen zijn bestuur.

Al meteen vanaf het moment dat het getto hermetisch werd afgesloten van de buitenwereld, waren de beschikbare levensmiddelen volgens een duidelijke privilegiëring verdeeld.

Eerst kwamen de zogeheten B-rantsoenen: B stond voor *Beirat*, het centrale gettobestuur. B-rantsoenen werden verstrekt aan bijzonder betrouwbare mensen – verdeeld in de klassen I tot III, al naar gelang welke plaats ze hadden in de gettohiërarchie: van leden van de eigen kanselarij van de Voorzitter aflopend tot bedrijfsleiders en technische instructeurs, juristen, artsen en anderen.

Er waren ook zogeheten C-rantsoenen. C stond voor *Ciężko Pracujący* en werd gegeven aan werknemers die bijzonder zwaar lichamelijk werk moesten verrichten. Een erg groot verschil met het normale arbeidersrantsoen betrof het niet: de zware werkers kregen vijftig gram meer brood per dag dan gewone werknemers, en misschien een extra lepel soep. Maar het was een symbolisch belangrijke extra toeslag, omdat het bewees dat zwaar werk loonde.

Toen bekend werd dat de C-rantsoenen werden ingetrokken om een algemene verhoging van de broodporties te financieren, besloten de meubelmakers aan de Drukarska- en de Urzędniczastraat in staking te gaan. Behalve handhaving van de C-rantsoenen eisten ze een loonsverhoging van dertig pfennig per uur.

Hier kon de Voorzitter natuurlijk onmogelijk mee instemmen. Als de meubelmakers aan de Drukarska hun extra rantsoen mochten behouden, zouden straks massa's andere werknemers volhouden dat ook hun beroep een extra voedseltoeslag vereiste. Hij gaf Rozenblat opdracht zijn troepen paraat te houden. Rozenblat stuurde zeventig man naar de meubelmakerij aan de Drukarskastraat, onder leiding van een politie-inspecteur genaamd Frenkel. Een paar arbeiders verlieten het gebouw toen ze zagen dat ze door de politie waren omsingeld, maar de meesten verschansten zich op de eerste verdieping en weigerden het gebouw te verlaten, ondanks herhaalde verzoeken, eerst van Frenken, toen ook van fabrieksdirecteur Freund zelf. Toen de zeventig man sterke politiemacht uiteindelijk besloot de bovenverdieping te bestormen, werd ze ontvangen met een regen van houtproducten in allerlei staten van verwerking. Windsorstoelen ploften op de hoofden van de agenten neer; daarna volgden planken, stoelpoten, tafelbladen. Met hun armen beschermend voor hun gezicht drongen de agenten de trap op naar de bovenverdieping, waar ze de stakers een voor een probeerden te overmeesteren en naar buiten te slepen. Niet een van de arbeiders gaf zich zonder tegenstand over. Integendeel, rapporteerde fabrieksdirecteur Freund later opgewonden telefonisch aan Rumkowski, heel wat van de overmeesterde werknemers moesten later voor behandeling naar het ziekenhuis worden gebracht. Ze waren zo uitgehongerd dat ze van uitputting instortten nog voordat Frenkels mannen hun de handboeien om hadden kunnen doen.

Nauwelijks had Freund de hoorn op de haak gelegd of directeur Wiśniewski van de uniformkleermakerij aan Jakuba 12 belde en deelde mee dat men ook daar het werk had neergelegd, uit sympathie voor de meubelmakers aan de Drukarska en de Urzędnicza. Wiśniewski was wanhopig. Zijn kleermakerij stond juist op het punt de laatste leveranties te doen van een bestelling van bijna tienduizend Wehrmachtuniformen, compleet met epauletten en onderscheidingstekens. Hoe zouden de Duitsers reageren als ze hun uniformen niet op tijd kregen? En nauwelijks had Wiśniewski opgelegd of Estera Daum van het Secretariaat gaf een telefonisch bericht door uit Marysin. Nu was het een afdeling doodgravers die via de voorzitter van de begrafenisvereniging liet zeggen dat ze niet van plan waren meer graven te delven als ze hun extra brood- en soeprantsoen niet mochten houden. Waarom, redeneerden ze, moesten juist de grafdelvers met inferieure soep worden gestraft? Werd hun werk soms voor minder en minderwaardiger gehouden dan dat van andere arbeiders die vroeger een C-rantsoen kregen?

'Wat willen jullie dat ik eraan doe?' vroeg Rumkowski slechts.

Anders dan Wiśniewski, die zijn sores min of meer in de hoorn had uitgehuild, had de vertegenwoordiger van de begrafenisvereniging, een zekere meneer Morski, meer gevoel voor humor: 'Ook de doden moeten nu accepteren dat ze achteraan moeten aansluiten,' zei hij.

Er was diezelfde ochtend in Marysin een temperatuur van -21°C gemeten, deelde meneer Morski mee; die informatie had hij gekregen van de heer Józef Feldman, die immers een gerespecteerd en betrouwbaar lid van zijn graafploeg was. Twaalf nieuwe doden hadden ze vanmorgen uit de stad gekregen. Zijn *grobers* waren de grond gewoontegetrouw met houwelen en breekijzers te lijf gegaan, maar ze waren niet eens door de bovenste grondlaag gekomen.

'En wat willen jullie dat ik daaraan doe?' herhaalde de Voorzitter ongeduldig.

Maar meneer Morski werd veel te veel in beslag genomen door zijn eigen problemen om te luisteren. 'We moeten ze maar allemaal rechtop zetten,' zei hij. 'Als we de lijken rechtop zetten in plaats van ze op elkaar te stapelen, nemen ze minder ruimte in.'

Maar nu had de Preses er genoeg van. Hij wurmde zich door de zee van nijver werkende telefonistes en typistes op het Secretariaat, trok de buitendeur open en schreeuwde dat Kuper zijn koets onmiddellijk in orde moest maken. Toen reed hij het kleine stukje naar de Jakubastraat. Meneer Wiśniewski kwam hem al in de deuropening tegemoet en wreef in zijn handen, waarbij het niet duidelijk was of hij het koud had of dat hij slechts gedienstig verlangde dat meneer de Voorzitter zijn fabriek zo snel mogelijk bekeek.

De stakende uniformnaaisters zaten braaf aan hun werktafels en keken vol verwachting op naar meneer de Voorzitter.

Wiśniewski: Ik heb ze geslagen.

De voorzitter: Pardon?

Wiśniewski: Ik heb ze met mijn stok geslagen. Degenen die niet wilden werken dus.

De voorzitter: Maar beste meneer Wiśniewski, ik begrijp niet wat voor vrijheden u zich meent te kunnen veroorloven; als er hier iemand slaat, dan ben ik het!

En of het nu de roodgloeiende oren van Dawid Wiśniewski op dat moment waren, of het verstolen gegniffel achter een paar haastig voor de mond gedrukte vrouwenhanden, of de merkwaardige stemming die er heerste in de afgekoelde fabriekshal waar bruine Wehrmachtuniformen rij aan rij langs de verste muur marcheerden (een heel leger van bruine paspoppen, slechts borst en romp weliswaar, maar allemaal op mars!), maar plotseling was het alsof de inspiratie door de oude man heen stroomde en voordat iedereen het goed en wel wist, zonder dat iemand zelfs maar de tijd had om toe te snellen en hem een steunende arm of elleboog te bieden, stond de Voorzitter op een van de wankele werktafels te spreken, met geheven vuist, precies zoals die socialistische agitatoren die hij pas nog had veroordeeld; en de toespraak die hij op dat moment hield, zou iedereen die erbij was bijblijven als een van zijn meest geïnspireerde ooit:

U bent de eersten om mij te veroordelen, vrouwen – u mag partij kiezen voor iedereen die tegen mij ageert! Maar zeg me eerlijk: wat zou u van mij gevonden en gedacht hebben als u had geweten dat ik een minderheid in het getto bevoordeelde en alle anderen dwong voor een slavenloon te werken...?

Elk ogenblik heb ik uitsluitend voor ogen wat het beste is voor het getto. Kalmte en rust op onze arbeidsplekken is de enige redding voor ons allemaal...!

(Schande over wie anders denkt!)

Weet u niet dat u en ik en wij allemaal werken voor DE DUITSE KRIJGS-MACHT; hebt u daar ook maar één moment bij stilgestaan? En wat denkt u dat er zou gebeuren als er op dit ogenblik – op hetzelfde moment dat ik dit zeg – Duitse soldaten binnenstormden die u onder bedreiging met wapens meenamen naar een verzamelplaats om u vervolgens te laten deporteren?

Wat zou u tegen uw arme ouders, uw echtgenoten, uw kinderen zeggen...?

[De vrouwen hurkten achter hun werkbanken als in evenzovele loopgraven.]

Met ingang van vandaag geldt er een WERKVERBOD op deze en alle andere plaatsen in het getto waar ophitsing en opruiing heeft plaatsgevonden.

MENEER WIŚNIEWSKI! ZORG DAT ALLE ARBEIDERS HIER ONMIDDEL-LIJK WORDEN VERWIJDERD. VERZEGEL DE FABRIEKSPOORTEN!

Vanaf heden zullen er geen rantsoenen worden uitgedeeld. Alle stakers zal hun identiteitskaart en hun werkboekje worden ontnomen.

Pas wanneer u inziet dat datgene waarmee de belangen van het getto het

beste worden gediend ook het meest in úw voordeel is, bent u weer welkom op uw
oude arbeidsplaats!

Zes dagen hielden de stakers het vol.

Op 30 januari liet Rumkowski officieel mededelen dat de fabriekspoorten weer open stonden voor wie wilde werken op de geldende voorwaarden. Alle stakers gingen toen naar hun werkplek terug en daarmee had de hele geschiedenis kunnen eindigen.

Maar dat deed ze niet.

Twee dagen nadat de staking was afgeblazen, op 1 februari 1941, nam Rumkowski wraak. In een nieuwe toespraak, ditmaal voor de *resortlaiter* van het getto, zette hij zijn plan uiteen om alle 'ordeverstoorders en vernielers'[4] van wie bewezen was dat ze aan de stakingsacties hadden deelgenomen, te laten deporteren. Tot de 107 personen die deze dag op de lijst stonden, behoorden ruim dertig arbeiders van de meubelmakerij aan de Drukarska en evenveel van die aan de Urzędniczastraat.

Een van degenen die werden 'ontslagen' en de meubelmakerij aan de Drukarskastraat die dag verlieten, was de toen dertigjarige meubelmaker Lajb Rzepin.

Lajb Rzepin had aan de stakingsactie deelgenomen en was zelfs een van de arbeiders geweest die de eerste verdieping hadden gebarricadeerd en voorwerpen naar de politie hadden gegooid.

Maar Lajb Rzepins naam is nooit op deportatielijsten teruggevonden.

Op 8 maart 1941 – de dag waarop de eerste transporten met uitgewezenen uit het getto vertrokken – begon Lajb Rzepin in een nieuwe baan bij Winograds *Kleinmöbelfabrik* aan de Bazarowa. Aan de lange werkbank waar hij met zijn lijmpotten stond, was het doodstil om hem heen. Niemand keek op van het werk dat hij onder handen had, niemand durfde de verrader aan te kijken.

Vanaf die dag was het alsof het verraad zijn lange schaduwen over het getto begon te werpen: Jood stond tegenover Jood; geen arbeider kon er zeker van zijn dat niet ook hij de volgende dag zijn werkvergunning zou verliezen en uit het getto uitgewezen zou worden, zonder dat hij iets anders had gedaan dan zijn recht op levensonderhoud verdedigen.

Maar Chaim Rumkowski wist hoe roddel en gerucht zich door het getto verspreidden. In zijn toespraak tot de resortlaiter had hij gezegd dat hij nooit meer te geven had dan er te geven wás. Maar het feit alleen al dat hij zelf *gaf*, gaf hem ook het recht te *nemen*. Namelijk van de slechte, onverantwoordelijke mensen die het brood verduisterden waarop iedereen recht had.

Op dat punt, zei hij en hij citeerde de Talmoed, *stond hij op vaste grond*.

Zo was het dus van hogerhand bepaald: iedereen in het getto moest werken.

Door voor je eigen levensonderhoud te zorgen, zorgde je ook voor het algemeen belang.

Toch waren er velen in het getto die lak hadden aan het algemeen belang en het liefst op eigen houtje in hun levensonderhoud voorzagen. Sommigen van hen groeven naar kolen achter de steenbakkerij op de hoek van de Dworska- en de Łagiewnickastraat. Het terrein daarachter diende al jaren als stortplaats. Het duurde soms uren voordat ze bij de kolenopslag zelf waren. Eerst moesten ze zich door een brij van groenteloof en ander voedselafval heen graven dat onder wolken driftig zoemende vliegen lag te rotten, daarna door de ene na de andere laag zuur zand en klei vol aardewerkscherven die in hun handen sneden.

Onder de tien, vijftien kinderen die hier groeven, waren ook de broers Jakub en Chaim Wajsberg uit de Gnieźnieńskastraat. Jakub was tien jaar oud en Chaim zes. Ze hadden houwelen en schoppen bij zich, maar vroeg of laat moesten ze toch hun handen gebruiken. De wijde jutezakken die ze over hun schouders hadden geknoopt, gleden dan naar voren, zodat ze ter hoogte van hun buik hingen, en dan hoefden ze het begerenswaardige zwarte goud alleen maar rechtstreeks in de zak te stoppen.

Tegenwoordig gebeurde het niet vaak meer dat iemand kolen uit de ovens van de bakkerij zelf vond. Maar als ze geluk hadden, wisten ze uit de klei een oud stuk hout op te graven of een vod dat vermengd was met kolenstof. Wanneer je zo'n vod in de kachel stopte, kon je vuur krijgen voor ten minste nog een paar uur, een goed, gelijkmatig, gestaag vuur, waarvoor je minstens twintig, dertig pfennig kon krijgen als je het verkocht op het Jojne Pilsherplein.

Jakub en Chaim werkten meestal samen met twee broers van het buur-erf, Feliks en Dawid Frydman, maar dat was geen garantie dat ze rustig konden werken. Er hoefden alleen maar een paar volwassenen langs hun plek te komen die ook op jacht naar kolen waren, en in een oogwenk waren hun kolenzakken verdwenen. De kinderen hadden daarom gezamenlijk Adam Rzepin aangesteld om de wacht te houden.

Adam Rzepin woonde op de verdieping boven Wajsberg en hij had in de buurt rond de Gnieźnieńskastraat de bijnaam *Adam de Lelijke* of *Adam Drie-kwart*; dit omdat zijn neus eruitzag alsof hij bij Adams geboorte platgeslagen was. Zelf zei hij altijd dat zijn neus krom was omdat zijn moeder de gewoonte had hem elke keer als hij loog om te draaien. Iedereen wist echter dat dat een leugen was. Adam Rzepin woonde alleen met zijn vader en zijn achterlijke zusje; een mevrouw Rzepin had niemand ooit gezien.

Van de eerste jaren in het getto herinnerde Adam zich alleen de honger, die als een voortdurend schrijnende wond in zijn buik zat. Alleen maar de wacht houden voor de jonge goudzoekers volstond op den duur niet als je die wondpijn wilde verzachten. Dus toen Moshe Stern een van die zeldzame keren langs de steenbakkerij kwam en vroeg of Adam een boodschap voor hem wilde overbrengen, nam Adam dat dankbaar op zich en liet de bewaking varen.

Moshe Stern was een van de duizenden Joden die, nadat het getto was afgesloten van de buitenwereld, een vermogen had vergaard aan de handel in allerlei soorten brandbaar materiaal. De meeste familievaders met verantwoordelijkheidsbesef probeerden op verschillende geschikte, afgesloten plaatsen een voorraad kolen of kolenbriketten aan te leggen. Sommige van die sloten waren open te maken – en dan was het felbegeerde zwarte goud weer terug op de markt. Er was ook geld te verdienen met de handel in simpeler, onbewerkt hout, zoals oude houten meubels, keukenkasten met uitschufiladen, plinten en raamkozijnen, trapleuningen en andere stukken hout die verzaagd en gebundeld konden worden. De prijs van zulke houtbundels daalde in het zomerseizoen tot ongeveer twintig pfennig per kilo en steeg tot twee of drie *rumkies* als de winter naderde. Het was met andere woorden zaak de vraag af te wachten. In de allerslechtste winters, wanneer ook de kolengroeves ontoegankelijk waren, stookten de mensen letterlijk alles op waar ze op zaten en lagen.

Keer op keer overviel de politie Moshe Stern. Zijn moeder probeerde

hem te verstoppen op de droogzolder van het bejaardenhuis waar hij, naar
het gerucht wilde, zijn geheime voorraad had. Maar de ordepolitie joeg
hem ook daar weg.

Het gerucht ging dat Stern een nieuwe Zawadawski probeerde te worden.

Zawadawski was de grootste smokkelkoning van het getto. Hij werd
ook wel 'de koorddanser' genoemd, omdat hij de gewoonte had over het
dak te vluchten. Dat was de enige manier om het getto in te komen vanuit
de arische delen van de stad, omdat de gebouwen die het dichtst bij de gettogrens stonden geen ingegraven waterleiding en riool hadden.

Parfums, dameszeepjes, meel, suiker, havervlokken, conserven – alles
van echt Duits *kraut* tot ingemaakte ossentongen: dat waren enkele van de
waren die door bemiddeling van Zawadawski hun weg naar het getto vonden. Op een late avond in september 1940 werd hij met zijn rugzak vol ca-
caopoeder, sigaretten en damestricots door de Joodse ordepolitie opgepakt aan de Lutomierskakant van het getto. De politie bracht hem voor
verhoor naar de burelen van het eerste politiedistrict aan het Bałutyplein.
Toen de Duitsers vernamen dat de Joden zelf Zawadawski gevangen hadden genomen, belden ze in Litzmannstadt om een auto. De Joodse politie
begreep dat het nu gedaan was met Zawadawski en vroeg of hij nog een
laatste wens had. Hij antwoordde dat hij naar het toilet wilde. Twee politiemannen escorteerden Zawadawski naar de secreten op het erf. Met
handboeien maakten ze Zawadawski's arm aan de latrinedeur vast en hielden vervolgens voor de deur de wacht, waarbij ze zijn schoenen, die duidelijk in de spleet onder de gesloten deur zichtbaar waren, zorgvuldig in de
gaten hielden. Een goed uur stonden de politiemannen zo naar Zawadawski's schoenen te staren. Toen vatte een van hen moed en beukte de
deur open.

Ze vonden de schoenen en de handboeien, maar geen Zawadawski.

Een wijd openstaand bovenraampje gaf aan welke kant hij op was gevlucht.

De smokkelaar Zawadawski was een legende. Iedereen had het over Zawadawski. Maar Zawadawski was een Pool – hij kwam uit de *arische* delen van
de stad. En als hij zo lang in het getto was geweest als hij wilde *ging hij
er weer uit*. Wanneer Adam Rzepin droomde dat hij vrij was, droomde hij

dat hij, net als de smokkelaar Zawadawski, touw en een rugzak had. Hij droomde dat hij eens, net als Zawadawski, een grote vangst zou doen, dat hij meer zou worden in dit leven dan een simpele *luftmentsh*.

Adams droom werd bijna verwezenlijkt toen Moshe Stern op een ochtend een van zijn vele boodschappers naar de steenbakkerij stuurde, waar Adam zoals gewoonlijk de wacht hield voor de kinderen. De boodschap was dat er een *pekl* te halen was. *Pekl* kon van alles zijn – een bundel, een pakje, een zending – van kolenbriketten tot melkpoeder. Adam Rzepin had geleerd geen vragen te stellen. Maar toen hij bij het opgegeven adres kwam, een ontruimde kelder aan de Łagiewnickastraat, was daar alleen Moshe Stern, geen *pekl*.

Moshe Stern was klein van stuk, maar liep alsof hij vele maten groter was. Wanneer hij orders en instructies uitdeelde, hield hij zijn armen over elkaar als een besluitvaardig bureaucraat. Maar nu niet – Moshe Stern deed twee ferme stappen naar Adam Rzepin en pakte hem bij zijn schouder. Zoals altijd wanneer hij ongerust of zenuwachtig was, likte hij zijn lippen af.

Het pakje in kwestie, zei hij, moest worden geleverd aan 'een zeer belangrijk persoon'. Deze persoon was zo belangrijk dat, als de politie hem greep of vragen ging stellen, Adam *onder geen beding* mocht vertellen dat hij het pakje van Moshe Stern had gekregen. Kon hij dat beloven?

Adam beloofde dat.

Moshe zei dat Adam de enige in het getto was die hij kon vertrouwen; toen gaf hij hem het pakje.

Midden op de binnenplaats aan de Gnieźnieńskastraat had ooit een kastanjeboom gestaan met krachtige wortels en stam, en een geweldige kroon, die maakte dat de boom eruitzag alsof hij uit een van de grote lanen in Parijs of Warschau was geïmmigreerd. Onder de kastanje had poppenmaker Fabian Zajtman zijn atelier gehad: twee samengevoegde planken schuurtjes, vanbinnen zo krap dat er alleen maar poppen in pasten. Aan lange ijzeren haken aan het plafond en de wanden van de schuur hingen rabbijnen met lange *talliets* en boerinnen met hoofddoeken, allemaal even glimlachend en hulpeloos. 's Zomers, wanneer het heet werd onder het houten dak, gaf Zajtman er de voorkeur aan met zijn gereedschap in de openlucht onder de kastanje te zitten. Midden tussen de kinderen zat hij poppenhoofden te snijden en naar de wolken te kijken die in de bleekblauwe lucht boven het erf dreven. *Weet je waar het onweer blijft als het uitrust?* had hij Adam eens gevraagd toen die bij Wajsberg op bezoek was, en hij knikte veelbetekenend naar de kroon van de boom, waarachter al hoog en zwart een wolkensliert hing. Sinds die dag had Adam in voortdurende angst geleefd voor wat er zich nu *eigenlijk* verschool in de kroon van de kastanje; vooral op hete dagen, wanneer de bladeren stil hingen en de lucht in de stegen bij het Bałutyplein bakovenheet was.

Fabian Zajtman was kort voor de oorlog gestorven. Men vond hem languit over zijn werkbank liggend, bijna alsof de donder in toorn was teruggekeerd om de beitel en de houtschaaf uit zijn hand te slaan. Er waren veel orthodoxen in de buurt van de Gnieźnieńskastraat die op de grond spuwden en zeiden dat het een gruwel voor een Jood was om zich bezig te houden met afgodsbeelden, zoals deze Zajtman.

Toen kwamen de Duitsers; het prikkeldraad rond het getto werd precies langs Zajtmans planken schuurtjes dichtgetrokken en mevrouw Herszkowicz, *die Hauswärtin* zoals ze nu werd genoemd, liet de kastanje vellen en tot brandhout hakken. Ze liet ook Zajtmans planken schuurtjes tot spaanders slaan.

Nu heb ik genoeg hout voor de hele oorlog, en nog meer, pochte ze.

In de Gnieźnieńskastraat raakten de mensen gewend aan het gat in de lucht waar de kastanje had gestaan, maar Adam kon de gedachte aan de boom en de donder niet loslaten. Waar was de donder heen gegaan nu er geen kastanje meer was om in te rusten? In het getto waren geen bomen. Adam stelde zich voor hoe de donder ronddoolde, steeds waanzinniger in zijn lawaai. Nergens was verlossing van het eeuwige gedreun, nergens een uitweg. Aan deze kant van het prikkeldraad was maar één weg naar de vrijheid, dat had Zawadawski bewezen: die weg ging *omhoog*, door luiken en ramen die er niet waren of die je wel moest uitvinden om erdoorheen te kunnen gaan.

Adam Rzepin stond op een boomloos terrein niet ver van de kleermakerij aan de Jakuba 12 met zijn pakje te wachten tot de 'zeer belangrijke persoon' zou opduiken.

De eerste die verscheen was een zeer jonge man, gekleed in kostuum met hoed en een elegante, lichte gabardine mantel, die Adam deed denken aan de Amerikaanse gangsterfilms die ze voor de oorlog in de Bajkabioscoop altijd vertoonden. De man had op de hoek van een straat waar dan ook in Europa kunnen staan, ware het niet dat die andere twee hem als een schaduw volgden. Twee grofgebouwde mannen: ze zagen eruit als *politsajten*, maar ze droegen geen muts of armband.

Heb je de spullen? vroeg de man in de lichte gabardine mantel.

Adam knikte.

Pas toen trad een vierde persoon tevoorschijn.

Naderhand vroeg Adam Rzepin zich af hoe het kon dat hij onmiddellijk begreep dat deze vierde man een Duitse officier was. De laatst aangekomene was in burger, maar het uniform dat hij in diensttijd droeg was toch duidelijk zichtbaar in de waakzame manier waarop zijn hele lichaam volgde wanneer hij zijn hoofd omdraaide of opzij keek.

De man in de lichte gabardine mantel noemde hem 'meneer Stromberg'. In dat geval was het ss-*Kriminaloberassistent* Stromberg, een van de beruchtste politiebevelhebbers van het hele getto. Stromberg was *Volksdeutscher*, een van de Duitsers die al lang voordat de nazi's kwamen in Łódź woonden en werkten.

Stromberg glimlachte onafgebroken; maar hij bewoog zich voort alsof hij door een dikke laag rioolwater waadde. Stromberg zag Adam niet eens, hij sprak slechts tegen de jongeman in de gabardine mantel en herhaalde in zijn licht zangerige Pools: *Heeft hij het geld?*

En toen er op zijn vraag een bevestigend knikje volgde, leek het alsof Herr Kriminaloberassistent Stromberg eindelijk ontspande in zijn burgerkleren.

Adam leidde hieruit af dat dit het moment was om zijn pakje te overhandigen; hij gaf het aan de gabardine mantel, die het op zijn beurt doorgaf aan Stromberg, die meteen het papier eraf begon te trekken, als een ongeduldig kind met Chanoeka. Na een poosje hield hij een blinkende gouden ketting tussen zijn vingers. De overjas maakte een snelle handbeweging naar Adam alsof hij hem bezwoer hun de rug toe te keren, zoals men een vrouw de rug toekeert om haar niet in verlegenheid te brengen wanneer ze zich aankleedt, en drukte toen snel een briefje van tien mark in Adams hand.

Toen waren ze allebei verdwenen – zowel de jonge Jood in de gabardine mantel als de Duitse Kripochef. Alleen de twee bewakers stonden er nog, met hun handen dreigend in hun zijden, als om zich ervan te vergewissen dat Adam niet achter hen aan ging.

Het zou maanden duren voordat Adam begreep wie de man in de gabardine mantel was die gouden sieraden aan Stromberg verkocht. Tegen die tijd sprak het hele getto over Dawid Gertler, de jonge Joodse politiecommandant die op zo goede voet leek te staan met alle officieren van de bezettingsmacht.

Adam stond in de rij voor de bakkerij aan de Piwnastraat. Elke bakkerij bakte nu haar eigen brood en er werd ontzettend veel gestolen; je moest vroeg opstaan als je er zeker van wilde zijn dat je je rantsoen kreeg.

Aan de Piwnastraat. Broodrij. Een paar *dygnitarze* dringen voor.

Opnieuw duikt de jongeman in de gabardine mantel op. Ook ditmaal heeft hij twee lijfwachten bij zich. Er klinken protesten uit de rij. De lijfwachten zetten een vastberaden stap voorwaarts, klaar om met hun stokken toe te slaan om de lawaaimakers stil te krijgen. Maar ditmaal gaat het niet zoals anders. De *dygnitarze*, de hoge heren uit Rumkowski's *Beirat* in kostuum, zijn degenen die inbinden.

'Ook in het getto moet iedereen netjes zijn beurt afwachten,' zegt de man in de mantel.

Gertler, Gertler, Gertler...! roepen de mensen in de rij, met hun handen in de lucht en de hals gestrekt alsof ze een sportster toejuichen.

En Dawid Gertler drukt zijn hoed tegen zijn borst en buigt als een circusartiest. Adam Rzepin geeft zijn plaats in de rij voor geen prijs op; hij kijkt ook niet op, uit angst te worden herkend door de machtige jongeman. Zouden de mensen in de broodrij ook voor hem hebben geapplaudisseerd als ze hadden geweten dat de jonge Dawid Gertler bereid was hun zielen te verkopen als hij maar op vertrouwelijke voet kon blijven staan met de gehate Duitsers?

Maar misschien had het niets te betekenen.

Als het brood maar eerlijk en voor iedereen gelijk werd verdeeld.

Een van de dagelijks terugkerende rubrieken in de Gettokroniek was een lijst van geborenen en overledenen. In aansluiting daarop was er ook een kopje waaronder de namen werden opgesomd van degenen die de hand aan zichzelf hadden geslagen.

In de Kroniek stond *de hand aan zichzelf geslagen*. Maar in het getto zeiden ze dat hij of zij *tegen het draad gelopen* was. Dit begrip voegde aan het toch al rijke vocabulaire van het getto een uitdrukking toe die niet alleen betekende 'zelfmoord plegen', maar ook: alle grenzen overschrijden die de bezetters stelden aan het leven zoals het hier binnen geleefd moest worden.

In de eerste week van februari 1941 liepen er volgens de Kroniek zeven mensen tegen het draad. In sommige gevallen ging het om op zijn zachtst gezegd opmerkelijke zelfmoorden. Een man van middelbare leeftijd die op het woningdepartement van Rumkowski's kantoor werkte, had het midden op de dag in zijn hoofd gehaald onder de schutting door te willen kruipen die de prikkeldraadbarrière aan de noordkant van de Zgierskastraat versterkte. Van alle plaatsen die hij had kunnen kiezen om te ontsnappen, had hij de best bewaakte van het hele getto uitgekozen. Toch duurde het even voordat men hem ontdekte. De tram die Duitsers en Polen dwars door het getto reed, was al een paar keer langs zijn beknelde hoofd en schouders gereden voordat de politie in het wachthuis tweehonderd meter verderop begreep dat er iets gaande was. Toen lag de kantoorbediende slechts plat op de grond te wachten tot de geschrokken bewaker zou gaan schieten.

Andere gevallen waren onduidelijker.

Meestal ging het om arbeiders die na de late ploegendienst naar huis teruggingen.

Het bevel was dat iedereen die door het getto liep zo ver mogelijk bij de gettogrens vandaan moest blijven. Er was sprake van een veilige afstand van 250 meter. Als het desondanks nodig was dat men dichter bij het draad kwam, werd aangeraden dat bij daglicht te doen, voor de ogen van de Duitse bewakers en met een uitgesproken doel (als dat tegen alle verwachting in al zou worden gevraagd).

Maar voor vermoeide, uitgeputte arbeiders in de ploegendienst was het altijd verleidelijk een huizenblok of een paar honderd meter te winnen door langs de gettogrens naar de volgende brug te lopen.

Misschien was het donker. Wie een stukje afsneed zag het niet.

De wachtpost aan de andere kant zag het misschien ook niet zo duidelijk.

Misschien kende de man of de vrouw die onderweg naar huis was geen Duits.

Of hij of zij hoorde niet wat de wachtpost riep omdat er op hetzelfde moment een tram aankwam.

Of er kwam geen tram. De wachtpost riep alleen maar, en de man of de vrouw die allang thuis had moeten zijn, werd bevangen door paniek en begon te rennen.

Wat door de wacht werd opgevat als een poging om te vluchten. En dan vielen er schoten.

Ten minste vier van de zeven mensen die in februari 1941 tegen het draad liepen, stierven op die manier. Zochten ze bewust de dood of waren ze bevangen door uitputting? Of bestond er misschien geen verschil tussen bewuste opzet en onbewuste keuze? Misschien koersten ze in de richting van de grens omdat ze domweg geen andere plek hadden om naartoe te gaan.

Een paar weken later, in maart 1941, berichtte de Kroniek dat de eenenveertigjarige juffrouw Cwajga Blum erin geslaagd was op deze manier zelfmoord te plegen nadat ze niet minder dan dertien keer had geprobeerd tegen het draad te lopen.

Cwajga Blum woonde aan de Limanowskiegostraat. Het enige raam van het bovenhuis dat ze met twee andere vrouwen deelde, keek rechtstreeks uit op de versperringslinie. De Limanowskiegostraat was de hoofdroute voor de Duitse transporten van levensmiddelen en arbeidsmaterialen die bij het Bałutyplein werden uitgeladen en om die reden extra goed werden bewaakt. Een stukje verderop was ook de derde houten brug van het getto, die de twee zuidelijke gettolobben met elkaar verbond, met duidelijk zichtbare rood-witgestreepte wachthokjes aan beide uiteinden. Cwajga Blum ging met haar verzoek naar het wachthuisje aan de zuidelijke kant van de brug.

Schiet me dood, zei ze tegen de wachtpost in het huisje.

De wachtpost deed alsof hij niets had gehoord. Hij stak een sigaret op, liet zijn geweerriem van zijn schouder glijden, nam het geweer op zijn schoot en trok een gezicht alsof hij geïnteresseerd was in bepaalde details van geweerlade en loop.

Toe, smeekte ze. *Schiet me dood.*

Het was avond aan avond dezelfde wachtpost. En dezelfde Cwajga.

Toen deze plaag een paar weken had geduurd, gaf de commandant van de wacht de Joodse ordepolitie bevel de zaak te regelen.

Het moest eens afgelopen zijn met dat getreiter.

Vanaf dat moment werd de voordeur van het pand aan de Limanowskiegostraat dag en nacht door twee mannen van Rozenblat bewaakt. Zodra Cwajga zich over de drempel waagde, waren de Joodse agenten ter plaatse en sleepten ze haar de veiligheid weer in.

Cwajga Blum probeerde daarom via de achterdeur naar buiten te gaan. De agenten hadden haar echter doorzien. Zodra ze door de poort van de binnenplaats kwam, waren ze erbij en sleepten haar weer terug het huis in. Twaalf keer herhaalde zich dit krijgertje spelen. De dertiende keer lukte het juffrouw Cwajga Blum haar bewakers te slim af te zijn, en het toeval wilde ook nog dat de Schupo het bewakingsrooster had aangepast. De verlegen gendarme aan de Limanowskiegostraat was overgeplaatst naar Marysin en een aanzienlijk minder beschroomde collega stond in zijn plaats in het hokje aan de Limanowskiegostraat.

Toe, schiet me dood, zei Cwajga Blum.

Dans wat voor me, dan zullen we zien, zei de nieuwe gendarme.

Voordat Rozenblats mannen begrepen wat er gebeurde, voerde Cwajga Blum daar aan de andere kant van het prikkeldraad een wanhopig, waanzinnig dansje op. Toen het optreden afgelopen was, mikte de wachtpost met zijn geweer en schoot haar twee keer in haar borst. Toen haar lichaam hardnekkig doorging met spartelen terwijl ze al op de grond lag, schoot hij voor de zekerheid nog een keer.

De geschiedenis van Cwajga Blum werd in het getto in allerlei varianten verteld.

Volgens één versie zou ze vroeger opgesloten hebben gezeten in de psychiatrische afdeling van het ziekenhuis aan de Wesołastraat, maar had ze haar bed moeten afstaan aan een of andere hoge piet van de *Beirat*.

Volgens een andere variant zou Cwajga Blum zo in de war zijn geweest dat ze zich er niet eens van bewust was dat ze zich in een getto bevond en zou ze tegen de wachtpost in het hokje aan de Limanowskiegostraat helemaal niet hebben gezegd *schiet me dood, schiet me dood* maar *sluit me op, sluit me op* – dit omdat ze in de soldaat een van de artsen van het ziekenhuis meende te herkennen.

(De wachtpost moet in dat geval hebben gedacht dat die dame daar de spot met hem dreef. Waarom zou ze hem vragen haar op te sluiten? Ze wás toch al opgesloten?)

Hoe het ook zij, er waren uiteindelijk zoveel van deze verhalen over mannen en vrouwen die tegen het draad liepen, dat de Voorzitter zich gedwongen zag een speciaal decreet uit te vaardigen (Bekendmaking Nr. 241) waarin hij elke onbevoegde nadering van de gettogrens uitdrukkelijk verbood. En zeker buiten de normale ploegendiensttijden.

Maar de mensen bleven toch tegen het draad lopen. Hoe dan ook.

In april 1941 rapporteerde de Kroniek een afname van het aantal mensen dat bij de gettogrens was doodgeschoten. Volgens de statistiek gaven de zelfmoordenaars er nu de voorkeur aan zich uit ramen van hooggelegen woningen en in trappenhuizen naar beneden te gooien. De meeste zelfmoordenaars kozen daarbij bovendien voor andere gebouwen dan die waar ze zelf woonden. Misschien omdat ze zeker wilden zijn van voldoende valhoogte, misschien ook omdat ze hun buren niet onnodig last wilden bezorgen.

In mei 1941 werden er volgens de Gettokroniek niet minder dan 43 van zulke zelfmoorden geregistreerd. Maar ook van degenen die stierven doordat ze zich uit een raam hadden gegooid werd in het getto gezegd dat ze tegen het draad waren gelopen. Ze waren alleen te gedeprimeerd geweest, of te uitgeput door honger en ziekte, om zich daar nog op eigen kracht heen te kunnen slepen.

Op een ochtend rapporteerde de Duitse politie dat er een vrouwenlichaam was aangetroffen op 'arisch gebied', bij de prikkeldraadversperring dicht bij de nu beruchte wacht aan de Limanowskiegostraat. De vrouw lag op haar rug, met haar hoofd naar de straat en haar armen in een onnatuurlijke hoek ten opzichte van haar lichaam.

De twee Duitse wachtposten die haar vonden, dachten eerst dat de vrouw dood was, weer zo'n Joodse zelfdoding. Maar toen ze zich over het lichaam heen bogen om het weg te halen, ontdekten ze dat de vrouw nog ademde. Ze doorzochten haar kleding op identiteitspapieren, maar vonden niets. De Duitse gendarmes geraakten nu in hevige twijfel. Omdat ze geen identiteitspapieren hadden gevonden, konden ze niet met zekerheid zeggen of de vrouw aan de Joodse of aan de arische kant van het draad thuishoorde; of ze het getto uit had willen vluchten of juist (wat nog altijd gebeurde – denk maar aan Zawadawski!) via het prikkeldraad binnen wilde dringen.

Na overleg met hun superieuren besloten ze het lichaam naar het bureau van de Judenälteste te brengen, zodat het personeel daar de zaak verder kon regelen. Tegelijkertijd vroeg de Kripo de dagrapporten van alle wachtposten op om te kijken of er ergens in het getto een Jood als vermist of verdwenen was opgegeven. Ook de ziekenhuisinschrijvingen werden doorzocht, evenals de patiëntenregisters van de psychiatrische kliniek aan de Wesołastraat, waar veel van de meer welgestelden van het getto hun geestelijk of lichamelijk verzwakte familieleden naartoe brachten. Maar nergens waren gevallen gerapporteerd van ontsnapte of verdwenen patiënten. Men meende derhalve met zekerheid te kunnen vaststellen dat de vrouw *niet* uit het getto kwam.

Een van de eersten die haar onderzochten, was 'arbeidersdokter' Leon

Szykier. Hij werd arbeidersdokter genoemd omdat hij de enige van de gettoartsen was die zich niet schaamteloos door zijn patiënten liet betalen, waardoor ook gewone mensen het zich konden veroorloven naar hem toe te gaan. Bij zijn onderzoek had dokter Szykier het lichaam van de vrouw gepalpeerd en bevonden dat het 'ietwat uitgeteerd en vermagerd' was, maar zonder tekenen van dehydratie. Er was op haar onderbenen en onderarmen ook iets gevonden wat leek op schaafwonden of schrammen, wat erop kon duiden dat de vrouw had geprobeerd over een of andere hindernis te komen. Voor het overige vertoonde het lichaam geen verwondingen. Geen zwellingen in de keel. Geen koorts. Pols en ademhaling normaal.

Naderhand zou er worden gesuggereerd dat het dikke halfuur dat Szykier met de vrouw onder vier ogen had doorgebracht voldoende was geweest om 'haar te bederven'. Dat werd door anderen natuurlijk bestreden. Vast staat echter dat de vrouw heel kalm en vredig op de draagbaar had gelegen toen de Duitse wachtposten haar bij het Secretariaat naar binnen brachten, en dat ze een halfuur later – toen dokter Szykier haar verliet – op haar brits lag te kronkelen van de koortskrampen, terwijl ze onsamenhangende gebeden mompelde in het Hebreeuws en in het Jiddisch.

Sommigen meenden zelfs sporen van de woorden van de profeet op haar lippen te hebben gehoord:

ashrei kol-chochei lo –

Een God des oordeels is de Heer;
zalig zijn allen die Hem verwachten.

Het nieuws over de verlamde vrouw en haar merkwaardige taal verspreidde zich snel. De Voorzitter liet haar naar het leerhuis aan de Lutomierskastraat brengen, waar ze werd verzorgd door een rebbe genaamd Gutesfeld en diens assistent Fide Szajn. De chassieden zouden later beweren dat reb Gutesfeld de verlamde vrouw toen al in een droom had gezien. In deze droom zou ze niet verlamd zijn geweest, maar was ze in een brandende stad van huis naar huis gestrompeld. Ze zou de huizen niet zijn binnengegaan, maar had alleen de mezoeza's aan de deurposten aangeraakt – als om degenen die daar woonden het teken te geven dat ze moesten opbreken en met haar meegaan.

In de ogen van de chassieden bestond er geen enkele twijfel. Ze was een *tzadikot*, de dochter van een heilig man; misschien een bode, die na twee jaar oorlog en een verschrikkelijke hongerwinter gekomen was om de in het getto opgesloten Joden een beetje troost te schenken. Gewone mensen in het getto zouden later over haar spreken als Mara, *de bedroefde*. Een tijdlang was zij de enige van de tegen deze tijd bijna een kwart miljoen inwoners van het getto die geen vast adres en geen broodkaart had. Zelfs in het register van de Kripo, waar verder iedere ziel uit het getto in stond en dat elke maand door het *Meldebüro* van de afdeling Statistiek werd bijgewerkt, kwam zij niet voor.

Objectief bezien was zij een zaak voor het rabbinaat, dat de zorg voor haar echter maar al te graag aan reb Gutesfeld toevertrouwde. Maar zelfs de chassieden durfden haar niet te laten blijven; men zag de rebbe en zijn assistent vaak door de smalle stegen van het getto dwalen met de vrouw op een draagbaar tussen hen in. Fide Szajn liep voorop en Gutesfeld, die slecht zag, waggelde er op zijn spillebeentjes in zijn lange, zwarte kaftan achteraan. Ze legden op die manier soms kilometers af: in regen, ijzige wind of sneeuwstorm. Af en toe stond de rebbe stil om met zijn vingers tegen een muur of een huis te voelen om af te leiden waar ze zich bevonden of om Fide Szajn, die zieke longen had, uit te laten hoesten.

Waarom liepen ze? Waarom bleven ze lopen?

Sommigen zeiden omdat de vrouw nooit stil was. Zodra ze de draagbaar neerzetten, drong er een snerpende schreeuw uit haar keel en ze maaide en sloeg met haar armen als om onzichtbare demonen weg te jagen. Anderen zeiden dat er zich in elk huis, in elk huizenblok, een verklikker verborg, die niet zou aarzelen om naar de Kripo te gaan als hij wist dat de vrouw daar was; en wat zou er dan met de Bedroefde gebeuren?

Op sommige dagen ging de rebbe echter met de baar naar de gebedsruimte terug en op zulke dagen verzamelde zich een bleke, maar verwachtingsvolle schare voor de poort, in de hoop dat een beroering of een blik van de verlamde vrouw de pijn in hun armen zou tegengaan of wonden zou helen die nooit wilden genezen of zelfs de hongergesel van hen zou wegnemen, die maakte dat voorheen sterke en gezonde mannen zich nu als geesten door de straten van het getto voortbewogen. Dokter Szykier, die overtuigd socialist was en ieder bijgeloof verafschuwde, probeerde de ordepolitie ertoe te brengen de mensen tegen te houden, maar de rebbe hield koppig vol dat hij ook de komst van de mensen in zijn droom had voorzien en dat het een godslastering zou zijn om Joden weg te sturen die waren gekomen in het geloof dat de God van de Schrift een wonder zou kunnen verrichten, ook door middel van een van zo ver gekomen gezant.

Een van degenen die in de rij stonden, was Hala Wajsberg, de buurvrouw van Adam Rzepin in het pand aan de Gnieźnieńskastraat en de moeder van Jakub en Chaim, die hun dagen vulden met zoeken naar hout en kolengruis bij de oude steenbakkerij aan de Łagiewnickastraat. Hala Wajsberg had het nieuws over de gaven van Mara via haar vriendin Borka op de Centrale Wasserij gehoord en haar man Samuel overgehaald met zijn zere long eens naar die vrouw toe te gaan.

De eerste maanden nadat het getto gesloten was, waren er geen houten bruggen geweest, maar hadden de Duitse wachtsoldaten de omheining elke ochtend opengemaakt voor de arbeiders die, net als Samuel, van de ene naar de andere gettohelft moesten om op hun werk te komen. Het openen van de omheining gebeurde op vaste tijden en je moest zorgen er op tijd te zijn. Het kwam Samuel voor dat hij altijd de laatste man was die zich over de straat haastte voordat de beide dienstdoende wachtposten de prikkeldraadversperring weer terugtilden, en op een ochtend *was* hij ook werkelijk de laatste man die onderweg was – voordat hij het goed en wel begreep, bevond hij zich alleen midden in de 'arische' corridor, terwijl het getto aan beide kanten gesloten was.

Er heerste een ongekend sadisme bij deze verveelde Duitse wachtposten, die niets anders te doen hadden dan het prikkeldraad elke dag verplaatsen; en elke keer dat het lukte een Jood in de 'corridor' tussen hen in te vangen, was een moment van puur, onversneden geluk.

Samuel struikelde en viel, en een van de agenten sloeg hem met zijn geweerkolf een paar keer op zijn rug en achterwerk, en schopte hem met de stalen neus van zijn laars in zijn borst om hem te dwingen weer overeind te komen. Toen het verkeer vervolgens weer werd doorgelaten, pakten ze de inmiddels half bewusteloze man bij handen en voeten beet en smeten hem over het prikkeldraad. Ook toen hij zijn armen en benen allang weer kon bewegen, zat de afdruk van de laars van de politieman nog als een waar merkteken van de onderdrukking in Samuels linkerlong.

De bouw van de houten bruggen was geen verbetering. Elke stap die hij de brug op deed was als een verstikking, elke stap naar beneden weer een kwelling. Zevenenveertig treden omhoog, zevenenveertig treden naar beneden. Met elke stap was er minder lucht over in de fluitende, zere long. Als hij van de brug afkwam, stond hij daar, nat van het zweet en als een aal trillend over zijn hele lichaam, en het werd hem zwart voor de ogen; maar door de nevel van de honger heen was opnieuw de zware, gestaalde stem van de wacht te horen:

Schnell, schnell…!
Beeilung, nicht stehenbleiben…!

Als meneer Serwanski van de kleermakerij aan de Drukarskastraat niet had geweten van de problemen met Samuels slechte long, had hij Samuel zeker ontslagen, en wat was er dan met het gezin gebeurd? Hala dacht in de eerste plaats aan zichzelf. Het getto zat al vol mannen die door de honger onherkenbaar waren uitgehold en nu thuis bleek voor zich uit lagen te staren, terwijl hun vrouwen alleen voor het gezin moesten zorgen.

De ochtend waarop Hala Wajsberg haar man Samuel meenam naar het gebedshuis van de chassieden was een bleke, gure winterdag waarop de mist zo laag boven het getto hing dat de drie houten bruggen rechtstreeks in de lucht leken te verdwijnen. In de achterkamer heerste die ochtend chaos. De ordebewakers, van dezelfde soort die normaal de fabrieken van het getto bewaakte, deden hun best om de mensenmassa tegen te houden die van buiten opstuwde en met de minuut leek te groeien. Zo'n stuk of vijf, zes vrouwen hadden zich met de ellebogen naar de draagbaar weten te werken en zij hingen nu met hun zieke kinderen in hun armen boven het gezicht van de verlamde vrouw.

Iedereen schreeuwde en maakte zo'n vreselijk lawaai dat niemand merkte dat de zieke vrouw zelf al lang geleden was opgehouden met schreeuwen. Dokter Szykier had zijn grote, zwarte dokterstas opengedaan en een injectie gegeven in Mara's ene arm, die dun en vol rode, geïnfecteerde schaafwonden in het schijnsel van de kaarsen lag die Fide Szajn om de draagbaar heen had gezet.

Op dat moment trad Helena Rumkowska met haar gevolg de kamer binnen.

Ook prinses Helena had de laatste tijd last gekregen van die speciale gettoziekte, die *malaise au foie*, die volgens haar lijfarts, dokter Garfinkel, veel van de 'uitverkorenen' in het getto trof. Zoals het Franse woord al aangaf, richtte de ziekte zich vooral op de lever. Na een aanval van geelzucht, jaren geleden, had mevrouw Rumkowska een erkend gevoelige lever. De raadselachtige ziekteverschijnselen die deze lever gaf, vormden een onuitputtelijk gespreksonderwerp tijdens de warme maaltijden die ze regel-matig organiseerde in de gaarkeuken voor de intellectuelen aan de Łagiewnickastraat. Tot deze keuken hadden alleen gettobewoners met B-coupons toegang, *fatsoenlijke mensen*, zoals zij het uitdrukte, en een genadegave was het zeker om te zien hoe prinses Helena tijdens haar inspectietochten haar mond hield, zich vriendelijk over de schouder van een of andere eter boog, iemand een stoel voorhield of zomaar wat beleefd zat te converseren.

Een zo mogelijk nog hoger gewaardeerde gunst, onbereikbaar voor de meeste mensen, was als *persoonlijke* gast te worden uitgenodigd naar de 'residentie' van Helena en Józef Rumkowski aan de Karola Miarkistraat in Marysin. Het huis van het echtpaar was op zichzelf niet iets om over op te geven: een vervallen, houtgestookte datsja met veel kleine, krappe kamertjes, houtsnijwerk op de trap, Russische kleden en simpele verandaramen waar, als de winterkou ze beademde, de bloemen op kwamen te staan, en die net zo glanzend wit werden van de vorst als de buitenkant van dokter Millers uitneembare glazen oog.

Maar aan het plafond hing de kristallen kroonluchter die prinses Helena had meegenomen uit het oude huis in Łódź zelf, en dat was een relikwie. Gasten die bij Rumkowski thuis waren geweest, roemden niet alleen de 'royale dis' waar prinses Helena om bekend stond, maar ook het kleurenschijnsel dat de kaarsen van de kroonluchter in vlekken door de kleine kamer verspreidden, van de eenvoudige tulen gordijnen naar de rotan meubels en het matglanzende linnen tafelkleed.

Voor velen in het getto werd de Karola Miarkistraat een symbool van de *pogodne czasy*, de 'gouden tijden' van voor de oorlog. Het was bijvoorbeeld onder deze kristallen kroonluchter dat prinses Helena op een gedenkwaardige avond plotseling een hele zak vol vinkjes had laten opensnijden die meneer Tausendgeld uit de volière in de tuin had gehaald – dit om eens en voor al symbolisch het kwaad uit te drijven, niet alleen uit het lichaam van prinses Helena maar ook uit dat van alle eerbare gettobewoners. Maar zelfs een zo dramatische medicatie hielp niet. Prinses Helena bleef gekweld worden door haar lever. Tien dagen lag ze in haar slaapkamer opgesloten in dichte duisternis, totdat dokter Garfinkel haar smeekte om *als laatste redmiddel* te proberen naar die vrouw te gaan van wie iedereen de mond vol had en aan wie om de een of andere reden helende krachten werden toegeschreven.

Zo kwam het dat ze zich onder hevige pijnen en met veel misbaar in een van de *dróshkes* van het getto naar het gebedshuis van de chassieden liet brengen. Dat daar ook andere mensen waren beviel haar niets, en ze gaf de *opiekuni* opdracht al deze zieken en zwakken naar buiten te jagen, en pas toen de kamer ontruimd was verwaardigde ze zich voorover te buigen over het arme, zielige wezen dat daar op de baar lag uitgestrekt.

Toen gebeurde er iets wat ook prinses Helena's naasten naderhand maar moeilijk konden verklaren. Iemand schreef later dat het was alsof de verlamde vrouw door een 'plotselinge aanvechting' werd bevangen. Anderen vertellen dat het was zoals wanneer je een hand voor een kaars houdt. Door de heldere, zuivere ogen van de vrouw was een donkere, flakkerende onrust getrokken. 'Een *dibek!*' riep meneer Tausendgeld. Misschien gebeurde er niet meer dan dat Mara zich een ogenblik wist te bevrijden uit de zware, morfinedoordrenkte slaap waarin dokter Szykier haar had doen verzinken, en Helena Rumkowska, die snel sentimenteel werd, voelde haar hart samentrekken bij iets wat ze het ogenblik daarvoor had menen waar te nemen in de koortsig-vochtige ogen van de zieke. Zo ontroerd was ze zelfs dat ze uit haar handtas een zakdoekje haalde waarvan ze een puntje voorzichtig met speeksel bevochtigde voordat ze zich vooroverboog om *wat?* te deppen, ja, *wat* wilde ze eigenlijk deppen (naderhand wist zelfs Helena Rumkowska zelf het niet eens meer precies) – misschien het speeksel in de mondhoeken van de vrouw, de tranen in haar oogrimpels, het zweet op haar voorhoofd?

Maar de trillende hand van prinses Helena met de zakdoek kwam nooit zo ver.

Op dat ogenblik voeren de krampen weer door het lichaam van de vreemde vrouw. Dokter Szykier, die er de hele tijd van was uitgegaan dat zijn patiënt aan epilepsie leed, stormde naar haar toe om haar kaken open te wrikken. Maar in plaats van zich te verzetten tegen Szykiers greep, ging de mond verder open en op het moment waarop de *dibek* (volgens Tausendgeld) het lichaam verliet, keek heel de geschrokken menigte die zich op de achterplaats van het bedehuis verdrong recht in de gezwollen keelholte en de felwitte aanslag die het gehemelte en de keelholte van de vrouw bedekte. Mara zou op dat moment twee korte zinnen hebben geuit – volgens sommigen zelfs slechts twee met moeite uitgeperste woorden – ditmaal echter in volkomen 'begrijpelijk' Jiddisch:

Du host mich geshendt...!
A baize riech soll dich und dajn hoiz chapn...[5]

Dat was alles. In haar eerste angstige verwarring had prinses Helena haar zakdoekje voor haar gezicht gehouden, vervolgens had ze zich gerealiseerd wat ze deed en hysterisch schreeuwend geprobeerd het van haar vingers te schudden:

Ze is ziek! Ze is ziek!
Ze hebben ons de ziekte gestuurd!

Binnen een paar seconden was er niemand meer in de kamer, alleen nog een paar ordebewakers. Leon Szykier smeekte hun een ziekenwagen te laten komen, maar in plaats daarvan kwamen ze terug met het bericht dat de broer van heer Preses – Józef Rumkowski – onder geen beding wilde dat welk ziekenhuis dan ook in het getto de vrouw opnam. Van officiële zijde heette het dat de vrouw niet kon worden behandeld omdat niemand wist wie ze was. In het Meldebüro van het getto was geen registerkaart aanwezig. En als er geen naam was om haar onder te registreren, hoe kon men er dan zeker van zijn dat ze een Jodin was, en niet iemand als Amalek, in vermomming gezonden om ziekte en verval onder hen te verspreiden?

Vier dagen en nachten zweefde de eerste dame van het getto tussen leven en dood als gevolg van de ontmoeting met de zieke vrouw. Józef Rumkowski bracht de lievelingsvogels van prinses Helena naar haar kamer: de kneutjes die altijd in de boomgaard zaten, de grappige spreeuw die rondhupte en precies zo klonk als generaal Piłsudski.

Maar ook de vogels zaten nu stil en somber in hun kooien.

In de gebedsruimte aan de Lutomierskastraat had dokter Szykier een quarantainepost ingericht. Het was de eerste van het getto, en hij moest worden beschouwd als hoogst provisorisch, want voor de ruimte had zich opnieuw een grote mensenmassa verzameld. Deze was echter aanzienlijk agressiever en bestond voornamelijk uit mannen die eisten dat de vrouw het getto uit werd gestuurd.

Wee, wee degene die de ziekte naar het getto brengt!

Ten slotte zag de rabbi van de chassieden geen andere mogelijkheid meer dan de vrouw weer op de draagbaar te tillen en opnieuw met haar rond te lopen. De eerste twee dagen verbleef ze in de keuken bij dokter Szykier thuis. Maar algauw wist de razende menigte de weg daarheen te vinden. En zo nam de zwalkende tocht van het ene naar het andere adres een aanvang, een tocht die pas ophield in de nacht van 6 op 7 september 1942, de eerste *szpera*-nacht, toen de Voorzitter zijn beschermende hand van het getto nam en de Duitse politie onder bevel van ss-Hauptsturmführer Günther Fuchs van huis tot huis ging en alle zwakken en zieken, alle kinderen en ouden van dagen uit het getto meenam.

Voor Samuel Wajsberg was er geen geneesmiddel.

Voor zijn vrouw Hala, die drie dagen nadat het uitgaansverbod van kracht werd haar allerliefste zoon Chaim zou verliezen, ook niet.

Ach, het was als verloren ze het leven zelf.

◆

Twee dagen na het tumult in het gebedshuis van de chassieden riep de Voorzitter het artsencollege bijeen voor een vergadering waarin eens en voor al moest worden bepaald hoe men moest optreden bij epidemieën die het getto van binnenuit bedreigden. Vanuit het rabbinaat nam rabbi Fajner hieraan deel, omdat er ook kwesties zouden worden besproken die niet alleen betrekking hadden op de lichamelijke gezondheid.

In de vergadering werd bij tijden heftig gediscussieerd.

Dokter Szykier sprak gedecideerd alle geruchten tegen dat de vrouw zelf de besmetting zou hebben meegebracht en kreeg steun van de gezondheidsminister van het getto, Wiktor Miller, die beweerde dat er in het geval van difterie feitelijk fasen of voorstadia waren die aan zenuwverlamming konden doen denken. Bovendien, meende dokter Miller, vormde difterie een bedreiging, vooral voor de kinderen in het getto, maar de ziekte werd uitsluitend via de mond overgebracht, wat het gevaar toch beperkte. Anders is het gesteld, zei hij, met de besmetting die gaat via het water dat we drinken en het voedsel dat we eten, of die in alle muren kruipt en waar we niets aan kunnen doen tenzij we het hele getto saneren.

Om dysenterie en tyfus te bestrijden, hebben we artsen nodig; verder niets: artsen, artsen, artsen!

Dokter Miller zou van de strijd tegen de epidemieën in het getto zijn persoonlijke gevecht maken. 'De mensen klagen erover dat ze niet meer koosjer kunnen eten, maar hun water koken of hun fornuizen schoonhouden komt niet in ze op!' Onvermoeibaar peilde hij met de ijzeren punt van zijn blindenstok de diepte van de open riolen van het getto, doorzocht met de paar vingers die hij nog had vuilnishopen en latrinegoten, drukte zijn duimen achter opzwellend of opbollend behang op jacht naar tyfusluizen. Bij de minste verdenking van tyfus of dysenterie werd het hele huis onder quarantaine geplaatst.

Langzaam maar zeker wordt zijn gevecht ook met succes bekroond. Binnen een jaar was het aantal dysenteriegevallen tien keer lager: van 3414 gevallen in het tweede jaar van het bestaan van het getto tot een kleine driehonderd een jaar later. De tyfus volgt eenzelfde dalende lijn, met een top van 981 gevallen in de periode januari-december 1942 en een geleidelijk afvlakken in de twee volgende jaren.

Met het uitbreken van difterie in het getto gebeurt echter iets eigenaardigs. Het eerste etmaal na het tumult in het gebedshuis van de chassieden registreren de poliklinieken van het getto 74 nieuwe gevallen van difterie, maar het etmaal daarna nog maar twee en daarna helemaal geen meer. Net als de geestverschijning die meneer Tausendgeld over het gezicht van de zieke vrouw meende te zien glijden, komt en gaat de ziekte als de snelste fluistering. Zelfs prinses Helena merkt het, ook al ligt ze, rillend van de koorts, dagenlang op de bovenverdieping van het huis aan de Miarkistraat te wachten tot de huiveringwekkende stem die haar uit Mara's gezwollen keel had toegeroepen ook haar in bezit zal nemen.

Maar er gebeurt niets. Nog niet in elk geval.

Vroeg op de ochtend van 9 mei 1941 klom Rumkowski's pas benoemde minister van propaganda, Szmul Rozenstajn, op een omgekeerd bierkrat voor de kantoorbarak aan het Bałutyplein en maakte aan eenieder die het wilde horen bekend dat meneer de Voorzitter naar Warschau was vertrokken om artsen te halen voor het getto. Overal waar mensen bij elkaar kwamen, van Wiewiórka's kapsalon aan de Limanowskiegostraat tot de kleermakerijen aan de Łagiewnicka, werd de boodschap doorgegeven: *de Voorzitter is naar Warschau om heil en genezing te zoeken voor de zieken van het getto.*

Nauwelijks was de Voorzitter vertrokken of men begon zijn terugkomst voor te bereiden. Groots moest die zijn – *po królewsku* – met calèche en erewacht en massa's jubelende toeschouwers, die door geüniformeerde politie op gepaste afstand werden gehouden. Hoewel het in feite ging om een simpel routinetransport, georganiseerd door de Gestapo, die de 130 kilometer naar Warschau elke dag in konvooi aflegde en er allerminst iets op tegen had een Jood mee te nemen als die dom genoeg was om in te stemmen met een betaling van 20.000 mark voor de reis.

Rumkowski's bezoek aan Warschau duurde acht dagen.

Hij werd dag en nacht bewaakt door leden van Czerniaków's Joodse Raad, maar ook door verzetsmensen en koeriers, die hem probeerden uit te horen over alles wat hij eventueel wist over Duitse troepentransporten en over de toestand van de Joden die nog in Wartheland[6] waren. De Voorzitter zelf interesseerde het echter niets hoe het met de Joden in Warschau ging, hoe ze hun *aleinhilf* organiseerden, hoe ze de voedseldistributie regelden, hun kinderen onderwezen of politieke agitatie bedreven. Waar hij ook ging sleepte hij een grote koffer mee. In de koffer zaten brochures en informatiefolders die hij advocaat Neftalin van de statistische dienst van het getto had laten opstellen en Rozenstajn had laten drukken. Hierin stond gedetailleerde informatie over hoeveel korsetten en bustehouders zijn dameskleermakerij elke maand produceerde en hoeveel uniformjassen, handschoenen, uniformpetten of met leer gevoerde camouflagepetten die het Duitse *Heeresbekleidungsamt* bij hem had besteld. Op de Warschause Joden die hem in deze dagen ontmoetten, maakte de oude man met zijn koffer een onuitwisbare indruk:

Iemand die zich Koning Chaim noemt heeft hier enkele dagen hof gehouden, een oude, een beetje typische man [*a bisl a tsedreyter*] van zeventig jaar met veel ambitie. Hij vertelt wonderen over het getto. In Łódź [zegt hij] is een Joodse staat met vierhonderd man politie en drie gevangenissen. Hij heeft een eigen 'ministerie van buitenlandse zaken' en nog allerlei andere ministeries. Op de vraag, als het daar zo goed is, waarom het er dan zo slecht gaat, waarom er zoveel mensen sterven, geeft hij geen antwoord.

Hij beschouwt zichzelf als de Uitverkorene van de Heer.

Voor wie het aan kan horen vertelt hij hoe hij de corruptie bij de politie bestrijdt. Hij zegt dat hij het plaatselijke hoofdbureau van politie binnengaat en de petten en armbanden afrukt van iedereen die zich daar bevindt.

Zo rechtvaardig is de Uitverkorene van de Heer in het getto van Litzmannstadt.

De Joodse Raad die Litzmannstadt bestuurt telt zeventien leden. Die bedienen hem allemaal op zijn wenken. Rumkowski noemt het *zijn* Joodse Raad. Hij beschouwt alles in het getto als zijn persoonlijk eigendom. Het zijn *zijn* banken en *zijn* inkoopcentra, *zijn* winkels, *zijn* fabrieken. En ook, mag men aannemen, *zijn* epidemieën, *zijn* armoede, *zijn* schuld dat de bewoners van het getto al die vernederingen moeten ondergaan.

Ook Adam Czerniaków en de andere leden van de Joodse Raad van het getto van Warschau ontmoetten Rumkowski. Czerniaków schrijft in zijn dagboek:

Vandaag hebben we een ontmoeting gehad met Rumkowski.

De man is onvoorstelbaar dom, verwaand en bemoeizuchtig. Keer op keer zeurt hij over zijn eigen voortreffelijkheid. Luistert nooit naar wat een ander zegt.

Gevaarlijk is hij ook, omdat hij maar stug tegen de Duitsers volhoudt dat alles goed gaat in zijn kleine staatje.

Maar Rumkowski had eigen ogen om mee te kijken en uit wat hij zag kon hij maar één conclusie trekken. In tegenstelling tot het getto van Litzmannstadt heerste er in het getto van Warschau alleen maar chaos en verval. De mensen leken overdag niet te werken, ze liepen alleen maar doelloos rond. Lange rijen uitgemergelde kinderen zaten op de stoepen naast hun uitgehongerde moeders te bedelen. Uit een restaurant – die hadden ze nog! – kwam vreselijke herrie en dronkenmansgelal. De contrasten waren enorm. Rumkowski werd geëscorteerd naar een kruidenierswinkel die was omgevormd tot consultatiebureau voor zieken. In de etalage van de winkel waren planken op schragen gelegd; op deze primitieve draagbaren lagen oude mannen voor de ogen van de voorbijgangers te sterven. Hij bezocht een gaarkeuken die werd geleid door Poale Zion, waar overal waar maar plaats was mensen de uitgedeelde soep naar binnen zaten of lagen te schrokken.

Overal waar hij kwam, beklaagden de mensen zich.

Over het vuil, de te kleine woonruimte, de afschuwelijke sanitaire situatie.

In het gemeenschapshuis was een bijeenkomst belegd voor alle Joden die in het begin van de oorlog uit Łódź gevlucht waren en hier nu vastzaten, in het beschermersnetwerk van Abraham Gancwajch of als lakeien van Czerniaków. Het ging om duizenden Joden uit Łódź, jong en oud, die de zaal tot op de laatste staanplaats vulden.

Hij had zijn koffer bij zich, wagenwijd opengeklapt.

'Niets,' zei hij, 'absoluut niets is er vandaag de dag in te brengen tegen het getto als toekomstige bestaansvorm voor de Europese Joden...!'

Het is oorlog in Europa, vandaag de dag. Maar oorlog is niets nieuws voor de Joden van Europa. In al die jaren dat donkere wolken zich samenpakten boven onze dorpen en steden hebben we leren omgaan met het feit dat we geïsoleerd van elkaar leven en ons niet meer vrij kunnen bewegen.

In vroeger tijden, als er nood en armoede heersten in onze steden en dorpen, als er geen artsen waren of te weinig medicijnen, besloten de stadsbesturen een boodschapper uit te zenden om na te gaan of er in een nabijgelegen stad een arts was die mee terug zou willen gaan om hen als heelmeesters en genezers bij te staan.

ZIE MIJ ALS ZO'N BOODSCHAPPER – *Ik ben een gewone, eenvoudige Jood die tot u komt met een verzoek om hulp [...]*

De meesten van u hebben vast al wel gehoord over mijn getto.

Boze tongen beweren dat mijn Joden zich vrijwillig schikken in slavenarbeid. Dat wij ons afbeulen in vuil en onreinheid. Dat wij vrijwillig zouden breken met het sabbatsgebod, dat wij opzettelijk onrein voedsel eten. Dat wij ons zouden vernederen door het minste of geringste bevel van de bezetters uit te voeren.

Degenen die dat alles beweren begrijpen en respecteren de waarde van arbeid niet goed. Want er staat geschreven in de Thora: U BENT NIET VERPLICHT UW WERK AF TE MAKEN; U MAG U ER ECHTER EVENMIN AAN ONTTREKKEN.

En wat betekent dat? Dat betekent dat werk niet alleen maar gaat om het geld dat u en ik verdienen. Werk is wat een samenleving bijeenhoudt.

Arbeid reinigt niet alleen. Arbeid beschermt ook.

Bij ons in mijn getto sterft niemand van de honger. Iedereen die werkt, heeft recht op een deel van wat er te verdelen is. Maar rechten geven ook plichten. Wie iets verduistert, wie iets van de gemeenschap afpakt voor eigen gewin, die zal worden uitgesloten uit zijn khevre, en nergens zal hij meer iets te eten vinden. Nergens zal hij slapen. En nergens zal hij heen kunnen om te bidden.

Maar omgekeerd geldt dat wie bereid is te werken voor de gemeenschap daarvoor ook zal worden beloond. Ik kom niet bij u als iemand die preekt en u de les leest. Ik ben een eenvoudig mens. God heeft mij een paar handen gegeven, net als iedereen. Die hef ik nu in een smeekbede naar u op: kom terug naar ons in Litzmannstadt en help ons daarvan een plaats te maken waar alle Joden zich thuis voelen.

Alle bijdragen zijn welkom.

Het is ook goed als u alleen geld schenkt.

De mensen kwamen 's nachts naar hem toe.

Ze wilden niets horen over zijn hoge productiecijfers en over al zijn successen in de strijd tegen corruptie en zwarte handel in het getto. Ze wilden hem horen vertellen over bekenden en beminden die ze in Litzmannstadt hadden achtergelaten, over de buurt waar ze hadden gewoond; ze wilden weten of de huizen er nog stonden en of degenen die daar vroeger woonden nog leefden. Hij deed zijn koffer open en deelde brieven en ansicht-kaarten uit, en om hun geheugen nog meer 'op te frissen' vertelde hij over de kastanjebomen die de Duitsers hen dit voorjaar hadden laten planten aan de Lutomierskastraat. Een echte avenue moest het worden. Hij vertelde over de kinderen die elke dag naar school gingen, over de zomerkoloniën die hij in Marysin wilde stichten: zeventienduizend kinderen zouden er gevoed worden met drie warme maaltijden per dag; ze zouden van leraren die hij speciaal voor dit doel had opgeleid, onderwijs krijgen in Jiddisch, Hebreeuws en Joodse geschiedenis; een ziekenhuis met de allermodernste apparatuur uitsluitend voor de kinderen was hem ter beschikking gesteld. Daar stond tegenover dat de kinderen in het voorjaar mee moesten helpen bij het poten en zaaien van groenten en wortelgewassen. Hij vertelde dat er collectieve landbouw was, waarbij honderden *kibbutzni-kim* zich bezighielden met het poten van aardappels. Drie aardappeloogsten per jaar haalden ze binnen.

Uit zijn koffer haalde hij een *Informator far klaingertner* tevoorschijn, een handboek voor groenteteelt, dat Szmul Rozenstajn had gedrukt. Belangrijk was niet *wie* of *wat* je was, zei hij en zwaaide met het boekje, belangrijk was dat iedereen die kwam zijn vak verstond en bereid was om te werken.

◆

Na een dikke week was de Voorzitter weer terug in Litzmannstadt. Van een thuiskomst *po królewsku* was niet bepaald sprake. Een auto van de Gestapo zette hem aan de gettogrens af. Het was ongeveer halfzes in de middag. Het getto lag er verlaten bij. Ver weg op de Zgierskastraat, niet ver van de houten brug, stond een tram zo stil alsof hij door de bliksem was getroffen.

Waar was iedereen? Zijn eerste gedachte was absurd: dat de gettobevolking zijn afwezigheid niet had doorstaan en domweg was gecrepeerd van honger en verdriet.

Zijn tweede gedachte was redelijker: dat er tijdens zijn afwezigheid een soort coup was gepleegd. Zouden het de bundisten, de arbeiderszionisten of die gekke marxisten zijn geweest die weer tegen hem hadden samengespannen? Of was het misschien de vriendelijke Dawid Gertler, die de Duitsers ervan had overtuigd dat hij ook de functies van de ordepolitie moest overnemen?

Maar als dat zo was – waarom was het dan overal zo stil en rustig? Die *Feldgrauen* stonden zoals altijd stram en idioot in hun rood-witgestreepte wachthokjes. Ze keken niet eens zijn kant op. Hij besloot er niet meer aan te denken, pakte zijn koffer en richtte zijn schreden op de slagboom die de entree tot het Bałutyplein vormde.

Voor de lange rij barakken van het gettobestuur stond een vrachtwagen, en daarachter – alsof ze dekking zochten in een schuilkelder – wachtte de hele staf, met juffrouw Dora Fuchs, meneer Mieczysław Abramowicz en de eeuwige Szmul Rozenstajn aan het hoofd. Ze zagen er nerveus uit, alsof hij hen had betrapt op iets schandelijks.

Waar is iedereen?

Er is geschoten in het getto, meneer de Voorzitter.

Wie? Wie heeft er geschoten?

Dat weten ze niet. Alleen dat de schoten vanuit het getto kwamen. Een ervan trof zo ongelukkig dat een Duitse functionaris gewond is geraakt. Herr Amtsleiter is zeer ontstemd.

Waar is Rozenblat?

Hoofdcommandant van politie Rozenblat is door de Duitsers voor verhoor opgeroepen.

Laat Gertler dan komen.

Herr Amtsleiter Biebow heeft medegedeeld dat er in het getto een uitgaansverbod van kracht is totdat de dader is gepakt. Als deze zich niet voor zeven uur morgenochtend heeft aangegeven, dreigt hij achttien Joden te laten fusilleren.

En waar bevinden deze Joden zich nu?

In het Rode Huis, meneer de Voorzitter.

Goed, dan gaan we naar het Rode Huis. Meneer Abramowicz, u gaat met me mee.

Het Rode Huis was een gebouw in de buurt achter de Mariakerk op het grote kerkplein, drie verdiepingen hoog en van kloeke rode bakstenen; vandaar de naam.

Voor de bezetting had het rode bakstenen gebouw dienst gedaan als pastorie van de katholieke kerk, maar al meteen toen het getto werd gevormd had de Duitse recherche gezien welke mogelijkheden het huis had, al het kerkvolk eruit gejaagd en haar eigen personeel erin ondergebracht. Op de eerste verdieping zaten Poolse typistes rapporten te tikken voor de centrale staf in Litzmannstadt. In de kelder bevonden zich de foltercellen.

In het getto stond het de Joden vrij om, al was het maar in gedachten, iedere buurt te doorkruisen. Iedere Bałutbewoner zou zelfs geblinddoekt elk willekeurig steegje, binnenpleintje of dwarsstraatje gemakkelijk kunnen vinden. Maar bij het Rode Huis hield zowel de tong als de gedachte halt. Alleen al het uitspreken van de naam *Roites Heizl* was als het aanraken van een ontstoken tand: het hele lichaam kromp ineen van pijn. Elke nacht werden de omwonenden aan de Brzezińska- en de Jakubastraat wakker van het geschreeuw van de gemartelden; en elke ochtend – ongeacht of er lijken te halen waren of niet – wachtte meneer Muzyk, de begrafenisondernemer, met zijn kar voor de deur.

In zijn dagboek vertelt Szmul Rozenstajn dat Rumkowski op de dag dat hij uit Warschau terugkwam twee ontmoetingen had met de Duitse autoriteiten.

Eerst in het Rode Huis (waar hij ten slotte de ontvangst kreeg waarop hij had gehoopt bij zijn terugkeer: achttien door Biebow gegijzelde mannen die hun bevreesde gezichten tegen de tralies drukten en hun opluchting uitschreeuwden dat hun bevrijder eindelijk was teruggekeerd); daarna met Biebow zelf in diens Bałutkantoor.

Tegen deze tijd was het verhaal van wat er was gebeurd ietwat anders. Het bleek dat er niet was geschoten in het getto. Wat er was gebeurd, was dat iemand een zwaar, stomp voorwerp van binnen de getto-omheining had gegooid en daarmee een tram had geraakt die op dat moment door de 'arische' corridor reed. Het was de tram die hij bij zijn aankomst vanaf het Bałutyplein had gezien. De steen vanuit het getto had een van de ramen van de tram verbrijzeld en de glassplinters hadden een passagier op het middenpad geraakt. Dit had nog door de vingers kunnen worden gezien als de gewonde niet toevallig Karl-Heinz Krapp had geheten, een klerk van de kanselarij van burgemeester Werner Ventszki, een rasechte ariër.

Bij de Kripo was men er meteen van uitgegaan dat het ging om een aanslag en had men een vijftigtal mensen laten arresteren die getuige waren geweest van het incident; achttien van deze getuigen waren naar de ver-hoorkamers van het Rode Huis gebracht. Vanaf zeven uur de volgende ochtend zou elk uur een van hen worden geëxecuteerd totdat de stenen-gooier zich had aangegeven.

'Als u iets aan de zaak wilt doen, kunt u maar het beste meteen begin-nen,' zei Biebow tegen Rumkowski.

Rumkowski gaf Dawid Gertler bevel alle buurten aan de rechterkant van de Zgierskastraat te doorzoeken. Gertlers mannen besloten wetenschap-pelijk te werk te gaan. Om het tramraam te kunnen raken vanuit de hoek van waaruit dat was gebeurd, moest de steen van relatief grote hoogte, dus vanaf de tweede of derde verdieping, uit een van de huurpanden zijn ge-gooid die aan die kant van de Zgierskastraat stonden. Dat sloot alle huizen uit, op drie na.

Gertlers mannen renden de kronkelende, bouwvallige trappen op, bra-ken gesloten of gebarricadeerde voordeuren open en drongen naar bin-nen.

Tegen halfacht kon Gertler persoonlijk melden dat de dader was om-singeld. Deze bevond zich in een woning op de bovenste verdieping van Zgierskastraat 87. Kennelijk waren er ook kinderen in de woning. Toen de politie de deur van de woning forceerde, was er binnen duidelijk ge-schreeuw van kinderen te horen geweest.

'Moeten we toch naar binnen gaan?' vroeg Gertler.

'Doe niets,' zei de Voorzitter. 'Ik ga er zelf heen.'

Zgierskastraat 87 was het meest vervallen pand van de huurhuizen die uit-keken op de dwarsstraat Fisacka. De vier rijen vensters in de gevel leken evenzovele grotgaten. In niet één venster zat een ruit die niet kapot was. Bij de meeste ramen ontbraken ook de kozijnen, en het enige wat bescher-ming bood tegen regen en kou was een simpele reep karton of een smoe-zelig stuk laken.

De politie had het gebouw al omsingeld en zodra de Voorzitter arriveer-de, werd hij het hele stuk naar een woning op de derde verdieping bege-leid. Bij het fornuis zaten twee mannen in elkaar gedoken op iets wat op een omgekeerde emaillen kuip leek; ernaast stond een vrouw die haar handen afveegde aan een smerig schort. Gertler ging voor naar wat eruitzag als een kleding- of voorraadkast achter in de keuken en bonsde een paar keer met zijn vuist op de deur.

Ga weg, laat ons met rust, klonk het gedempt van binnenuit (een ruwe mannenstem).

De Voorzitter stapte naar de deur en zei met gezaghebbende stem: Ik ben het. Rumkowski.

Het werd stil aan de andere kant. Er leek iemand te fluisteren, en er was een geluid als van lichamen die elkaar vastklemmen. Er waren duidelijk meerdere mensen in de kledingkast.

Rumkowski: Wij eisen dat degene die zich hieraan schuldig heeft gemaakt, tevoorschijn komt. Anders zullen er achttien onschuldige Joodse levens verloren gaan.

Opnieuw: stilte. Toen kwam er een stem. Een heel klein stemmetje: *Is het echt heer Preses?*

Een kind. In Gertlers commando werden veelbetekenende blikken gewisseld. De Voorzitter schraapte zijn keel en zei met een stem die hij zo bars en autoritair mogelijk probeerde te laten klinken: Hoe heet je?

Moshe Kamersztajn.

Heb jij die steen gegooid, Moshe?

Het was niet mijn bedoeling er iemand zo lelijk mee te raken.

Waarom heb je de steen gegooid, Moshe?

Ik gooi vaak stenen naar ratten. Maar deze ontglipte me.

De rat of de steen?

Bent u het echt, meneer de Voorzitter?

Ik ben het echt, Moshe, en ik heb een cadeautje voor je bij me.

Wat voor cadeautje?

Dat krijg je te zien als je eruit komt. Ik heb het cadeautje in mijn koffer.

Ik durf er niet uit te komen, meneer de Voorzitter. Ze zullen me slaan.

Niemand hier gaat je slaan; ik geef je mijn woord.

Wat is het voor cadeautje? Wanneer krijg ik het?

De ruwe mannenstem daarbinnen: *Hou op, ze proberen je alleen maar iets wijs te maken —*

Moshe, wie is daar bij je in de kast?

(Stilte.)

Niks zeggen!

Is dat je vader?

Ja...

HOU JE KOP, IDIOOT!

Het was weer stil.

Even. Toen nam de Voorzitter opnieuw het woord: Moshe, zeg tegen je vader dat je bij mij mag komen als je je laat zien. Er is in mijn politiekorps genoeg plaats voor flinke jongens.

(Stilte.)

Ben jij al een grote jongen, Moshe? Zeg eens, ben jij een man?

Geen antwoord geven!

(Stilte.)

Vertel me eens iets wat je goed kunt, Moshe.

Ik kan goed ratten doodmaken.

Dan mag je bij mij ratten doodmaken.

Word ik dan politie?

En dat niet alleen. Ik zal je hoofd maken van een speciaal rattencommando. Je hoeft alleen maar de deur open te doen en naar buiten te komen. Het is nooit te laat om je leven te veranderen, Moshe.

De deur werd geopend en een tanige jongen van een jaar of dertien stond met zijn ogen tegen het licht te knipperen. Achter hem stond een oudere man, bleek, ongeschoren. De man keek gegeneerd om zich heen. Het was duidelijk dat hij niet goed tegen de aandacht kon van al die mensen die zich in dat keukentje bevonden. De jongen was net zo bleek als zijn vader, en op de een of andere manier scheefgegroeid. De linkerkant van zijn gezicht stak verder uit dan de rechterkant, die er slap uitzag, alsof er geen enkel gevoel in zat. Zo was het ook met de rest van zijn lichaam: alsof er een vleeshaak in zijn rechterschouder was gehaakt en de rest van zijn lichaam daar slap en levenloos aan hing. Maar het deel van het gezicht dat leefde, straalde van verwachting.

Naderhand zou er in het getto veel over worden gesproken dat de Voorzitter zo handig was met kinderen. Door de Duitsers te provoceren had dit kind de levens van honderden onschuldige Joden op het spel gezet. Het zou niemand hebben verbaasd als de Voorzitter op dit moment een van zijn hardste disciplinaire straffen had uitgedeeld. Maar dat deed hij niet. In plaats daarvan ging hij op zijn hurken zitten en pakte de beide handen van de jongen in de zijne.

'Als je mijn zoon was geweest, Moshe Kamersztajn, wat denk je dat ik dan met je had gedaan?'

De verschijning van de Voorzitter was zo overweldigend dat de jongen niet meer vermocht dan omlaag staren naar de vuile vloerplanken; hij schudde zijn hoofd.

'Ik zou je vragen eens heel goed na te denken over wat je hebt gedaan, en dan je straf met waardigheid te ondergaan. Als je dat kunt, heb je mijn respect weer verdiend.'

Hij nam de jongen bij de hand en leidde hem langs de keten van politie-agenten de trap af en de straat op. Toen liepen ze samen door het getto. De Voorzitter voorop, heftig gesticulerend (kennelijk was hij een van zijn talloze verhalen aan het vertellen); de jongen erachteraan, draaiend met zijn stijve heup.

Halverwege de Kirchplatz kwamen ze Meir Klamm met zijn paard-en-wagen tegen. Later zou de begrafenisonderneming van meneer Muzyk een grotere wagen krijgen, met 36 uitschuifbare vakken en bergplaatsen voor de doden, maar in die tijd was er maar één wagen, met ruimte voor één lijk, en die werd getrokken door een oude merrie die altijd opgetrommeld werd als er te weinig trekdieren in het getto waren: zo uitgemergeld dat haar ribben uit haar flanken staken als de tenen van een slecht gevlochten mand. De merrie was vooral aan haar gang te herkennen. Ze deed een of meer stappen naar voren, bleef staan en dan volgden er nog een of meer uitgeputte stappen vooruit; en de oude Meir daar boven op de bok kon helemaal niets doen om het tempo te verhogen.

Nu greep de Voorzitter de teugels en vroeg Meir of hij zich ervan bewust was dat de Duitsers een *uitgaansverbod* hadden ingesteld en dat hij kon worden doodgeschoten als straf voor het overtreden daarvan. Meir antwoordde dat hij al lang voordat het uitgaansverbod in werking trad met zijn wagen onderweg was, en wat kon hij eraan doen?

Uitgaansverbod of niet: mensen stierven toch.

Tijdens deze gedachtewisseling had Moshe Kamersztajn alle tijd van de wereld gehad om ervandoor te gaan. De Voorzitter had zijn hand zelfs losgelaten. Maar Moshe bleef maar wat voor zich uit staan staren. En toen de Voorzitter klaar was, stak Moshe zijn hand weer in die van de Voorzitter en de twee vervolgden hun gesprek over wat het ook maar mocht zijn wat de Voorzitter aan het vertellen was.

En daar gingen ze de hele weg naar het Rode Huis mee door, waar de verhoorleider van de Kripo op zijn 'dader' wachtte.

◆

Vier dagen later riep de Voorzitter zijn Joodse Raad, alle resortlaiter en het overige bestuurspersoneel bijeen voor een vergadering in het Cultuurhuis. Ter inleiding hield hij een redevoering waarin hij verslag deed van zijn ervaringen in Warschau:

> Ik ben in Warschau geweest. Sommigen nemen het me kwalijk vanwege de hoge prijs die de Duitsers voor het organiseren van deze reizen vragen.
>
> Maar ik wil u toch vertellen wat ik heb gezien: in Warschau is er niemand die zorgt voor het algemeen belang. Mensen zorgen alleen voor zichzelf. En de bestuurders van de Joodse Raad van Czerniaków hebben geen andere keus dan te zien hoe hun geld achter de rug van de artsen die de zieken verzorgen om van eigenaar verandert.
>
> Verzorging wordt namelijk uitsluitend gegeven aan wie ervoor kan betalen.
>
> Voedsel en medicijnen worden naar binnen gesmokkeld. Maar alleen de rijken hebben genoeg geld om de prijzen te betalen die er worden gevraagd.
>
> Ik kan u vertellen dat de criminaliteit en de smokkel in Warschau zijn uitgegroeid tot de grootste industrie van het getto. In tegenstelling tot bij ons is de smokkel in Warschau de enige industrie die echt functioneert.
>
> Niet het werk van allen in het belang van allen. Maar de strijd van allen tegen allen.
>
> Is dat de manier waarop wij Joden ons tegenover elkaar behoren te gedragen?
>
> Is dat de manier waarop u wenst dat we ons ook in mijn getto tegenover elkaar gedragen?
>
> Ik denk het niet, ook al weet ik dat er ook hier mensen zijn die dat voor de oplossing van al onze problemen houden.
>
> Geen gelijkelijk verdelen van onze lasten, maar ieder alleen het zijne.
>
> Ik zal u zeggen waar dat toe leidt.
>
> Niet tot iemands kortstondige voorspoed, maar tot algehele anarchie.

Helemaal vooraan op het podium stond een klein tafeltje, bedekt met een wit tafelkleed. Op het tafelkleed had de Voorzitter zijn grote koffer gezet.

Twee leden van de ordepolitie hielden aan weerszijden de wacht om roof te voorkomen. Dit hoewel de koffer – zoals de Voorzitter zorgvuldig benadrukte – geen waardevolle zaken bevatte, maar alleen brieven, groeten (neergekrabbeld op velletjes papier), foto's in verbleekte lijstjes, een haarlok in een doosje, een ketting, een amulet.

Desondanks werd de tafel bestormd zodra de koffer werd opengemaakt.

De chef van de wacht moest versterking oproepen. Midden in het tumult werd de deur naar de zaal opengegooid en de hoofdcommissaris zelf, de heer Leon Rozenblat, schreed binnen, met zijn hand stevig om de nek van de jongeheer Kamersztajn.

Moshe Kamersztajns gespleten gezicht was opgezet en rood aan beide zijden; zijn linkerwang was tot dubbele grootte gezwollen en leek wel tot op zijn sleutelbeen te hangen. Maar op zijn fundamentele afwijking leken de martelingen in het Rode Huis geen effect te hebben gehad. De jongen hinkte nog steeds alsof er ergens tussen zijn wang en zijn nek een pijnlijke haak stak.

Hij zegt dat meneer de Voorzitter hem een cadeautje uit Warschau heeft beloofd.

De Voorzitter maakte een genereus gebaar naar de geopende koffer.

Treed nader dan, jongeheer Kamersztajn;
treed nader en kies wat je wilt hebben –

Drie weken later arriveerde er nog een *geshenk* van Rumkowski aan het getto, een transport met in totaal twaalf artsen uit Warschau. De contractbepalingen had de Voorzitter daarginds al geschreven en het smeergeld en de transportkosten voor de Gestapo waren al betaald. De Kroniek vermeldt alle twaalf artsen met naam en specialisatie:

Michał Eliasberg en Arno Kleszczelski – (chirurgen);
Abram Mazur – (keelspecialist);
Salomon Rubinstein – (röntgenarts);
Janina Hartglas en Benedykta Moszkowicz – (arts-verloskundigen);
Józef Goldwasser, Alfred Lewi, Izak Ser, Mojzesz Nekrycz; (mejuffrouw) Alicja Czarnożyłówna en Izrael Geist – (huisartsen)

In juni 1941 begonnen de Duitsers met hun invasie van de Sovjet-Unie: operatie Barbarossa.

In de kapsalon van Wiewiórka stonden de mensen uren in de rij om naar het voorlezen uit een exemplaar van de *Litzmannstädter Zeitung* te luisteren dat een van de wachtposten van de Duitse gendarmerie na enig aandringen had achtergelaten. Meneer Wiewiórka las zelf in het Duits voor, en een van zijn kappersleerlingen vertaalde het in het Jiddisch. 'Wit-Rusland,' vertaalde de jonge kappersleerling met steeds onvastere stem, 'is *stormenderhand* veroverd; Duitse troepen *staan al op de drempel van Moskou.*'

Hoe zou het nu verdergaan?

Later die maand, op het toppunt van de Duitse opmars aan het oostfront, bezocht ss-*Reichsführer* Heinrich Himmler het getto. Tot de fabrieken en manufacturen die Himmler inspecteerde, behoorden de Centrale Kleermakerij aan Łagiewnickastraat 45 en de uniformmakerij aan de Jakubastraat. De Voorzitter had na zijn bezoek aan Warschau de conclusie getrokken dat hij het getto nooit meer onbewaakt kon laten en had op eigen initiatief een uitgaansverbod ingevoerd vanaf acht uur op de avond voor Himmlers bezoek. De stoet limousines met ss'ers en Himmler reed door open, lege gettostraten waar geen mens te bekennen was.

In zijn dagboek tekende Szmul Rozenstajn de volgende dialoog tussen Rumkowski en Himmler op:

Himmler: Dus u bent die veelbesproken rijke Jood van Litzmannstadt, meneer Rumkowski.

Rumkowski: Ik ben rijk, Herr Reichsführer, omdat ik een heel volk tot mijn beschikking heb.

Himmler: Wat doet u dan met dat volk van u, meneer Rumkowski?

Rumkowski: Met mijn volk bouw ik een arbeidersstad, Herr Reichsführer.

Himmler: Maar dit is geen arbeidersstad – dit is een getto!

Rumkowski: Dit is een arbeidersstad, Herr Reichsführer, en wij zullen blijven
werken zolang u ons opdrachten geeft.

Tegen de leden van zijn Joodse Raad zei de Voorzitter later dat de Duitse
opmars aan het oostfront de druk op het getto wat had verminderd. Er
heerste een kalmte bij de bezettingsmacht waarvan hij van plan was te profiteren. Nu was de tijd gekomen om te eisen dat het getto werd uitgebreid.

*De kleinbehuisdheid leidt tot sociale ellende, en de abominabele sanitaire situa-
tie maakt dat ziektes een kans krijgen – vooral difterie is lastig te bedwingen gebleken. Ik heb persoonlijk meer artsen naar mijn getto laten brengen, maar dat
helpt niet als ik niet hele huizen, ja zelfs hele buurten in quarantaine kan houden.*

Tegenover de autoriteiten nam Rumkowski een bescheidener houding
aan. Tegenover hen stond hij zoals hij altijd stond, met zijn handen langs
zijn zijden en zijn hoofd met het witte haar deemoedig gebogen –

Ich bin Rumkowski. Melde mich gehorsamst zur Stelle.

Het was twee dagen nadat hij het verzoek had ingediend dat het getto
'om sanitaire redenen' werd uitgebreid. Nu daalde burgemeester Werner
Ventszki van het hoge podium af waar hij samen met Amtsleiter Biebow en
bestuurschef Ribbe zat, en deed Rumkowski zijn heilige gelofte:

*U zult krijgen wat u wenst, Rumkowski. Het getto zal worden uitgebreid. Met
twintigduizend Joden zal het worden uitgebreid. Berlijn heeft besloten hen uit
de oude en nieuwe geannexeerde delen van het oude Rijk hierheen te sturen.*
Twintigduizend van uw gelijken, Rumkowski!
Groter kan ik uw getto waarschijnlijk niet laten worden.

Vanaf zijn uitkijkpost op het dak van de steenbakkerij kon Adam Rzepin de 'buitenlandse' Joden in het getto zien aankomen. Duizenden mensen achter elkaar, als een lang lint boven de lage horizon. Boven het uitgerekte mensenlint welfde zich de oktoberhemel weids en verlaten over het vlakke land. Het ene moment was hij zo open en blauw dat het bijna zeer deed, het volgende moment schemerde hij van de snel opkomende zwarte wolken. Nog een poosje later was de zwoegende stoet mensen verdwenen in de donkere wolkenmassa alsof hij erdoor was opgeslokt. Toen de nieuwkomers weer tevoorschijn kwamen, waren hun bagage en de kleren die ze droegen allemaal bedekt door een fijn laagje sneeuw.

Adam vormde zijn handen voor zijn mond tot een toeter en riep omlaag naar Jakub Wajsberg: *De buitenlanders komen eraan! De buitenlanders komen eraan!* Hij zag Jakub verschrikt opkijken; toen sprong hij, net als de smokkelaar Zawadawski, in één beweging van het dak van de steenbakkerij op de nog ongerepte besneeuwde grond.

Maar honderden gettobewoners leken op hetzelfde idee te zijn gekomen als hij. De straten en stegen naar Marysin waren stampvol mensen. Bij de Marynarskastraat had Gertlers *Sonderkommando* een wegversperring opgeworpen. Niemand werd doorgelaten zonder eerst te betalen: twintig mark per persoon, en nog eens twintig als je een handkar meenam. Adam had alleen zijn twee zere handen, maar de boze wachtpost stond erop dat hij ook daarvoor betaalde.

Geen kruier komt erdoor zonder eerst te betalen!

Van achter de versperringen en afrasteringen waar hij nooit doorheen zou kunnen, zag Adam Rzepin hoe een van de nieuwkomers – een kleine man met een hoed op en een elegante gabardine mantel aan – in de binnenzak van zijn colbert naar geld stond te graven. Naast de eigenaardige buitenlander stond diens vrouw, gekleed in een strakke jurk, echte kousen en schoenen met hoge hakken, en naast haar stonden hun drie bijna volwassen kinderen, twee jongens en een vrij jonge vrouw. De kinderen keken met grote ogen rond. Ze hadden blijkbaar geen flauw idee waar ze terechtgekomen waren. Met een gebaar dat royaal moest lijken, maar dat alleen maar zijn vertwijfeling nog meer benadrukte, haalde de nieuwkomer zijn portefeuille tevoorschijn en stak de kruier een paar bankbiljetten toe.

Naast hen stonden alle koffers die ze bij zich hadden al opgestapeld en vastgesnoerd op de handkar van de kruier: een berg bagage.

◆

Schnell, schnell...!
Mach, dass du hier wegkommst, dumme Judensau...

Dat was het eerste wat Vèra Schulz hoorde: de stem van de Duitse gendarme die scherp, maar blikkerig door de vele gesloten wagondeuren sneed. Toen werden de deuren van buitenaf opengemaakt, en dat ging als een donker, metalig *klang* door het hele treinstel, en plotseling was alles één luidruchtige chaos toen mensen die urenlang stijf en onbeweeglijk hadden gezeten zich moeizaam en schoorvoetend in beweging zetten.

Ze tekende de datum op in haar schrift:
4 oktober 1941: transport nr. 'Praag II'

Het moest 's nachts hebben gesneeuwd; het sneeuwlicht sneed scherp in haar ogen, die begonnen te tranen van de onverwachte kou. Geen perron: alleen kale, bevroren grond. Tegen de geopende wagondeuren waren loopplanken gelegd van het soort waarover vee wordt geleid. Zieke en oude mensen strekten verdwaasd en aarzelend hun armen uit en werden de trein uit geholpen door degenen die al op de grond stonden. Eenmaal beneden: het vertwijfelde gedrang dat ontstaat wanneer duizenden mensen niet weten welke kant ze op moeten.

Duitse soldaten dringen van verschillende kanten op; boven alles uit zijn overal hun hysterisch schreeuwende stemmen te horen: *Schnell, schnell! Nicht stehenbleiben! Los!*

Nooit een minuut adempauze of rust.

Het dichtst bij de trein staan mannen met rood-witgestreepte uniform-mutsen en armbanden met davidsterren, die ze eerst aanzag voor spoor-wegpersoneel, maar van wie ze nu begrijpt dat het een soort politie is. En-kelen van hen gaan pal voor mensen staan en willen legitimatiepapieren zien of staan erop dat al het meegebrachte *Gepäck* wordt geopend, en op die manier (begreep ze later pas) verdwijnen grote hoeveelheden kleren en waardevolle bezittingen al voordat de nieuwkomers goed en wel gearri-veerd zijn.

Onder de Poolse Joden zijn ook halfvolwassen kinderen, merendeels jongens, die zich door de politieafzettingen heen hebben gekocht en nu met karren naar hen toe komen en bagagetransport aanbieden. Iemand van het transport (niet haar wagon) moet het contact met haar man of haar zoon in het gedrang hebben verloren en roept vertwijfeld zijn naam in de menigte. Een andere vrouw – een eindje achter Věra – valt plotseling op haar blote knieën en begint te huilen. Een hartverscheurend, ongebrei-deld huilen.

Waar hebben ze ons naartoe gebracht? Waar zijn we?

Nog een stuk verder staat een handvol Duitse officieren in grijsgroene uniformmantels tot op de knie en met het geweer om de schouder: ver-moedelijk *Bahnhofspolizei*. Ze stampen met hun laarzen om zich warm te houden in de kou en allemaal glimlachen ze, hoewel ze onverschillig doen, doen alsof ze niets zien. Misschien denken ze aan de opbrengst die hun wacht nu alle Joden – uit het hele Rijk, met alles wat ze bezitten en hebben ingepakt en ingenaaid in hun koffers en ransels en in de voeringen van hun jassen – eindelijk gedwongen zullen worden terug te betalen wat ze het Duitse volk schuldig zijn.

◆

Uit het dagboek:

We lopen als in trance. De mars lijkt eindeloos te duren. Haveloze huur-kazernes met kapotte of gapend lege ramen. Geen verkeer van voertuigen, maar overal dezelfde drukte. Mannen en vrouwen die karren vol vracht en stinkende latrinetonnen achter zich aan slepen – twee aan de voorkant, twee die aan de achterkant duwen. Als trekdieren!

Maar vooral kinderen. Die lopen ons in zwermen voor de voeten zodra we binnen de versperringen komen – en pas als de politie, die naast ons marcheert, eropaf stapt en er iets van zegt, trekken ze zich terug.

We hebben nu onze 'eindbestemming' bereikt: een oud schoolgebouw. De brede toegangspoort naar de binnenplaats staat vol rioolwater. Een paar jongeren leggen er planken over, zodat de ouderen er met droge voeten overheen kunnen, en dan vormen ze een doorgeefketting om de koffers door de poort te krijgen.

De mensen duwen en dringen op: de klaslokalen inclusief de gangen van de ene naar de andere kant van het gebouw zijn allemaal omgevormd tot slaapplaatsen. Houten britsen langs de ramen, elke brits 75 centimeter en dus niet lang genoeg om met je voeten binnen de rand te kunnen zitten. Die ene kleine ruimte moet ook plaats bieden aan de bagage: de rugzak bovenop, de koffer aan het voeteneinde. In elk lokaal 'wonen' ongeveer zestig mensen. En evenveel in de gang ervoor! Wanneer iedereen een plaats heeft gevonden, wordt er een brood uitgedeeld, waar je een hele week mee moet doen.

's Morgens: slappe zwarte koffie, als bruin water.

Jonge vrouwen uit het getto dragen grote ketels met soep naar binnen uit de gaarkeukens.

Op soep lijkt het niet erg: opgewarmd water met iets groenigs erin. Toch stort iedereen zich op het eten, ook degenen die eerst zeiden dat ze niets hoefden! Het blijkt de enige maaltijd van de dag te zijn.

Je wassen is moeilijk. We moeten naar de binnenplaats omdat er geen water uit de kranen komt. En dan: in de sneeuw in de rij staan voor de latrines. Toiletpapier – vergeet het maar. Het beetje toiletpapier dat er is, is voor de zieken! Ze zeggen dat er difterie en tyfus heersen in het getto. De helft van de gettobewoners zou al ziek zijn. Mijn handen doen zeer tot aan de ellebogen, een voortdurend zeurende pijn die alleen maar erger wordt als je je kleren in ijskoud water moet wassen. Daar is de reumatiek weer!

Sommige mensen hebben lijnen gespannen tussen hun slaapplaatsen, zodat ze hun natte wasgoed op kunnen hangen. Alle mensen zitten zo dicht op elkaar als maar kan; kinderen schreeuwen, huilen, zeuren; en veel zieken maken hun ziektegeluiden.

Zo verstrijken de nachten, en de dagen komen. En dan wordt het weer nacht. 's Morgens dezelfde bruine, dunne soep, die net zo ellendig ruikt en smaakt als eerst – als ammoniak. De lucht van de soep blijft tot diep in de nacht hangen en is als de pijn in je maag en de hongerband om je voorhoofd. Zal ik er ooit aan wennen?

Maar het ergst is de spijt. De gedachte dat we ons in veiligheid hadden moeten brengen toen dat nog kon – dat pappa het belangrijker vond zich in te zetten voor het ziekenhuis dan zich om zijn gezin te bekommeren. Dat hij weigerde aan Maman en ons te denken!

Maar daar kan ik nu niets van zeggen, want nu maakt pappa zich natuurlijk onmisbaar op de bovenverdieping, waar ze een eerstehulppost hebben ingericht voor de ziekste mensen van het transport! Ze zitten hier te schreeuwen om artsen! Maar ik kan niet slapen, zo vreselijk voelt het nu ik weet dat er geen toekomst voor ons is...

Ergens, op de een of andere manier, moet er hulp te vinden zijn, anders zullen we allemaal wegkwijnen en doodgaan... Ergens, er moet ergens...

Adam Rzepin woonde met zijn vader Szaja en zijn zus Lida in een woning van één kamer en een keuken op de bovenste verdieping in de Gnież- nieńskastraat, vlak bij de zuidwestelijke grens van het getto. In de keuken stond ook een bed voor Szaja's broer Lajb. Maar al sinds de noodlottige staking bij de meubelmakerij aan de Drukarskastraat was het of er een vloek op Lajb rustte. Hij ging van resort naar resort en veranderde van baan zoals anderen van kleding veranderden, en niemand wist de ene nacht precies waar hij de volgende nacht zou slapen. Er werd in het getto gezegd dat hij Spitzel was voor de Kripo en dat je je maar het beste verre van hem kon houden.

In het bed waar Lajb vroeger altijd lag, lag nu Adams zus. Wanneer Adam 's morgens opstond om water te halen en de kachel aan te steken, lag Lida daar naar de engelen te luisteren. Er kwamen vaak engelen uit de hemel om met Lida te praten. 's Zomers zongen ze in de kachelpijp en 's winters tekenden ze met hun tere vleugelpennen bloemen op de ramen. De vader van Adam en Lida, Szaja, had de raamkozijnen met oude lappen dichtgemaakt, maar het vocht lekte toch naar binnen en 's winters was de ruit soms aan de binnenkant stijf bevroren en de raamgreep als met fijne haartjes berijpt. Het gebeurde wel dat er een speciale engel tot Lida sprak die ze het Grote Dier noemden. Lida's wereld werd bevolkt door de kleine dieren en het Grote Dier. De kleine dieren waren de platte wandluizen, die bij hopen achter het behang zaten en over je handen krioelden zodra je de plinten optilde. Het Grote Dier was een bloedende hongerengel.

Wanneer de hongerengel zijn tanden in iemand zette, was het alsof iemands hele inwendige binnenstebuiten werd gekeerd. Elk deel van het lichaam schreeuwde om eten – alles was goed, als je het maar kon kauwen en doorslikken en in je buik laten zakken. Wanneer het Grote Dier stem kreeg, was het of het sprak vanuit een grote, gulzige, donkere honger-schacht. Het enige wat Lida dan kon doen, was angstig haar mond openen om zijn gekwelde kreten eruit te laten.

Wanneer het Grote Dier zijn zuster greep, pakte Adam een deken en ging hij bij haar liggen, zo dicht bij haar dat het was alsof hij haar lichaam in het zijne wilde opnemen.

Hoewel ze niet veel meer dan dertig kilo woog, was Lida's gezicht merkwaardig ongeschonden, haar huid bleek en blauw, en dun als porse-lein. Maar onder de vodden waarin ze gewikkeld was, zat ondanks alles een lichaam met een gezwollen buik en twee dunne, smalle borsten. Waar de huid door het voedseltekort niet al gezwollen en waterig was, zat hij vol wonden en blauwe plekken. Elke ochtend droeg Adam water omhoog vanaf de binnenplaats en waste hij zijn zus in een grote, houten kuip, en dan wikkelde hij haar opnieuw in de vodden. Maar ook terwijl hij haar was-te, bleef Lida's porseleinen gezicht even glanzend en onbeweeglijk, alsof het bevroren was in een uitdrukking van eeuwige verwondering – dat de wereld er was, en haar broer, en de hongerengel die buiten in het ijskoude, bruine donker maar met zijn harde vleugels bleef klapperen.

De familie Rzepin woonde al lang voordat er hier een getto was in de Gnieźnieńskastraat. In die tijd hadden alle leden van de familie bijgedra-gen aan hun levensonderhoud, ook oom Lajb. Maar sinds Lajb in ongena-de was gevallen, was er wat Szaja betreft niet veel meer geweest dan de da-gelijkse resortsoep, en van rondrennen met pakketjes of op kinderen passen, zoals Adam deed, werd je ook niet dik.

In het getto werd nu veel gepraat over de nieuwkomers. Moshe Stern zei dat de rijkste Joden die uit Praag waren. Sommigen van hen hadden vol-gens Moshe zelfs zoveel eten meegenomen, dat het eerste wat ze deden toen ze in het getto aankwamen, was datgene wat ze niet op konden, uit-delen aan kinderen en anderen die bedelden.

Terwijl hij 's avonds naast zijn zieke zus lag, dacht Adam Rzepin hier veel over na. Hoe was het mogelijk dat mensen met zo'n overvloed in het getto konden aankomen?

De Praagse Joden waren in het getto verdeeld over twee collectieven. Het ene was gehuisvest in het voormalige getto-kinderziekenhuis aan Łagiewnickastraat 37, het andere in het schoolgebouw aan de Franciszkańskastraat, dat de Voorzitter die zomer tot ambachtsschool had omgevormd. Adam koos voor het laatstgenoemde gebouw, omdat hij meende te weten dat daar meer en veiliger vluchtwegen vandaan liepen, en een paar weken later begon hij voorzichtig in die buurt rond te kijken.

De sneeuw die was begonnen te vallen op de dag dat de vreemde Joden kwamen, viel nog steeds, zij het niet met dezelfde hevigheid. Het was kouder geworden. Op het terrein van de Praagse Joden waren een paar vrouwen bezig emmers water uit de bron op te halen en het schoolgebouw in te dragen. De vrouwen droegen hun water met onhandige, plompe bewegingen, het waren *stadsjoden* – dat kon je wel zien. Ook de kinderen waren anders. In plaats van te spelen met wat er voorhanden was, hingen de kinderen lusteloos rond op de binnenplaats en gaven elkaar duwen en porren.

Adam begreep meteen hoe vreemd hij hier was. Hij sprak normaal Jiddisch, en Pools als het moest. Maar het wonderlijke, scherpe en zangerige Tsjechisch dat de vrouwen buiten spraken, was hem totaal vreemd. Hij verstond er geen woord van.

Moshe Stern, die het collectief een paar keer had bezocht, had uitgelegd dat je de nieuwkomers op een bepaalde manier moest bejegenen. Je moest glimlachen en beleefd zijn. Dus zette Adam zijn zonnigste glimlach op zodra hij de binnenplaats betrad. Glimlachend duwde hij zich voorbij een klein groepje Tsjechische mannen, die het schoolgebouw uit gingen met sneeuwschuivers in hun handen en dikke mutsen met oorkleppen stevig op hun hoofd. Adam hoefde zich niet om te draaien om te zien hoe hun ogen zich in zijn rug boorden. Het begon zeer te doen in zijn hoofd. Hoe hoger hij in het huis kwam, hoe harder de pijnband op zijn voorhoofd werd aangetrokken, en toen hij helemaal boven was, begon Lida te zingen.

Het was maar een keer eerder gebeurd dat Lida voor hem was gaan zingen terwijl hij weg was. Hij en nog een paar kinderen uit de buurt hadden op het lege landje bij de houtopslag aan de Drukarskastraat gezocht naar afgedankt bouwhout. Het landje was afgezet en de hele opslag werd door de ordepolitie van de vroege ochtend tot de late avond in ploegendienst bewaakt. Samen met Feliks Frydman, die in het huizenblok ernaast woonde, was hij erin geslaagd een kleine doorgang te graven onder het hek door dat de achterkant van het houtterrein afschermde, en Feliks was al op het terrein toen Adam Lida's stem hoorde, net zo doordringend helder en duidelijk als de stemtoon die ontstaat wanneer je met een lepeltje tegen een halfvol drinkglas tikt. Terwijl de toon zich verspreidde, trok er een pijnscheut door zijn hoofd, alsof iemand plotseling een scherp stuk ijzerdraad van zijn ene slaap naar de andere stak. Hij kon zich nog maar net in veiligheid brengen voordat de ordebewakers met geheven stokken kwamen aanrennen. Feliks, die al onder het hek door was, hadden ze al te pakken.

Nu hoorde hij Lida's stem weer, als een dun, jankend boorsignaal: iiiiii-iiiiii.

Hij vraagt zich af of ze hem voor de mannen met de sneeuwschuivers wil waarschuwen. Maar wat heeft hij eigenlijk te verbergen? Hij is hier immers alleen maar uit nieuwsgierigheid, om een beetje rond te kijken. Hij is nu bovendien te hoog in het gebouw gekomen om nog om te draaien.

De mensen hebben hun slaapplaatsen in de klaslokalen en de gangen, maar tot zijn verbazing ontdekt Adam dat er maar heel weinig mensen aanwezig zijn tussen de schermen die zijn opgesteld om de gezinnen van elkaar te scheiden. De meeste leden van het collectief moeten verhuisd zijn – of meneer de Voorzitter heeft al werk voor allemaal gevonden. Als bezeten jagen zijn ogen over de britsen en de provisorische tafels, zien kleren, dekens en matrassen liggen, uitgespreid of opgerold; zien massa's huisraad, steelpannen, vleesschalen, wasteilen en bakken in en op elkaar gestapeld of samen met de koffers onder de smalle britsen geprop. Maar nergens ziet hij iets wat het stelen waard is. Plotseling schiet hem te binnen wat Moshe vertelde: dat er *minstens* één dokter bij elk transport was en dat deze dokters verplicht waren in elk collectief een spreekkamer in te richten. Adam had zo'n artsenspreekkamer niet op de begane grond gezien. Dus moest er hoger in het huis een zijn. Hij bevindt zich nu op de tweede verdieping. Hier zijn de lokalen kleiner en de gangen ertussen smaller. Hij merkt dat mensen verstijven in hun bewegingen en zich naar hem omdraaien wanneer hij zich steeds bruusker langs hen heen dringt.

Opeens is het heel leeg geworden om hem heen.

Van opzij komen twee vrij jonge mannen naar hem toe.

Waar is de spreekkamer van de dokter? vraagt hij.

In het Pools: *Gdzie jest przychodnia lekarska?*

Dan, vooral om tijd te winnen, ook in het Jiddisch: *Ik zoek* MENEER DE DOKTER. *Kan iemand me vertellen waar hij is?*

Een van de twee jongere mannen lijkt te hebben begrepen wat hij bedoelt en wijst onzeker naar het verlengde van de gang. Terwijl hij in de richting loopt waarin de man wijst, denkt hij dat hij hier waarschijnlijk nooit meer levend vandaan komt.

Maar aan het andere uiteinde van de gang verschijnt toch iets wat eruitziet als een wachtkamer, met mensen die voor een gesloten deur op de grond zitten of half liggen. Hij gaat naar de deur en gooit hem open, erop voorbereid om een dokter die juist een patiënt aan het onderzoeken is, verschrikt op te zien kijken. Tot zijn verbazing is de kamer achter de deur leeg. Een heel gewoon kantoor met een bureau en een leunstoel erachter, en naast het bureau een kast met een paar schaaltjes, verbandmiddelen en etiketloze glazen flesjes op de planken. Hij opent de kastdeuren en trekt de laden uit; hij kijkt niet zo goed naar wat hij pakt, vult alleen zijn zakken met zoveel flessen, blikjes en pakjes verband als er maar in kunnen, en gaat dan de gang weer op en dezelfde weg terug als hij gekomen is.

Maar nu wordt zijn zonnige glimlach niet meer met andere glimlachen ontvangen. Een oudere man die hij opzij probeert te duwen, doet zijn mond open en schreeuwt.

Hij begint te rennen, zonder er acht op te slaan wie of wat er zich op zijn weg bevindt. Tot hij aan het eind van de gang een vrouw in het oog krijgt die op een houten krukje half ligt te slapen, met haar hoofd – eigenlijk kan hij alleen een geweldige hoeveelheid haar zien die is opgebonden in een soort hoofddoek – diep tussen haar knieën hangend. Op de vloer naast de vrouw staat haar handtas; een *echte* handtas. Hij is groot, heel eenvoudig, van verbleekt leer en met een knipsluiting aan de bovenkant, van hetzelfde soort als Józefina Rzepin bij zich had als ze samen 's zondags de Piotrkowska op en neer wandelden. Dit plotselinge beeld van een moeder die hij zich verder bijna niet kan herinneren, geeft de doorslag voor Adam. Voordat hij weet wat hij heeft gedaan, heeft hij de tas weggegrist en stort hij zich de trap af. Uit zijn ooghoeken ziet hij de mannen met de oorklepmutsen dezelfde trap *op* komen stormen, in een lawine van opgewonden stemmen, maar ze komen *te laat* – vanachter *verkeerde* deuren – hij weet dat hij beneden en buiten is vóór hen: nog twee stappen en hij staat plotseling buiten.

De Franciszkańska. Verblindend scherp sneeuwlicht in zijn ogen.

Sneeuw- en kleidrab op de straten. Lege gevels.

Tien meter verderop in de straat geeft een opening tussen twee huizen toegang tot een kleine binnenplaats. Ooit waren alle binnenplaatsen in het getto omgeven door hoge schuttingen, maar die zijn nu neergehaald, stukgehakt en meegenomen als brandhout. In plaats daarvan openen zich achter de gesloten façades hele brandgangen, breed als lanen soms, die iemand die op de vlucht is vrije doortocht bieden van het ene deel van het getto naar het andere. Maar deze binnenwegen kennen alleen degenen die hier al woonden lang voordat de omheiningen kwamen. Lang voordat hier überhaupt een getto was.

De vrouw met de hoofddoek en de handtas in het collectief aan de Franciszkańskastraat heette Irena, maar niemand had haar ooit anders genoemd dan Maman, uitgesproken op zijn Frans, maar met evenveel klemtoon op beide lettergrepen van het woord.

Ma-man! Ma-man!

Door haar hele kindertijd heen had Věra Schulz deze kreet horen echoën, door het trappenhuis waarvan de hoge stenen gewelven het lawaai van de passerende trams versterkten en door alle lege kamers van het grote huis aan de Vinohrady in Praag, dat 's middags alleen maar gevuld werd door warm zonlicht en het geluid van de langzaam tikkende en krakende klok. Nadat ze de hele ochtend aan de vleugel had zitten oefenen, bracht Maman de middagen door in een toestand van eeuwig smachten. Ze klaagde erover dat ze migraine kreeg van de hitte en smeerde zich in met kostbare crèmes om haar huid niet te laten uitdrogen. Op haar rug op het brede bed placht ze de kinderen te amuseren door gekleurde linten in haar haar te vlechten. Maman had een grote bos golvend, bijna kroezend haar, dat ze er met enige inspanning zo uit kon laten zien als ze maar wilde. Maman ging haar garderobe in en kwam er weer uit in een tennisjurk en met een Mary Pickford-hoed of ze verkleedde zich als presidentsvrouw Benešová in een strak mantelpakje van 'Engelse snit' en met een hoed die eruitzag als een uniformpet.

Dat haar moeder de hele tijd verdween en terugkwam als iemand anders, al was het ook alleen maar keurig gekleed voor haar pianosoirees, had Věra al vroeg de vrees ingeboezemd dat Maman op een dag voorgoed zou verdwijnen. Als jullie maar goed voor me zorgen, ga ik nergens heen, grapte Maman altijd, maar geen van de kinderen – behalve Věra waren er ook twee broers: Martin en Josel – geloofde haar. Zo lang ze hun moeder kenden, was ze op de een of andere manier altijd al op weg bij hen vandaan.

Arnošt Schulz hield van zijn vrouw op een meer pragmatische manier: zoals men houdt van en aandacht besteedt aan een begerenswaardig siervoorwerp. Volgens hem had Maman geen goede of slechte dagen, ze had verschillende *personages* (dat had je als artiest) en de rest van het gezin had tot taak met die allemaal op goede voet te staan: *Toe, kinderen, laat Maman nu even met rust*, kon hij zeggen zodra Věra of haar broers hun stem aan tafel te veel verhieven of op hun kamers te luidruchtig speelden.

Na twee weken in het collectief was er van Mamans *personages* nog maar één over: een uitgemergelde, hologige vrouw die ineengedoken onder een wolk van kroeshaar zat en sidderde van angst zodra iemand iets tegen haar zei. De *afschuwelijke* soep at ze alleen als iemand haar voerde, of zoals Věra deed: een paar droge stukjes brood ermee bevochtigen en in haar mond steken zodra ze haar aandacht op iets anders richtte.

Hoe anders was het gesteld met haar energieke echtgenoot!

Al vanaf het eerste moment had dokter Arnošt Schulz zich tot spreekbuis van het Praagse collectief gemaakt. Hij had bewaking laten organiseren om iets te doen aan de ongegeneerde diefstal waarmee de plaatselijke bevolking de nieuwkomers teisterde en bovendien brieven en petities naar de kanselarij van de Voorzitter gestuurd waarin hij klaagde over onverwarmde kamers, het ontbreken van stromend water en een latrineleging *die wel een farce leek*. Dat laatste schreef hij in zijn hoedanigheid van pasbenoemd huisarts bij Ziekenhuis Nr. 1 aan de Łagiewnickastraat, waar hij, zoals hij het zelf beschreef, *dag en nacht bezig* [was] *met het redden van het leven van mensen die op grond van de tekortschietende voedselvoorziening in het getto geen overlevingskansen hebben.*

De eerste weken nadat hij zijn schrijven had verzonden, gebeurde er niets.

Op een dag arriveerde er een dun briefje met het stempel van de Voorzitter op de envelop. De brief bevatte een uitnodiging om aanwezig te zijn bij 'een muzikale soiree' die ter ere van de nieuwkomers zou worden gehouden in het Cultuurhuis aan de Krawieckastraat, en Arnošt Schulz besloot er samen met zijn dochter heen te gaan. Hij ging met gemengde gevoelens en zonder er zich veel van voor te stellen, en keerde 'bedroefd' terug, zoals hij het zelf uitdrukte. Ook Věra beschrijft het gebeuren in het dagboek dat ze toen nog met een zekere regelmaat voerde:

De eersten die ons tegemoetkomen zijn een stel *politsajten* met armbanden en wapenstokken [!] die zeggen dat we opzij moeten, zodat de *honoratiores* erlangs kunnen.

Dat er hiërarchische structuren in het getto zouden bestaan, had ik wel verwacht, maar niet van dit soort. Het is of ze ons alleen maar hebben uitgenodigd om te bewijzen hoe weinig we waard zijn!

Als gevangenen achter tralies stonden we te kijken hoe de *honoratiores* arriveerden. Ik zag Rumkowski zelf, een sombere, witharige man, als een pompeuze keizer aan het hoofd van zijn Pretoriaanse Garde. Het zou lachwekkend zijn geweest als niet iedereen in de zaal plotseling was opgestaan en gaan applaudisseren.

Toen begon het eigenlijke *toneelspel*. Een geschilderde voorstelling van een synagoge op het toneel. Daarvoor rennen een paar toneelspelers heen en weer, met luide stem replieken uitstotend. Omdat het publiek lacht, zal het wel om een soort komedie gaan, maar ik versta er geen woord van. Het is allemaal in het Jiddisch.

Daartussendoor allerlei muzikale stukken. Een zekere mejuffrouw B. Rotsztat voert de 'lichte romances' van Brahms uit op viool, begeleid door de heer T. Ryder op piano. Mejuffrouw B. Rotsztat speelt verrassend goed, zij het met nogal overdadige bewegingen. Pijnlijk zijn alleen de reacties van het publiek – alsof ze zich uitbundig moeten gedragen om te bewijzen dat ze een goed publiek zijn.

Dan komt het grote ogenblik van de Voorzitter, de heer Mordechai Ch. Rumkowski. Het wordt doodstil in de zaal, en je begrijpt dat iedereen eigenlijk gekomen is om hem te horen spreken.

Hij wendt zich tot ons, die het verst achteraan staan, maar hij spreekt ons niet in het Duits, maar in het Jiddisch toe, wat algauw volkomen absurd wordt, omdat slechts weinigen van ons die taal verstaan. Misschien was het maar goed ook dat we hem niet verstonden, want later begreep ik dat *de ouwe*, zoals hij hier wordt genoemd, het grootste deel van zijn toespraak gebruikte om ons uit te schelden, ons 'profiteurs' te noemen, omdat we onze waardevolle spullen niet hebben overgedragen aan 'zijn' bank, omdat we niet zijn verschenen op de arbeidsplaatsen die hij voor ons had geregeld (dat geldt duidelijk niet voor pappa!), en als we ons niet aan zijn reglementen hielden,

zou hij ons onmiddellijk *laten deporteren* – waarheen? Waarheen? – Begrijpt
hij niet dat we zojuist hier naartoe zijn gedeporteerd?

◆

Twee dagen na het 'spektakel' in het Cultuurhuis arriveert de Voorzitter
zelf bij het collectief aan de Franciszkańskastraat. De vrouwen en kinderen bij de latrines op de binnenplaats krijgen hem het eerst in het oog, of
liever gezegd: de kinderen op het schoolplein krijgen het witte paard in
het oog dat de wagen trekt waarin de Voorzitter reist, en dat snuivend door
de brede inrijpoort komt aanstappen. De Voorzitter zelf lijkt een ogenblik
te worden opgeslokt door de zee van deinende petten en alpino's die hem
plotseling omringen. Maar meteen zijn de lijfwachten daar en weten de
mensenmenigte met hun vuisten en hun wapenstokken zo ver terug te
dringen dat hij zich weer vrij kan bewegen.

De Voorzitter inspecteert eerst de latrines en de lange rij waskuipen die
vlak bij de kelderingang staan opgesteld voordat hij en zijn gevolg van lijfwachten de uitgesleten marmeren trappen van het schoolgebouw beklim-
men. Hij gaat door de ene gang na de andere. Overal waar bovenkleding
opgehangen is of koffers en valiezen opgestapeld liggen geeft hij opdracht dat losse kledingstukken moeten worden verwijderd. Koffers, valiezen, handtassen: alles wordt geopend en doorzocht. In een lokaal begint een oudere vrouw hartverscheurend te gillen wanneer een van de
lijfwachten een mes pakt en met driftige, energieke bewegingen het matras kapot begint te snijden waar ze net nog op lag.

Van alle kanten snellen mannen van de pas gevormde bewakingsgroep
van het Praagse collectief toe; onder hen de vroegere chef de clinique van
het Praagse Vinohradyziekenhuis, dokter Arnošt Schulz.

Schulz: Meneer Rumkowski, wilt u zo vriendelijk zijn onmiddellijk op te hou-
den met deze vernielingen?
De voorzitter: Wie bent u?
Schulz: Schulz.
De voorzitter: Schulz?
Schulz: We hebben elkaar al ontmoet. U hebt alleen maar last van tijdelijk ge-
heugenverlies.

De voorzitter: Ah, professor Schulz...! U als arts zou toch moeten weten dat kleren en rondslingerende emballage luizen aantrekken.

Schulz: Mijn excuses voor deze fouten, meneer de Voorzitter. Het zal meteen in orde worden gebracht.

De voorzitter (wijst): Deze spullen brengen we nu naar beneden, naar de binnenplaats, om te verbranden.

Schulz: Meneer Rumkowski, u kunt niet op deze manier met de persoonlijke eigendommen van mensen omgaan.

De voorzitter: Wie stelt hier de regels vast, u of ik?

Schulz: Maar dit is toch dwaasheid.

De voorzitter: Ik zie het als mijn persoonlijke verantwoordelijkheid om de sanitaire wantoestanden die er in dit getto heersen voor eens en voor altijd de kop in te drukken. Het enige wat ik bij deze inspectie zie, behalve dat u de regels en voorschriften die ik heb uitgevaardigd flagrant negeert, zijn de besmettingshaarden die u hier in het collectief bewust kweekt.

Schulz: Als u zich zorgen maakt om het besmettingsgevaar, meneer Rumkowski, zou u ervoor moeten zorgen dat er genoeg verband is voor iedereen of dat de latrines worden geleegd.

De voorzitter: Het is mogelijk dat de toiletten schoner zijn waar u vandaan komt, professor Schulz.

Schulz: Zelfs een dier zou zich nog niet verwaardigen de waterige soep te eten die u ons geeft. Het brood is beschimmeld. Daar komt bij dat de levens van vrouwen en kinderen in gevaar worden gebracht door gewelddadige mensen die hier op klaarlichte dag binnendringen. Een paar dagen geleden nog heeft een brutale dief ingebroken in onze geneesmiddelenopslag. Geld, dekens, pannen – alles wordt onder onze ogen gestolen.

De voorzitter: Als u bescherming nodig hebt, staat mijn *Ordnungsdienst* tot uw beschikking.

Schulz: Met permissie, meneer de Voorzitter: uw Ordnungsdienst is geen knip voor de neus waard. Ik zie uw mannen weleens. Ze komen bij het uitdelen van het eten; maar ik heb het gevoel dat ze er meer op toezien dat wij hun soep niet stelen dan andersom. Daarom hebben we nu onze eigen garde ingesteld!

De voorzitter: Uw zogenaamde garde is met ingang van nu opgeheven.

Schulz: U kunt ons er niet van weerhouden onszelf te verdedigen.

De voorzitter: Er is een politiekorps in het getto en dat gehoorzaamt mij, en

elke poging om een ander politiekorps op te richten beschouw ik als verraad. Weet u hoe we verraad hier in het getto bestraffen, meneer Schulz?

Schulz: Bedreigt u ons? Bedreigt u ons?

De voorzitter: Er is geen reden om met dreigementen te komen. Ik ben in uw
ogen misschien niet meer dan de koning van een verzameling latrinetonnen, dokter Schulz. Maar één ding weet ik zeker. Ik hoef maar één tele-
foontje te plegen en u en uw gezin worden binnen 24 uur uitgewezen uit
het getto. Maar ik bel niet. Ik zal de brutaliteit van meneer de dokter door
de vingers zien. Voor deze keer.

Intussen hadden de mannen van Gertler de koffers en de losse kledingstukken naar de binnenplaats gebracht, er benzine overheen gegooid en
ze aangestoken. Binnen een paar seconden kwamen de vlammen tot aan
de eerste of tweede verdieping, waar de mensen uit de ramen hingen en
met grote ogen toekeken hoe het vuur een zwarte rookwolk naar de gevels
van de huizen aan de overkant dreef. Verschillende families maakten er
later melding van dat ze behalve losse kledingstukken en koffers ook
waardevolle persoonlijke bezittingen als gouden kettingen, bedeltjes en
ringen waren kwijtgeraakt. Een van de leden van het collectief meldde
bovendien dat de mannen van de Voorzitter hem zijn winterjas hadden afgepakt, het zakhorloge met horlogeketting en al uit zijn vestzak hadden
gesneden en zijn vrouw haar gevoerde rijglaarsjes hadden ontstolen.

Ongeveer op hetzelfde moment als waarop Rumkowski zijn inspectie
van het collectief aan de Franciszkańskastraat hield, sloeg de Kripo toe in
restaurant Adria aan het Bałutyplein, dat tot zoiets als een speciale ont-
moetingsplek voor de Duitse Joden van het getto was geworden. Negen
personen van de collectieven van Berlijn en Keulen en vijf van het Praagse
collectief werden op heterdaad betrapt bij verschillende soorten trans-
acties. Een van de Duitse Joden probeerde een compleet eetservies te verkopen, een andere een set tafelzilver. Het bleek dat alle potentiële kopers
ofwel verklikkers waren die rechtstreeks aan de Kripo rapporteerden ofwel mensen van Dawid Gertlers staf van informanten. Zo beschermen de
Joden van het getto hun eigen mensen.

Věra Schulz over Rumkowski in haar dagboek, de dag na de kledingver-
branding (11 december 1941):

... de man is een <u>monstrum</u> –

Zijn enige wapenfeit tot nu toe: in recordtijd zijn eigen volk verkwanselen en al hun bezittingen stelen of verduisteren. Toch kijkt een kwart miljoen mensen naar hem op als naar een god! Hoe zit iemand in elkaar die bewust zoveel mogelijk mensen probeert te vernederen en te schande te maken, alleen maar ter meerdere eer en glorie van zichzelf?

Ik kan er met mijn pet niet bij!

Adam Rzepin had natuurlijk geen idee wat voor soort geneesmiddelen hij te pakken had gekregen of hoe die hem iets zouden kunnen opleveren. Op advies van Moshe Stern zocht hij daarom een zekere Nussbrecher op – een ervaren tussenpersoon voor allerlei zwarte handel in het getto – en vroeg om een kosteloze taxatie.

Wat Adam niet wist, was dat de markt sinds de komst van de vreemde Joden verzadigd was met goederen en dat de zwarthandelaren op de Pfefferowa als haviken tegenover elkaar stonden om hun marktaandeel te behouden. Iedere nieuwkomer op de markt was dus een potentiële concurrent. In plaats van Adam een redelijke prijs te geven, ging Aron Nussbrecher rechtstreeks naar de nieuw benoemde gevangeniscommandant van het getto, Schlomo Hercberg, en vertelde dat een jongeman, Rzepin genaamd, zich had gestort op het verkopen van geneesmiddelen in het getto. Hercberg was juist terug van een vergadering met de Voorzitter, waarin deze had gehamerd op de noodzaak om *tot elke prijs iets te doen aan de toenemende criminaliteit en corruptie*, en Hercberg dacht dan ook dat deze jonge Rzepin misschien goed als afschrikwekkend voorbeeld kon dienen. Rzepin was jong en had geen contacten. Boven alles had hij geen beschermers. Hij zou, met andere woorden, niet iemand anders aangeven als hij zelf werd aangegeven.

De volgende dag kwamen er dus in plaats van een handvol lucratieve aanbiedingen twee forse politiemannen naar het huis van Adam en Lida, en zij namen Adam mee voor verhoor in het huis van bewaring aan de Czarnieckiegostraat.

Zoals zovele anderen bij de gettopolitie en -ordedienst had Schlomo Hercberg zijn wortels in Bałuty. Hij was wat de Duitstalige Joden van Łódź een echte *Reichsbaluter* noemden.

Ooit had hij dienst gedaan als operateur van de Bajkabioscoop op de hoek van de Brzezińska- en de Franciszkańskastraat. Er waren nog altijd mensen in het getto die zich die tijd konden herinneren. Hoe meneer Hercberg voordat de voorstelling begon altijd schichtig op het trottoir voor de bioscoop had rondgelopen, gekleed in een krap, marineblauw uniform met staalgrijze tressen, in de hoop dat hij de *parade van de society* zou zien. Hercberg hield van premières. Veel later, tijdens de dinertjes bij prinses Helena thuis, toen hij zelf deel uitmaakte van het weinige dat er nog aan society was in het getto, kwam hij er steeds weer op terug hoe je in vroeger jaren de grote families Poznanski, Silberstein of Sachs met hun overdadige equipage bij de grote Tempelsynagoge kon zien aankomen, of bij hun loges in het concertgebouw aan de Narutowiczastraat.

Ook Hercberg maakte aanspraak op een bepaalde rang. Hij schepte er altijd over op dat hij kapitein was geweest in een van de cavalerieregimenten van veldmaarschalk Piłsudski en hij kon desgevraagd tal van gewaarmerkte kopieën van oproep- en overplaatsingsorders alsmede doktersverklaringen overleggen waaruit bleek waar en op welke manier hij *te velde gewond* was geraakt, naar welk veldhospitaal hij was gebracht en waar hij ergens gerevalideerd had. Al deze bewijzen waren natuurlijk grondig vervalst, maar Schlomo Hercberg wist net als de Voorzitter zelf dat niet academische titels ertoe deden als je iets van de grond af aan wilde opbouwen, maar het vermogen je ambt met gezag en waardigheid te bekleden. En als er iets was wat Schlomo Hercberg kon, dan was het dat.

Toen Adam Rzepin in de gevangenis aan de Czarnieckiegostraat zat, was dat helemaal onderin, in het deel dat de Groeve werd genoemd. De Groeve was eigenlijk niet meer dan een brede, schachtvormige kuil, een *oubliëtte*, met een opening aan de bovenkant, waar de gevangenen alleen door bewakers in en uit konden worden gelaten met behulp van een lange ijzeren stang met tweetandige vork aan het uiteinde, ongeveer zoals je kikkers uit een vijver vist. Tegen de wanden het dichtst bij deze opening stonden een paar ijzeren britsen waarop de meest bevoorrechte gevangenen sliepen. De rest moest zich zo goed mogelijk samenpersen naast de latrine, helemaal binnenin.

Maar dat was nog maar de voorkamer. Achter een traliedeur verbreedde de Groeve zich in nog meer gangen die naar beneden liepen door de eroderende steengrond. Toen de deportaties uit het getto later dat jaar begonnen, werden hier in deze kronkelgangen tienduizenden mannen gevangengehouden. Het was alsof het getto aan de uiterste *binnenkant* of *onderkant* (al naargelang hoe je ernaar keek) geen bodem had. Van onder uit de kronkelige schachtgangen steeg een voortdurend kermen op, alsof de jammerklachten van alle mensen die daar hadden gezeten werden aaneengeregen tot een eentonig gezang, dat nooit ophield, hoeveel mensen er ook op deportatie wachtten of vrijgelaten werden.

Af en toe werd Adam omhooggehaald voor verhoor door Hercberg.

Hij werd naar de zogeheten Bioscoop gebracht, die op het oog geen verhoorkamer was, maar eerder een privékantoor, ingericht met alles wat een Reichsbaluter maar kon verzinnen aan luxe en overdaad. Hier stonden zacht gevulde leren meubels, geflankeerd door 'oriëntaalse' lampen met franjes, en een bureau met uitschuifbare planken en kastjes met veel sleutels en een schrijfblad met intarsia-inlegwerk en een ingebouwde inktpot van echt zilver. Maar bovenal was hier eten. De verleider Hercberg had alles uitgestald waar een hongerende gevangene maar van kan dromen, in de vorm van ham en *kiełbasa*, een heel vat *kraut*, zwetende kazen in linnen doeken, geurend versgebakken brood dat het personeel van de bakkerij aan de Marysińskastraat elke ochtend op uitdrukkelijk bevel van Hercberg bracht.

Kijk eens aan, kom binnen, wees niet bang…! zei Hercberg tegen Adam Rzepin en glimlachte een glimlach die net zo glom als het vet op de ham. En toen Adam ten slotte niet kon nalaten een trillende hand uit te steken naar het stukje brood dat op de rand van de schaal lag, greep Hercberg de onverbeterlijke zondaar hard in zijn nek – *Zo… Zelfs nu kun je je handen niet bedwingen, jij zielige stumper!* – en smeet hem met zijn hoofd naar voren pardoes tegen de muur.

Ze mishandelden hem onafgebroken. Soms met de blote vuisten, soms met lange houten latten, die ze systematisch van zijn onderrug langs zijn dijbenen helemaal omlaag naar zijn enkels en hielen lieten gaan. Ze wilden weten wat hij wist over Moshe Stern. Ze wilden weten met wie die tegenwoordig 'zaken deed'. Ze hadden ook gehoord dat hij samenwerkte met de handelaar Nussbrecher. Naar wie had Nussbrecher gezegd dat hij met zijn spullen toe moest gaan? Ten slotte wilden ze alles weten over de mensen van wie hij had gestolen. Ze wilde de *namen* van alle rijke Joden uit Praag weten. Adam had hun identiteitsbewijzen toch gestolen, of niet? Hij wist toch hoe ze heetten. Adam schreeuwde tot hij flauwviel, maar Lida hief met haar hoge stem een lied aan dat uit alle gangen van de Groeve opsteeg; het klonk als de vibrerende boventoon van een tot aan het breekpunt gespannen snaar: *Geef ze niets, geef ze niets*, sneed haar stem door hem heen.

Daarom gaf hij ze ook niets. Geen enkele naam.

Terug in de Groeve droomt Adam over de dag, jaren geleden, toen hun vader het hele gezin meenam om naar de zee te gaan kijken. Ze waren uit Łódź vertrokken in een kleine Citroën die een van de voormannen op de zagerij hun had geleend. Szaja had de auto zelf bestuurd.

Sopot. Zo had de plaats geheten waar ze heen waren gegaan. Nu wist Adam het weer.

Alleen thuis in de Gnieźnieńskastraat droomt Lida over dezelfde zee. Haar broer is in deze droom bij haar, zoals hij bij haar is bij alles wat ze zegt of doet, ook als ze slaapt of valt.

In Sopot was een lange houten steiger, die recht de zee in stak en de Pier heette. Aan weerskanten van de Pier waren stranden met fijn, los, warm zand, bezaaid met mosselschelpen en helemaal aan het begin, vlak bij de strandpromenade, stonden hoge boomschorshuisjes met markiezen in kapperspaalkleuren; daar kleedden de Werkelijk Rijke en Gewichtige gasten zich om. Adam weet nog hoe meerdere van deze Rijke en Gewichtige mensen hun hoed voor hen lichtten toen ze later op de avond over de Pier liepen, alsof ze geen behoeftigen uit Łódź waren, en al helemaal geen Joden.

Lida weet nog hoe ze, toen ze het ondiepe water in waadde, plotseling besefte dat de zee geen plat, effen, glad vlak was zoals op de ansichtkaarten. Nee, de zee was een levend wezen. De zee bewoog. Hij schommelde en deinde en verhief zich onophoudelijk tegen en over haar rug en omlaag tussen haar benen en knieën door. In onophoudelijke verandering.

Op dit moment is de zee net een reusachtige bal.

Ze staat daar met beide armen om de grote, glanzende zeebal heen, maar het lukt haar niet hem helemaal te omhelzen. Het oppervlak van de bal is glibberig en nat. Maar bovenal heeft de zee de eigenschap de hele tijd weg te glijden. Twee handpalmen zijn niet genoeg om de zee vast te houden; haar ogen glijden ook weg en als het haar eindelijk lukt hem op te tillen, ziet ze dat de zee wegvloeit, helemaal tot aan de horizon.

In haar herinnering drinkt ze hem op. In lange, grote teugen klokt ze de zee op, slok na slok, en de zee smaakt niet zoals de soep die Adam haar altijd voert, maar ruw en zout, en hoe meer ze drinkt, hoe duidelijker ze voelt dat er daarbinnenin iets zit wat je kunt beetpakken, iets glads en glibberigs dat, als het haar goed en wel lukt haar tanden erin te zetten, een vis wordt met een harde, schubbige staart die haar zachte gehemelte en de binnenkant van haar wangen stukscheurt. De vis smaakt ruw, scherp en zout, maar ook levend en zacht, en ze bijt tot de graat kraakt, ze zuigt en gaat met haar tong langs de ruwe visschubben en de gladde, zachte ingewanden.

En in zijn cel voelt ook Adam hoe zijn mondholte zich vult met de smaak van vis, ruw en zout als niets wat hij ooit heeft geproefd, en vermoedelijk schreeuwt hij het zomaar uit, want plotseling is het geluid van bewakers buiten de cel te horen.

Ze komen aanstormen met rinkelende sleutelbossen en hun armen al geheven voor de klap.

Stil, idioot,
of wil je dat ze jou ook wegsturen!

En ze steken de stang met de lange vangklauw zo ver mogelijk uit en wanneer hij terugdeinst om de haak niet in zijn gezicht te krijgen, is de stang veranderd in een eeltige bewakershand die hem bij zijn nek grijpt en zijn gezicht tegen de celvloer drukt. Uit zijn nek stijgt iets als een roezige verdoving op. Zijn mond is vol bloed, hij kan bijna niet slikken. Maar als het dan toch lukt, smaakt alles naar vis, zijn hele ik is één enkele bloeddroom over vis en levend water.

◆

Toen ze hem kwamen halen had Adam Rzepin meer dan vier weken in de Groeve gezeten. Een van de bewakers, die het hek ontgrendelde, had een formulier bij zich. Adam moest vertellen hoe hij heette, waar hij woonde en hoe zijn vader heette. Daarna pakten ze de stang met de haak en hesen hem op.

Buiten was het koud! Een maand geleden had er alleen maar wat sneeuwbrij op de straten gelegen; nu lag het hele getto ingekapseld als in een habijt van glanzende, gladde, witte sneeuw. Hij zag de zon vonken slaan uit de sneeuwwallen; het licht zo oogverblindend scherp dat hij de aarde maar ternauwernood van de hemel kon onderscheiden.

Op de omheinde binnenplaats van de gevangenis heerste een tumult als op een marktplein: mensen sleepten met zware koffers of droegen, vastgesjord op hun rug, matrassen en beddengoed. Maar er was niets van de onophoudelijke drukte en herrie van een marktplein. De mensen bewogen zich eerder onwillig voort, als strafgevangenen in een rij, eigenaardig stil, gedisciplineerd. Het enige geluid dat duidelijk waarneembaar was in de vriesheldere ochtend, was het holle, bellende gerammel van de potten en pannen die aan ceintuurs en pakriemen bungelden.

'Wat is er aan de hand?' vroeg hij een van de bewakers.

'Het is met je gedaan, je moet hier weg,' zei de cipier en overhandigde zonder verdere plichtplegingen zijn werkboekje aan een functionaris die aan een tafel aan de zijkant zat. Deze stempelde de papieren snel. Het volgende ogenblik ontving Adam een stuk brood en een kom soep, en kreeg hij het bevel helemaal aan de andere kant van het omheinde gebied te gaan staan, waar al een kleine honderd man hun bezittingen stonden te bewaken.

Zo staan de zaken ervoor, zei een van de gevangenen die zijn soep al op had en met bijna tandeloze kaken aan zijn brood knaagde. Ze laten de buitenlanders het getto binnenkomen en ons die er wonen weggaan.

Adam vouwde zijn papieren uit en keek naar het stempel:

> AUSGESIEDELT

stond er met grote, zwarte letters over de hele bovenkant van het werkboekje, waar zijn naam, adres en leeftijd allemaal al van tevoren waren ingevuld. Vertrokken.

Toen, plotseling, het leek wel tegen zijn zin, viel alles op zijn plaats.

Ze hadden hem niet uit de Groeve opgehaald om hem vrij te laten, maar om hem uit het getto te deporteren.

Adam keek om zich heen. Verschillende van de mannen binnen de hekken kenden elkaar of leken in elk geval oppervlakkig met elkaar bekend te zijn, maar terwijl het ritueel van het oproepen van namen, het stempelen en het uitdelen van soep en brood bezig was, was er niemand die ook maar een woord zei. Het was alsof ze zich tegenover elkaar schaamden.

Adam begreep dat ze wachtten tot het contingent gedeporteerden zo groot was dat ze konden afmarcheren. *Waarheen?* Naar een verzamelkamp ergens in het getto of helemaal naar Radogoszcz? Als hij werd gedeporteerd, wat zou er dan met Lida gebeuren? Zou hij haar ooit weer zien? In zijn nervositeit verslond Adam de homp brood in één hap. Het was donker en verbazend sappig: de eerste echte maaltijd die hij in een maand had gehad. Hij voelde hoe zijn buik warm begon te worden van de soep.

Op dat moment ontdekte hij aan de andere kant van het hek zijn oom Lajb.

◆

In de tijd dat hij nog bij hen woonde had oom Lajb een fiets gehad. Hij was de enige in de hele Gnieźnieńskastraat die een fiets bezat, en om te bewijzen wat voor opmerkelijk bezit dat was, had hij de gewoonte de fiets naar buiten te brengen, helemaal uit elkaar te halen en alle onderdelen voor zich op een stuk oliedoek te leggen. Elk ding apart: de ketting apart, de gereedschappen apart in hun foedraal met omslagen en kokers voor elke afzonderlijke sleutel en klem. Dan zette hij de hele fiets weer in elkaar, terwijl de kinderen op de binnenplaats in een bewonderende kring om hem heen stonden toe te kijken.

Een paar avonden in de week waren aan dit ritueel gewijd. Behalve de sabbat.

Op sabbat stond Lajb met zijn gezicht naar de muur, met zijn gebedenboek in zijn hand te bidden. Lajb sprak de achttien zegeningen met dezelfde omstandige precisie uit als waarmee hij zijn fiets in en uit elkaar haalde. Wanneer hij zijn gebedssjaal omdeed, sprak hij de zegening uit over de gebedssjaal; wanneer hij zijn eigen *tefillin* omdeed, dankte hij God dat hij de gebedsriemen had mogen ontvangen. Elk ding apart. En wanneer Adam Lajbs biddende gezicht zag, vond hij dat het met zijn smalle oogspleten precies leek op het fietszadel, en de halsspieren op de in tweeën gedeelde voorvork die omlaagstak naar de naaf waar het gebedswiel met zijn buigzame spaken omheen draaide, onmerkbaar en stil. Zonder het te willen of te weten, bleef Lajb altijd het middelpunt van de cirkel. Waar hij ook ging, verzamelden zich mensen om hem heen die hem vol respect, ontzag en bewondering aankeken. Toen, op de Gnieźnieńskastraat, waren het kleine jongetjes geweest. Ditmaal waren het gevangenenbewakers. Ze kwamen nu op Lajb af alsof hij een heilige rabbi was. Slechts een paar minuten later kwam er een gelukkige cipier naar Adam toe met opnieuw gestempelde papieren; zijn hele gezicht straalde van vreugde:

Rz-zepin! Het is je mazzeldag vandaag, Rz-zepin.
Je bent van de lijst ges-s-schrapt.

◆

Ze liepen in stilte, Lajb en hij.

Ze kwamen nog meer groepjes mannen en vrouwen tegen, die hun deportatiebevel net hadden gekregen en op weg waren naar de verzamelplaats bij de Centrale Gevangenis, en opnieuw werd er als het ware een cirkel of een vacuüm om hen heen gevormd. Adam durfde de gedeporteerden niet eens aan te kijken. Hij durfde zijn ogen niet boven hun knieën te richten. De meesten van hen hadden geen schoenen, alleen eenvoudige voetlappen, vastgebonden aan hun enkels, of hun voeten waren gestoken in simpele, te ruim zittende klompen, die ze door de sneeuw achter zich aan trokken als waren het voetboeien.

Adam dacht aan de nieuwe schoenen die hij oom Lajb had zien aantrekken de dag nadat meneer de Voorzitter had bekendgemaakt dat de arbeiders die de staking aan de Drukarskastraat hadden georganiseerd, uit het getto uitgewezen zouden worden. Zo was het geweest: sommigen waren uit het getto gedeporteerd, anderen hadden nieuwe schoenen gekregen.

Net als bij oom Lajbs fiets was er niemand in het getto die ooit zulke schoenen had gezien: echte veterschoenen van glanzend, glad leer, met een stevige hak en zool, en bovenleer met sierstiksel. Als Lajb ermee door de woning aan de Gnieźnieńskastraat liep, kraakten de schoenen precies zo op de vloer als hun voetstappen nu op de droge sneeuw kraakten.

In normale omstandigheden zou het huis om deze tijd leeg zijn, vader naar zijn werk. Maar toen ze binnenkwamen, stond Szaja moeizaam op van zijn stoel aan de keukentafel. Adam keek in een reflex naar het bed waar Lida altijd lag. Waar het bed altijd stond, stond een tafel met twee smalle windsorstoelen, en op die twee stoelen zaten een man en een vrouw, en tussen hen in, op de grond, een meisje van een jaar of tien, twaalf.

Dit is de familie Mendel, zegt Szaja in een plechtig, Litvisch-achtig Jiddisch dat hij anders nooit bezigt, en als om het te verduidelijken (in het Pools):

Ze komen uit het Praagse collectief. Ze hebben hier huisvesting toegewezen gekregen.

Meneer Mendel is een klein mannetje met een kromme, bijna gebochelde rug, een kale kruin en een ronde bril. Adam kijkt hem aandachtig in de ogen, maar de blik achter de bril is totaal blanco. Hij kijkt, en kijkt tegelijk ook niet. Naast hem zit zijn vrouw met iets in een tas te friemelen.

Waar is Lida? vraagt Adam dan.

Szaja zegt niets.

Adam draait zich om, klaar om dezelfde vraag aan Lajb te stellen.

Waar is Lida?

Maar Lajb is er niet meer. Nog maar een minuut geleden had hij dicht bij Adam gestaan, zijn gezicht even zwijgzaam en uitdrukkingsloos als altijd. Nu is het alsof hij er nooit is geweest.

Sinds Józefina Rzepin was gestorven, hadden vader en zoon zich aangeleerd hun respectieve bezigheden zwijgend en zonder al te veel omhaal uit te voeren. 's Morgens had Szaja de haard aangemaakt, terwijl Adam naar de binnenplaats ging om water te halen. Omdat Szaja de enige was die een heus werkboekje had, was hij meestal degene die bij de distributiecentra in de rij stond wanneer de nieuwe rantsoenen waren bekendgemaakt, terwijl Adam de middagsoep maakte, kleren waste en Lida voerde, met haar praatte en voor haar zong.

Het is nu de eerste keer in vele jaren dat ze allebei inzien dat de stilte die tussen hen is ontstaan, alleen kan worden verbroken met woorden. Adam heeft een groot gat in zijn borst. Dat gat heet Lida. Maar het is te groot om te vullen met woorden als 'gemis', 'bezorgdheid' of 'angst'. Of liever: de woorden zouden, áls hij ze al zou durven uitspreken, in het gat verdwijnen.

Ik heb nog nooit om hulp gevraagd, zegt Szaja ten slotte, en knikt naar de deur waardoor Lajb zojuist is weggegaan.

Adam zegt niets. Aan de andere kant van de kamer zit de familie Mendel en volgt de gang van zaken met ongeruste blikken. Hoewel ze niets verstaan van wat er gezegd wordt, is het of ook zij worden bevangen door de spanning die er heerst tussen vader en zoon.

Ze zeiden dat ze ons allemaal zouden deporteren. (Bij het woord 'deporteren' zakt de stem van de vader nog dieper.) *Ook Lida stond op hun lijst.*

Dus ik heb Lajb gevraagd me te helpen

Ik heb mijn hele leven nog nooit iemand om hulp gevraagd

Adam kijkt zijn vader in de ogen.

Waar is Lida? vraagt hij alleen.

Ook Lida wilden ze deporteren

Adam kijkt naar de familie Mendel. Hij vraagt zich af of meneer Mendel hem herkent als de *boosdoener* die had ingebroken in hun collectief. Waarschijnlijk wel. Het duurt alleen even voordat het besef tot hem doordringt. Dat hij nu is ondergebracht bij dezelfde man die hem geprobeerd heeft te bestelen van alles wat hij bezit.

Lajb heeft werk voor je geregeld

Adam staart zijn vader aan.

Op het Radogoszczstation. Ze hebben mensen nodig bij het laden en lossen. Goed betaald

Het besef is in de ogen van meneer Mendel uitgegroeid tot vrees. Hij kijkt Adam nu recht aan, en Adam kijkt terug. (Trots, honend: wat kan hij hem maken?) Dan tegen zijn vader:

Waar is Lida?

Je hebt geen idee hoe het was terwijl jij weg was

Waar is Lida?

Adam stort zich over de tafel en grijpt zijn vader bij de schouders, schudt hem heen en weer alsof hij niet meer dan een lappenpop is. Aan de andere kant van de kamer staat mevrouw Mendel op en perst het gezicht van haar dochter tegen haar borst als om haar te beschermen tegen een aanval. Borden en bestek vallen rammelend van de tafel op de vloer.

In een rusthuis, zegt Szaja slechts.
Lajb heeft een plek voor haar geregeld in een rusthuis

◆

Zoals voor zoveel andere Bałutybewoners was Marysin ook voor Adam een soort buitenland. Een plaats voor de *anderen*: de vermogenden, mannen met macht en invloed.

Gewone mensen gingen alleen naar Marysin als ze er iets speciaals te doen hadden, naar de schoenenfabriek, die een van de weinige resorty van Marysin was, of naar de opslag achter de werkplaats van Praszkier, waar mensen met speciale bonnen in de rij stonden voor ruw hout of kolenbriketten. Of als je dood was en begraven moest worden. Dag in dag uit zag men Meir Klamm en de andere leden van de begrafenisonderneming met de lijkwagens van directeur Muzyk af en aan rijden over de Dworskastraat en de Marysińskastraat. Aan de andere kant van de muur aan de Zagajnikowastraat opende zich het rijk der doden zo uitgestrekt dat je, naar men zei, niet eens van de ene kant naar de andere kon kijken. De lucht in Marysin was ook vol dood, de bedorven lucht van rauwe, open aarde, rottend cement en afval; en wanneer de sneeuw smolt tot gruis en modder, en de wind uit de verkeerde richting kwam, vulde de lucht in Marysin zich met de bitterzoete salpeterstank van de latrinekuilen, waar de fecaliënwerkers ongebluste kalk overheen gooiden. Ze waren van verre te zien. Een lange rij mannen met schoppen tekende zich tegen de hemel af als angstaanjagende kraaien op een telefoonleiding.

In de buurt rondom de Okopowa- en de Próżnastraat, waar meneer de Voorzitter en de andere machtige heren van de *Beirat* woonden, had Adam nog nooit een voet gezet. Maar hij wist uit de verslagen van Moshe Stern dat er gettobewoners waren die hier 'tijdelijke kamers' huurden en dat je de verhuurders soms de Marysińskastraat op en neer zag wandelen op jacht naar tijdelijke gasten.

Het was bitter koud op de avond dat Adam Rzepin op zoek ging naar zijn zus. De sneeuw pakte zich in hoge hopen samen tussen de huizen, waar geen koetsen en karren meer door kwamen. Adam keek niet naar de vele verhuurders. Degenen die hij durfde aan te spreken, wendden hem instinctief de rug toe. Voor hen was hij waarschijnlijk maar een simpele schooier: een man 'zonder schouders' zoals het in het getto heette. Zonder een of andere hooggewaardeerde *dignitaris* om op terug te vallen, was je hier letterlijk niemand.

Als hij Lida's stem niet gehoord had, had hij het waarschijnlijk niet in zijn eentje in de kou uitgehouden. Lida's stem was zwak als de dunste schaduw door glas, maar ze leefde en sprak onafgebroken in hem.

Ik neem je mee naar huis, Lida, zei hij tegen de stem.

Wees maar niet bang. Ik neem je mee naar huis.

Er kwam een dun sliertje rook uit een paar huizen. Politieagenten van het vijfde district liepen wacht, met hun armbanden en hun hoge, glimmende laarzen. Hij zag hen praten met een paar verhuurders. Hij wist niet onder wiens bescherming deze buurt stond. Boven de lege gevels en muurkronen aan de Marysińskastraat lichtte de hemel bleekrood op van de weerschijn van de delen van Litzmannstadt die niet waren verduisterd.

Toen kwam er plotseling een huurkoets aanrijden vanuit het hart van het getto. Hij hoorde het hoge briesen van het paard en het gerinkel van hoofdstel en halster: een geluid dat hier zo bekend, maar toch zo ongewoon was dat iederéén ervan zou zijn opgeschrokken. Er lag zoveel sneeuw dat de hoefslag nauwelijks te horen was. De koetsier stopte. Van het wiebelende opstapje klom Schlomo Hercberg, gekleed in een grote, dikke pelsmantel, die zo te zien van bever of een ander wild dier was. In een koets erachter volgden twee lijfwachten en allebei kwamen ze instinctief naar hem toe als om deze lastige hindernis die zich plotseling voordeed op de weg van de gevangeniscommandant, op te ruimen. Maar Hercberg had haast vanavond, de bewakers volstonden ermee Adam weg te duwen, en Hercberg verdween in een klein huisje, iets verder naar links aan de Marysińskastraat, amper meer dan een barak achter twee hoge gietijzeren hekken, die iemand vanuit het huis kwam opendoen zodra hij verscheen.

De huurkoets bleef staan. Het paard brieste en stampte in zijn tuig. Na een poosje klom de koetsier naar beneden en begon heen en weer te lopen, terwijl hij zijn armen tegen zijn lichaam sloeg. Adam wist niet wat hij moest doen. Hij durfde niet weg te gaan, uit angst dat Hercberg hem dan zou ontglippen. Hij durfde ook niet dichterbij te komen, uit angst dat hij door de koetsier en de bewakers zou worden betrapt.

Na een klein halfuurtje kwam Hercberg weer naar buiten. Hij zei op bevelende toon iets tegen iemand die naast hem liep en klom toen in de koets, die snel wegreed. De man die met hem mee naar buiten was gekomen, vermoedelijk de verhuurder, bleef even staan, en deed toen het grote gietijzeren hek dicht en op slot. Adam wachtte tot ze allebei uit het zicht verdwenen waren en wierp zich toen met volle kracht op het hek. Het slot gaf niet mee. Rondom het huis stond een hek op een stenen borstwering; het was een ijzeren hek met hoge, scherpe punten in de vorm van Franse lelies. Het lukte hem een voet op de borstwering te krijgen; daarna klampte hij zich zo hoog mogelijk vast aan het hek, en met nog een zwaai van zijn lichaam wist hij ook over de scherpe ijzeren punten heen te komen. Maar hij had geen tijd om zijn val te breken. Zijn voet gleed uit bij het neerkomen en een scherpe pijnscheut schoot door zijn been. Hij strompelde haastig naar het huis om beschutting te zoeken tegen de muur. Hij wachtte af. Niets.

Nu zag hij het raam waardoor de pijp van het fornuis naar buiten stak. Een dun, bleek licht wierp van binnenuit een zwakke ruit over de sneeuw.

Hij liep naar de deur en klopte aan. Niets.

Dat had hij ook niet echt verwacht. Hij klopte harder.

Doe onmiddellijk open, dit is de politie! riep hij.

De deur ging open. Binnen stond Lida. Het was zo koud dat het licht dat naar buiten stroomde helemaal blauw was. Ook Lida's lichaam was blauw – van haar porseleindunne hals helemaal omlaag tot haar geschonden onderlichaam. Hij begreep maar niet waarom ze geen kleren aan had.

Lida, zei hij.

Ze glimlachte snel en vreugdeloos naar hem als naar een wildvreemde, deed toen een snelle pas naar voren en spuugde hem in zijn gezicht.

De eerste bijeenkomst over de door de autoriteiten bevolen deportaties uit het getto vond volgens Rozenstajns notulen op 16 december 1941 plaats. Net als bij eerdere gelegenheden was de bijeenkomst niet voorafgegaan door enige correspondentie, maar was Rumkowski naar het kantoor van de Gettoverwaltung ontboden om zijn orders rechtstreeks van de Duitsers te ontvangen. Aanwezig hierbij waren behalve Biebow zelf diens plaatsvervanger Wilhelm Ribbe, Günther Fuchs en nog een handvol vertegenwoordigers van de Duitse Sicherheitsdienst, die tot taak had transportvoertuigen ter beschikking te stellen en het feitelijke transport te regelen.

Rumkowski stond zoals hij altijd stond en altijd zou staan tegenover zijn superieuren. Met zijn ouder wordende, witte hoofd gebogen, zijn ogen op de grond gericht.

Ich bin Rumkowski. Ich melde mich gehorsamst.

Ze waren vriendelijk en correct tegen hem, maar kwamen meteen ter zake en wezen de Judenälteste erop dat er andermaal een lange, zware oorlogswinter voor de deur stond en dat het op den duur onmogelijk voor hen zou zijn om voedsel- en brandstofleveranties te garanderen voor alle Joden die ze een vrijstaat hadden gegeven in het getto. Om die reden had de *Gauleitung* in Kalisz besloten een deel van de bevolking van het getto over te brengen naar kleinere plaatsen in Warthegau, waar de levensmiddelensituatie minder nijpend was.

Hij vroeg om hoeveel mensen het ging.

Ze antwoordden: twintigduizend.

Hij wist zich geen raad en zei dat hij er onmogelijk zoveel, twintigduizend, kon missen.

Ze antwoordden dat de levensmiddelenvoorziening helaas niet anders toeliet.

Toen zei hij dat de autoriteiten pas nog twintigduizend Joden van elders het getto in hadden gestuurd.

Toen antwoordden ze dat het besluit over de Joden van elders in Berlijn was genomen.

Dit ging erom hoe ze de levensmiddelensituatie hier in Warthegau onder controle moesten houden.

Toen zei hij dat hij er tienduizend kon aanbieden.

Toen antwoordden ze dat ze met een beperking van een 'eerste uitreis' tot tienduizend personen zouden kunnen instemmen mits hij kon garanderen dat onverwijld een begin werd gemaakt met de transporten. Voorwaarde was natuurlijk dat hijzelf en zijn administratieve apparaat de selectie van de uit te wijzen personen zouden organiseren, en hun transport naar de verzamelplaatsen bij Radogoszcz, waar de Duitse politie het zou overnemen.

Degenen die de Voorzitter na deze bijeenkomst spraken, zeiden dat hij beslist ontdaan was, maar ook op een merkwaardige manier beheerst en gedecideerd. Het was alsof de ontmoeting met de hoogste macht, gevoegd bij het feit dat hij alléén de opdracht had gekregen de plannen van deze macht te verwezenlijken, nieuw leven in zijn lichaam, ziel en geest had gegoten.

Hij herhaalde keer op keer:

Tienduizend Joden moeten het getto gedwongen verlaten. Dat is waar. Zo hebben de Duitsers besloten. Maar daar mogen we ons niet blind op staren. Het is verstandiger de vraag om te draaien en juist de kansen te zien die het besluit biedt. Als tienduizend mensen het getto definitief moeten verlaten, wie kan het getto dan het beste missen?

Op aanraden van de Voorzitter besloot men een uitreiscommissie in te stellen, die tot doel had alle aangelegenheden inzake het vertrek te regelen. De commissie zou worden geleid door het hoofd van het bevolkingsregister, de advocaat Henryk Neftalin, en zou behalve uit Rumkowski zelf ook bestaan uit het hoofd van de gettopolitie, Leon Rozenblat, het hoofd van het gerechtelijk presidium, Szaja Jakobson, en gevangeniscommandant Schlomo Hercberg. De commissie had tot taak het bevolkingsregister *van A tot Z* door te werken en na vergelijking met de informatie uit het strafregister en de patiëntenregisters van de ziekenhuizen te bepalen welke personen moesten vertrekken.

Besloten werd dat men bij de uitwijzing zoveel mogelijk zou proberen te vermijden dat afzonderlijke mensen werden gedeporteerd; liever zouden ze *hele gezinnen laten gaan*. Besloten werd dat men bij besluiten tot gedwongen vertrek voorkeur zou geven aan zogeheten *ongewenste elementen*. Toen iemand vroeg welke criteria er golden om als 'ongewenst' te worden beschouwd, antwoordde de Voorzitter dat ze het strafregister moesten aanhouden. Notoire zwarthandelaren, bekende recidivisten, prostituees, dieven – mensen wier 'stiel' het was om zaken te doen op basis van de kwetsbaarheid en wanhoop van andere mensen: zíj moesten het eerste gaan.

En als degene of degenen die als ongewenst werden beschouwd onverhoopt niet in het strafregister stonden? Dan moest men die doorverwijzen naar hem. Het besluit om te deporteren mocht dan van de bezetters zijn gekomen, net als de vorige keer behield hij zich het recht voor zelf te kiezen wie er moesten gaan.

Er werd rond deze tijd over de Voorzitter gezegd dat hij nooit sliep.

Dag en nacht pijnigde hij zich boven de lijsten van de uitreiscommissie. Zijn kamer: één enkele, verlichte kubus in het barakkantoor aan het Bałutyplein. In de overige kantoren waren de lichten gedoofd op grond van de verplichte verduistering. Maar zolang hij nog zat te werken, bleef ook een deel van de staf zitten. Ze slopen door het duister, verborgen zich achter deuren en meubels, klaar om zijn minste bevel te gehoorzamen. Wanneer de gettoklok op de hoek van de Łagiewnickastraat tegen middernacht liep, sloeg hij de boeken dicht en vroeg juffrouw Fuchs de koets te laten voorrijden. Hij was van zins de kinderen in het Groene Huis te bezoeken en dan in de residentie aan de Miarkistraat te overnachten.

(– Maar het is al laat, meneer de Voorzitter. Het is al bijna twaalf uur.

Hij wuifde haar bezwaren weg: *Bel Feldman ook, en vraag hem daar nu naartoe te gaan en vuur te maken.*)

Hoezeer hij ook leed onder het werk, het had iets intens bevredigends om pas zo laat van kantoor te gaan. De hoge gevels met hun rijen verduisterde ramen gaven hem een gevoel van rust. Hier en daar, op een straathoek of voor een bedrijf, stond een agent op wacht. Voor de rode bakstenen burcht van de Kripo stonden de zwarte limousines van de Gestapo in lange, glimmende rijen geparkeerd.

En zo verder over de nachtelijk verlaten straten van Marysin.

Hij zat met de rand van zijn hoed over zijn voorhoofd getrokken en de revers van zijn jas opgeslagen tot boven zijn oren. Het enige wat er op dit donkere, middernachtelijke uur te horen was behalve het geknars van de wagenwielen en het gedempte hoefgetrappel, waren de steeds terugkerende zweepslagen waarmee de koetsier het paard voortjoeg.

Zo was ook Marysin anders. Hij had altijd wanneer hij hierheen ging het gevoel dat het getto zich om hem heen oploste. De huizen krompen in hoogte, dijden uit achter muren en omheiningen. Huizen, schuren, opslagplaatsen en loodsen. Hier en daar kleine tuintjes tussen de gebouwen die vroeger bij de volkstuinen hoorden, maar die hij nu in afzonderlijke percelen aan zijn loyaalste medewerkers heeft geschonken. Hierna kwamen de kibboetsen die de zionisten vroeger hadden bebouwd: grote open velden waar jonge, mooie mannen en vrouwen met hun spades en schoffels over kaarsrechte rijen aardappels, groene kool en rode bieten liepen.

Het Groene Huis was het meest afgelegen zomerhuis, dat hij had omgevormd tot jeugdlogement en kindertehuis. In totaal waren er zes van zulke kindertehuizen in het getto. Daaraan gekoppeld ook een nieuw ingericht kinderziekenhuis en een grote apotheek. Maar bij de kinderen in het Groene Huis lag zijn hart. Zij waren de enigen die hem deden denken aan de vrije en gelukkige jaren in Helenówek vóór de oorlog en de bezetting.

Het gebouw was niet veel bijzonders: een vervallen huis van twee verdiepingen, met vocht in de muren en een dak dat al begon in te storten. Zodra zijn Kinderkolonie uit Helenówek hierheen was verhuisd, had hij ervoor gezorgd dat het opnieuw werd geverfd. De enige kleur die er toen in het getto te krijgen was, was groen. Dus waren de muren, de plafonds, de vestibule, de houtlijsten, ja zelfs de trapleuningen groen geworden. Het huis was zo groen dat je het 's zomers nauwelijks kon onderscheiden van de vegetatie die erachter welig tierde.

Maar dit was zijn rijk: een *shtetlwereld* van kleine, dicht opeengehoopte huizen, waar het licht van de vlijt tot laat op de avond achter de ramen scheen. Het liefst kwam hij onaangekondigd op bezoek. Zo zag hij zichzelf. De eenvoudige man, de onbekende weldoener die ondanks het late uur nog tijd vond om langs te komen.

Met de transporten naar het getto waren de afgelopen maanden ook veel kinderen meegekomen die hun ouders of naaste familie hadden verloren of misschien nooit hadden gehad. Een van hen was een meisje dat Mirjam heette, een andere een jongen zonder naam.

Het meisje was een jaar of acht, negen; ze arriveerde in het Groene Huis met een klein, kartonnen koffertje, dat ze weigerde los te laten en waarin juffrouw Smoleńska later twee keurig gestreken jurkjes, een warme jas en vier paar schoenen vond. Een daarvan was een paar lakschoenen met zilveren gespen. In een zak aan de binnenkant van de koffer zaten, zorgvuldig opgevouwen, de identiteitspapieren van het meisje. Volgens die papieren was haar volledige naam Mirjam Szygorska. Ze was geboren en ingeschreven in het bevolkingsregister van Zgierz (maar daar kwam ze niet vandaan). In de koffer zaten ook wat speelgoed, een pop en een paar boeken in het Pools.

De jongen was bij het Groene Huis achtergelaten door de twee gebroeders Józef en Jakub Kohlman, die handelden op direct bevel van de transportleider van het Keulse collectief. De jongen was meegekomen met het laatste transport uit Keulen, op 20 november 1941. Op de transportlijst stond hij vermeld als nummer 677. Maar dat cijfer zei alleen maar dat hij de 677e was die voor dit transport geregistreerd werd. Voor de kolom stond alleen een voornaam, WERNER, gevolgd door een vraagteken, de aanduiding SCHUELER en ten slotte onder JAHRGANG het jaartal 1927. Ervan uitgaande dat er geen sprake was van een invulfout, was SCHUELER gewoon de neutrale aanduiding voor 'scholier' en had de jongeman geen achternaam.

Ze noemden hem SAMSTAG, omdat hij op een sabbat door de gebroeders Kohlman was achtergelaten bij de deur van het Groene Huis; en onder die naam werd hij door de directeur van het kindertehuis, dokter Rubin, in de boeken opgenomen:

SAMSTAG, WERNER, geb: 1927 (KÖLN);
VATER/MUTTER: *Unbekannt*

Al vanaf het begin had hij iets onhandelbaars, ongezeglijks. Hij kon geen muur of deurpost voorbijkomen zonder er een klap tegen te geven. Als hij al helder uit zijn ogen keek, was het of hij de hele tijd keek naar iets achter of naast degene die hij aankeek. En dan dat glimlachje! Werner glimlachte vaak en – vond Rosa Smoleńska, die het meest met hem te maken had – bijna schaamteloos, een glimlach vol kleine, glanzende, witte tanden.

De gebroeders Kohlman, die hem brachten, hadden verteld dat hij noch Pools noch Jiddisch sprak. Maar toen Rosa Smoleńska Duits tegen hem probeerde te praten, kreeg ze alleen maar boze grimassen terug. Het was alsof de woorden er wel waren en hij wel verstond wat ze betekenden, maar niet begreep waarom ze zei wat ze zei of tegen hem praatte zoals ze dat deed. Als ze hem probeerden te dwingen iets te doen wat hij niet wilde, kon hij verschrikkelijke woede-uitbarstingen krijgen. Op een dag gooide hij een wasteil leeg die Chaja naar de keuken had gedragen; een andere keer begon hij meubels door het raam van de Roze Kamer te smijten. Toen directeur Rubin naar hem toe kwam in een poging hem te kalmeren, beet hij hem in zijn arm. En hij hield vast en weigerde los te laten, hoewel ze zich met zijn vieren, inclusief Chaja, die minstens twee keer zoveel woog als hijzelf, op hem stortten om hen uit elkaar te halen. De kleine, dicht opeenstaande tanden zagen eruit als haaientanden, toen ze in de arm van directeur Rubin zaten: glanzend en scherp.

Met de andere kinderen leek hij geen communicatieproblemen te hebben. Hij vond het leuk om met de kleintjes om te gaan, het allerleukst met Mirjam. Wanneer ze buiten speelden, stond hij maar wat in een hoekje, bijna komisch in zijn veel te grote schoenen, twee keer zo groot als zijn kleine speelkameraadjes. Maar als Mirjam ergens heen ging, liep Werner altijd een paar passen achter haar. Samen met Abraham en Leon, allebei jonger dan hij, speelde hij politie. Hij achtervolgde hen met een stok en riep *ich hob dich gechapt*, zoals alle anderen, maar met een raar accent, waaruit bleek dat hij die taal nog nooit van zijn leven had gesproken.

(Later zou Rosa zich herinneren dat ze het al vanaf het begin zo wonderlijk vond dat iemand die nog nooit eerder in het getto was geweest toch zo tot in detail alle toonaarden en tongvallen kon imiteren, dat ze het zelfs op een bepaald moment tegen hem zei – in het Duits natuurlijk, want dat was de taal die ze toen onderling nog spraken: *Du bist doch ein kleiner Schauspieler du, Werner...!* en het volgende moment zag ze zijn gezicht verstijven in dat enge glimlachje dat ze al had leren vrezen. Alleen maar tanden, geen mond, en helemaal geen uitdrukking in die bleke, blauwe ogen.)

◆

Rosa Smoleńska had haar hele leven met thuisloze en weeskinderen gewerkt. In Helenówek was ze acht jaar in dienst geweest en al die tijd had ze de zorg voor de allerkleinsten gehad. Afgezien van de baas, directeur Rubin, waren zij en huishoudster Chaja Meyer de enigen die na de bezetting de Voorzitter naar het getto waren gevolgd. De andere kinderverzorgsters waren bij het uitbreken van de oorlog naar Warschau gevlucht. Maar die waren dan ook allemaal getrouwd en hadden kansen gehad. Zelf had Rosa nooit een man gehad, en ook geen kansen: alleen maar al deze kinderen! Het waren er nu 47, met Werner en Mirjam als laatst aangekomenen.

Rosa Smoleńska stond 's morgens als een van de eersten op. 's Winters was ze al om een uur of vier, vijf op om vuur te maken. Nadat ze de grote oven in de keuken had aangestoken, ging ze naar de waterput, een stukje lager op de helling, waar het omheinde deel van het Grote Veld begon. In de ochtendschemering kwamen er meestal bleke lichtstralen boven de wolkenbanken aan de oostelijke hemel uit. Door de weerschijn van de opgaande zon wierp de bakstenen muur rond de begraafplaats lange schaduwen over de sneeuw. Een paar uur later kwam de zon over de muur heen en glinsterde het licht op de berijpte, doorzakkende draad tussen de telefoonpalen aan de Zagajnikowastraat. Om een uur of zes, zeven in de ochtend zag ze vaak groepjes arbeiders op weg van of naar hun ploegendienst op het Radogoszczstation. Ze liepen dicht bij elkaar, als om de warmte beter vast te houden in deze kou, en zonder een woord te zeggen. Het enige wat er te horen was, was het dunne, holle gerammel van de soeppannetjes die ze om hun middel hadden gebonden. Op gezette tijden dreunden er ook Duitse tanks of vrachtwagens door de bevroren stilte, en soldaten met machinegeweren patrouilleerden wantrouwig over de trottoirs aan de kant van het getto. Dichterbij kwamen de Duitsers zelden. Dan waren de zwarte lijkwagens die 's morgens vanuit Bałuty kwamen een gewoner gezicht. Soms waren er geen paarden om voor de wagens te spannen en dan werden ze, net als de beertonnen, getrokken door mannen die aan de voorkant waren ingespannen, terwijl andere ongelukkigen aan de achterkant moesten duwen.

Wanneer ze het water naar binnen had gebracht, ging ze weer naar buiten en wachtte tot ze Józef Feldman de Zagajnikowa op zag komen zwoegen met zijn kolenkitten. Hij droeg zomer en winter dezelfde vergeelde schaapsleren mantel en dezelfde leren muts, en zijn bleke gezicht verdronk bijna in die dikke kleding. Rosa wist dat de Voorzitter Feldman instructies had gegeven om het Groene Huis altijd het eerst warm te stoken, en dat hij sowieso bereid moest zijn om alles uit zijn handen te laten vallen als ze daarboven ergens hulp bij nodig hadden. Eigenlijk was Feldman aangesteld in de grafdelversploeg van Baruk Praszkier. Rosa durfde nooit te dicht bij hem te komen – ze meende de geur van de dood aan zijn handen te kunnen ruiken – maar ze hielp hem met zijn kolenkitten de kelder in, zodat hij de kolen in de kachel kon scheppen en die aan kon steken. Intussen had Malwina alle kinderen gewekt. Ze stonden nu in de nauwe hal te kleumen en te wachten tot ze aan de beurt waren om zich te wassen. Rosa had een deel van het koude bronwater in een grote teil gestort die Chaja altijd in de deuropening tussen de keuken en de eetkamer neerzette. Pas wanneer ze klaar waren met wassen, mochten ze doorlopen naar het aanrecht, waar Chaja het brood voor hen sneed. De sneden werden mettertijd steeds dunner, maar er was altijd minstens één sneetje voor iedereen, met een dun laagje margarine erop.

Op een ochtend had Feldman een klein, bleek, schuw mannetje bij zich, van wie niemand wist hoe hij heette of waar hij thuishoorde. Maar in tegenstelling tot Werner en Mirjam scheen hij niet met de transporten mee te zijn gekomen. Toen Rosa Smoleńska vroeg wie hij was en wat hij hier deed, zette de jongen pardoes een paar overmoedige stappen de kamer in en verklaarde, alsof het een lied of een gedicht was dat hij declameerde:

Ik heb gehoord dat er hier een piano zou zijn die gestemd moet worden!

Hij was de zoon van een instrumentenmaker die Rozner heette en zo bekend was bij de elite van Łódź dat niemand hem ooit anders had genoemd dan 'de pianostemmer'. Maar meneer Rozner repareerde ook andere instrumenten: fluiten, rietinstrumenten, trombones en slagwerk voor militaire muziekkapellen. Een deel van al zijn instrumenten had hij uitgestald in een overdadig ingerichte toonzaal naast zijn atelier.

Het atelier zelf was echter krap en eenvoudig. Dat zag je als je eenmaal binnen was, maar wie op straat langsliep, zag alleen de toonzaal met de glimmende en glanzende instrumenten uitgestald op kussens van zijde en pluche. Omdat Rozner een Jood was, heette het natuurlijk dat hij geld in zijn zaak had verstopt. Een meute dronken *Volksdeutsche*, onder leiding van twee ss-officieren, drong op een avond bij de instrumentenmaker binnen en eiste dat hij hun het geld overhandigde, en toen Rozner ontkende dat hij iets verborgen had, gingen ze de zaak te lijf met gewone stokken en wapenstokken, totdat alle instrumenten kapotgeslagen waren en Rozner zelf met ingeslagen schedel en alle botten van zijn lijf gebroken midden in zijn vernielde toonzaal lag. Op het laatste ogenblik was Rozners zoon erin geslaagd te vluchten met het waardevolste bezit van zijn vader. Het ging om twee aan elkaar genaaide zakken van grof zeildoek, die meneer Rozner gebruikte om zijn gereedschap in te bewaren wanneer hij zijn ronde langs de rijke families van Łódź maakte om hun piano's te stemmen. Met deze twee zeildoektassen over zijn schouder verscheen de zoon nu op alle denkbare plaatsen in het getto in een poging het werk van zijn overleden vader voort te zetten.

De piano in de Roze Kamer was door vocht aangetast, zodat men gedwongen was er een teiltje water in te laten staan om te voorkomen dat het hout zou barsten en de snaren los zouden laten. De pianostemmer besteedde zorgvuldig aandacht aan dit en andere gebreken. Hij voelde aan de pedalen van de piano, streek voorzichtig met zijn handpalmen over de klep en langs de zijkanten, klopte met zijn knokkels over de hele romp van het instrument. Pas toen hij zich ervan had vergewist dat er geen onverwachte geluiden werden gevormd, vroeg hij Kazimir de pianoklep open te doen, terwijl hijzelf de achterkant van de piano verwijderde en in het instrument klom. Hij was zo klein dat hij als een aap in de blootgelegde warboel van snaren kon hangen, ze kon losmaken, aanschroeven, ontspannen en aanspannen. Toen hij, naar alles te oordelen ongeschonden, weer uit de piano stapte, had hij zich vanbinnen door het hele klavier gewerkt, van het ene naar het andere houten hamertje. Met een uitdrukking van slecht verborgen triomf op zijn verschrompelde gezicht zette hij een stemvork op de pianoklep, en nodigde toen Debora Żurawska met een glimlachend gebaar uit om op de pianokruk te gaan zitten.

Debora ging zitten en sloeg een stevig klinkend akkoord in C-majeur aan, dat de vork duidelijk opving en versterkte.

De kinderen applaudisseerden, en toen Debora een etude van Chopin begon te spelen, ging de pianostemmer naast haar zitten en volgde haar met wonderlijke trillers en arpeggio's in het discantregister. Het was duidelijk dat hij nooit goed had leren spelen en alleen maar akkoordenreeksen en toonsoortwisselingen had leren imiteren: alsof hij in zijn zeildoektassen alle afzonderlijke frasen en motieven door elkaar had gehusseld die Chopin ooit had gebruikt, en ze vervolgens opnieuw over het klavier uitstrooide, zoals het hem uitkwam en zonder enige ordening. Maar dat deed er op dit moment niet toe. Debora speelde, de pianostemmer volgde, en algauw waren die twee zo op elkaar ingespeeld dat niemand kon horen waar haar akkoorden ophielden en de zijne begonnen.

Een paar dagen later waren er al muziek en liedjes geschreven, het 'orkest' had gerepeteerd, en er was zelfs een toneelgezelschap gevormd, bestaande uit alle kinderen van het tehuis, met een zekere heer SAMSTAG, Werner (*dyrektor teatru*) aan het hoofd, dat handgeschreven uitnodigingskaarten ronddeelde:

☞ Het acteurscollectief 'Grine Hoiz' speelt ☜
Der klainer Wasserman
Toneelstuk in één akte
door S.Y. 'Ritter'

De jonge Adam Gonik las het gedicht 'De lente is gekomen' in het Hebreeuws, daarna vertolkte een klein kinderkoor onder leiding van directeur Rubin zelf liederen en gedichten van Bialik. Tijdens deze ouverture was de spillebenige pianostemmer in de vestibule op een trapje gaan staan om de ijzeren mantel te verwijderen rond de bel die aan de muur tussen de hal en de keuken was bevestigd. Met een van de kleine ijzeren hamertjes die hij in zijn zeildoektassen bewaarde, wist hij kortsluiting te maken en het apparaat een belsignaal te ontlokken dat door het hele Groene Huis sneed en snerpte: riiiiiiiiiii-iiiiiiiing

Dat was het signaal: de kinderen van het koor sprongen naar voren en trokken het groene gordijn weg dat het toneelgezelschap als doek had opgehangen. Kazimir stommelde, verkleed als rijke Poolse edelman, het podium op en zei tegen de groep Joden die door de troepen van de Russische tsaar uit hun Galicische geboortedorp verdreven waren dat hij hen zou verbergen in de grote kelder van zijn kasteel. Debora timmerde een snelle opeenvolging van dramatische akkoorden op de piano, terwijl de pianostemmer zich boven op zijn trap verhief en met hoge, declamerende stem riep: DE RUSSEN KOMEN! DE RUSSEN KOMEN! – en alle kinderen zongen:

Unglik, shrek un moires
Mir veisn nit fun vanen
Oich haint vi in ale doiren
Zainen mir oisgeshtanen![7]

Toen kloste Werner Samstag het podium op, gekleed in een zwarte mantel tot op de enkels, als een echte rabbi, en met een zwarte *shtreimel*, die hij zelf gemaakt moest hebben, want stukjes van de fluwelen zoom hingen hem in de ogen. Ook zijn baard was van eigen makelij: een grijs stuk stof waarbinnen zijn glimlach als altijd wit en glanzend oplichtte, alsof hij helemaal geen lippen had. Debora timmerde met beide handen diep onder op het basregister van de piano en terwijl de kinderstemmen er in een drieste discant bovenuit zwierden, hief *reb Samstag* een vermanende vinger op, eerst naar het publiek en daarna naar de hemel, waarna hij declameerde:

Shrait jidn, shrait aroif
Shrait hecher ahin dort;
Vech ir dem altn oif –
Vos shloft er kloimersht dort?
Vemen vil er gor gevinen?
Vos zainen mir – a flig?
Loz er undz a zchus gefinen
Oi, es zol shoin zain genug[8]

Toen ze later terugdacht aan het hele spektakel, had ze het idee dat de bel tegen de keukenmuur de hele avond snerpte, en dat ze tijdens de voorstelling een paar keer naar de pianostemmer was gegaan om hem te zeggen dat hij nu toch zo vriendelijk moest zijn een eind te maken aan die herrie en voortaan af te blijven van dingen die niet van hem waren.

Maar misschien waren die woedend snerpende belsignalen, afgezien van de eerste en enige keer, niet alleen het werk van de pianostemmer geweest. Misschien was het precies zoals juffrouw Estera Daum later zou zeggen: dat men vanaf de kanselarij van de Voorzitter de hele avond had geprobeerd zich in verbinding te stellen met het Groene Huis, maar geen gehoor had gekregen. De laatste keer dat ze het probeerden was ver na middernacht. Rosa was er toen eindelijk in geslaagd de zwetende en uitgelaten kinderen uit hun kostuums en in bed te krijgen en was ook zelf net naar bed gegaan.

Riiiiiiii-iiiiing...! klonk het gebiedende belsignaal weer.

Op het kantoor op de begane grond hoorde ze directeur Rubin rondstampen op zoek naar de telefoon, die ergens weggestopt stond tussen alle paperassen en boeken op zijn bureau, en daarna zijn stem die opnam, meteen onderdanig boog en ja zei, en *natuurlijk*, en *onmiddellijk*, *meneer de Voorzitter*. Ze begreep meteen wat er aan de hand was, sloeg gauw een vest om haar nachtpon en liep van de ene kamer naar de andere in een poging de kinderen weer tot leven te brengen:

Vlug, aankleden, meneer de Voorzitter is onderweg!
Vlug!

Normaliter had het personeel van het Groene Huis dertig tot veertig minuten om alle kinderen te wassen en aan te kleden. Dat was, afgerond, de tijd die het kostte vanaf het moment dat juffrouw Estera Daum belde om zijn *komst aan te kondigen* totdat de Voorzitter de weg van zijn kantoor helemaal naar Marysin had afgelegd.

Maar nu waren de kinderen zo uitgeput dat ze hen slechts met de grootst mogelijke moeite weer op de been kreeg. Toen zij en Malwina ze eindelijk zover hadden dat ze zich in min of meer nette, rechte rijen opstelden, met de jongsten helemaal vooraan en de ouderen in toenemende lengte op de trap erboven, was de Voorzitter al uit zijn koets geklommen en op weg naar binnen. Zonder zelfs maar een blik naar rechts of links te werpen, stormde hij langs Mirjam, die hem het album met geïllustreerde Talmoedverzen probeerde te overhandigen, dat de kinderen alvast hadden gemaakt voor het geval dat hij op bezoek zou komen. Maar de allerhoogste van het getto had nog geen oog voor de jonge Mirjam, evenmin als voor de andere kinderen trouwens; hij reikte Chaja alleen maar zijn hoed, mantel en wandelstok aan en riep luidkeels naar directeur Rubin:

Wilt u alstublieft met me meekomen naar uw kantoor, dokter Rubin?
Ja, nu meteen…! En neem uw lijsten van alle kinderen mee!

Al sinds de tijd in Helenówek probeerde juffrouw Smoleńska elke dag alle stemmingswisselingen van de oude baas te duiden als gold het de weersgesteldheid. Was hij kalm en zelfvoldaan vandaag? Of was hij weer in de macht van die eigenaardige *razernij* die zich af en toe van hem meester maakte?

Er waren bijna altijd tekenen. Zoals de manier waarop hij zijn handen bewoog: of ze kalm en zeker waren of rusteloos en friemelig, wanneer ze naar sigaretten zochten in de zakken van zijn colbert. Of als hij had wat Chaja Meyer zijn 'lolbroekenblik' noemde: dat slimme glimlachje in zijn ene mondhoek dat erop kon duiden dat hij *ideeën* of *plannen* had over een van hen of zelfs een van de kinderen.

Maar op dit late uur had ze geen teken gevonden. De Voorzitter maakte een sobere, ernstige, gedecideerde indruk. Bovendien zat hij ongebruikelijk lang met directeur Rubin op diens kantoor. Er verstreken enkele uren. Toen ging Chaja, kennelijk in opdracht vanuit het kantoor, emmers warm water vullen uit de grote ketel in de keuken, en juffrouw Malwina legde handdoeken tussen de tafels neer. Het was toen *halfdrie* in de ochtend, en omdat er geen bevel tot iets anders was gegeven, stonden de kinderen natuurlijk nog in rijen opgesteld op de trap. Sommigen sliepen toen al, met hun hoofden tegen elkaar, de trapleuning of de muur geleund, of ze zaten, zoals Samstag, ingezakt op de trap met hun handen tussen hun knieën en hun knieën opgetrokken tot tegen hun oren, als een krekel.

Toen verscheen de Voorzitter weer. In zijn ene hand had hij de *Zugangslisten* die directeur Rubin had geleverd.

Rosa Smoleńska zou zich later die lege, zielloze uitdrukking op het gezicht van de Voorzitter herinneren, en het feit dat hij, toen hij eindelijk zijn mond opendeed, eerst niet de woorden vond die hij zocht. Was het toen pas – op dat moment, toen hij daar in Rubins kantoor zat en samen met hem de namenlijsten van alle kinderen doornam – dat hij de volle omvang begreep van het lot dat de opgesloten Joden van het getto te wachten stond? Niet alleen de kinderen, maar hun wel in de eerste plaats, want de kinderen waren immers *van hem*. Vanaf dit moment was het onduidelijk tot wie hij sprak: de half slapende kinderen op de trap of het door slaapgebrek uitgeputte personeel van het Groene Huis. Maar hij *hakkelde* bij het spreken. Dat had hij nog nooit gedaan.

Ik zeg dit maar één keer tegen jullie en ik zeg het nu om voor eens en voor altijd uit te leggen hoe ernstig de situatie is die er is ontstaan: de autoriteiten waar wij ons allemaal naar moeten schikken, hebben onvoorwaardelijk bepaald dat iedereen in het getto moet werken – dat geldt ook voor kinderen en jongeren – en dat wie niet werkt, onmiddellijk uit het getto wordt gestuurd.

Ik zeg het niet graag – omdat ik mensen niet onnodig bang wil maken – maar buiten de grenzen van het getto is er niemand die nog iets voor jullie kan doen en die jullie veiligheid of die van andere Joden kan garanderen. Alleen in het getto, onder mijn bescherming, omdat ik nu eenmaal het vertrouwen van de autoriteiten heb verworven, zijn jullie veilig.

Ik heb daarom in overleg met de heer Warszawski besloten speciale leerling-plaatsen in te stellen voor alle kinderen in het getto van arbeidsgeschikte leeftijd. Ook degenen die nog niet de noodzakelijke medische keuring hebben ondergaan zijn vanaf heden verplicht hun plaats als leerling-coupeurs en -naaisters in de kleermakerijen van het getto in te nemen!

Bij deze woorden ontstond een zekere onrust onder de oudere kinderen op de trap.

Moeten we verhuizen? hoorden ze Debora Żurawska roepen van ergens achter Werner Samstags benen. En weer achter haar barstte een koor van gemompel los. Maar nu waren de tekenen bij de oude man onmiskenbaar, de tekenen die ze al lang geleden had leren herkennen: het glimlachje om zijn mondhoeken, de geïrriteerde blik, de hand die in en uit zijn colbertzak ging.

Wat nou? Het gaat om jullie jonge levens en jullie wagen het je tegen mij te keren?

Het werd doodstil in de hal.

Directeur Rubin ging een stapje dichter naast de oude baas staan. Rumkowski reageerde door geagiteerd de lijsten uit Rubins hand te rukken.

Hier ontbreekt informatie over verschillende kinderen die hierin horen te staan. Ik heb bovendien net nog met eigen ogen kunnen constateren dat veel kinderen die hier wonen, opgevoerd zijn onder foutieve of zelfs zonder meer valse namen... Kinderen! Willen jullie nu alsjeblieft een voor een, wanneer directeur Rubin jullie naam noemt, een stap naar voren doen, zeggen hoe je heet en waar je vandaan komt, en dan naar de keuken gaan, waar dokter Zysman jullie zal onderzoeken?

Waarom deze controle per se op een ijzig koude winterochtend om drie uur moet plaatsvinden, vraagt niemand zich af. Iedereen weet dat als de bezetters het zelf hadden gedaan, er veel ergere dingen hadden kunnen gebeuren. Toch is het alsof er iets van diezelfde sfeer van vrees en onwerkelijkheid onder hun huid kruipt wanneer directeur Rubin onhandig zijn bril goed op zijn neus zet en luidkeels begint voor te lezen van de lijst:

Rubin (leest): Samstag, Werner. Geburtsort: Köln. Vater/Mutter – Unbekannt.

De voorzitter: En wat betekent dat Unbekannt?

Rubin: Samstag is met het tweede transport gekomen. Er waren geen familieleden bij hem en hij heeft er naderhand ook geen kunnen noemen.

Samstag: Ik heet geen Samstag.

De voorzitter: Er staat hier Samstag. U hebt dat gedaan, meneer Rubin, u hebt Samstag opgeschreven. Of niet? Nietwaar?

Rubin: We vonden dat we hem een achternaam moesten geven.

De voorzitter: Kletspraat! Ga door!

Rubin (leest): Majerowicz, Kazimir. Geburtsort: Łódź. Vater/Mutter – Unbekannt.

De voorzitter: Steeds dat Unbekannt. Hoe is dat mogelijk?

Rubin: U hebt zelf opdracht gegeven dat kinderen die van hun ouders gescheiden waren, hierheen gebracht moesten worden.

De voorzitter: Hoe oud bent u, meneer Majerowicz?

Kazimir: Dank u wel, meneer de Voorzitter. Ik word de zestiende vijftien jaar.

De voorzitter: Hier staat dat u op 12 januari 1926 geboren bent.

Rubin: Pardon?

De voorzitter: Dan kunt u geen vijftien jaar zijn.

Rubin: Dat moet een incidentele fout zijn, meneer de Voorzitter.

De voorzitter: De volgende dan maar.

Rubin (leest): Szygorska, Mirjam. Vater/Mutter –

De voorzitter: Laat me raden. Unbekannt.

Rubin: Hoe wist u dat?

De voorzitter: Weet u, meneer Rubin. Weet u hoeveel levens uw welhaast hui-veringwekkende gebrek aan nauwkeurigheid mij dezer dagen kan kos-ten?

Rubin: Nee, meneer de Voorzitter.

De voorzitter: Wil de jonge juffrouw Szygorska zo vriendelijk zijn naar voren te komen...?

Mirjam kwam naar voren. Omdat ze nog steeds het album met de geïllus-treerde Talmoedverzen vasthield, deed ze een nieuwe poging dit aan me-neer de Voorzitter te overhandigen. Ditmaal nam heer Preses, kennelijk geconsterneerd, het geschenk aan. Toen bleef hij haar staan aanstaren, terwijl het glimlachje om zijn mondhoeken steeds groter werd:

De voorzitter: En hoe oud mag de jonge juffrouw Szygorska wel zijn?

Rubin (angstig): De jonge juffrouw Szygorska kan niet spreken, meneer Rumkowski.

De voorzitter: Welsprekend of niet, wil mevrouw Szygorska alstublieft voor zichzelf antwoorden?

Rubin: Juffrouw Szygorska is elf jaar, meneer de Voorzitter.

De voorzitter: Ze ziet er te groot uit voor elf jaar. Of is dit een nieuwe poging van u om onder mijn leerlingendienst uit te komen?

Rubin: De jonge juffrouw Szygorska mist helaas de gave der spraak, meneer Rumkowski.

De voorzitter: Mist de gave der spraak? Me dunkt dat de natuur verder meer dan royaal is geweest voor de jonge juffrouw Szygorska.

Dan grijpt hij Mirjam bij de arm en hij sleept haar ruw mee naar het kantoor. In de deuropening draait hij zich om en geeft Chaja met gebiedende bewegingen opdracht daar een van de waskommen en een handdoek heen te brengen; hij blijft daar ongeduldig staan wachten totdat ze met het gevraagde komt, trekt zich dan terug en doet de deur achter zich op slot. Een hele tijd staan ze daar – verschrikt, overrompeld – naar de gesloten deur te staren. Na een poosje komen er zwakke geluiden uit het kantoor. Stoelpoten die over de vloer schrapen, iets zwaars dat tegen de muur slaat en dan zacht over de vloer begint te rollen. Deze slagen en klappen worden enkele keren herhaald. Dan is de stem van de Voorzitter te horen, zwaar en boos. En een lichte sopraan erbovenuit: Mirjam. Ze heeft dus toch een stem! Het klinkt alsof ze luid en aanhoudend iets wil zeggen, maar alsof er iets is wat de woorden verhindert naar buiten te komen.

Stoelpoten schrapen weer over de vloer en opnieuw klinkt het alsof er iets zwaars op de vloer valt of omgegooid wordt.

Dan wordt het stil. Het blijft stil.

Debora is de eerste die de verlamming doorbreekt. Ze rent terug naar de Roze Kamer en begint met haar handen op de toetsen van de piano te timmeren. Dan krijgt het ritme vorm en het hele klavier buigt door onder de klanken van het oude Joodse protestlied dat de jonge theatergroep van het Groene Huis al heeft uitgevoerd:

Tseshlogn, tseharget ales
Tsevorfn, jedes bazunder
Fun kjasanim – kales
Fun muters – kleine kinder
Shrait, kinder, shrait aroif.
Shrait hecher ahin dort;
Vekt ir dem tatn oif.
Vos shloft er kloimersht dort?
Far dir herstu veinen, klogn
Kinder fun der vig
Zei betn doch, du zolst zei zogn:
Oi, es zol shoin zain genug![9]

Kazimir ondersteunt de maat hard op de trommel. In de kamer rennen de kinderen rond in een steeds wildere dans. Natasza Maliniak staat met haar handen voor haar oren in het wilde weg te schreeuwen, terwijl Liba en Sara op de piano klimmen en Debora's handen van bovenaf proberen beet te pakken, als probeerden ze aan de rand van een waterput vlinders te vangen.

Rosa herinnert zich dat Chaja in een van de laden in de keuken altijd extra sleutels van het kantoor bewaart. Wanneer ze met de sleutel in haar hand terugkomt, ziet ze Werner Samstag voor het kantoor languit op zijn rug op de grond liggen. Hij heeft zijn broek opengemaakt en onaneert met lange, krampachtige halen van zijn rechterhand, terwijl de vingers van zijn linker open en dicht gaan als een bonzend hart. Zijn ogen hebben haar blik al gevangen lang voordat ze begrijpt waar hij mee bezig is, en ze ziet dat hij glimlacht, midden in de lange aanloop naar het orgasme: het glanzende, speekselnatte glimlachje zonder enige schaamte en vol vanzelfsprekendheid.

Dan gebeurt er wat ze onbewust de hele tijd wist dat er zou gebeuren. Wanneer ze opkijkt, is de pianostemmer weer op het trapje geklommen. Zijn gezicht is zwart als klei, of alsof iemand er roet over heeft gegooid en de ogen en lippen maar ternauwernood vrij heeft weten te maken. Ze ziet nu duidelijk dat hij veel ouder is dan de vijftien of zestien die ze eerder aannam: een kleine gnoom, een kind dat is gestopt met groeien en te vroeg oud is geworden in het lichaam van een volwassen man. Maar met vaardige handen. Binnen twee seconden heeft hij met de stemvorken in zijn beide zeildoektassen weer kortsluiting in de bel gemaakt en het belsignaal snijdt als een akoestische schokgolf dwars door het hele huis...

Riiiiiiiiiiiiiiii-iiiing – en meteen is het of de hele storm tot bedaren komt.

Dan staat de Voorzitter plotseling weer midden tussen hen in. Zijn gezicht is hoogrood en zijn anders zo pedant verzorgde kostuum is verkreukeld en hangt open.

Er werd toch gebeld...?

Het is meer een vraag dan een constatering. Het is duidelijk dat hij niet weet wat hij moet zeggen.

Door de halfopen deur van het kantoor van directeur Rubin ziet Rosa de

emaillen teil die Chaja Meyer had gebracht op de grond liggen, omgegooid, plasjes water eromheen. Van Mirjam, die daar bij hem binnen was,
is geen spoor te zien.

Directeur Rubin, zegt de Voorzitter.

Het klinkt alsof hij vooral een naam nodig heeft om zijn verwarring aan
vast te haken. Maar zodra hij er eenmaal in geslaagd is die naam uit te spreken, is het alsof hij plotseling een besluit neemt, en hij herhaalt zijn bevel,
nu met hernieuwde autoriteit: Directeur Rubin, volg mij!

En hij grijpt de deur beet en wacht tot directeur Rubin naar binnen is
gegaan; dan trekt hij de deur weer achter zich dicht en draait de sleutel
andermaal om in het slot.

Chaja, de kokkin, is de eerste die uit haar verlamming wordt gewekt. Met
twee grote passen is ze bij de piano en ze trekt Debora's handen van de
toetsen. Tegelijkertijd gaat Rosa Smoleńska op haar knieën voor Werner
Samstag zitten, die nog met opengeknoopte broek op de vloer ligt, en
hoewel hij bijna twee keer zo groot is als zij lukt het haar zijn hele, slappe
lichaam op haar schouders te wurmen en draagt ze hem vervolgens ach-
terstevoren de trap op naar de slaapkamer op de bovenverdieping.

In al dit tumult is er echter niemand die aan Mirjam denkt. Eigenlijk beseffen Rosa en Malwina pas lang nadat ze alle kinderen weer in bed hebben weten te krijgen dat Mirjam verdwenen is.

Ze doorzoeken het hele huis. Ook de kolenkelder, waar de pianostemmer onder een paar schurftige dekens een soort slaapplek voor zichzelf
heeft ingericht. In het verspilde waswater onder het bureau van dokter Rubin vindt Rosa later het welkomstalbum met de zorgvuldig ingekleurde
plaatjes van Hagar en Lot, uit het album gerukt en doormidden gescheurd.

Maar Mirjam vinden ze niet.

Tegen een uur of vijf in de ochtend komt Józef Feldman zoals gewoonlijk naar het huis gelopen, met de kolenkitten hangend aan het stuur van
zijn fiets. Directeur Rubin geeft Feldman een zaklamp op batterijen, en
Feldman gaat de verlaten ochtendschemering in om te zoeken.

Wanneer het eerste daglicht over de muur aan de Brackastraat kruipt,
vindt hij het lichaam in een ongerepte sneeuwwal tussen een gesloten
kruidenierswinkel en het stukje niemandsland dat leidt naar het draad en
de wachttorens bij de Radogoszczpoort. Mirjam heeft dezelfde tot op de

knie vallende zwarte mantel aan als toen ze naar het Groene Huis kwam. Een paar meter van haar lichaam ligt ook haar tas, met de jurken, de stoffen poppen en de zwarte lakschoenen die de andere kinderen zo mooi vonden.

Hoe ze ongezien naar buiten had kunnen gaan was iedereen een raadsel. Misschien was ze de achterdeur uit gegaan, via de trap naar de kelder – waarvan sinds die dag duidelijk was dat niet alleen Feldman, maar ook de pianostemmer er gebruik van maakte – en was ze daarna het terrein aan de achterkant van het huis, dat als speelplaats voor alle kindertehuiskinderen van Marysin fungeerde, schuin overgestoken. Maar in plaats van rechts af te slaan naar de stad moet ze linksaf zijn gegaan. Misschien werd ze aangetrokken door het licht en het lawaai van het Radogoszczstation en liep ze toen onbewust pardoes het spergebied in, waar de Duitse wachtpost vanaf zijn hoge toren zijn machinegeweer op haar richtte.

Het schot moet haar aan de zijkant van haar hoofd hebben getroffen, vlak bij de slaap, want het bloed was in een grote boog van wel twintig meter over de sneeuw gewaaierd. Vanuit de sneeuwbank die de wind in de loop van de nacht over het lichaam heen had gelegd, stak haar ene arm als een paal omhoog. Andere signalen gaf ze niet.

Toen ze het stijfbevroren lichaam naar het ketelhok van het Groene Huis brachten, stond Werner Samstag erop om mee te gaan. Terwijl Rosa en Chaja het lichaam wasten en aflegden, was het alsof er iets gebeurde met de jonge Samstag wat Rosa Smoleńska vele jaren later nog altijd niet kon verklaren. Kaddisj zeggen deed hij niet – hij kende de woorden waarschijnlijk niet eens – maar het was alsof zijn gezicht plotseling zacht werd en inzakte in zijn vorm.

Dem tatn oif, zei hij slechts, en hij kroop in elkaar op de vloer naast het stijve lijk.

In dezelfde houding als Mirjam, met de armen als een uitroepteken recht omhoog gestrekt, bleef hij de hele volgende dag liggen totdat Józef Feldman weer met zijn kolenkitten arriveerde om de kachel aan te steken. Toen vroor het daar onder in de kolenkelder, en de binnenkanten van de ramen waren vanbinnen bedekt met witte ijsbloemen. Mirjam was dood, maar Werner Samstag leefde nog. Hij sliep in de kou, midden op de vloer, met zijn armen om zijn eigen lichaam geklemd, en met een opgewekt en volkomen vredig glimlachje om zijn lippen.

Zo heersten in het getto Gerechtigheid en Wet –

Der gerechter un dos gezets.

Voor de Gerechtigheid stond de blinde dokter Miller. Dag in dag uit sleepte hij zijn door protheses overeind gehouden lichaam door de stegen van het getto, stelde huizen en fabrieken in quarantaine en zag erop toe dat de huisvrouwen naar de gaskeukens gingen die hij speciaal voor hen had laten inrichten en waar ze hun drinkwater konden laten koken voor de te verwaarlozen prijs van tien pfennig per liter. Over de Wet ging de appelwangige rechter Szaja Jakobson. Er was een speciale politierechtbank (*shnelgericht*) ingesteld, die een straf oplegde zodra een misdrijf was gepleegd. Met hun alpinopet in de hand verschenen arbeiders die betrapt waren op het achteroverdrukken van schoenveters of het zich wederrechtelijk toe-eigenen van een paar decagram houtspaanders voor de rechter.

(Als straf mochten ze kiezen tussen *fecaliëndienst* of *deportatie*. De meesten kozen voor het eerste, en zo kwam ook dit het getto ten goede.)

Met reinheid en discipline moest het getto van dag tot dag overleven.

Zo had de Voorzitter het in zijn eindeloze wijsheid bepaald. Voor Liefde of andere uitspattingen was het getto onder de huidige historische omstandigheden niet helemaal de juiste plaats. Toch zou ook de Liefde op zijn wonderlijke wegen over het prikkeldraad binnenkomen en het leven van alle mensen veranderen. Niet in de laatste plaats dat van de Voorzitter zelf.

Tot voorzitter van zijn shnelgericht had de Gettopreses een jonge jurist met goede vooruitzichten genaamd Samuel Bronowski gepromoveerd, en hij had hem een secretaresse ter beschikking gesteld die Rywka Tenenbaum heette. Juffrouw Tenenbaum was een van de mooie, jonge vrouwen op het Secretariaat jegens wie de Voorzitter enige *romantische hoop* koesterde. Zij tweeën waren zelfs nu en dan wel samen gezien. Maar toen vertrok de Voorzitter voor zijn veelbesproken bezoek aan Warschau en het geval wilde helaas dat Rywka Tenenbaum intussen stapelverliefd werd op de jonge meester in de rechten Bronowski.

En dat niet alleen: toen de Preses terugkwam van zijn reis bekende ze niet alleen haar amoureuze escapades, ze wees ook de hervatte avances van de Voorzitter af door te zeggen dat ze niet de vrouw was die hij dacht dat ze was en dat ze zeker niet *te koop* was.

De Voorzitter was zo woedend over deze sluwe trouweloosheid dat hij Dawid Gertler onmiddellijk beval bij de jonge Bronowski thuis op bezoek te gaan. Bij deze huiszoeking vond Gertler niet minder dan tienduizend Amerikaanse dollars, verstopt op allerlei plekken in Bronowski's vele geheime kasten en laden. De jonge jurist die de Voorzitter had aangesteld om de corruptie in het getto te bestrijden, bleek dus zelf het meest corrupt. Met het oog op de zwaarte van het misdrijf besloot de Voorzitter de zaak zelf te behandelen, en het vonnis luidde: zes maanden tuchthuis, gevolgd door deportatie uit het getto, wegens diefstal, valsheid in geschrifte en het aannemen van smeergeld.

Twee dagen later hing de jonge Rywka Tenenbaum zich op aan een waterleidingbuis achter de rechtszaal aan de Gnieźnieńskastraat, een van de weinige gebouwen in het getto die voorzien waren van stromend water en een toilet met spoelinrichting.

◆

Wat de Voorzitter betrof ging het niet in de eerste plaats om vrouwelijke aantrekkingskracht, maar om macht en eigendomsrecht. Precies zoals de rechtbank en de inkoopbank *zijn* rechtbank en inkoopbank waren, elk collectief en distributiecentrum *zijn* collectief en distributiecentrum was, moest ook iedere vrouw in het getto in de eerste plaats *zijn* vrouw zijn, en niemand anders toebehoren.

Gelouterde werkneemsters van zijn kanselarijen meenden aan de ouwe te kunnen zien of hij 's nachts wel of niet iemand had weten te 'versieren'. Dat kon je merken aan zijn humeur. Hij kon, als hij zijn zin wilde krijgen, zo lief zijn als een duifje. Maar in zichzelf gekeerd, sarcastisch, *kwaadaar-*

dig als hij zijn zin níét kreeg. Er waren zelfs mensen die meenden dat ze zijn gemoedstoestand konden voorspellen op grond van de mate van toegeeflijkheid die hij zijn bijzondere uitverkorenen overdag had betoond. Als je een welwillende houding van de Voorzitter wilde, was het altijd nodig dat een vrouw hem eerst paaide. Werd hij echter afgewezen, dan kon niemand de kracht en intensiteit van zijn woede-uitbarsting van tevoren inschatten.

Zijn woede was als de donkere steilte van een hemelhoge onweerswolk. Zijn ogen werden smaller, de huid onder zijn kin trilde, het speeksel spoot van zijn lippen.

Slechts één iemand bleek naderhand die woede te kunnen beteugelen.

Nu staat ze op aan de verdedigingskant van de lange tafel: *Men moet begrijpen*, zegt Regina Wajnberger tegen de rechtbank die bijeen is om vonnis te vellen in de zaak Bronowski, *dat dit natuurlijk niet om diefstal of verduistering gaat; dit is een klassieke crime de passion, zo moet het worden begrepen en zo moet het worden berecht.*

De Voorzitter staart ongelovig naar de jonge vrouwelijke advocaat die Bronowski's verdediging voert. Ze kan niet veel ouder zijn dan de beklaagde zelf; bovendien is ze zo klein dat het wel lijkt of ze op haar tenen moet staan om bij haar eigen gezicht te kunnen komen. Maar zijn ongeloof berust vooral hierop: dat één enkel iemand in het getto het waagt het Recht van de Liefde te verdedigen op een plaats waar slechts bedrog en hebberigheid regeren. Het lijkt wel een wonder. Met één enkel woord lijkt deze wonderbaarlijke vrouw zijn hele leven en levenswerk hernieuwde zin te geven.

Met Regina Wajnberger was het zoals ze over sommige mensen zeggen: ze had een sterke ziel, maar een willoos hart. Ze wist dat ze, als ze in het getto iets wilde bereiken, zo hoog mogelijk moest mikken en ze koesterde al vanaf het begin de hoop dat ze de ouwe zou kunnen strikken. Maar Regina had ook een broer, en die broer liet zich níét zo makkelijk manipuleren. Benjamin, of Benji, zoals hij werd genoemd, moest je bijna zien als een Wet op zichzelf. Hij richtte zich naar niemand, en al helemaal niet naar zijn nijvere zus; en zij beantwoordde dat met een onvoorwaardelijke liefde, die op geen enkele andere liefde ter wereld leek.

Benji was lang en dun, en had een dikke, vroegtijdig grijs geworden haardos, die hij met lange, knokige vingers ongeduldig uit zijn gezicht streek. Meestal was hij op een of andere straathoek te vinden, waar hij voor een grotere of kleinere schare mensen uitlegde dat het nodig was dat *sommige hoogwaardigheidsbekleders in het getto* nu eindelijk eens verantwoordelijkheid namen voor hun daden en gingen leven zoals ze hadden geleerd; en met een verrukte, bijna boosaardige glinstering in zijn ooghoeken voegde hij eraan toe: *En tot deze hoogwaardigheidsbekleders reken ik vanaf heden ook mijn zogenaamde zwager...!*

Om de slungelige einzelgänger heen barstten de mensen in lachen uit. Ze moesten zo lachen dat ze omvielen; sterke vuisten veegden tranen uit ogen, grepen Benji vervolgens beet en namen hem enthousiast op de schouders.

Waarom waren ze zo uitbundig? Omdat iemand in het getto eindelijk geen blad meer voor de mond nam en zei wat iedereen wist, maar niemand hardop durfde te zeggen? En omdat deze waarheden niet van een vluchtige, onbekende passant kwamen, maar vanuit de naaste intimi zelf – van iemand die het redelijkerwijs kon weten – van de broer van de jonge vrouw die *die ouwe* uiteindelijk had gekozen als toekomstige echtgenote, *van de eigen toekomstige zwager van de Voorzitter?*

Broer en zus. Ze waren elkaars tegenpool en voorwaarde.

Waar zij de Regel was, was hij de dolende Uitzondering.

Waar zij het Licht was dat scheen als een Lamp, was hij de grote Duisternis.

Waar zij de glimlachende, altijd Schuldeloze was, was hij het Geweten.

Waar zij (ondanks haar fysieke broosheid) de Sterke was, die op de proef gesteld werd om alle tegenslagen te overwinnen, was hij als een voortdurende Zwakheid, die haar zou straffen zolang hij leefde, en nog veel langer.

Als Benji er niet geweest was, zou Regina waarschijnlijk geen ja gezegd hebben toen de Voorzitter met zijn huwelijksaanzoek kwam. Wellicht zou ze zijn doorgegaan met hem te ontmoeten 'op het secretariaat', zoals al zijn andere minnaressen. Welk alternatief was er? De vrouw die ooit gelukkig was geworden door de aanwezigheid van heer Preses, had eigenlijk geen andere keus dan te buigen voor zijn wil.

Trouwen was echter iets anders. Haar vader, advocaat Aron Wajnberger, had haar herhaaldelijk gewaarschuwd voor de gevolgen van een verbintenis voor tijd en eeuwigheid met deze 'fanaticus'. Maar voor Regina was het getto als een langzame verstikking. Elke dag werd er weer een klein stukje van haar leven afgepakt. Haar oude vader zat nu in een rolstoel, hij kon niet meer op eigen kracht opstaan of lopen; en wat zou er gebeuren wanneer haar vader – die ondanks alles in het kamp van de Voorzitter een geacht en gerespecteerd jurist was – zijn beschermende hand niet meer boven hen hield? En wat zou er dan gebeuren met Benji?

Intussen liep haar broer natuurlijk op zijn karakteristieke manier rond in het getto en deed alles om de positie te ondermijnen die zij voor zichzelf en haar familie had weten te verwerven.

Benji vond het vooral leuk om met de 'nieuwkomers', de Joden uit Berlijn, Praag en Wenen te praten, die nu steeds wanhopiger de marktplaatsen van het getto opzochten. Tegen hen kon hij namelijk zeggen *waar het op stond*: dat de transporten die er nu aankwamen slechts het begin waren van *deportaties op grote schaal*, en dat de Duitsers niet van plan waren te stoppen voordat er geen levende Jood meer over was in het getto.

En de nieuwkomers moesten niet denken dat ze veilig waren alleen maar omdat ze al een keer eerder waren gedeporteerd of omdat ze in hun hoedanigheid van 'Duitse Joden' een speciale, beschermde elite vormden:

Op deze trein reizen we allemaal in dezelfde klasse, vrienden!

De Voorzitter is de enige die gelooft dat de Duitsers een uitzondering maken voor goede en plichtsgetrouwe Joden. In feite zien ze ons allemaal als dezelfde vuilnis – en ze hebben ons alleen maar op een en dezelfde plaats bij elkaar gebracht omdat het dan des te gemakkelijker is om zich van ons te ontdoen. Geloof me, vrienden. Dat is wat ze willen. Zich van ons ontdoen.

Sommige nieuwkomers vonden alles wat Benji zei *ontzettend* en wilden niet meer horen. Anderen luisterden echter aandachtig en lang.

Benji was een van de weinige 'echte' gettobewoners die ze hadden ontmoet die zo praatte dat ze hem begrepen: een zuiver, duidelijk Duits, waarin je niet alleen van gedachten kon wisselen over Schopenhauer, maar ook over praktische dingen, zoals hoe je een verzoek moest doen om een echte woning te krijgen of waar in het getto je kolenbriketten of paraffine kon krijgen. Bovendien had Benji, naar het zich liet aanzien, relaties hoog in de gettohiërarchie. Als ze zijn woordenvloed juist interpreteerden, zouden ze in elk geval een vermoeden van een antwoord kunnen krijgen op de vraag die hen allen kwelde, namelijk: hoe lang zouden ze hier moeten blijven? En wat hadden de machthebbers voor hen in petto?

En Benji vertelde maar al te graag – over alles wat hij wist.

Hij vertelde over de Schuld die de Voorzitter bij de Duitsers was aangegaan toen de fabrieken in het getto werden gebouwd, en hoe Biebow voortdurend eiste dat deze Schuld op de een of andere manier werd terugbetaald, zo niet in baar geld dan toch in waardevolle voorwerpen of in brigades verse, gezonde arbeiders die buiten het getto tewerk konden worden gesteld. Deze Schuld, zei hij, was oneindig. Om die reden werden de nieuwkomers verplicht al hun contante geld af te staan en al hun bezittingen in te wisselen bij de bank van de Voorzitter, tegen een vergoeding die een lachertje was – en toch zou het nooit genoeg zijn:

Hij praat tegen jullie alsof jullie een hulpbron zijn, maar jullie zijn geen hulpbron; in feite zijn jullie hierheen gekomen om je te laten slachten... En weten jullie hoe? Zoals je dieren in een fuik lokt. Eerst mogen ze zich moe rennen in het labyrint, en als ze de uitgang vinden, wacht hun de knuppel en de slachthaak...!

Sommigen van degenen met wie Benji sprak, waren voortaan voorzichtig met hun opgespaarde bezittingen. Anderen schijnen ook te hebben gevraagd of hij iemand anders in het getto kende die hun eigendommen kon beheren. Was er een privébank? Maar Benji kende er geen, en als hij er onverhoopt wel een had gekend, had hij het nooit gezegd. Hij staarde degene die het vroeg alleen maar aan, met ogen alsof de vraagsteller zojuist uit zijn huid was gekropen, en liep vervolgens vastberaden weg.

◆

Voordat de deportaties laat in de winter van 1942 begonnen, was de bruiloft van Mordechai Chaim Rumkowski en Regina Wajnberger de meestbesproken gebeurtenis in het getto.

Er werd gesproken over het verkwistende feest waarvan men aannam dat de Voorzitter het voor zijn bruid zou houden, en over alle geschenken die hij uit dankbaarheid dat hij haar had gekregen, aan haar familie en aan alle Joden in het getto wilde geven. Maar er werd vooral gesproken over de uitverkorene. Er werd gesproken over het *schandaal* dat zij dertig jaar jonger was dan hij, maar vooral over het feit dat zij 'een van hen' was, en dat het dus iedereen had kunnen overkomen om van de ene dag op de andere verheven te worden tot aan de zijde van de machtige. Velen zagen in het beeld van de jonge, ogenschijnlijk weerloze Regina een weg uit de gevangenschap en vernedering die niemand vroeger voor mogelijk had gehouden.

De familieleden van de Voorzitter zelf gedroegen zich echter koeler. Prinses Helena had haar man een paar keer gesmeekt zijn broer Chaim tot rede te brengen. En toen dat niet lukte, was ze naar het rabbinaat gegaan en had verzocht om een onderzoek naar de toelaatbaarheid van het huwelijk. Ze was van mening dat dat *valse sujet* – zoals ze Regina noemde – met voorbedachten rade een oude, hulpeloze man had verleid, die bovendien nog hartpatiënt was en van wie derhalve nauwelijks kon worden aangenomen dat hij de emoties zou overleven die een huwelijk met de dertig jaar jongere vrouw allicht met zich meebracht. Maar de Voorzitter zei dat hij nu net zomin als eerder van plan was om op zijn besluit terug te komen. Over Regina zei hij dat zij de eerste vrouw was met wie hij intiem was geweest zonder dat ze maakte dat hij zich schaamde. In haar stralende glimlach zag hij een onschuld die hem verloste uit zijn vroegere verderfelijkheid, en een edele reinheid die hem aanspoorde tot nieuw plichtsbesef. Slechts over één ding maakte hij zich zorgen. Of haar broze lichaam wel in staat zou zijn de kinderen te dragen die hij haar wilde schenken. Want de laatste tijd was het steeds vaker in hem opgekomen dat niet alleen tuchtigen en opvoeden tot zijn plichten behoorde, maar dat hij er ook voor moest zorgen dat zijn erfenis werd doorgegeven. In maart van dat jaar – 1942 – zou hij vijfenzestig worden. Hij vond dus niet geheel ten onrechte dat hij moest opschieten om die zoon op de wereld te zetten van wie hij altijd had gedroomd.

Het huwelijk werd in de oude synagoge aan de Łagiewnickastraat voltrokken door rabbi Fajner, een eenvoudige ceremonie met Rumkowski in driedelig fluwelen kostuum en de bruid teer en mooi als een lenteregen onder een bleke sluier. In de loop van een paar uur ontvingen de Voorzitter en zijn jonge vrouw niet minder dan zeshonderd gelukstelegrammen, verzonden uit alle hoeken en gaten van het getto, en voor de ingang van het ziekenhuis, waarin de Voorzitter in deze tijd zijn 'stadsappartement' had, stond een rij van honderden *kierownicy*, bestuurders, vertegenwoordigers van de ordepolitie en de brandweer, allemaal om persoonlijk de geschenken te overhandigen waaraan ze zich natuurlijk niet durfden te onttrekken. Ook prinses Helena en haar entourage, die zich hadden verwaardigd hun verweer te staken en eieren voor hun geld te kiezen, stonden glimlachend in de deuropening om alle gasten te ontvangen; zo ook prinses Helena's eigen beheerder, de heer Tausendgeld, die het persoonlijk op zich had genomen om een *geschenkentafel* neer te zetten, waarop de geschenken en gelukstelegrammen zich ophoopten.

Ook Benji was er. Hij liep bleek en beheerst rond, en vroeg iedereen een stukje brood te schenken en een klein scheutje uit hun wijnglas in een schaal te gieten die hij tegen zijn borst geklemd hield. Toen de schaal vol was, liep hij naar de binnenplaats, waar zich een groep nieuwsgierigen had verzameld om op afstand getuige te zijn van de festiviteiten. Vanuit het raam konden alle bruiloftsgasten zien hoe de broer van de bruid, met zijn korte broekspijpen rond zijn enkels fladderend, brood uitdeelde en wijn inschonk voor de armen van het getto.

En zij die het benul hadden om zich te schamen, schaamden zich.

De rest danste op verboden grammofoonmuziek.

Maar Regina schaamde zich niet. Ze was fysiek niet in staat zich te schamen voor haar broer.

Tegen zijn vrouw zei de Voorzitter later dat hij een speciale plaats voor Benji had gereserveerd in het 'sanatorium' aan de Wesołastraat. Misschien zou een tijdje in een rusthuis hem tot rust brengen en eindelijk vrede geven. Regina vroeg haar man of ze op zijn belofte kon vertrouwen. Hij antwoordde dat als er maar zo weinig nodig was om zijn geliefde echtgenote gelukkig te maken, dit wel het minste was wat hij kon doen.

Na zes maanden in het collectief aan de Franciszkańskastraat had de familie Schulz eindelijk een eigen woning toegewezen gekregen. Die lag een paar blokken van de Sulzfelderstrasse of Brzezińska, zoals de Poolse straatnaam luidde. In het tweekamerhuis woonden al twee gezinnen. In de kamer aan de achterkant een jong arbeidersechtpaar met een klein meisje met lange vlechten, Emelie geheten, die nooit iets zeiden of zelfs maar opkeken wanneer ze elkaar in de vestibule tegenkwamen; en in de grotere kamer aan de straat de verfhandelaar Riemer met zijn vrouw, ook afkomstig uit Praag.

Op aanraden van dokter Schulz losten ze het probleem zo op dat Martin en Josel op een opklapbed bij de Riemers sliepen, terwijl Věra en haar moeder de keuken betrokken. Naast de keuken was nog een klein kamertje, dat eerder diende als bijkeuken of wellicht als garderobe. Naar dit kamertje leidden twee deuren: vanuit de keuken een kastdeur die zo laag was dat je er op je hurken doorheen moest, en vanuit de hal een smalle deur die eruitzag als een gewone kastdeur.

Vlak onder het plafond van het kamertje zat een ventilatieluik, dat open en dicht ging met behulp van een zwengel die aan de muur was bevestigd. Zolang het luik openstond, kon je beide deuren dicht houden zonder dat het donker werd in het kamertje.

In dit krappe kamertje installeerde Maman zich. Věra bracht haar elke dag eten op een dienblad, en ze hadden ook een emmer water voor haar en een emaillen schaal die ze als po kon gebruiken. Het was daarbinnen zo krap dat Maman, als ze met de deuren dicht wilde slapen, rechtop moest zitten, met haar rug tegen de muur en beide benen opgetrokken. En Maman zat in haar kamertje. Ze at heel weinig; algauw at ze helemaal niet meer, tenzij Věra of Martin het eten in haar mond stopte en haar dwong het door te slikken.

Arnošt probeerde zijn relaties te gebruiken om Maman te laten opnemen, eerst in het ziekenhuis aan de Łagiewnickastraat, daarna in de 'speciale kliniek' aan de Wesołastraat, maar hij moest het opgeven. In een getto waarin iedereen min of meer ziek was, was een verblijf in het ziekenhuis iets voor *di privilizherte*, en tot de groep geprivilegieerde uitverkorenen behoorde Arnošt Schulz als buitenlandse Jood nog lang niet.

Maar hij werkte er dagelijks onvermoeibaar aan om er te komen.

Samen met een zekere dokter Wieneger uit Berlijn, met wie hij voor de oorlog enige wetenschappelijke correspondentie had gevoerd, ontwikkelde dokter Schulz begin 1942 een techniek om uit het afkooksel van aardappelschillen die overbleven van de fabrieksgaarkeukens een bepaalde zout- en suikeroplossing te produceren die subcutaan kon worden toegediend.

Aardappelschillen – *shobechts* – waren felbegeerde waar in het getto; de schillen konden 'dik' of 'dun' zijn en werden in zakken van twee of vijf kilo verkocht aan iedereen die contacten had bij de administratie, en deze mensen wisten natuurlijk direct wat ze moesten doen om op de zwarte markt het vijfvoudige voor de zakken te krijgen. De handel in aardappelschillen was ten slotte zo omvangrijk geworden dat de Voorzitter had geëist dat ze alleen nog maar op recept verkrijgbaar zouden zijn, net als melk en andere zuivelproducten. Op die manier waren de dokters Schulz en Wieneger eraan gekomen. Ze hadden domweg recepten voor elkaar uitgeschreven.

En zo kwam het dat er iets gebeurde waardoor de Judenälteste eindelijk notitie nam van de kleine, gedrongen, maar kennelijk scherpzinnige dokter uit Praag. In een toespraak tot de Gettoverwaltung in februari 1942 noemde Rumkowski in het bijzonder *de geniale innovatie van de Praagse dokter Schulz met de afvalproducten van de gaarkeukens* als voorbeeld van hoe acute problemen in het getto konden worden opgelost als je maar vindingrijk genoeg was en een manier bedacht om de eigen hulpbronnen van het getto te hergebruiken.

◆

Maar hij had het voor Maman gedaan, dat met die aardappelschillen.

Elke ochtend voordat hij naar het ziekenhuis ging, zette hij zijn eigenhandig samengestelde infuusvloeistof in een druppelstellage die Martin had gemaakt van oude kleerhangers, en bevestigde dan het slangetje van de druppelbak aan een canule in Mamans rechterpols.

Op die manier kreeg ze intraveneuze voeding.

In haar dagboek schrijft Věra dat haar moeders lichaam schudde door een vreemde koorts en dat er dik, stinkend zweet uit alle poriën van haar huid naar buiten kwam, waardoor haar gezicht gezwollen en rood werd. Maar ondanks de bijwerkingen was het toch of Maman iets van haar vroegere kracht en impulsiviteit hervond. Op die momenten was ze er rotsvast van overtuigd dat ze hun oude flat aan de Mánesovastraat nooit hadden verlaten. Tegen Věra zei ze op een avond dat ze Tsjechische nazi's ervan verdacht dat die zich in hun flat verborgen hielden en 's nachts, als de hele familie sliep, wakker waren en geheime depêches aan Berlijn schreven op Věra's reistypemachine.

Voordat ze Praag verlieten, hadden moeder en dochter ruzie gemaakt over deze typemachine. Věra wilde hem per se meenemen, omdat ze wist dat ze vroeg oflaat een baan zou moeten zoeken; Maman had het niet goed gevonden.

Het kind is niet goed snik: die schrijfmachine weegt minstens vijftien kilo!

Was dit een subtiele poging van Maman om Věra betaald te zetten dat ze had moeten toegeven?

Maar als Věra bij Maman in het kamertje zat, kon ook zij duidelijk het getik horen van hamertjes die tegen de smalle rol sloegen. Ze keek naar het plafond en zag een hoop kakkerlakken – zo groot als wespen – die zich vastklampten aan de rand van het ventilatieluik en dan een voor een hun harde lijven op de grond lieten vallen, klik, klik, klik: het klonk precies zoals hamertjes die tegen de rol kwamen...

Tegen deze tijd hadden de bezetters de verplichte verduistering ingevoerd.

Elke avond klom Martin of Josel omhoog om het keukenraam met een metalen plaat te bedekken om te voorkomen dat er licht doorheen lekte. Maar het dakluik in Mamans kamertje durfden de kinderen niet af te dekken, ook al kwam het ongedierte langs die weg binnen. Wanneer de deur dichtzat, was het luik de enige opening waar licht doorkwam.

Dus zaten ze met zijn allen in hun smerige, onverwarmde keuken in een vreemde Poolse stad te luisteren naar de verre geluiden van volgens Josel geallieerde bommenwerpers die op weg waren naar Duitsland, en vanuit het donker van haar kamertje fluisterde Maman dat ze ervan overtuigd was dat de geallieerde invasie ditmaal zou lukken en dat ze de volgende keer dat ze verse *rohliky* ging kopen bij de bakker op de hoek, zou merken dat de gehate nazi's allemaal uit Praag waren verdreven.

Spraakverwarring

Ik weet het. Het was 'ongelukkig', zoals pappa en mamma zeiden, om de typemachine mee te nemen. Maar ik kon er niet toe komen 150 Tsjechische kronen neer te tellen voor een behoorlijke reistypemachine en hem dan alleen maar 'in bewaring' te geven, wat in dit geval hetzelfde was geweest als weggeven aan de Duitsers.

Er was vast ook behoefte aan secretaresses in de plaats waar we naartoe moesten. Łódź is immers, zoals Martin ons allemaal uitlegde, een *Duitse* stad.

En wat had ik gelijk! En wat had ik het mis!

Bij het secretariaat hier gebruiken ze natuurlijk *Poolse* typemachines; ik zou wel imbeciel zijn als ik hier een baan wilde hebben. In plaats van de Duitse letters op de toetsen te zoeken, schrijven ze hier voor zover ik weet in plaats van een Duitse *e* een Poolse *ę* – of een *ą* – en een *ł* in plaats van een normale L.

Met de taal is het zo mogelijk nog erger. Het is alsof je midden in een bijenzwerm woont: overal wordt Pools, Jiddisch of Hebreeuws gesproken. De enige taal die *niet* wordt gesproken is Duits. Dat is de taal van de bezetters, van de vijand – van de Duitsers.

Als Duits- of Tsjechischtalige ben je hier helemaal geïsoleerd; je hebt *geen idee* van wat er om je heen besproken wordt. Dat maakt dat ik me een volslagen analfabeet voel...

Het was begin 1942. De uitreisactie, zoals de deportaties werden genoemd, was al in volle gang.

De verbijstering over de ellendige situatie waarin ze waren terechtgekomen, was bij veel Duitse Joden overgegaan in een voortdurend knagende angst voor wat er hierna zou gebeuren. Het gerucht ging ook dat de West-Joden nu op de lijst van te deporteren personen stonden, wat velen volkomen absurd toescheen. Zou er dan nooit een eind aan komen?

Het was in deze wintermaanden zo koud dat Martin het ijs uit de put moest hakken voordat hij water kon halen. Věra deed de was op haar knieën en probeerde tenminste het ergste vuil weg te schrobben, maar het water was zo koud dat haar handen opzwollen en gevoelloos raakten, en daarna deden haar gewrichten verschrikkelijk zeer. Ze moesten de was aan een lijn hangen die liep van de fornuispijp naar de deurkruk van Mamans krappe kamertje, maar hij droogde nauwelijks en hoe ze ook probeerden te stoken, ze verkleumden tot op het bot.

Maar meer dan de kou en het vocht maakte de honger het leven elke dag tot een kwelling. De huid van de buik en om de ellebogen en enkels zwol op en werd waterig en zwaar; krachteloosheid maakte alle gewrichten zwaar. Na een paar dagen zonder iets anders te eten dan dunne, naar ammoniak stinkende soep, werd de lusteloosheid tot duizeligheid en de duizeligheid ging op haar beurt over in een soort manie. Geen uur, geen minuut kon Věra aan iets anders denken dan aan *eten*. Ze dacht aan het versgebakken brood dat Maman 's morgens altijd mee naar huis nam, met een harde, krokante, geurige korst, en zo vers dat het nog helemaal warm in je hand lag wanneer je er een stuk afbrak; of aan het gestoomde, heerlijk naar knoflook geurende rundvlees dat hun huishoudster 's zondags op tafel zette met aardappelnoedels, die ze zelf in een zo groot mogelijke pan bakte en dan serveerde met een grote, smeuïge lik boter erop; of aan de echte *palašinky* die de kinderen altijd als lekkernij kregen als ze uit school kwamen, met jam en slagroom; of aan de uitpuilende schalen met *cukrovinky*, kleine vanille- en notenkoekjes in de vorm van bolletjes en krakelingen, die er rond Chanoeka altijd stonden. Geen van deze fantasiebeelden kon de kwelling ook maar enigszins verzachten, integendeel, ze maakten de hongerwolf in haar ingewanden alleen maar nog woedender. Arnošt stelde bovendien volstrekt compromisloos de eis dat alles wat ze aan eten over hadden, hoe weinig ook, voor Maman was.

Voortdurend praatte hij met Věra en haar twee broers over Maman.

Over Maman praten werd een manier om niet over de honger te hoeven praten. Zo werd het ten slotte de enige manier om de pijn van het eigen lichaam te verdoven: onophoudelijk praten over en denken aan iemand anders, die nog meer leed en hongerde.

Krachteloos, gepijnigd, kapotgehongerd begaf Věra zich net als duizenden andere arbeiders elke dag door de diepe, smerige voren die waren ontstaan in de sneeuwmassa's op straat.

De tapijtweverij waarbij ze aangesteld was als 'Poolse' secretaresse, lag in een zijstraat van de Jakuba. Er had waarschijnlijk een melkwinkel of iets dergelijks in hetzelfde pand gezeten voordat het getto werd gesloten, want de afdrukken van de letters van het uithangbord zaten nog in het grijze stucwerk (ook al was het bord zelf weggehaald): M l i e k o stond er met ietwat schuine schaduwletters boven een rij van drie diepe etalages waarvan de ruiten stukgeslagen waren, maar de binnenkanten toch zorgvuldig waren afgeplakt met verduisteringspapier.

Een kleine troost in alle droefenis was dat haar vaardigheden als typiste toch van pas bleken te komen. In plaats van aan de weefgetouwen te zitten, had ze een klein hokje, of liever een afgescheiden hoekje, naast de kamer van directeur Moszkowiski toegewezen gekregen, waar ze hele dagen doorbracht met het uittypen van lange materiaallijsten en facturen gericht aan de *Centraler Arbeits-Ressort*, die meneer Moszkowiski aan het eind van de dag ondertekende.

Op een armlengte van het open kantoor stonden drie weefgetouwen met tapijtschering die helemaal tot aan het dak reikten, en op lange banken zaten tapijtwevers en -weefsters op een rij, mannen en vrouwen in paren of groepen van vier. De voorman heette Gross; hij liep rond als een slavendrijver op een Romeinse galei en sloeg de maat door een houten steel tegen de weeframen te slaan, en rond rond rond om de jagende stok gingen de handen van de weefsters en ze voerden de spoel met het garen door de schering of stampten met hun voetholte tegen de houten trappers zodat de schacht omhoog, en omlaagging, de inslagdraad terugkwam en de weefkam klapte.

Heen, terug; trappen.

De lucht erboven was dik en zuur van het kaf.

Een vochtige stofdamp legde zich als een dikke, kwellende prop in je hals, kneep je keelholte dicht en verstopte je neus en je gehoorgangen.

Hoewel Věra achter een beschermende afscheiding zat, durfde ze nauwelijks adem te halen uit angst nog meer van dat zure, smerige tapijtstof in haar longen te krijgen. Hoe moesten de arbeiders het dan wel ervaren? Maar arbeiders in het getto waren niet meer, niet waardevoller dan de werkzaamheden die ze uitvoerden: deze jagende handen en voeten die elke dag tien uur op de trappers zaten te stampen en te slaan, alsof alles in het leven ervan afhing of ze in de maat konden blijven van een opgewonden tempo dat onder normale omstandigheden geen mens aan zou kunnen.

Om twaalf uur werd het *Mittagessen* geserveerd aan het loket bij de kleermakerij aan de Jakuba. Dat was geen loket in de eigenlijke betekenis, maar een raam op de begane grond van een gewoon huurhuis. In dat raam wijdde een nauwelijks zichtbare hand zich aan het opscheppen van soep in de steelpannetjes en etensbakjes die ernaar werden uitgestrekt.

Twee lepels kregen de getrouwen, dat wil zeggen degenen die de opschepdame achter het loket kende of met wie ze een of andere relatie had. Eén lepel kregen alle anderen, Věra incluis. Daarnaast ontving ze op vertoon van haar middagmaaltijdbon ook een snee droog, donker brood zonder margarine. Ze moest altijd op haar beurt wachten voor het eten. De arbeiders van de uniformmakerij aan Jakuba 12 gingen voor. Ze hadden voorrang bij de soep omdat ze naaiden voor het Duitse leger.

Terwijl ze in de rij stond te wachten tot de *pani Wydzielaczka* met de lepel bij haar soeppannetje kwam, merkte ze voor de eerste keer dat er deportaties aan de gang waren. Eerst was het een van de vrouwen van de weverij die 'hen verlaten' moest en die iedereen verraste door plechtig alle personeelsleden van de weverij een hand te geven en vaarwel te zeggen, en meneer Moszkowiski, de voorman meneer Gross, en de twee politiemannen van de Wirtschaftspolizei, die hier geposteerd waren om ervoor te zorgen dat er *niets gestolen* werd, keken allemaal opzij of naar de grond, met hun gezicht rood van schaamte. Weten dat je je werk en je woning in het getto *bij genade* had was één ding; dat aan iedereen laten merken was iets heel anders.

De dag erna was ook het Poolse arbeidersechtpaar dat in de kamer naast hen woonde weg. Toen Věra op een avond in februari terugkwam van het resort van meneer Moszkowiski stond er ineens een heel ander gezin in de hal, maar wel met vrijwel dezelfde dochter: ook zij met haar haren in vlechten en haar ogen naar de grond. Věra had haar willen vragen of ze wist wat er met het meisje Emelie was gebeurd, alsof dit meisje alleen maar door het feit dat die twee zo sprekend op elkaar leken, iets zou kunnen weten over het andere meisje.

Maar hoe kon wie dan ook weten wat er eigenlijk gebeurde? In tijden als deze was er niemand die zich om iets anders bekommerde dan om de vraag of de eigen soeppan gevuld was, liefst met *twee* lepels; en of het dunne sneetje brood dat ze te eten kregen ten minste een uurtje of twee genoeg vulde voordat die verschrikkelijke hongerkrampen weer begonnen.

Er waren avonden waarop Věra nauwelijks in staat was te bewegen, waarop kopjes en schaaltjes haar uit de handen gleden alsof haar handen niet meer waren dan twee lamme *voorwerpen*.

Martin en Josel hielpen haar de vloer in de keuken te schrobben, die altijd wel dichtgegroeid leek met vuil. Samen deden ze de was en hingen ze kleren op.

Maar de pijn bleef. Het was alsof een ijzige stomheid zich vastbeet in haar gewrichten, waardoor alle botten van haar lichaam bogen en kromtrokken. 's Nachts had ze het gevoel alsof haar hele skelet veranderde in een stuk ijs; een lichaam *van pijn* binnen in wat er nog over was van haar eigen lichaam, waardoor haar gedachten daarheen gingen waar ze natuurlijk nooit heen hadden moeten gaan: naar Marysin, waar Emelie en haar familie en duizenden andere gettobewoners zich voortsleepten door de sneeuw, met armzalig gevulde pakken en zakken op hun rug of om hun middel geknoopt.

Op weg waarheen? Niemand wist het.

En de uitreisactie ging door.

In februari was de Voorzitter opgeroepen voor een gesprek met de Duitsers, en toen kreeg hij te horen dat de tijd van respijt voorbij was en dat nog eens tienduizend Joden het getto uit moesten.

Zijn uitreiscommissie werkte nu dag en nacht aan haar lijsten. Ruim tien transporten wisten ze in de loop van februari samen te stellen, maar het was niet genoeg om het vereiste quotum te halen. Volgens de Duitse administratie verlieten in februari 'slechts' 7025 Joden het getto in plaats van de overeengekomen tienduizend.

De bezetters spraken hun grote ongerustheid uit over deze traagheid en reageerden door wat er nog over was van het quotum van februari boven op dat van maart te leggen, zodat de Voorzitter per 1 april behalve de tienduizend Joden die er normaal werden geëist ook nog eens bevel kreeg om drie speciale transporten van bijna drieduizend mensen samen te stellen.

De bezetters drukten hun ongenoegen ook op een andere manier uit: uit Radogoszcz kwamen alarmerende berichten dat de gedeporteerden hun bagage moesten afgeven voordat ze op de trein stapten. Wie dat bevel niet onmiddellijk gehoorzaamde, werd door Duitse soldaten tot bloedens toe geslagen en vervolgens met geweld de wagons in gejaagd.

Was dat met die nauwkeurig vastgestelde aantallen dan allemaal alleen maar een truc om ervoor te zorgen dat mensen uit eigen beweging naar de verzamelplaatsen gingen?

De deportaties van februari en maart 1942 vielen bovendien op enkele van de koudste dagen die het getto ooit had beleefd. Op de verzamelplaatsen sprongen de fornuis- en schoorsteenpijpen door de kou, en mensen werden gedwongen in alleen hun kleren op de grond te slapen. De tweede week van maart joeg er een verschrikkelijk noodweer met een golf van geselende sneeuwval en kou over het noordoosten van Europa. In die week vroren er negen mensen dood in een voormalig schoolgebouw aan de Młynarskastraat, wachtend op een trein die nooit kwam. Dezelfde open vrachtwagens die eerder heen en weer waren gereden tussen het Rado-goszczstation en het Bałutyplein met de bagage die de gedeporteerden hadden moeten achterlaten, reden nu terug met de laadbak volgeladen met stijfbevroren lijken.

Het was mogelijk bezwaar aan te tekenen tegen het uitreisbevel.

De bezwaarde moest dit binnen vijf dagen nadat hij het uitreisbevel had ontvangen bij de commissie indienen. Om in het gelijk te worden gesteld, moest de bezwaarde documenten van zijn werkgever bijvoegen, waaruit bleek dat hij daar aangesteld was en dat hij zich tot tevredenheid voor zijn werk inzette. Zulke getuigschriften kon je in het getto voor een paar mark kopen. Je kon ook hulp inkopen van kopiisten die bezwaarschriften schreven op basis van bepaalde vereiste standaardformuleringen.

Dat verklaart de onhandig formele toon in sommige ervan:

Aan de uitreiscommissie –
Betr. Uitreisbevel NR VII/211-23

Zeer geachte uitreiscommissie,
Hiermee verzoek ik dringend om toestemming tot uitstel van de oproep tot uitreizen voor mijzelf, mijn vrouw Zora en mijn vier kinderen, alsmede mijn moeder, mevrouw Libkowicz, weduwe van de machinebediener de heer Pawel Libkowicz. Ik ben al vele jaren geschoold elektricien en mijn vrouw Zora werkt als hoedenmaakster op Resort Nr. 14 aan de Brzezińskastraat. De heer resortlaiter Viekl is altijd zeer tevreden over haar als plichtsgetrouw en deugdelijk arbeidster en onze familie is nooit in aanvaring gekomen met het gerecht, maar we hebben stuk voor stuk altijd eerlijk ons brood verdiend en daarom kwam het uitreisbevel voor mij en mijn familie als een donderslag bij heldere hemel. Meer dan eens heb ik onze Preses horen zeggen dat het werkboekje en stabiele thuisomstandigheden de beste garantie voor rust en kalmte in het getto zijn en ik vraag me af waarom we nu op het punt zijn ge-komen waarop gewone, eerzame arbeiders worden gestraft.

Ik dank u met de meeste hoogachting voor uw aandacht en verzoek de heren uitreiscommissieleden om mij en mijn vrouw alstublieft te sparen, evenals mijn moeder die na een lang, arbeidzaam leven nu slecht ter been is en ook verder niet in staat om een uitreis te volbrengen.

Litzmannstadt Getto, 7/3 1942
Józef Libkowicz

In maart was de druk op de uitreiscommissie zo groot geworden dat ze zich gedwongen zag te verhuizen naar grotere, ruimere burelen aan de Rybnastraat. Om alle bezwaarschriften te kunnen verwerken, werd het aantal secretaresses en bedienden verhoogd van vier tot ruim twintig. Er werd zelfs een telefonist aangesteld, die vooral de vragen van de Duitse gettoadministratie moest beantwoorden. Elke ochtend om acht uur, voordat het kantoor van de commissie openging, wachtte er een rij van meer dan honderd bezwaarden, zogeheten *petenten*, om aan het loket te worden ontvangen.

Het gebeurde, in gevallen die als bijzonder moeilijk werden beschouwd, ook wel dat Schlomo Hercberg persoonlijk bij de indieners van een bezwaarschrift op bezoek ging. Daar bestond een speciale naam voor in het getto. Men zei dat niemand zijn *tnojim* ontliep of hij moest eerst *Hercberg kussen*.

Tnojim – huwelijkscontract – werd het voorgedrukte formulier genoemd dat de uitreiscommissie de uitverkorenen stuurde, met datum en tijdstip wanneer ze op de verzamelplaatsen moesten zijn. Hercberg kon eventueel instemmen met een tijdje uitstel van het tijdstip van vertrek. Maar de prijs voor zulk uitstel was hoog. Om voor onbepaalde tijd in het getto te mogen blijven, was de prijs zo mogelijk nog hoger, en betaling diende altijd contant te geschieden.

De voormalige bioscoopoperateur Schlomo Hercberg was bezig in korte tijd een aanzienlijk vermogen te vergaren. Maar hij moet een fout hebben gemaakt in zijn berekeningen.

Of iemand met zo mogelijk nog meer *plejtses* probeerde hem in een kwaad daglicht te stellen.

Op 13 maart 1942 's morgens was het succesverhaal van Schlomo Hercberg afgelopen. De Kripo deed toen een inval in twee van Hercbergs woningen: het stadsappartement aan de Drukarskastraat en het zomerhuis in Marysin. Ze drongen zelfs zijn kantoor aan de Młynarskastraat binnen en braken een van de door Hercberg afgesloten en verzegelde gevangenis- ruimtes in de Centrale Gevangenis open. Hieronder volgt een opsom- ming van wat de Duitse recherche in de Bioscoop vond, nog afgezien van een bedrag in Amerikaanse dollars dat overeenkwam met 2955 reichs- mark, verstopt in een paar oude schoenendozen, en muurschilderingen van 'bekende acteurs en naakte vrouwen' van de kunstenaar Hirsch Szyli, die door de Duitse financiële beheerder werden beoordeeld als 'zonder waarde':

70 kg (gezouten) spek
60 kg ham (gezouten, gedroogd, ingemaakt)
12 vaten Sauerkraut
120 kg rogge- en tarwemeel (in zakken)
150 kg suiker
24 dozen met zoetigheid en 'marmelade'
32 flessen cognac + wodka
40 st. ingemaakte rundertongen
1 doos sinaasappels
242 pakjes 'geparfumeerde' zeep
262 bl. schoensmeer (in ongeopende verpakking)

Adam Rzepin was tegen deze tijd al begonnen in zijn baan op het losper- ron bij het Radogoszczstation, die zijn oom Lajb hem had bezorgd; en op die ijskoude, grijze ochtend was zijn dienst juist afgelopen toen de Gesta- po voorbijreed met de man die Rumkowski's rechterhand, gevangenis- directeur en politiechef was geweest en die zijn zus had opgesloten en ver- kracht.

Het was 17 maart 1942, een heel gewone dag in het 'nieuwe leven' van het getto.

Het transport van die dag stond al klaar om te worden ingeladen. De laatste marscolonnes van mensen die uit het verzamelkamp aan de Mary- sińskastraat waren aangekomen, stonden op de halfbevroren kleimassa te stampen. Hier en daar brak onrust uit wanneer groepjes Duitse bewa- kers op de zojuist aangekomenen los sloegen om hen ertoe te brengen hun bagage af te geven. Rugzakken, stevig vastgesnoerde stapels matrassen en beddengoed waren aan de ene kant van het lage stationsgebouw al op een grote hoop gegooid.

Vlak voordat de trein zou vertrekken, reed een geblindeerde zwarte auto het perron van het goederenstation op, en een lijkbleke Schlomo Hercberg werd eruit gevoerd, met handboeien aan een Kripo-rechercheur in burger vastgeklonken. Hij mocht niet eens in de rij gaan staan of om zich heen kijken, maar werd onmiddellijk de dichtstbijzijnde lege wagon in gevoerd.

De volgende ochtend werd dezelfde procedure herhaald met Hercbergs vrouw, zijn schoonmoeder en zijn drie kinderen. De kinderen zagen er, volgens diverse mensen die erbij waren, 'net zo bang uit als alle anderen'. Wat misschien een troost had moeten zijn voor iedereen die het slachtoffer was geworden van Hercbergs inhaligheid. Maar voor de meeste mensen in het getto was het precies andersom. Pas toen Schlomo Hercberg en zijn familie werden gedeporteerd, begrepen de gewone mensen in het getto dat het de bezetters ernst was met hun vonnis over de Joden van Litzmannstadt.

Als er zelfs geen genade of redding was voor de allerhoogsten van het getto, hoe moest het dan gaan wanneer zij aan de beurt waren?

Op zondag 12 april werd de Voorzitter opnieuw bij de autoriteiten ontboden. Aanwezig waren behalve Biebow zelf zijn beide plaatsvervangers, Czarnulla en Ribbe, terwijl de Sicherheitspolizei vertegenwoordigd werd door SS-Sturmscharführer Albert Richter, de een-na-hoogste bevelhebber van het zogeheten Referat II B 4, dat verantwoordelijk was voor Jodenzaken in het getto.

Het overleg werd ook deze keer gevoerd in een 'gedisciplineerde en gezien de omstandigheden tamelijk ontspannen sfeer'.

Albert Richter maakte ter inleiding duidelijk dat de oorlogsinspanning het noodzakelijk maakte de Joodse bevolking te concentreren op een paar plaatsen van 'strategisch' belang in Warthegau. Er zouden zich daarom binnenkort ook transporten *naar* het getto van Litzmannstadt aandienen met Joden uit de rest van Warthegau. Ondanks deze acties – of misschien juist *op grond daarvan* – was het noodzakelijk dat de uitreis uit het getto met de grootst mogelijke spoed en ongehinderd doorging. Vanuit Berlijn was de 'niet te weigeren eis' gesteld dat alleen Joden die bruikbaar waren voor de *Arbeitseinsatz* zich nog in het getto mochten ophouden. Derhalve moesten ook alle niet-arbeidsgeschikte elementen onder de pas gearriveerde *Westjuden* nu gedwongen worden het getto te verlaten.

Rumkowski had toen het woord gevraagd en aan de verzamelde autoriteiten de vraag voorgelegd hoe bepaald moest worden of iemand arbeidsgeschikt was of niet.

Richter had geantwoord dat een keuringscommissie van Duitse artsen alle resterende inwoners van het getto van boven de tien jaar zou onderzoeken – Westjuden zo goed als overigen. Degenen die als arbeidsongeschikt werden bestempeld, zouden het getto moeten verlaten. Alle overigen konden blijven.

De voorzitter: Mag een Jood een paar woorden zeggen?

Richter: Natuurlijk. U mag uw mening altijd geven, Rumkowski.

De voorzitter: Van deze Arbeitseinsatz moeten de zieken en zwakken van het getto tot elke prijs worden uitgezonderd. Voor hen zorg ik uit eigen middelen.

Richter: Maar dat spreekt toch helemaal vanzelf, Rumkowski. Wij zijn niet onmenselijk.

Op bevel van de Sicherheitsdienst liet het gettobestuur nu een gerucht verspreiden over waar de gedeporteerden heen gebracht werden. Het heette dat ze naar de stad Chełmno gingen, in het district Warthbrücken, *Kulmhof* in het Duits. Nadat de Duitse bevolking was geëvacueerd, was daar een barakkenkamp neergezet dat in grootte overeenkwam met het werkkamp dat oorspronkelijk bij Lublin gebouwd had zullen worden. Volgens de Gestapo waren hier honderdduizend Joden uit Warthegau ondergebracht (*verlagert*), onder wie dus de veertigduizend die eerder uit Litzmannstadt waren geëvacueerd. De levensomstandigheden waren daar, heette het, *buitengewoon* goed. Drie volledige maaltijden per dag werden er geserveerd; iedereen die als arbeidsgeschikt werd beschouwd mocht bovendien overdag licht werk doen tegen een fatsoenlijk salaris. De mannen waren hoofdzakelijk belast met wegwerkzaamheden, zei men, terwijl de vrouwen in de landbouw werkten.

Het gerucht over 'het werkkamp in Warthbrücken' ging snel van mond tot mond, en algauw wist iedereen wat er officieel werd gezegd, maar niemand geloofde het. Het was mogelijk dat de gedeporteerden nog leefden, dat ze zich in een ander werkkamp bevonden, dat ze zich ergens anders in Wartheland of in het Generale Gouvernement bevonden. Maar in een nieuw werkkamp in Warthbrücken bevonden ze zich zeer zeker niet.

◆

Voor de gemeentelijke gaarkeuken aan de Młynarskastraat stond al sinds het ochtendgloren een lange rij mensen te wachten om 'gestempeld' te worden. De meeste wachtenden waren Duitse Joden uit de collectieven: mannen, vrouwen en kinderen door elkaar heen, omdat de transportleiders hadden gezegd dat alleen wie zich vrijwillig aan het medisch onderzoek onderwierp daarna als vergoeding aanspraak kon maken op zijn dagrantsoen soep.

Bij de ingang verdeelde de rij zich in een mannelijke en een vrouwelijke helft.

De mannen moesten over de begane grond doorsjokken naar een balie helemaal achterin, waar anders de schenkdames altijd met hun soepketels stonden, maar waar nu een rij ernstige artsen in witte jassen op hen wachtte. Terwijl de werkboekjes van de mannen werden geïnspecteerd, moesten ze hun bovenlichaam naar alle kanten draaien, waarbij ze zorgvuldig door doktersvingers werden bevoeld; daarna kregen ze van de chefarts een in blauwe inkt gedoopt stempel op hun borst, rug of middel gedrukt.

De stempels volgden een patroon van lettercodes: ze varieerden van 'A' – hetgeen stond voor arbeidsgeschikt – tot 'E' of 'L', wat betekende: ongeschikt voor welk werk dan ook.

Binnen vijf dagen had de medische commissie in totaal 9956 van de ruim twintigduizend mensen die ze zich ten doel had gesteld te onderzoeken, weten te stempelen en categoriseren, en was ze begonnen patiënten en andere in de ziekenhuizen van het getto opgenomen mensen naar de artsenposten te brengen. De volgende dag namen de bezetters het besluit te starten met de 'evacuatie', ook van de West-Europese Joden.

In een toespraak vlak nadat dit bevel was gegeven, zei Rumkowski:

U kent net zo goed als ik het oude Joodse spreekwoord dat zegt dat de waarheid de beste leugen is. Welnu, dan zal ik u de waarheid zeggen: alle Joden uit Praag, Berlijn en Wenen die het getto nu verlaten, krijgen ergens anders werk. De Duitsers hebben me hun woord gegeven dat niemands leven in gevaar is en dat alle Joden die het getto verlaten, in veiligheid zullen worden gebracht.

Maar degenen die de armzalige tien kilo inpakten die ze mochten meenemen, stelden zichzelf de heel voor de hand liggende vraag waarom de Duitsers, nu ze hen eenmaal onderzocht en als arbeidsongeschikt bestempeld hadden, zich de moeite zouden getroosten hen te deporteren en hen ergens anders aan het werk te zetten?

Toen begonnen de transporten uit Brzeziny en Pabianice te arriveren en

onmiddellijk daarna kwamen de vrachtwagenkonvooien met de laad-
ruimtes vol gebruikte kleren en schoenen, en legden de wortels van de leugen bloot.

Een zaterdag in mei: een hardnekkige miezerregen hing als een lang, bleek gordijn aan de hemel. In het eigenaardig kille, waterig blauwe licht op het terrein van de uitreiscommissie aan de Rybnastraat stond een honderdtal mensen te wachten, samengedrongen tot één enkele massa stijve schouders en in versleten jaszakken gestoken handen.

Ze stonden er al weken, al sinds het besluit bekendgemaakt was dat ook de Westjuden die nog geen werk hadden gevonden, geëvacueerd zouden worden. Keer op keer stond de Voorzitter in zijn toespraken stil bij de arbeidsonwil van de nieuwkomers. Met een trilling in zijn stem sprak hij over hen als slappe parasieten en werkweigeraars, en zei hij dat hij al lang geleden met hen had willen afrekenen, maar dat de deportaties van de oorspronkelijke bewoners ertussen waren gekomen. Nu was de tijd echter gekomen.

Zeer binnenkort, oreerde hij vanaf zijn tribune, *zeer binnenkort zal ook voor jullie de dag des oordeels aanbreken!*

De Tsjechische en Duitse Joden in het getto leken volkomen overrompeld door de agressieve uitval van de Voorzitter. Plotseling werden het Centrale Arbeidsbureau aan het Bałutyplein en het kantoor van de uitreiscommissie aan de Fischgasse overspoeld door mensen uit de collectieven die werk zochten of die zeiden dat ze konden bewijzen dat ze al werk hadden, of die een verklaring hadden dat ze ziek waren en onmogelijk een transport aan zouden kunnen zoals ze nog maar pas hadden doorstaan, hetgeen nog werd bekrachtigd doordat ze alle mogelijke doktersverklaringen en aanbevelingsbrieven overlegden, zowel van vrienden als van voormalige werkgevers.

Arnošt Schulz was zelf de afgelopen weken opgezocht door een groot aantal vroegere bekenden uit de Joodse gemeente in Praag, mannen die hem eerder amper hadden gegroet, maar die nu per se zijn handtekening wilden op allerlei verklaringen waarvan ze zeiden dat het hun enige redding was.

Vooral een vrouw bezocht hen vaak: Hana Skořapková, een Tsjechische Jodin die slechts een paar jaar jonger was dan Věra en met wier familie ze een kamer in het collectief hadden gedeeld. Nu hadden Hana's vader, moeder en oudere broer alle drie bericht ontvangen dat ze op de lijst stonden en dat alleen de dochter, de enige die werk had, zou achterblijven. Věra hielp de vertwijfelde Hana een verzoek tot uitstel te schrijven op haar typemachine, dokter Schulz voegde er een verklaring aan toe waarin stond dat mevrouw Skořapková (de moeder) aan een spierontsteking leed en daarom niet geschikt was om op transport te worden gesteld – *für Transport ungeeignet*. Dit alles stuurden ze naar de uitreiscommissie, en toen konden ze alleen nog maar wachten.

Om die reden stonden ze daar in de regen op het terrein voor het kantoor aan de Fischgasse. Elke ochtend klokslag acht uur werd namelijk de uitspraak bekendgemaakt van de laatst behandelde verzoeken tot uitstel.

Věra zou zich later nog de gespannen ademhaling herinneren die als een golf door de honderdkoppige menigte ging wanneer de deur het dichtst bij het terrein openging en de secretaris van de commissie, een klein mannetje met opgerolde hemdsmouwen en slap hangende bretels, naar buiten kwam en in zijn papieren begon te bladeren. Vanaf haar plekje naast Hana kon Věra het geluid van druppels horen die op een stuk zeildoek spatten dat tegen de gevel was gespannen, en achter deze verspreide druppels: het diepe, machtige geruis van de regen die als een onzichtbare muur in de lucht om hen heen stond.

Met onverwacht luide, bijna bulderende stem begon de secretaris de namen op te lezen, eerst die van degenen die respijt werd vergund, dan die van degenen wier verzoek was afgewezen.

In het begin bleef het heel stil in de menigte. Hoewel de namen in alfabetische volgorde werden afgelezen, bleven sommigen toch een zekere hoop koesteren: misschien was de naam waar ze op wachtten per ongeluk overgeslagen of stond hij verderop op de lijst; maar algauw begon zich een vage onrust door de groep te verspreiden. Sommigen barstten uit in erbarmelijk gejammer, anderen begonnen de naam te roepen van degene die zojuist een afwijzing had gekregen. En toen ging wat eerst slechts een

188

lichte beweging voorwaarts was geweest over in stevige passen, de hele menigte wierp zich als één man op de deur (waar de eenzame secretaris alweer door naar binnen gegliptwas), en de politie, die de hele tijd de wacht had gehouden, rukte op en vormde een keten voor de ingang.

De agenten hadden dit al verschillende keren meegemaakt. Maar Hana niet. Het meisje was ontroostbaar. Al haar verzoeken om uitstel, inclusief datvoor haar moeder, waren afgewezen.

◆

Het getto was in ontbinding. Op de trottoirs en op alle straathoeken van het Jojne Pilsherplein en de Łagiewnickastraat boden Duitse en Tsjechische Joden wat ze aan huisraad en roerende goederen hadden te koop aan. Nog maar kortgeleden hadden de nieuwkomers uit Praag, Luxemburg en Wenen met gloednieuwe reichsmarkbiljetten betaald om alle bagage die ze naar het getto hadden meegenomen te laten vervoeren. Nu waren al deze meegebrachte voorwerpen alleen maar een zware belasting, niet veel meer waard dan de voering van de dure wintermantels waarop de voorbijgangers een bod konden doen.

En geen van de sjacheraars was geïnteresseerd in geld. Wie wat verkocht, deed dat in ruil voor eten; en de 'inheemse' Joden, die op de spullen kwamen bieden, hadden allemaal hun eigen weegschalen en balansen bij zich, waarmee ze nauwkeurig de hoeveelheid meel, suiker of havervlokken afwogen die ze eventueel voor een warme winterjas of een paar nog niet afgetrapte schoenen zouden willen ruilen.

Ergens vanuit het gedrang hoorde Vĕra een stem die haar naam riep.

Een stukje verder weg op straat stond een man met brede armgebaren naar haar te zwaaien. Daardoor, aan zijn houding, herkende ze hem: *Schmied* heette hij. Hans Schmied. *Aus Hamburg.*

In de weken nadat de transporten waren aangekomen, waren hij en een paar andere Duitse Joden uit Keulen en Frankfurt een paar keer naar de oude volksschool in de Franzstrasse gekomen om een praatje te maken met de Tsjechische Joden die daar waren ingekwartierd.

Zogenaamd kwamen ze alleen maar om nieuwtjes uit te wisselen – het eeuwige *was Neues* van het getto – of om waardevolle contacten te leggen in de voortdurende jacht op eten. Maar ze vereerden vooral de vrouwen met hun bezoekjes, en Schmied had om de een of andere reden algauw een oogje op Věra gekregen.

Niet dat meneer Schmied zijn uiterlijk niet mee had. Dezelfde God die bij zijn geboorte zijn schouderpartij een halve slag uit het gelid had gedraaid, had hem ook zijn lange, smalle gezicht en aristocratische gezichtsuitdrukking gegeven, met die smalle neusvleugels en die mondhoeken strak omlaag gekruld. Ook de spaarzame keren dat hij probeerde te glimlachen, trokken zijn mondhoeken omlaag, waardoor hij eruitzag alsof hij alles met dezelfde vage, afkeurende tegenzin bekeek. Dit aristocratische uiterlijk was echter in tegenspraak met zijn stem. Schmied sprak onafgebroken en indringend. Destijds had hij verteld dat hij bijna klaar was met zijn opleiding elektrotechniek toen de nieuwe rassenwetten van kracht werden. Twee jaar later was de hele familie naar Litzmannstadt gedeporteerd. Maar de familie was nog niet al haar oude contacten kwijtgeraakt, vertelde hij. Zijn vader, die destijds een expeditiebedrijf in Hamburg had, had veel rijke textielfabrikanten uit Litzmannstadt onder zijn klanten gehad. Nu woonde hij in bij een van deze vroegere klanten, een zekere meneer Kleszczewski, die hem een eigen kamer had verschaft in het huis van de familie aan de Sulzfelderstrasse.

Het was hem, had Schmied gezegd (bijna als wilde hij opscheppen), onnoemelijk goed vergaan in het getto.

Nu stond hij toch hier, in het gedrang midden op straat, en het kostuum dat hij had gedragen toen hij haar het hof maakte, hing nu aan een kleerhanger aan het smeedijzeren hek achter hem. Hij had niet eens de moeite genomen de gehate gele Jodenster op de borst en de rug los te tornen.

U vertrekt dus, meneer Schmied, zei ze.

Het was meer een constatering dan een vraag. Ze wist niet wat ze moest zeggen.

Maar hij luisterde niet. Met zijn ene hand op haar arm boog hij voorover en hij fluisterde dat hij haar iets wilde laten zien, iets belangrijks. Als ze hem maar een kwartier, hooguit twintig minuten van haar tijd gaf.

Ze keek om zich heen. Ze probeerde uit te leggen dat ze thuis moest blijven. Dat haar moeder ziek was en dat ze niet lang alleen kon zijn.

Maar Schmied hield vol. Hij had iets waterigs, iets merkwaardig ontwijkends in zijn ogen gekregen: Ik weet niet wie ik anders in vertrouwen zou durven *nemen,* zei hij met een stijve, afkeurende uitdrukking op zijn gezicht die het meer dan ooit deed lijken op een stijf en knokig masker.

Even later leidde Schmied haar door een poortgewelf dat breed genoeg leek om twee voertuigen tegelijkertijd door te laten. Op de binnenplaats viel haar oog op een in de steek gelaten handkar van de allereenvoudigste soort, die tegen een muur geleund stond. Het was een kar met houten wielen met metaalbeslag en lange disselbomen van ongeverfd hout vol splinters. Toen ze veel later dit adres terug probeerde te vinden, zocht ze juist naar deze brede toegangspoort – en de handkar op de binnenplaats. Maar *toen* was die er natuurlijk allang niet meer, en ook de poort leek haar aanzienlijk smaller.

Dat was het effect van de honger. Alles wat zich niet pal voor je ogen bevond, lekte onmiddellijk weg uit je geheugen, en het enige wat er overbleef, was dat gierende verlangen naar eten. (Zou hij haar iets eetbaars geven? Brood, misschien iets wat overgebleven was en wat hij niet mee kon nemen op reis?) Later zou ze zich herinneren dat ze verschillende verdiepingen in het pand omhoog waren gegaan en dat ze overal mensen waren tegengekomen die op weg waren naar beneden. Op de eerste verdieping liepen ze langs vier mannen die het hele portaal in beslag namen met het brede bed dat ze samen droegen. Alles moest nu worden verkocht! Tafels en stoelen uit de bovenwoningen gingen dezelfde weg.

Pas op de bovenste verdieping, waar de muren dichter op elkaar stonden en het plafond zo laag was dat je er maar amper rechtop kon staan, waren ze alleen. Hans Schmied haalde een sleutel tevoorschijn en maakte een deur met glanzend metaalbeslag open.

In het halfduister waarin ze zich bevonden, hielden hoge dakspanten een ver dak op, waaraan een soort touw of takeltuig hing. Her en der in de hoeken lagen nog matrassen en dekens, waaronder allerlei huisraad zichtbaar was. Schmied liep meteen naar de verste korte muur, viel op zijn knieën bij wat eruitzag als een simpele stookplaats en begon met een mes een paar beroete bakstenen los te wrikken. Achter het gruis en de stukken steen die eruit vielen, kwam een rechthoekige holte tevoorschijn en in die holte – nauwelijks waar te nemen in het stuivende steenstof – een eenvoudige, zelfgemaakte radio-ontvanger.

'Helemaal zelf gebouwd,' verklaarde hij, met een stem zwaar van stof

en trots. 'Met behulp van oude onderdelen die Kleszczewski me heeft bezorgd.'

'Hier' – hij boog voorover en wees – 'Hier zit de elektronenbuis, hier de
oscillator.'

'En hier,' zei hij. Hij raapte een smoezelig schriftje op, streek het stof
van het voorblad en liet de ene bladzij na de andere vol dicht opeenge-
schreven notities zien: 'Dit zijn aantekeningen van alle nieuwsuitzendin-
gen die ik het afgelopen halfjaar heb kunnen ontvangen.'

Alles in *codeschrift* genoteerd, zodat niemand de radio, ook al werd die
ontdekt, met hem in verband had kunnen brengen. *Ik zal je de code geven, dan
kun je zelf alles lezen wat er gebeurd is sinds we hier zijn gekomen.*

Věra deed in een reflex een paar stappen achteruit. Ze luisterde of ze
stappen achter hen aan de trap op hoorde komen, maar het enige wat ze
hoorde was het fluisterende, ruisende geluid van de regen die buiten op
het dak viel, en de energieke stem van Schmied die doorpraatte over hoe
hij 's avonds altijd in het geheim naar de droogzolder sloop, soms alleen,
soms samen met Kleszczewski. Meestal luisterden ze naar de Duitse zenders in Litzmannstadt en Posen[10], maar ook wel naar de Poolse illegale
zender Swiat. Die keren had Kleszczewski geluisterd en had Schmied ernaast gezeten om te schrijven.

Hij bladerde en liet haar de ene na de andere bladzij met aantekeningen
in zijn eigen geheimschrift zien: 'Het Duitse winteroffensief is een fiasco,
de belegering van Stalingrad is een uitputtingsslag die alleen het Russische volksleger kan winnen. De Russische patriotten hebben hun stel-
lingen in de Kaukasus al verlaten. Vroeg of laat zal het zegevierende Russische leger de Weichsel oversteken en dan zal er geen getto meer zijn. Het
is slechts een kwestie van tijd.'

Hij boorde zijn blik intensief in de hare, wat haar een duidelijk gevoel
van onbehagen bezorgde. 'Overal in het getto zijn Luisteraars,' zei hij.

Zonder dat ze het gemerkt had, had hij haar rechterhand gepakt en nu
liet hij de sleutel die hij had gebruikt om de zolderdeur open te maken, in
haar hand glijden.

'Je hoeft nergens bang voor te zijn,' zei hij. 'Je hoeft hem alleen maar
voor me te bewaren. Voor mij is het genoeg als ik weet dat hij in veilige handen is.' Zijn stem klonk verrassend kalm en vast. *Ga nu,* zei hij, en toen ze er
nog steeds niet toe was gekomen iets te doen: *Ik blijf hier tot ik zeker weet dat je*

weg bent. Ze sloot haar vingers om de sleutel en liep naar de zolderdeur, en toen ze zich nog een laatste keer omdraaide, zag ze dat hij de bakstenen al voor het gat in de haardwand had teruggelegd en alle sporen had uitgewist.

Later zag ze hem uit het getto vertrekken.

Ze stond met de andere nieuwsgierigen die zich achter de politieversperring hadden verzameld te kijken hoe de gedeporteerden de verzamelplaats bij de Trödlergasse voor de Centrale Gevangenis verlieten en over de stoffige weg naar Radegast liepen. Het was een snikhete dag in mei; ook Hana Skořapková liep achter in de colonne met haar vader en moeder mee. Hana had er dus uiteindelijk toch voor gekozen samen met haar familie het getto te verlaten.

Schmied, met zijn gebruikelijke aristocratische uiterlijk, liep alleen in de rij, met een koffer in zijn ene hand; over zijn schouder droeg hij een bultige zak met, naar ze aannam, in handdoeken en beddengoed gewikkeld huisraad. Ze stond aan de kant van de weg en hij keek haar aan, maar deed alsof hij haar niet zag, en hij draaide zich ook niet om.

Elke nacht weer reden er konvooien zware legervoertuigen het getto in. Degenen die aan de doorgaande wegen in het getto woonden, wisten te vertellen dat het licht van de koplampen zo sterk was dat het dwars door de verduisteringsgordijnen scheen en dat het geluid van de dreunende motoren de muren deed trillen. Elk konvooi bestond uit ten minste tien wagens. Elke wagen was beladen met ruim honderd twintigkilozakken vol kapotgescheurde en bebloede kleren.

's Morgens was de omgeving van de Mariakerk afgezet. Op het plein, in de openlucht, van de ingang van de kerk tot aan het Mariabeeld bij de trappen naar de Zgierskastraat, lagen matrassen en zakken vol lakens en dekens.

Er werden op het Bałutyplein direct arbeidskrachten gerekruteerd.

Een stuk of vijftig dagloners laadden de zakken op kruiwagens en reden ze de lege kerk in. Eerst stapelden ze de zakken met kleding bij het altaar op; daarna werd ook de ruimte tussen de banken met dekens en matrassen gevuld. Algauw hadden ze een piramide van zakken gebouwd die zo hoog was dat het licht dat door de mooie glas-in-loodramen boven het altaar naar binnen viel, erdoor werd overschaduwd en de echo verdween, en de hele eerder zo lege, verlaten kerk in het duister verzonk.

Ongeveer tegelijkertijd begonnen de Joden uit de buursteden Brzeziny en Pabianice in het getto aan te komen. Ze kwamen ook 's nachts, in kleine transportwagens waarvan de deuren en ramen verzegeld waren.

Het eerste transport omvatte duizend Joden – alleen vrouwen. Ergens in de loop van de reis waren de vrouwen gescheiden van hun mannen en waren hun kinderen hun ontnomen. Hun verhalen waren verward en onsamenhangend. Sommigen vertelden dat de Duitsers hen met vele honderden hadden bijeengedreven en gedwongen naar het station te rennen, en dat ze iedereen die struikelde of achteropraakte meedogenloos doodschoten.

Degenen die dat overleefden, waren met klappen en slagen de wachtende trein in gejaagd. Anderen leken niet eens door te hebben gehad dat ze in een trein zaten, laat staan waar de trein hen heen bracht.

De blinde dokter Miller stuurde artsen naar Kino Marysin, waar de vrouwen tijdelijk waren gehuisvest. Het waren dezelfde (nu lege) opslagruimtes die nog maar enkele weken eerder waren gebruikt voor de evacuatie van de collectieven uit Keulen en Frankfurt. Er was ook sprake van dat de Voorzitter naar de vrouwen zou gaan om met hen te praten. Maar dat weigerde hij. Misschien durfde hij niet. In plaats daarvan kreeg Rozenblat bevel de omgeving af te zetten en erop toe te zien dat de vrouwen in de barakken bleven.

Maar dat was vergeefse moeite. Veel vrouwen waren al door de afzettingen heen gegaan en het duurde niet lang voordat ze zich in de wijk rond het Bałutyplein bevonden. Daar bestormden ze iedereen die ze tegenkwamen met smeekbeden of ze hun kinderen en hun mannen hadden gezien.

De Joden uit het getto van Łódź luisterden met stijgende ontzetting naar hun verhalen.

Ook in Brzeziny was een getto geweest. Maar dat getto was open, zodat mensen naar believen konden komen en gaan zonder dat ze werden beschoten. Er was ook werk geweest. Bijna alle Joden in Brzeziny hadden gewerkt voor dezelfde Duitse onderneming, Günther & Schwartz, waardoor ze dachten dat alle Joden in Brzeziny veilig waren. Maar toen opeens kwam er een bevel dat ze werden geëvacueerd. ss-commando's hadden de ene buurt na de andere afgesloten. Ze hadden toestemming gekregen om elf kilo bagage per persoon mee te nemen. Maar toen ze goed en wel in de rij stonden, met hun weinige bezittingen ingepakt, kwamen er ss-mannen in zwarte jassen, die mensen begonnen te sorteren. Jonge, gezonde mannen en vrouwen werden in een groep ondergebracht die aangeduid werd als A. Anderen – kinderen en oude en zieke mensen – werden ondergebracht in een groep B. Hele families werden zo opgesplitst. Groep B moest opzij stappen, terwijl groep A bevel kreeg naar het station te rennen. Al voordat ze daar waren aangekomen, konden ze horen hoe de Duitsers alle mensen in de achtergebleven groepen doodschoten.

Anderen hadden nog meer te vertellen: in de stad Dąbrowa, drie kilometer van Pabianice, was een opslagplaats ingericht in een fabriek die al sinds de vorige eeuw niet meer in gebruik was. Naar deze opslagplaats waren bergen gebruikte matrassen, schoenen en kleren gebracht. Enkele van de jonge mannen en vrouwen die de aanduiding A hadden gekregen, werden hier naartoe gebracht om sorteerwerk te doen, en zij getuigden dat ze tussen alle mantels en jassen en schoenen en ondergoed ook werkboekjes met Joodse namen hadden gevonden, die allemaal waren voorzien van het ronde zegel van het Centrale Arbeidsbureau en het officiële stempel AUSGESIEDELT dwars door de foto en de handtekening. Ze hadden ook portefeuilles aangetroffen met de eigen valuta van het getto in munten en met biljetten van vijf en tien mark.

De verschrikte schare toehoorders kon deze getuigenissen onmogelijk tegenspreken. Het was onwaarschijnlijk dat de werkboekjes ergens anders dan in het getto waren verstrekt, en die valuta werd alleen hier gebruikt – het had helemaal geen zin om daar ergens anders mee aan te komen.

◆

Op maandag 4 mei om 07.00 uur vertrok het eerste transport van West-Europese Joden vanaf het Radogoszczstation. De families uit Hamburg, Frankfurt, Praag en Berlijn die nog maar een halfjaar eerder onder zoveel ontberingen waren aangekomen in het getto, werden nu gedwongen het te verlaten.

Het vertrek van de collectieven gebeurde in vrijwel dezelfde volgorde als waarin ze waren gekomen: de eersten die weggingen, waren de collectieven Berlijn II en Wenen II, Düsseldorf, Berlijn IV en het collectief uit Hamburg. Daarna volgden de collectieven Wenen IV, Praag I, Praag III, Keulen II, Berlijn III, Praag V, Wenen V, Praag II, Praag IV, Wenen I.

Degenen die hun deportatiebevel kregen, dienden zich naar de verzamelplaats aan de Trödlergasse te begeven. Daar werden hun brood- en rantsoenkaarten afgepakt en werden ze geregistreerd onder hetzelfde transportnummer als ze hadden op de lijst van de uitreiscommissie. Ze brachten vervolgens de nacht door ofwel in een van de pas gebouwde barakken aan de Trödlergasse ofwel in de Centrale Gevangenis. Om vier uur 's morgens arriveerde een commando van de ordepolitie van het getto, die iedereen beval zich in marsorde op te stellen: vijf op een rij, met een politieman helemaal vooraan, een helemaal achteraan en een op elke tien meter langs de hele colonne. Ze werden gedwongen het hele stuk van de Marysińskastraat tot het Radogoszczstation te marcheren.

Om klokslag zes uur 's morgens, een uur voordat de trein zou vertrekken, kregen ze bevel zich weer op te stellen, ditmaal op twee meter van de trein zelf. Een halfuur voor het vertrek van de trein reden twee auto's van de Gestapo het rangeerterrein op, en twee officieren, vergezeld door leden van de Duitse gettopolitie, liepen langs de trein en gaven iedereen bevel zijn bagage op de grond te zetten. Pas wanneer dat gebeurd was, werd de verzegeling van de deuren doorbroken en werden de passagiers de trein in geholpen, die toen uitsluitend uit derdeklaswagons bestond.

De achtergebleven bagage werd vervolgens met vrachtwagens naar de kantoren van de uitreiscommissie aan de Rybnastraat gereden, waar al twee achterkamers, die aan de binnenplaats grensden, gevuld waren met stapels koffers en matrassen. Stipt om 08.00 uur, dus twee uur later, keerde exact dezelfde trein met dezelfde wagons terug, maar de wagons waren nu leeg in afwachting van het volgende transport.

Eerst zie je alleen het scherpe licht van de koplampen in de verte in het donker hangen. Het gaat recht omhoog en omlaag, alsof een onzichtbare arm langzaam een brandende lantaarn op en neer beweegt. De lantaarn groeit uit tot een bol van licht die plotseling splijt, en op hetzelfde ogenblik kun je het zware hijgen en puffen van de hardwerkende locomotief erachter horen. Dan rolt de locomotief het stationsgebied binnen in een knerpend geknars van metaal tegen metaal. Er gaan altijd een stuk of vier, vijf bewapende soldaten mee op de trein, en zoveel komen er ook aanrennen langs het lage laadperron of ze slingeren zich aan boord door een instapbeugel of een wagondeur stevig vast te pakken. En helemaal vooraan staan de wachtcommandanten met ruwe, schorre stemmen te brullen totdat de meute arbeiders die achter loodsen en in remises heeft staan wachten langzaam, haast onwillig, naar de wagons komt, die nu van alle kanten gelost moeten worden.

Officieel bevinden ze zich nu *buiten* de gettogrens. Adam Rzepin zou daar een zekere blijdschap over hebben kunnen voelen, ware het niet dat *buiten* er in dit geval net zo uitzag als *binnen*. Het is dezelfde horde zich vervelende Duitse soldaten van de gettobewaking, met doffe stalen helmen en veldgrijze, lange uniformjassen die hier heen en weer loopt – kettingrokend, neutrale frasen uitwisselend terwijl ze verveeld toekijken hoe de arbeiders de deuren van de goederenwagons openschuiven.

Aan de andere kant van het verlichte rangeerterrein is alleen duisternis. En vlak land. En klei. En een gegarandeerd schot in je rug zodra de scherpschutters boven in de wachttorens je met hun ronddraaiende schijnwerperlichtbundel hebben ingehaald. Radogoszcz mag dan buiten het getto liggen, maar hiervandaan heeft nog niemand kunnen vluchten, of het zelfs maar geprobeerd. Zo eenvoudig laten de grenzen van het getto zich niet omschrijven.

Veel opgewekter werd hij van het feit dat er ook een paar Poolse spoor-wegarbeiders met het goederentransport meekwamen. Het gebeurde wel dat ze iets naar de Joodse arbeiders riepen. Dreigementen, beledigingen en bemoedigingen door elkaar heen. Een van de Polen noemde hem zelfs bij zijn naam: *Pssst Adam, A-daam, kom eens hier...!*

Er werd een hand uit de wagon gestoken die de zijne even beroerde, een glimlach die toen weer verdween in het donker en de chaos van het uitla-den van de wagons. De Polen deden nooit meer dan de deuren openmaken of de verzegelde goederendeuren openschroeven. Het zware werk, het fei-telijke loswerk, moesten de Joden uitvoeren. Het enige gereedschap waar-over ze beschikten waren schoppen en een paar brede handkarren. Twee man hees zich de goederenwagon in, twee anderen klommen op de kar en stonden klaar om de goederen aan te nemen, en zo werden de meelzakken een voor een uit de trein gehaald en doorgegeven. Groenten als witte en rode kool, wortels en aardappels werden doorgaans rechtstreeks uit de wagons in de karren geschoven. Als er haast bij was, tilden de Polen alleen de zijschotten van de wagons op, zodat de vracht eruit rolde, in het ergste geval zo op de grond. Als het dan echt tegenzat kon de commandant van de bewakingstroepen, Oberwachtmeister Sonnenfarb – juist dan op het idee komen om het kleine wachthuisje bij het laadperron, waar hij zijn meegebrachte eten zat op te peuzelen en naar de radio zat te luisteren, uit te schommelen. Didrik Sonnenfarb was een in omvang geweldige Duit-ser, wiens voornaamste genoegen bestond uit het imiteren van de Joden die hij moest bewaken. Als er iemand met een handkar voorbijkwam, liep Sonnenfarb er meteen achteraan, met zijn armen uitgestrekt alsof hij ook de bomen van een handkar vasthield, en zijn hele enorme, kwabbige li-chaam schommelde heen en weer terwijl hij schreeuwde en de andere be-wakers aanmoedigde ook te schreeuwen: *Ich bin ein Karrenführer, ich bin ein Karrenführer!*

De andere bewakers moesten zo lachen dat ze haast niet meer op hun benen konden blijven staan en alsof dat nog niet genoeg was, liep Son-nenfarbs ondergeschikte Henze erachteraan en sloeg met de kolf van zijn geweer in op de Joden om hen bij elkaar te drijven en te dwingen ook te lachen. Henze was lager in rang; het was belangrijk voor hem dat iedereen – zowel Joden als ariërs – precies deed wat Sonnenfarb verwachtte.

Maar tot ieders opluchting was er meestal geen tijd voor nog meer lachorgieën. Er kwam een nieuwe wagon binnen om 'leeg te hozen'.

Soms kwamen er ook andere dingen uit de wagons rollen wanneer de zijschotten werden opgetild: lege koffers, plunjezakken en aktetassen. En schoenen, honderdduizenden schoenen – damesschoenen, herenschoenen, kindersandalen – de meeste zonder zolen of bovenleer. Er gingen geruchten dat er gouden voorwerpen waren gevonden, die waren verstopt in schoenen of ingenaaid in de voering van de koffers. Daarom waren de Duitse bewakers extra oplettend zodra ze zo'n vracht zagen binnenkomen. Adam stond erbij en zag sommige van zijn kameraden als bezetenen in de bebloede plunje wroeten. Maar dat werd nooit lang toegestaan. *Schluss! Schluss!* schreeuwde Henze. *Aufhören damit!* Wanneer de kar volgeladen was, sprongen de twee mannen die in de wagon hadden gestaan, op de grond en lieten zich voor de voorste kar 'spannen', terwijl de twee die op de grond hadden gestaan erachter gingen duwen.

De karren met geloste goederen werden naar een van de vele opslagplaatsen gebracht die rondom het rangeergebouw stonden. Hiervandaan vertrok de lading rechtstreeks naar het grote groentedepot aan het Bałutyplein. In Radogoszcz was ook een vleesmagazijn waar slachtafval werd bewaard in afwachting van 'veredeling'. Het hele jaar door heerste daarbinnen onder de hoge dakspanten een weerzinwekkende, misselijkmakende stank. In lange, glanzende kuipen achterin werden de vleesproducten gesorteerd die geclassificeerd werden als 'tweederangs', stukken rauw paardenvlees met blauwachtige zenen waaronder de vleesliertjes al grijs en zweterig begonnen te worden. Het 'tweederangs' vlees werd naar het getto vervoerd en tot worst vermalen; elke keer als de deuren van het magazijn opengingen en de karren voorbijkwamen, sloeg de zware, verstikkende stank van de rauwe worstmassa hen als een zurige, muffe ademtocht in het gezicht.

Er stonden de allerstrengste straffen op elke poging tot het meesmokkelen van iets uit de wagons of de magazijnen. De ordepolitie fouilleerde alle arbeiders eerst een keer om te kijken of ze geen verboden waar mee naar binnen namen, en later nog een keer als hun dienst erop zat. Maar geen politiemacht ter wereld had de lossers ervan kunnen weerhouden om terloops een aardappel of een koolraap die toevallig uit de wagon viel op te rapen en snel te verorberen. Dat werd *schuimen* genoemd. Ze schuimden allemaal. Eerst degenen die aan het losperron werkten. Dan degenen die de tijdelijke opslag op het station verzorgden. Dan degenen die het eten naar het getto brachten en in het centrale depot losten. Dan de voermannen die de levensmiddelen van de opslag naar de distributiecentra reden. Dan degenen die het voedsel uitdeelden en die graag iets achterhielden voor zichzelf of degenen wier bescherming ze genoten. Wanneer een klant na drie of vier uur in de rij staan bij de toonbank kwam en zijn bon inleverde, kon het heel goed gebeuren dat het begeerlijke rantsoen *Rote Rüben* al op was –

Aus, heette dat op karakteristiek bruusk afwijzende toon, *kein Zucker mehr, kein Brot heute* –

Aus –

Adam Rzepin was niet zo dom dat hij niet begreep dat oom Lajb erin geslaagd was hem een bevoorrecht baantje te bezorgen, ondanks de nachtdiensten en het zware lichamelijke werk. Zolang de deportaties doorgingen, werden er drie à vier volgeladen treinen per ploegendienst gelost. Behalve gebruikte kleding en schoenen, die in de fabrieken van het getto werden hergebruikt, kwamen er langs deze weg ook materialen naar de hout- en metaalwarenfabrieken in het getto. En de voormannen maakten geen onderscheid tussen mensen, oude lompen, ijzerschroot of kolenbriketten. Het was allemaal lading die gelost moest worden.

En dan kwam er nog *twee keer soep* bij. Iedereen die nachtdienst deed, kreeg een extra portie soep. Het was op een nacht na de tweede soep, toen de ploeg waar Adam bij hoorde net was begonnen een wagon met schroot te legen, dat hij de stem weer hoorde: *Lelijke Adam! Herken je me niet?*

En daar, precies op de koppeling tussen twee wagons, stond Paweł Biełka. Ze hadden in hetzelfde huizenblok aan de Gnieźnieńskastraat gewoond, de familie Rzepin op nummer 26, de familie Biełka op 24. Paweł Biełka was een van die pummels geweest die andere kinderen het meest hadden getreiterd en geschopt, en uitgescholden voor *vuile jood*. Maar nu gedroeg hij zich alsof hij volledig vervuld was van de vreugde van het weerzien en hij had een brede grijns op zijn hele gezicht: *Adam, ouwe lelijkerd – hoe gaat het eigenlijk met je...?*

En Adam, te perplex over het weerzien om antwoord te kunnen geven, kon niet meer doen dan een snelle blik over zijn schouder werpen om te zien of er een Duitse bewaker binnen gehoorsafstand was.

Nog maar een week geleden had Adam Duitse politie langs de trein zien stormen. De reden: een Pool en een Jood waren op tien meter afstand van elkaar schijnbaar onbeweeglijk blijven staan. Of ze met elkaar praatten of niet kon Adam niet beoordelen. Maar een van de politiemannen had de Jood – het was Mierek Tryter – met zijn geweerkolf tegen zijn hoofd geslagen en de dienst daarna had Mierek zich niet vertoond, en niemand had naar hem durven vragen.

Maar Biełka reageerde alleen maar op Adams verwarring door hem bij zijn schouders te pakken en tussen de wagons te trekken. Later zouden ze hier vaker zo staan, als twee munten tegen elkaar geperst. En Paweł herhaalde *hoe gaat het toch met jullie daarbinnen, je hoort de vreselijkste geruchten, dat jullie de stront van de muren likken alleen maar omdat jullie niet genoeg te eten hebben, is dat waar, Adam, dat jullie je eigen stront eten, is het waar* terwijl hij daar wijdbeens stond te wiebelen op de koppelingshaak die de twee goederenwagons met elkaar verbond.

Adam wist niet wat hij moest zeggen. Het was alsof ze zich nog steeds op de binnenplaats bevonden en Paweł Biełka hem uitdaagde. *Nou, kom op, vette vuile jood!*

Biełka stond te heupwiegen. Toen boog het hele treinstel door en Adam wierp zich in een reflex terug op het perron. Precies op tijd om de riemen op zijn schouders te kunnen nemen die aan de voorkant van de kar met schroot hingen en zonder dat de *Feldgrauen* die iets verderop met iets bezig waren zijn afwezigheid hadden kunnen opmerken.

En toen deed hij de riemen om en trok.

Twee mannen trokken en twee duwden aan de achterkant.

En toen een scherp fluitsignaal: de wagon schommelde nog een keer en vervolgens reed de hele trein in langzaam, bijna gezapig tempo terug in de richting waar hij vandaan was gekomen.

◆

Voordat ze aan Lida's aanvallen gewend waren geraakt, zette Adams moeder Józefina altijd al een emmer water naast Lida's bed en hing ze een spiegel boven het hoofdeinde. Het leek alsof Lida daar rustiger van werd. Ze kon uren met haar handpalmen door het water in de emmer lopen of met haar vingers tekeningen maken in de rijp aan de binnenkant van de ruiten.

Adam had zich elke avond voordat hij naar zijn werk ging dezelfde gewoonte aangewend: hij zette een bak water bij zijn bed en een spiegel, en hoopte dat dat genoeg was. Maar Lida had een manier om hen allemaal te slim af te zijn. Zolang Adam of Szaja sliep, kon ze rustig blijven liggen, maar zodra er niemand meer in huis was, begon ze weer te spoken en te vallen.

Op een ochtend toen Adam terugkwam uit Radogoszcz, hoorde hij Lida's hese zeevogelgekrijs al lang voordat hij de hoek van de Gnieźnieńska-straat om kwam en ook al was hij zo uitgeput na zijn nachtdienst dat hij nauwelijks nog kon lopen, hij rende de trap naar het bovenhuis op. Lida lag op de overloop van de eerste verdieping, met haar nachtpon tot boven haar door honger opgezwollen buik opgetrokken en met haar armen en benen nog gestrekt in een denkbeeldige vlucht, en over haar heen gebo-gen stond de portiersvrouw, mevrouw Herszkowicz. Ze had een kolen-schop in haar hand die ze met lange, besliste halen op en neer bewoog, alsof ze een stuk taai vlees aan het kloppen was; eromheen stonden alle buren (inclusief mevrouw Wajsberg en haar beide zonen Jakub en Chaim en mevrouw Pinczewska en haar dochter Maria) en allemaal zagen ze wat er gebeurde, maar niemand maakte ook maar de minste aanstalten om in te grijpen voordat hij zich met moeite de trap op had gesleept. Toen deins-den ze allemaal beschaamd terug, ook mevrouw Herszkowicz (die de ko-lenschop losliet alsof de steel in haar hand dreigde vast te schroeien); en ze lieten hem zijn arm om zijn zus leggen en haar geteisterde en beurs ge-slagen lichaam zachtjes en behoedzaam naar huis terugbrengen.

De eerste weken nadat Lida was teruggekomen uit het rusthuis dat Lajb voor haar had geregeld, hadden ze allemaal de indruk dat haar gezond-heid was verbeterd. De etterende zweren op haar armen en benen waren weg; haar porseleinhuidje had weer iets van zijn vroegere glans terugge-kregen. Maar bovenal was ze wat vaster ter been. Waar ze vroeger had ge-lopen alsof de planken onder haar voeten dreigden te barsten, rende ze nu rond met soepele, verende tred. Ze knikte, maakte reverences en zei met hoge, schelle stem: *Einen schönen guten Tag, meine Herren,* of ze zei (in het Jid-disch): S'iz gut – dos veis ich shoin.

Vroeger was het genoeg geweest als hij boven op of over haar heen ging liggen om haar stil te krijgen als ze haar aanvallen kreeg. Hij had uren zo kunnen liggen, met zijn lichaam tegen het hare, terwijl hij afwisselend in haar oor fluisterde en zong. Niets daarvan hielp nu. Met een kracht waarvan hij niet wist dat ze die bezat, rukte ze zich los uit zijn omarming en toen begon de aanval opnieuw. Hij probeerde haar op de binnenplaats rond te rijden in een kruiwagen. Dat hielp even. Net lang genoeg om haar in het beste geval te kunnen wassen en voeren, en haar in bed te krijgen. Als extra voorzorgsmaatregel bond hij haar armen vast aan het ledikant. Soms accepteerde ze dat. Soms stribbelde ze zo tegen dat Adam Szaja te hulp moest roepen om haar vast te houden terwijl hij het touw vastbond. Maar ook dan, en nog lang daarna, kon hij de wanhopige spiertrekkingen in haar lichaam zien: lange, uitgerekte spasmes die vanuit haar romp helemaal door de vastgebonden armen heen gingen.

Als vleugelslagen. Krampachtig, onverlost.

Iets in haar was gebroken.

Ze herkende hem soms een tijdje niet. Dat deed hem misschien nog het meeste zeer.

Het was net als toen ze de deur voor hem opengedaan had in dat huis daar in Marysin. In haar ogen was hij toen alleen maar een van die mannen geweest die kwamen om haar kwaad te doen.

Hij probeerde het onderwerp ter sprake te brengen bij zijn vader, maar Szaja weigerde erover te praten. Bovenal weigerde Szaja te praten over zijn broer Lajb.

'We moeten dankbaar zijn,' zei Szaja slechts. 'We moeten dankbaar zijn dat je je werk hebt, Adam, en we moeten dankbaar zijn dat we Lida weer terug hebben. Het had zoveel slechter kunnen aflopen.'

En Adam werkte. En hij was dankbaar voor de aanstelling die oom Lajb voor hem had geregeld. En hij was van plan nooit meer iets ongeoorloofds te doen of de regels van de Voorzitter te overtreden. Omwille van Lida. Maar toen op een ochtend hoorde hij het bekende fluitje tussen de goederenwagons weer en toen hij de wagon in sprong om te voorkomen dat hij de aandacht van de bewakers trok, zei Paweł Biełka plotseling: *Ken je Józef Feldman*.

Het was meer een constatering dan een vraag.

Ik heb iets voor hem.

Biełka groef in zijn zakken en hield een exemplaar van de *Litzmannstäd-*

ter Zeitung omhoog: een plakkerige papiermassa vol dikke, zwarte letters. Adam wilde zeggen dat ze hen elke dag fouilleerden, als ze het getto in gingen en als ze het getto verlieten. Maar dat wist Biełka natuurlijk allemaal al.

Doe als ik: steek hem in je kruis.

Als ze je pakken, zeg je dat je er alleen je stront maar mee afgeveegd hebt, en dan lieg je niet eens!

Adam trok een gezicht alsof hij weer op het perron wilde springen, maar Paweł greep hem opnieuw vast en keek hem strak en zeer ernstig aan: *Wat wil je hebben? Sigaretten?*

Dat is te gevaarlijk.

Eten?

Paweł, ik kan het niet.

Medicijnen? Azetynil, Vigantol?

Daar zwichtte Adam voor. Hij dacht aan Lida. Misschien zouden een paar vitaminetabletten haar haar verstand en haar geestelijke vermogens teruggeven. Als hij de poort doorliep met de capsules onder zijn tong, zou de bewaker ze niet ontdekken. De enige keer dat een Duitser een Jood in zijn mondholte keek, was als hij dacht dat hij daar goud kon vinden, en dan was de Jood in kwestie met zekerheid al dood.

Probeer het, zei Biełka toen hij zag dat Adam twijfelde. Tegelijkertijd gaf hij de verkreukelde vellen krantenpapier aan in een hoek waardoor iedere bewaker langs het hele perron ze kon zien, en Adam deed wat iedereen in die situatie zou hebben gedaan: hij zorgde ervoor dat hij ze zo snel mogelijk onder zijn kleren had.

◆

De zon was opgegaan en hing nu nauwelijks een handbreedte boven de horizon: een trillende, warme, rode bol boven de grijsgeschrobde velden van Marysin, verspreide rijtjes krotten en door gras overwoekerde buitenkelders. Het was al mei, maar 's nachts nog altijd koud. Flarden nachtnevel hingen nog in de lager gelegen delen waar het licht niet kwam. Ook nog niet veel groen aan de bomen en struiken, die eerder bedekt leken met hetzelfde grijze, cementachtige stof dat op dit moment ook de hemel kleur gaf.

Maar de zon had wel kracht. Hij voelde hem tegen de zijkant van zijn gezicht branden. Toen hij zich omdraaide, zag hij het daglicht als het lem-
met van een mes over de muur van de begraafplaats kruipen. Het licht
sneed reflecties uit de golfplatendaken ertegenover, uit de kiezelstenen op
de weg waar hij liep, uit het flessenglas dat iemand vastgezet had op de
muurkroon rond een *działka*: ruige bessenstruiken achter een ijzeren
poort waarvan het slot stukgeroest was. Hij liep langzaam langs de muur
van de begraafplaats, voorbij het Groene Huis en toen nog vijfhonderd
meter de heuvel af totdat hij bij de tuinderij van Feldman kwam. Uit de metalen schoorsteen die aan de muur van het hoofdgebouw was bevestigd,
kwam dunne rook. Een vage baklucht drong uit het huis naar buiten.
Adam klopte aan, stapte op een omgekeerd bierkrat dat als opstapje diende en duwde de deur open.

Het gebouw bestond uit één enkele grote ruimte, die van vloer tot plafond was volgestouwd met tafels en secretaires met klepjes en vakjes gevuld met facturen en oude boekhoudingen; boven op alle planken en kasten: boeken en reclamebrochures waarvan de ooit felgekleurde omslagen
door het vocht waren verbleekt en opgezwollen. En daar weer bovenop rij-
en opgezette dieren: met uitgezette staartveren baltsende auerhanen en
korhoenders, een marter bezig een smal boomstammetje op te klimmen,
met zijn snuit omlaag alsof hij daarbeneden tussen de kieren in de ver-
molmde vloer naar een prooi loerde.

In contrast met dat alles was Józef Feldman een klein mannetje, hoog-
stens anderhalve meter lang; hij verdween bovendien haast in de dikke,
door de motten aangevreten wollen mantel die hij aan had. Maar de blik
die uit die mantel kwam was onverwacht krachtig en scherp, en zijn stem
was als een bungelende strop toen hij Adam zijn *wie bent u?* toebeet, nog
terwijl die de deur open probeerde te duwen.

'Meneer Feldman?' vroeg Adam onderzoekend, maar hij durfde de deur
nog niet los te laten.

In plaats van binnen te komen, knoopte hij zijn riem los en toen stond
hij daar met zijn broek in de ene hand en het naar binnen gesmokkelde
exemplaar van de *Litzmannstädter Zeitung* in de andere.

Feldman, die op zijn primusbrandertje eten aan het koken was, week
met zijn ogen geen seconde van Adams gezicht. *Rzepin?* zei hij alleen
maar, toen Adam had verteld hoe hij heette. *Ik ken maar één Rzepin – en die heet
Lajb.*

Het leek alsof hij vloekte terwijl hij die naam uitsprak. Adam schaamde zich, hoewel hij geen idee had waarom.

Lajb is mijn oom, zei hij slechts.

De geur van gebakken worst wordt hem ineens te veel. Hij wil gaan zitten, maar blijft staan omdat hij niet weet waar hij in al deze troep moet gaan zitten. Feldman werpt een snelle blik op de krant die Adam hem heeft gegeven, vouwt die zo plat op dat het pakje in zijn broekzak zou passen en duwt dat tussen de planken van het archief.

Aan de andere kant van het lage kassengebouw staat iets wat Adam eerst aanziet voor een groot, smoezelig raam; dan ziet hij dat het kleine bakken of emmers van glas zijn, in allerlei soorten en maten, op elkaar gestapeld en tegen elkaar aan gezet als een glazen rek, van de vloer helemaal tot aan de nok van het dak. Sommige van de glazen bakken zijn gevuld met gruis of zand en uitgedroogde gewassen, andere zijn leeg. Terwijl zijn ogen blijven hangen op deze onbegrijpelijke glaswand, vat die plotseling vlam. Ergens diep in het labyrint van donker in elkaar reflecterende glasplaten boort zich een naald van licht, die groeit en zich uitspreidt als een brandende zon – het licht plotseling zo scherp voor de ogen dat alles eromheen in zijn gezichtsveld onmiddellijk oplost.

Het is de zon, die plotseling de andere wand van de kas bereikt.

Je moet uitgehongerd zijn, zegt Feldman tegen hem en wijst naar een hoek waar een matras en een versleten oude paardendeken op de grond liggen.

Ga zitten...

Wanneer Adam gaat zitten, zakt het licht van de opkomende zon weer in de schaduw en de glaswand ziet er niet meer zo indrukwekkend uit: een verzameling dichtgeslibde aquaria met een laagje grijzige klei op de bodem, en zijkanten die wazig zijn van aangekoekt stof.

Later zou Feldman hem vertellen hoe hij, toen hij jong was, door de bosgebieden van Mazurië dwaalde met schepnetjes en botaniseertrommels en allerlei potten en opbergbakken, vastbesloten om alle vindplaatsen in het hele merengebied in kaart te brengen. En hoe deze belangstelling zich verbreedde toen hij in het begin van de jaren dertig begon te experimenteren met allerlei lucht- en warmteaggregaten om ook andere levende biotopen in miniatuurformaat te herscheppen: Braziliaanse regenwouden, verdroogde woestijnlandschappen, steppe- en prairievelden.

*Er was een tijd dat ik bezeten was van de gedachte om elk landschap en elke grond-
soort die er op de aarde is, te reconstrueren. Maar toen kwam de oorlog en de bezetting,
en je zou kunnen zeggen dat ik nu hier mijn handen vol heb.*

Feldman legt de gaar gebakken worst voor Adam op een bord en begint
hem in kleinere stukjes te snijden. In Adams brein is een ingewikkelde be-
rekening gaande. Zou er nu vijftig gram worst op zijn bord liggen? Nee,
vast wel bijna zestig. Hoelang kan hij de worst in zijn maag houden? Tien,
twaalf uur?

Dat hangt ervan af hoe langzaam hij eet.

Nu ze dichter bij het vuur zitten, ziet hij dat Feldman een stuk jonger is
dan hij aanvankelijk leek. In zijn donkere gezicht verbergen zich lichtere
huidplooien; alsof de verweerde huid slechts een masker is dat boven op
het gezicht is gedrukt. De blik die uit dit *andere* gezicht komt, is jongensachtig opgewekt, onbevreesd en op een merkwaardige manier berekenend. Adam zou later zeggen dat Feldman een manier had om mensen
aan te kijken alsof hij hun de maat nam voor hun begrafenis. Met die uitdrukking keek Feldman hem nu aan.

*Vroeger kwam er altijd iemand anders met de kranten. Weet je wat er met hem is ge-
beurd?* Adam kauwt op de worst en zegt niets. *Rzepin?* zegt Feldman dan, als
om te proeven hoe die naam smaakt. Adam gaat door met kauwen. *Het ver-
baast me dat Lajb een van zijn eigen familieleden als koerier heeft aangesteld. Welk
drukmiddel gebruikt hij tegen je?* Adam draait zich om en zegt: Er kwam iemand
naar me toe die Biełka heet en die vroeg het; dat is alles wat ik weet.

Feldman blijft hem aankijken, alsof hij verwacht dat Adam meer zal
zeggen nu hij eindelijk begonnen is met praten. Als er niet meer komt,
draait hij zich om met een zucht die zich door zijn hele lichaam lijkt voort
te planten, steekt een verrassend lange arm uit de ene mouw van zijn jas en
begint tegen een houtblok te duwen, zodat de kooltjes in de haard oplichten en beginnen te dwarrelen.

Adam blijft zitten en kauwt tot er geen worst meer is om op te kauwen.
Wanneer er niet meer eten komt, beseft hij dat het hoog tijd is om te bedan-
ken en afscheid te nemen. *Kom gerust nog eens terug,* zegt Feldman, maar met
een stem en op een toon alsof hij plotseling alle belangstelling voor Adam
en de smokkelwaar die hij bij zich had, heeft verloren.

Nauwelijks is Adam weer in het verrassend sterke middaglicht terug, of hij komt een eerste colonne gedeporteerden tegen die is vertrokken uit het verzamelkamp aan de Młynarskastraat.

De mensen die hier lopen hebben nieuwe, machinaal vervaardigde trepki toegewezen gekregen en dit handige schoeisel stuift het zand van de weg op tot een gigantische wolk, die hen in een soort bleke, kalkwitte sluier wikkelt, die maar langzaam weer achter hun naarstig stampende voeten neerdaalt. Aan de linkerkant houden de vijf begeleidende agenten gelijke tred met de colonne. Af en toe blaft een van hen een snauwerig bevel om de marsrichting aan te geven. *Rechtdoor!* of: *Rechtsaf!* Verder is er niets te horen. De mannen gaan voorbij op hun nieuwe klompen, met hun koffers, valiezen en matrassen vastgebonden om hun middel of over hun schouder, en geen van hen maakt zelfs maar aanstalten om zich om te draaien en hem aan te kijken. Hij draait zich ook niet om naar hen. Het is alsof ze zich in twee ver van elkaar gescheiden werelden bewegen.

Maar oom Lajbs naam komt terug als een hardnekkig zeurende kiespijn. Adam weet dat zijn vader gelijk heeft en dat hij blij mag zijn met het werk dat hij heeft gekregen. Maar hij kan toch ook niet nalaten te denken dat het toch haast niet alleen maar toeval kan zijn geweest dat er plotseling een plaats vrijkwam in de arbeidsbrigade op Radogoszcz. Waarom zou Lajb hem van alle banen in het getto juist deze hebben aangeboden? En waarom was het van alle mensen die hij ooit had gekend of in het getto had leren kennen, juist de oude Biełka geweest die tussen de wagons was opgedoken? Zou het kunnen zijn dat hem een taak was toevertrouwd die oorspronkelijk aan iemand anders was toebedeeld? En wie was die ander dan geweest, en wat was er met hem gebeurd?

Wanneer Adam Rzepin zich omdraait is de marscolonne verdwenen; alleen de kalkwitte stofwolk hangt nog als een dunne laag boven de zonovergoten horizon. De zonneschijf is nu nog hoger gestegen. De hitte begint zeer te doen op het zand, het gruis en de stenen. Adam Rzepin heeft worst in zijn maag. Hij besluit er niet meer over na te denken.

Het was begonnen als een spelletje. Hij had gezegd: doe je ogen dicht, verbeeld je dat ik iemand anders ben. En Regina had haar lichte lach gelachen en gezegd dat hij zich niet moest *verlagen*. Hij was immers de Voorzitter. Het hele getto keek tegen hem op. Maar hij had volgehouden.

Doe je ogen dicht, had hij gezegd, en toen ze het eindelijk deed, legde hij zijn hand eerst op haar knie en schoof hem toen langzaam langs de binnenkant van haar dijbeen helemaal omhoog.

Zo kan liefde er ook uitzien.

Hij wist dat ze walgde van de aanblik van zijn ouder en vetter wordende lichaam, van de verfoeilijke oudemannenlucht die zijn haar en huid uitwasemden. Nu bevrijdde hij haar van de verplichting om dat alles van dichtbij mee te maken, en zijn beloning was dat hij haar gezwollen, vochtig en warm geworden geslacht tegen zijn voorzichtig, angstig knedende vingers mocht voelen.

Maar van wie droomde ze daar achter haar gesloten ogen?

Zo kan het verhaal van een leugen ook worden opgeschreven: tegen de inwoners van het getto zei hij dat hij alles wat hij had gezegd, niet had gezegd, en dat alles wat er was gebeurd, niet was gebeurd. De mensen die naar hem luisterden, geloofden hem, want hij was toch ondanks alles de Voorzitter van het getto, en zo erg veel meer mensen om naar te luisteren en te geloven waren er niet.

Tegen de gekke vrouwen uit Pabianice en Biała Podlaska zei hij dat hij 'uit de hoogste kringen' de verzekering had gekregen dat alles goed was met hun echtgenoten en dat hij namens hen actie zou ondernemen om ervoor te zorgen dat hun kinderen onmiddellijk naar Łódź zouden worden gebracht.

En tegen zijn broer Józef, die doodsangsten uitstond sinds het begin van de deportaties, zei hij dat hij het volledige vertrouwen van de rijksstadhouder genoot en dat de uitverkoren Joden in het getto niets kon gebeuren.

En de grote Chaim wandelde door zijn leugen als een keizer door zijn paleis. Bij elke deur stond een oppasser die op zijn knieën viel en vroeg of hij nog iets voor hem kon doen. En wat gebeurt er met een leugen als hij een natuurlijk verlengstuk van iemands hele wezen is?

Twijfel en ongeloof, zei Rumkowski, zijn voor de zwakken.

Op sabbat stak Regina de sabbatskaarsen aan en zette ze het brood op tafel, en elke vrijdagavond wanneer ze aan tafel zaten, las hij de sabbatsgebeden, omdat dat was wat er van een goede Jood werd verwacht in een huis waarvan hij wilde dat het iedereen in het getto tot voorbeeld diende. 's Zondags reden ze in een *dróshke* naar het ziekenhuis aan de Wesoła-straat. Daar had hij 'uit eigen zak' kamers en twee volledige maaltijden betaald voor Regina's twee ongetrouwde tantes en voor haar lastige broer Benji. Het hele bezoekuur zaten ze bij de beide juffrouwen op de kamer en Regina pochte dat Chaim onlangs had gezorgd voor een *vaste telefoonverbinding* tussen hem en *de machthebbers in Berlijn*, en haar vrolijke, beminnelijke echtgenoot zei dat de onderhandelingen met de autoriteiten boven verwachting verliepen, dat hij hoopte spoedig toestemming te krijgen om het getto uit te breiden: *Binnenkort, zei hij, heel binnenkort zullen jullie de tram van hier helemaal naar Parijs kunnen nemen!*

En de dames lachten achter hun verlegen handen: Chaim, dat maak je ons toch echt niet wijs – *Chaim, tylko nie wystaw mnie do wiatru.* Maar ze sloten toch hun ogen en veroorloofden het zich heel even te dromen. Bij die grote Voorzitter leek niets onmogelijk.

Slechts één ding ontbrak om de leugen compleet te maken, maar hoe hij ook hoopte en bad, Regina raakte niet in verwachting. Biebow gaf de Voorzitter omstreeks deze tijd te verstaan dat de bezetters in het vervolg waarschijnlijk geen genoegen meer zouden nemen met het wegsturen van nog meer zwakke oudjes uit het getto. Binnenkort moesten *alle* arbeidsongeschikten – ook de allerjongsten – gedwongen worden te vertrekken.

Misschien had hij deze woorden ter harte moeten nemen.

Maar de Voorzitter verbleef nog steeds in zijn Leugen, en daarin was een Kind, eentje maar, dat sterk genoeg zou zijn om alle plagen te overleven die de Heer hun zou zenden, en dat enig Kind zou hij alles kunnen toevertrouwen wat hij tot nu toe tegen niemand had durven zeggen.

Maar als zijn vrouw ondanks haar jeugdige leeftijd onvruchtbaar bleef, hoe moest dat kind er dan komen? Hoe en waarvandaan liet het zich aanschaffen?

De overige kinderen van het getto probeerde hij op een directere manier te redden. Het was ondanks alles een heel simpele rekensom: hoe meer hij er aan het werk kon krijgen, hoe meer de bezetters er zouden ontzien.

Al in maart 1942 was hij begonnen speciale leerlingwerkplaatsen op te richten voor jongens en meisjes van tien tot zeventien jaar. Hier had hij de oudere jongens en meisjes uit het Groene Huis en de andere kindertehuizen in Marysin heen laten brengen.

In mei van datzelfde jaar, nadat de collectieven met de Duitse Joden waren ontruimd, had hij het oude volksschoolgebouw aan de Franciszkańskastraat laten verbouwen tot ambachtsschool, met twaalf verschillende klassen van elk vijftig kinderen. Er waren stofknipklassen, hand- en machinenaaiklassen, materiaalleerklassen. Zelfs eenvoudig boekhouden werd er onderwezen.

Na een paar weken training werden de meest getalenteerden ingezet in de productie op de Centrale Kleermakerij, waar ze moesten werken onder supervisie van inspecteurs die aanmerkingen liepen te maken op ieder foutje en tijdverlies. De kinderen hadden tot taak speciale camouflagemutsen te maken voor het Duitse leger, met een bovenlaag van witte stof voor de strijd op winterterrein en een grijze binnenlaag voor de strijd op normaal terrein. De Voorzitter liep van de ene werktafel naar de andere en zag de stof in brede stroken tussen de vaardige kindervingers door gaan, zag hoe de leraren zich over hen heen bogen om te helpen de stukken stof recht te houden wanneer de naald van de machine erdoorheen reeg, de ene baan na de andere, en hij werd, ondanks alles, overmand door een gevoel van trots: dat het ondanks de chaos en de hongersnood die er heersten, toch mogelijk was zo'n orde en discipline te handhaven.

In de periode tot en met juli 1942 was hij erin geslaagd vast naaiwerk voor ruim zeventienhonderd van alle gettokinderen boven de tien jaar te creëren. Als hij maar genoeg tijd kreeg, zou hij beslist werk – en dus redding – kunnen bieden aan nog minstens evenveel kinderen.

Maar terwijl hij op deze manier de muren van zijn arbeidersstad probeerde te verstevigen, ging de teloorgang onophoudelijk voort: al eind april bereikte het eerste nieuws over de massamoorden in Lublin hen.

Daarna (in juni): Pabianice en Biała Podlaska. Uit Biała Podlaska waren veertig complete treinwagons volgeladen met vrouwen en kinderen spoorloos verdwenen.

Soms, wanneer hij achter de gesloten deuren van het Secretariaat zat, kwam het hem voor alsof er buiten een enorme aardverschuiving plaatsvond. Alsof er in de voegen die de werkelijkheid bij elkaar hielden iets was gebarsten.

Op zijn kantoor kreeg hij bezoek van Dawid Gertler, die zonder omwegen het laatste vertelde wat hij had gehoord over de massadeportaties die in Warschau werden voorbereid. In Warschau werden driehonderdduizend Joden gevangengehouden. Volgens Gertler waren de Duitsers daar van plan slechts een tiende daarvan te sparen: amper dertigduizend mensen, die in de fabrieken van het getto mochten blijven werken.

Tegelijkertijd verhevigden de Engelsen hun luchtaanvallen op strategische steden in het *Reich*: Keulen, Stuttgart, Mannheim. Op 26 juni maakte de Britse radio voor het eerst melding van het nieuws over de massamoorden op de Joodse bevolking van Polen. In de uitzendingen van de BBC werden plaatsen genoemd als Slonim, Vilna, Lwów.

Maar ook Chełmno – de stad Kulmhof in het district Warthbrücken:

Duizenden Joden uit de industriestad Łódź en omliggende steden en dorpen zijn vermoedelijk in deze verder zo onaanzienlijke plaats om het leven gekomen.

Dit nieuws vanaf de andere kant van het prikkeldraad bereikte het getto via honderden illegale radio-ontvangers en algauw sloeg wat tot nu toe slechts een macaber vermoeden was geweest, om in honderd procent zekerheid.

Naar buiten toe gebeurde er natuurlijk niets. De hongerende mannen en vrouwen van het getto bleven hun uitgemergelde lichamen van het ene distributiecentrum naar het andere slepen; reeds kromgebogen ruggen bogen zo mogelijk nog verder krom. Maar nu was er zekerheid waar vroeger geen zekerheid was. En die zekerheid veranderde alles.

De ochtend na het nieuws van de BBC over de massamoorden in Chełmno voerde de Gettopreses een inspectie uit op het statistisch bureau aan het Plac Kościelny. Samen met de heer Neftalin, de advocaat, nam hij alle bewaarde correspondentie door en hij zag erop toe dat alle documenten waaruit een eventueel nageslacht zou kunnen afleiden dat hij wat al te snel was geweest met het opvolgen van de Duitse bevelen, of zelfs maar kennis had gehad van de werkelijke inhoud daarvan, werden verbrand. Het ging bijvoorbeeld om de vraag wat te doen met de overbodige bagage die de gedeporteerde Joden was ontnomen en waarvan Biebow had geweigerd de transportkosten te betalen. Rumkowski verzocht advocaat Neftalin nu een speciale post in het archief op te nemen waaruit niet alleen bleek wie er waren gedeporteerd, maar ook voor wie er een *uitzondering* was gemaakt, dus voor wie hij zich persoonlijk had ingezet om hen te redden of anderszins een goed woordje had gedaan.

Mensen die in deze tijd bij de Voorzitter in de buurt kwamen, maken er melding van dat er iets aan zijn lichaamsgeur was veranderd. Hij leek een doordringende, wat zoetige lucht af te scheiden die in zijn kleren zat als tabakslucht in niet-geluchte kleren, en die hem in zijn kielzog volgde, waar hij ook ging. Tegelijkertijd verklaarden de meeste mensen die hem in die dagen zagen dat hij zich kordaat en met grote waardigheid bewoog. Alsof hij pas nu, door dat in de praktijk omgaan met grote mensenmassa's in verzamelkampen en statistieken, een bewegingspatroon had gevonden dat de geweldige taak die hij op zich had genomen waardig was.

◆

Op 24 juli komt het nieuws over de zelfmoord van Czerniaków in Warschau:

De lafaard sterft dus liever dan mee te werken aan de uitreis van de Joden uit het getto van Warschau. Toch verlaten, naar ik begrijp, elke dag duizenden Joden Warschau. Dus als Czerniaków al een eind aan die actie heeft willen maken, dan heeft zijn zelfmoord toch niets veranderd. Het is slechts een zinloos, onmachtig gebaar.

Zo vat hij de situatie samen voor de overige leden van zijn Joodse Raad. Zoiets als wat nu in Warschau gebeurt, zal hier niet kunnen gebeuren, verzekert hij. Want dit is geen getto – dit is een arbeidersstad, zegt hij, en hij gebruikt onwillekeurig dezelfde uitdrukking als op de dag dat hij Himmler ontving voor de kantoorbarak aan het Bałutyplein:

Dit is een arbeidersstad, Herr Reichsführer, geen getto.

♦

Tegenover zijn lijfarts, dokter Eliasberg, bekent hij dat hij weer last van zijn hart heeft gehad – en wil Eliasberg misschien nog wat van die oude nitroglycerine leveren? Eliasberg verschaft niet alleen nitroglycerine; hij komt ook met een ander hartmedicijn: kleine, witte ampullen, glanzend wit aan de buitenkant, net als sacharinepillen die de kleine kinderen op de hoek van de straat plachten te verkopen.

Voor iemand die uitgehongerd is kunnen een paar korreltjes suiker op de tong, hoe weinig ook, het verschil tussen leven en dood betekenen. Deze gedachte windt hem merkwaardig op. Hij bewaart de kleine cyanidetabletten in een langwerpig metalen doosje in de zak van zijn colbert en steekt voortdurend zijn hand in zijn zak om zich ervan te vergewissen dat ze er nog zijn.

Hij denkt er geen moment over na hoe het zou zijn om de pillen zelf te gebruiken. Hij ziet zichzelf er wel twee door Regina's thee roeren. Ze zal een vies gezicht trekken over de bittere smaak, maar verder zal ze niet komen. De dood treedt ogenblikkelijk in. Dat heeft dokter Eliasberg hem verzekerd.

Hoe kon hij zoiets denken, terwijl hij haar toch zozeer liefhad? Het antwoord was dat het juist was omdát hij haar boven alles liefhad. Hij zou nooit de schaamte kunnen verdragen haar berooid en vernederd onder ogen te moeten komen. Zoals Czerniaków, de voorzitter van de Joodse Raad van Warschau, die niet begreep wat het inhield om bevelen op te volgen.

'Czerniaków was zwakker dan ik,' zei de Voorzitter. 'Daarom is hij nu dood.'

Dat was terwijl hij op zijn bed lag en dokter Eliasberg naar zijn hartritme luisterde.

'Hij beroofde zich liever van het leven dan dat hij zijn broeders en zusters naar het oosten stuurde.'

Dokter Eliasberg zei niets.

'Dat zal hier nooit gebeuren,' zei de Voorzitter.

(Mijn kinderen naaien camouflagemutsen voor de strijd op winterterrein. Dat kan hier onmogelijk gebeuren.)

Dokter Eliasberg zei niets.

'Maar als het hier toch zou gebeuren, wil ik van u een garantie, dokter Eliasberg...'

'U weet dat ik geen garanties kan geven, heer Preses.'

'Maar als ik zou sterven...?'

'U zult nooit sterven, heer Preses.'

◆

Op het grote, kale grasveld achter het Groene Huis verzamelen de kinderen uit de kindertehuizen in Marysin zich en doen een rondedans.

Hun gelach echoot onder de harde, zwarte lucht.

De kinderen gaan op een rij staan en pakken elkaar bij de hand; dan tillen ze hun handen hoog boven hun schouders en lopen naar elkaar toe. Ze sluiten de rij en vormen een cirkel, die rond begint te draaien: eerst de ene, dan de andere kant op.

Hij zit in zijn koets en volgt hen met zijn ogen. Hij wil niet onmiddellijk verraden dat hij er is en hun spel bederven.

De jongere kinderen struikelen en vallen, de oudere lachen. Samstag, de Duitse jongen die hem opviel toen hij hier de vorige keer was, staat tegen een stukgeroest autochassis zonder wielen geleund. Hij heeft een korte broek aan die een tien jaar jonger kind zou hebben gepast, en een korte, gebreide ribbeltrui die niet verder komt dan tot net onder zijn navel. Hij lacht voortdurend, maar zonder zichtbaar plezier: alsof zijn mond afneembaar is en onder aan zijn grote gezicht te veel speling heeft. Overal in Marysin groeit het gras welig en hoog. Op binnenplaatsen, achter houtschuren en secreten. De kinderen eten van het gras. Daarom zijn ze zwart en kliederig om de lippen.

Hij moest het daar met juffrouw Smoleńska over hebben. Het gras kan giftig zijn.

Hij wacht. Nog steeds hebben ze hem niet gezien. Hoog in de lucht pakken de wolken zich samen en smelten in steeds dikker wordende nevelsluiers. In de verte is gerommel te horen. Er komt onweer aan. Straks zullen de eerste regendruppels vallen.

De kinderen kijken op –

Hij steekt zijn hand in de zak van zijn colbert, peutert met zijn nagel het deksel van het doosje met cyanidepillen open en roert er met zijn vingers in.

De druppels vallen nu dichter. Er is een dof gerommel van de onweersmuur te horen wanneer hij Kuper vraagt de koets dichter naar de kinderen toe te rijden. Die staan met hun vingers in de mond naar de paard-en-wagen te staren en naar de oude man die daar met zijn hand in zijn colbertzak zit als een verschijning uit een andere tijd.

Hij ziet wat zij zien en geneert zich blijkbaar. *Speel toch door*, roept hij, *weg met jullie*, zegt hij lachend – en wanneer de kinderen zich na een blik op juffrouw Smoleńska bijna onwillig weer in beweging zetten, vist hij de pillen op uit zijn zak en gooit ze allemaal in de lucht –

Hela, hola, holala...

Een van de kinderen maakt zich los uit de groep. Hij is een jaar of tien oud, compact gebouwd, breed in de heupen en schouders, maar snel. Hij stuift als een wervelwind over het veld en slaat met zijn vlakke hand overal op de grond waar de witte pilletjes zijn neergekomen.

Daar, daar, daar! grinnikt de Voorzitter verrukt.

Maar net als bij Samstag lacht alleen het onderste deel van het gezicht van de Voorzitter. Daarboven, onder zijn ogen, ligt een scherpe, dodelijke snede. Behalve de energieke jongen die jacht maakt op de suikerpillen, durft geen van de kinderen dichtbij te komen. Ze staan daar alleen maar schuchter met hun vingers in hun mond.

De jongen heet Stanisław. Hij is begin mei met een transport uit Legionów gekomen. Zijn vader en moeder en broers en zussen (daarvan had hij er minstens zeven) zijn allemaal dood. Maar daar weet hij zelf waarschijnlijk niets van. Of wel?

Hej ty tam, podejdź tutaj. 'Hé, jij, kom eens hier!'

Hij zegt het in het Pools en geeft daarmee meteen aan dat hij Staszek als een van de nieuwe kinderen heeft geïdentificeerd.

En wanneer de jongen onwillig naar de koets toe komt, steekt de Voorzitter een arm uit de wagen en pakt hem met een gehandschoende hand onder zijn kin.

Powiedz mi, ile żeś podniósł? 'Vertel, hoeveel heb je er te pakken gekregen?'

Staszek opent zijn vuist en laat een handvol witte tabletten zien. Het is onmogelijk het verschil tussen de cyanidepillen en de gewone suikerpillen te zien. Volkomen onmogelijk: hij zou het verschil zelf niet eens hebben kunnen zien. En de Voorzitter lacht royaal. Hij wil dat van verre zichtbaar is hoe hij onder de indruk is van de prestatie van de jongen.

Op hetzelfde moment rolt er een hevige donderslag over het land en de wolken boven hen ontladen zich ogenblikkelijk.

De actie werd ingeleid om vijf uur in de ochtend van 1 september 1942, precies op de verjaardag van de Duitse invasie in Polen.

Politiecommandant Leon Rozenblat kreeg een goed halfuur later bevel de ordepolitie van het getto te mobiliseren. Toen waren de legertrucks al naar het Bałutyplein gereden: zware vrachtwagens met hoge laadbakken van hetzelfde soort als waarmee eerder 's nachts schoenen en zakken met bebloede en vuile kleren naar het getto waren vervoerd. En dan nog zo'n half dozijn tractoren met aanhangwagens eraan vast: twee of drie per tractor.

In het bleke ochtendgloren waren enkele van de houten hekken en prikkeldraadversperringen langs de uitvalswegen Zgierska en Lutomierska neergehaald, en er waren nieuwe afrasteringen opgesteld, en de gewone bewaking van de Schupo was versterkt met Sicherheitspolizei.

Terwijl dat alles gebeurde, lag de Voorzitter van het getto te slapen.

Hij sliep en droomde dat hij een kind was.

Of liever gezegd: hij droomde dat hij zichzelf was en tegelijkertijd een kind.

Het kind en degene die hij was deden een wedstrijdje stenen naar pillen gooien. Het kind gooide zijn pil en hijzelf gooide er een steen achteraan. Na een poosje merkte hij dat hij slechter kon zien. Het kind slingerde de pil steeds verder weg tegen de volle zon in, en in zijn eigen handen groeide de steen die hij klaarhield om te gooien, en die steen werd zo groot en zwaar als een schedel, en ten slotte werd hij zo groot dat hij hem niet meer kon vasthouden, zelfs niet als hij hem met beide handen beetpakte.

Plotseling voelde hij een onweerstaanbare angst. Het spel was geen spel meer, maar een soort groteske krachtmeting tussen deze twee, die allebei hijzelf waren.

Precies op het moment dat hij de reusachtige steen wilde weggooien, pakte iemand zijn arm vast en zei:

Wie denk je wel dat je bent? Schaam je je niet voor je hoogmoed?

Toen was het gedreun van de dieselmotoren van de vrachtwagens al te horen, en het gerammel van de ijzeren kettingen die ratelend omhoogkwamen en strak trokken toen de tractoren waar ze aan vastzaten langzaam de straten van het getto binnenreden.

◆

Later zou hij zeggen dat wat hem het meeste verdriet deed niet zozeer de zuiveringsactie op zichzelf was; daarop hadden de bezetters hem per slot van rekening al voorbereid. Wat hem het meeste verdriet deed was dat een actie *van deze omvang* kon worden gestart en al uren bezig kon zijn *zonder dat iemand zelfs maar op het idee kwam om hem te bellen en op de hoogte te stellen.*

Het was toch ondanks alles *zijn* getto. Ze waren verplicht hem te informeren.

Juffrouw Fuchs zou naderhand verklaren dat ze er allemaal, toen het bevel het Secretariaat bereikte, van uitgegaan waren dat de Voorzitter *er al van wist*, en dat het feit dat hij niet op kantoor was domweg te verklaren was doordat hij er de voorkeur aan gaf zijn plannen en richtlijnen in de bescherming van zijn huis op te stellen.

Maar dat was niet de indruk die hij zelf had gekregen toen hij na een halfuur arriveerde en een delegatie van zijn eigen personeel op de trap naar de barakkenrij aantrof. Integendeel, hij had uit hun starende blikken bijna het idee gekregen dat ze daar de spot met hem stonden te drijven, alsof hij van de hoogste autoriteit in het getto verworden was tot de risee, iemand om wie iedereen in het getto kon lachen:

Maar meneer de Voorzitter – WEET U DAN NIET WAT ER GEBEURD IS?

Het kind gooit de pil – maar hij kan er met zijn steen niet bij komen.

De pil is glanzend wit en zoals een bliksemslag door de lucht schiet, is hij verdwenen. Met geen steen ter wereld had hij hem kunnen bijhouden.

Hij zou woede moeten voelen dat hij in deze strijd zo overduidelijk aan de verliezende hand was. Alles sprak eigenlijk in zijn voordeel: het gewicht van de steen, zijn veel grotere lichaamskracht, het feit dat hij zoveel ouder, ervarener en wijzer was dan degene die hij als kind was. Hij zou bij moeten kunnen blijven, *maar hij haalde het niet.*

En wat rest is schaamte. Over het feit dat hij, die zoveel macht verworven had, toch zo oneindig weinig vermag.

◆

Toen hij eindelijk arriveerde bij het ziekenhuis aan de Wesołastraat was het al na acht uur 's ochtends en de vertwijfelde familieleden die zich voor de afzetting hadden verzameld, stortten zich op hem alsof hij hun laatste redding was.

Eindelijk, riep de menigte, of leek ze in elk geval te roepen: *Eindelijk komt de man die ons van deze vloek zal verlossen…!*

Bij de hoofdingang van het ziekenhuis staat ss-Gruppenführer Konrad Mühlhaus; hij houdt toezicht op de uitzetting van alle zieke en verwarde patiënten die Rozenblats mannen nu voor zich uit het ziekenhuisgebouw uit drijven. ss-Gruppenführer Mühlhaus is zo'n man die vindt dat hij de hele tijd in beweging moet blijven om te voorkomen dat anderen in de gaten krijgen hoe klein hij is.

Hij blijft onophoudelijk rondjes lopen, rondjes op dezelfde plaats, terwijl hij bevelen schreeuwt als:

Rauf auf die Wagen! Schnell, schnell, nicht stehenbleiben!

Omdat de Voorzitter het gevoel heeft dat hij geacht wordt iets te doen, grijpt hij zijn stok steviger vast en stapt recht op de kleine, gezette Mühlhaus af:

De voorzitter: Wat gebeurt hier?
Mühlhaus: Ik heb bevel niemand door te laten.
De voorzitter: Ik ben Rumkowski.
Mühlhaus: Wat mij betreft was u Hermann Göring zelf. U komt er niet door.

Dan is Mühlhaus weg; hij heeft niet het geduld om hier met een of andere Jood te staan discussiëren, wie hij ook is en hoe hij zich ook noemt.

En de Voorzitter blijft alleen achter. Heel even ziet hij er net zo verloren en krachteloos uit als de arme, gebroken mannen en vrouwen die vanaf de entree van het ziekenhuis naar de vrachtwagens en de tractorcombinaties worden gedragen of geleid. Toch hoort hij niet bij hen thuis. Dat is duidelijk te merken: er ontstaat als het ware een vacuüm om hem heen. Niet alleen de Duitse soldaten, maar ook Rozenblats mannen gaan hem uit de weg alsof hij besmet is met de pest.

Op de tractoraanhanger het dichtst bij het hoofdgebouw staan wel honderd oudere vrouwen tegen elkaar aan gedrongen, sommige halfnaakt of in bleke, stukgescheurde ziekenhuispyjama's.

Hij meent een van Regina's tantes te herkennen die ze 's zondags altijd bezochten. Hij weet niet zeker welke van de twee juffrouwen het is, maar hij herinnert zich vaag dat hij tegen haar heeft opgeschept dat ze samen de tram naar Parijs zouden nemen, en dat ze verrukt achter haar knokige hand had gegiecheld: 'Chaim, dat maak je ons toch echt niet wijs...!' Nu is de vrouw uitgekleed tot op haar grijze haar en haar verschrikte witte ogen. Dwars door het lawaai en het gedrang heen dat hen scheidt, roept de vrouw hem iets toe en ze zwaait met haar luciferdunne armen, of probeert ze met haar geroep iemand anders te bereiken? Hij weet het niet zeker en hij zal het ook nooit zeker weten. De soldaat die juist de laatste lading patiënten op de wagen heeft geperst, hoort haar vlak bij zich lawaai maken en haalt in een brede, zwaaiende beweging met zijn geweerkolf uit naar haar gezicht.

De slag treft de vrouw midden op haar kaakbeen, waardoor er in een golf van bloed iets groots en kleverigs uit haar mond spuit.

Hij wendt zich vol afschuw af.

Dan ziet hij dat de ingang van het ziekenhuis niet bewaakt wordt. De soldaten die hier eerst als bewakers stonden, zijn allemaal weggerend om een patiënt die door een raam uit de eerste verdieping probeert te ontsnappen, de pas af te kunnen snijden. De vluchter heeft een veel te groot witblauwgestreept nachthemd aan, dat als een gordijn over zijn bovenlichaam en gezicht blijft hangen als hij voorovervalt en vertwijfeld met zijn armen alle kanten op begint te maaien. (De enige reden dat de man niet pardoes op de grond stort, is dat iemand binnen plotseling naar buiten reikt en hem bij zijn enkels grijpt.)

Zelf maakt de Voorzitter van de gelegenheid gebruik om door de halfgeopende ziekenhuisdeur te glippen – en plotseling klinken het geschreeuw en de oorverdovende bevelen doffer. Het is alsof hij zich in een andere wereld bevindt.

Het knarst onder zijn schoenzolen van het gebroken glas.

Hij gaat langzaam de brede wenteltrap op, terwijl zijn stappen in het hoge stenen gewelf weergalmen, loopt verder door de donkere gangen en kijkt hier en daar in de nu lege ziekenzalen die aan weerszijden daarvan liggen.

Toen hij hier de laatste keer met Regina op bezoek was, hadden er zeker tweehonderd man in elke zaal gelegen: twee patiënten per bed, als boeren en heren op speelkaarten: de een met het hoofd naar beneden, de ander met het hoofd omhoog. Hij herinnert zich nog hoe ze hem allemaal met hun tandeloze tweekoppigheid toelachten en als uit één mond zeiden:

GOEDEMORGEN, MENEER DE VOORZITTER –

Alleen Benji hield zijn mond. Hij stond in een bestudeerde denkerpose bij het raam met zijn hand onder zijn kin. Nu probeert de Voorzitter zich wanhopig te herinneren wat het nummer was van de zaal waar Benji lag. Maar bij al deze verwoesting is het alsof het ziekenhuis is verworden tot een vreemd oord. Onbekend, onmogelijk om de weg in te vinden.

Min of meer bij toeval krijgt hij een doktersspreekkamer in het oog, helemaal achter in een van de gangen, en hij gaat er bijna opgelucht naar binnen. Op een plank naast de deur staan mappen met inkooplijsten en dossiers, en op het bureau een telefoon op de haak.

Terwijl hij ernaar kijkt, begint heel absurd de telefoon te rinkelen.

Heel even is hij in de war. Moet hij de hoorn oppakken en zich melden? Of zal de bel alleen maar Duitse officieren hierheen lokken die hem het gebouw uit zullen zetten zodra ze hem in het oog krijgen?

Het draait erop uit dat hij ruggelings de gang weer op gaat. Dan staat Benji daar.

Hij ziet hem aan de rand van zijn blikveld lang voordat hij beseft dat het Benji is. De deuren naar de zalen staan allemaal open en het licht dringt, in de vorm van lange, stoffige repen of kegels, door tot de gangen. Maar het licht dat Benji naar hem toe draagt, komt niet van opzij, maar van boven, vanaf het plafond, wat natuurlijk onmogelijk is: daar zijn geen ramen. Benji heeft een wit-blauwgestreept nachthemd aan, net als alle andere patiënten, en hij staat licht voorovergebogen, met zijn handen om de rugleuning van een stoel waarvan hij de vier poten op hem gericht houdt, als om zich ergens tegen te verdedigen.

Tegen wie? Tegen hem? De Voorzitter zet een paar stappen in de richting van het onmogelijke licht: *Benji, ik ben het*, zegt hij slechts en hij probeert te glimlachen.

Benji deinst terug. Uit zijn verwrongen lippen komt een merkwaardig zingend of gierend geluid.

Benji...? zegt de Voorzitter slechts. Hij wil ongerust en vol bezorgdheid klinken, maar als zijn stem goed en wel uit zijn mond komt, klinkt die alleen maar leugenachtig en vals: *Been-j-ii, ik ben gekomen om je hier weg te halen, Been-jii...*

Dan stormt Benji voorwaarts. De vier stoelpoten raken de Voorzitter pal in de borst en Benji laat de stoel onmiddellijk los, alsof hij zich eraan gebrand heeft, en rent weg. Maar even plotseling blijft hij staan.

Het is alsof hij recht tegen een muur is gerend.

Dan hoort de Voorzitter het ook. Harde, brullende stemmen – *Duitse stemmen!* – weergalmen van onder uit het trappenhuis, gevolgd door de schrapende echo van stampende laarzen. Benji weet opeens niet meer waar hij heen moet: verder rechtdoor, naar de Duitse officieren toe die onverbiddelijk naderen, of terug naar de Gettopreses, die hij zo mogelijk nog meer vreest.

Maar ook de Voorzitter trekt zich nu terug en zoekt snel dekking achter de deur van de doktersspreekkamer.

SS-Gruppenführer Mühlhaus en twee van zijn ondergeschikten rennen vlak voor hen langs door de gang en het volgende moment is het mechanische geknars van hun laarzen en het gerammel van de wapens tegen hun leren koppelriemen alweer opgeslokt door de echo van het trappenhuis ernaast. Zodra het geluid van de voetstappen is weggestorven, gaat de Voorzitter naar de medicijnkast van de spreekkamer, pakt een emaillen kan van de onderste plank en vult die met water uit een kraan boven een gootsteen. Dan grijpt hij met zijn hand naar een van de witte pillen die hij altijd in zijn colbertzak bewaart, doet die in een glas en giet er water uit de kan op.

Wanneer hij weer in de gang kijkt, is Benji weg. Hij vindt hem terug in de grote zaal naast het trappenhuis, in elkaar gedoken tegen de witgekalkte muur, achter een stapel omvergegooide kamerschermen en kapotgesneden matrassen. Benji trilt over zijn hele lichaam, van top tot teen, maar kijkt niet op. De Voorzitter moet zijn naam een paar keer met verschillende intonaties zeggen voordat de zware, neerhangende haarlok eindelijk omhoog gaat: *Hier, Benji, drink...!*

Benji kijkt hem aan met diezelfde, van angst uitgeputte blik als toen de Duitse officieren voorbij renden. De Voorzitter moet op zijn knieën gaan zitten om het glas naar Benji's mond te kunnen brengen. Benji zuigt zijn lippen vast aan de rand van het glas en neemt grote, haastige slokken, als een kind. De Voorzitter legt voorzichtig een hand om zijn nek om hem te steunen en te helpen. En het gaat gemakkelijk. Hij moet aan zijn vrouw denken. Of het bij haar ook zo gemakkelijk zou gaan.

Benji kijkt een keer naar hem op, bijna dankbaar. Dan begint het gif te werken en worden zijn ogen glazig. Door zijn lichaam gaat een lange, spastische trek, die ergens bij zijn hoofd begint en eindigt in zijn benen, die nog even schokkend, krampachtig natrillen in de hielen en dan als het ware verstijven in hun eigen beweging. Zonder dat hij precies weet hoe het zo gekomen is, zit de Voorzitter met het dode lichaam van zijn zwager op schoot.

Van de zes ziekenhuizen van het getto was Ziekenhuis Nr. 1 aan de Ła-giewnickastraat het grootste. Het was een vierkant gebouw met twee vleugels die een open binnenplaats omlijstten. Daardoor was het mogelijk het gebouw van verschillende kanten te benaderen.

In een wanhopige poging om met haar vader in contact te komen, nam Věra de weg aan de achterkant, door dichte bosschages tussen een paar barakken en schuurtjes, naar wat een aparte ingang was voor de afdeling verloskunde van het ziekenhuis. Enkele tractorcombinaties waren hier al gearriveerd en geparkeerd. Rondom de chauffeurscabine of boven op de laadbak stonden of zaten werkeloze ss-soldaten in veldgrijze uniformen met leren riemen en hoge, glanzende laarzen. Hun passiviteit was echter slechts schijn. Věra had bijna de laadsteiger bij de achteringang van het ziekenhuis bereikt, toen er een scherp gefluit door de lucht snerpte. Toen ze opkeek, zag ze een geüniformeerde man voor een wijd open raam op de vierde verdieping staan. Meteen daarna werd er een naakte baby naar beneden gegooid, die pardoes in de laadbak van de wachtende vrachtwagen viel.

Een van de soldaten op die wagen – een jongeman met hoogblond haar en een uniform dat een paar maten te groot leek – stond op en wenkte met zijn geweer naar de collega op vier hoog. De mouwen van zijn jas waren zo lang dat hij ze op moest rollen om de bajonet op zijn geweer te kunnen zetten. Daarna stond hij wijdbeens en lachend te kijken hoe er nog meer krijsende baby's over de vensterbank naar beneden werden geslingerd. Het lukte hem een van de kinderen aan zijn bajonet te spietsen, en hij stak het triomfantelijk op de punt van zijn geweer omhoog, terwijl het bloed over zijn opgerolde mouwen stroomde.

Nog hoger in het gebouw moest iemand hebben gezien wat er gebeurde, want overal in de gevel gingen nu andere ramen open en vanuit het gebouw hoorde je ineens mensen in het Jiddisch en in het Pools roepen: *Moordenaars, moordenaars...!*

Věra wist niet wat ze moest doen. Alsof ze juist nog meer opgehitst werden door het lawaai, wemelde het opeens van de Duitse soldaten op de vierde verdieping. Allemaal stonden ze daar met baby's moederlijk aan de uniformborst gedrukt.

Toen verloor Věra haar zelfbeheersing en begon zelf ook te schreeuwen.

Het gezicht van de lachende soldaat op de laadbak veranderde in een grote, verbaasde O. Het volgende moment had hij met een ongeduldig gebaar het bloederige hoopje van de punt van zijn bajonet geslagen en richtte hij zijn geweer op haar.

Het plotselinge geweersalvo schoot bladeren los, en houtspaanders van het barakdak vlak boven haar hoofd. Ze dook in elkaar en begon te rennen, en uit de bosjes om haar heen doken andere rennende mensen op. Sommige in ziekenhuispyjama's, andere helemaal zonder kleren: vooral vrouwen en oudere mannen. Haar plotselinge geschreeuw en de daaropvolgende schoten hadden hen uit hun provisorische schuilplaatsen opgejaagd en nu renden ze allemaal – met hoge, doodsbenauwde, steltachtige passen – terwijl de Duitse geweersalvo's hele wolken gruis en gras bleven opzwepen uit het stof voor de lichamen die niet al gevallen waren.

◆

Tijdens de eetpauze rond het middaguur stond ze met haar blikken mok in de rij voor de gaarkeuken aan de Jakubastraat, terwijl de hitte van de zon brandde en schrijnde op haar onbeschermde hoofd alsof er daar onder de huid een grote, open wond zat.

Bijna iedereen in de gaarkeuken had gezins- of familieleden in de ziekenhuizen van het getto, en bijna allemaal hadden ze soortgelijke verhalen te vertellen: over baby's die van de afdeling verloskunde zo in de wachtende wagens werden gesmeten, over weerloze oudjes die uit hun zalen kwamen strompelen en aan de bajonet werden geregen of dood werden geschoten. Slechts enkelen van de mensen die van de ziekenhuizen waren teruggekomen, waren erin geslaagd hun familieleden mee naar huis te nemen.

Het gerucht ging dat de Voorzitter de Duitsers na lang onderhandelen zover had gekregen dat ze een uitzondering maakten voor enkele hooggeplaatste zieken, maar alleen op voorwaarde dat anderen in hun plaats werden gedeporteerd. Een nieuwe uitreiscommissie was aangesteld om de patiëntenregisters door te spitten op jacht naar patiënten die eerder opgenomen waren geweest maar alweer ontslagen, of naar mensen die een verzoek tot ziekenhuisopname hadden gedaan, maar die dat geweigerd was omdat ze niet de juiste relaties hadden; alles was goed, iedereen was goed: als ze maar de plaats konden innemen van de *enkele onvervangbaren* die hun bestuurders onmogelijk zeiden te kunnen missen.

Het is een schande, een grote schande...! hoorden ze meneer Moszkowiski zeggen terwijl hij in het stuivende kaf tussen de weefgetouwen door liep. Het was alsof iemand hem voortdurend met een stok in zijn zij porde. Zodra hij zat, sprong hij weer overeind.

Tegen de avond kwam het nieuws dat de schoonvader van de Voorzitter, evenals een aantal familieleden en goede vrienden van Jakubowicz en politiecommissaris Rozenblat waren 'vrijgekocht' doordat *vervangers* hun plaatsen hadden ingenomen. De enige die de Voorzitter niet van de laadbakken af had kunnen krijgen was zijn zwager, de jonge Benjamin Wajnberger, om de eenvoudige reden dat niemand meer scheen te weten waar hij zich bevond. In het ziekenhuis was geen spoor van hem, en in de provisorisch ingerichte verzamelplaatsen was hij evenmin gesignaleerd. Had hij soms geprobeerd te vluchten en was hij een Duitse patrouille in de armen gerend? Regina Rumkowska was gebroken en vreesde het ergste.

Al op de eerste avond had de familie Schulz bezoek gehad van een zekere meneer Tausendgeld. Hij regelde het feitelijke vrijkopen.

Veel later, toen ze het bericht kregen dat hij een gewelddadige marteldood was gestorven door toedoen van de Duitsers, zou Věra proberen zich zijn gezicht voor de geest te halen. Maar het beeld van meneer Tausendgeld bleef net zo vaag als het destijds was, toen hij bij hen in het keukenalkoofje naast de kamer van Maman zat. Ze herinnerde zich een gezicht vol knobbels en bulten waarin een mond zat met kleine, hoekige, messcherpe tanden, die elke keer als hij lachte ontbloot werden. Met zijn lange, smalle, wonderlijk stengelachtige handen had hij iets op tafel uitgespreid wat eruitzag als lange lijsten met namen en hij wekte de indruk dat hij tijdens het praten sommige namen afstreepte.

Vanuit haar kamertje riep Maman: ze vroeg Věra met hese stem naar Rolhánek op de hoek te rennen en garen te kopen. Ze had besloten weer te gaan naaien. Ze had voor hen genaaid toen Martin en Josel klein waren. Ook toen waren het 'roerige tijden' geweest.

Aan tafel was meneer Tausendgeld een en al oog en oor.

'Ze denkt zeker dat ze weer in Praag is,' zei hij en glimlachte bijna waarderend tussen de knobbels in zijn gezicht.

Het bleek algauw dat hij 'alles wat er te weten viel' over Maman en haar ziekte al wist. Frau Schulz, zei hij, was een mens van de hoogste rang die tot elke prijs moest worden gered. En alsof dit een kwestie was die slechts in de grootste vertrouwelijkheid kon worden onthuld, leunde hij voorover en fluisterde professor Schulz toe dat men op het Secretariaat op het punt stond een speciaal kamp op te richten voor alle mensen die speciale bescherming van de Duitsers genoten. Dit kamp zou aan de Łagiewnicka-straat komen te liggen, pal tegenover het nu ontruimde ziekenhuis. De overplaatsing daarheen zou plaatsvinden onder bescherming van de eigen bewakingstroepen van het getto, onder bevel van Dawid Gertler zelf, die de verdienste toekwam dat hij in zijn onderhandelingen met de Duitse autoriteiten deze unieke overeenkomst had weten te bereiken.

Wat kost dat? vroeg professor Schulz slechts; en meneer Tausendgeld – zonder aarzelen, zonder zelfs maar op te kijken van zijn paperassen waarop hij in de marge het bedrag al had genoteerd:

Dertigduizend! Ze vragen nog meer voor, zogezegd, bekendere personen, maar in uw geval denk ik dat dertigduizend mark wel genoeg zal zijn.

Věra had al een paar keer gezien dat haar vaders gezicht bleek werd van woede, had gezien hoe de aderen op de rug van zijn hand zo dik werden dat ze bijna sprongen. Maar ditmaal slaagde professor Schulz erin zijn woede te beteugelen. Misschien kwam dat door Mamans matte stem, die Věra hardnekkig bleef roepen vanuit de alkoof ernaast. Haar ziekte hing als een onbegrijpelijk schriftteken boven hen in de dikke, verstikkende lucht. Of was de situatie, zoals Věra later in haar dagboek zou schrijven, zo absurd dat ze niet te begrijpen was *tenzij je ervan uitging dat de hele wereld gek was?*

Eigenlijk, begreep Věra pas later, had professor Schulz toen zijn besluit al genomen. Ze zouden de muur naar Mamans kamer terugzetten. Martin had een idee over wat hij noemde een *vals behang*; gewone banen behang die je op een houten blad plakte en waar je vervolgens de wandplaten bij het aanrecht mee kon afdekken. Die valse wand kon je dan later openmaken met een mes en zo weghalen en terugzetten. Risico voor Maman bestond er eigenlijk niet: het ventilatieluik bovenin bleef zitten en omdat pappa arts was, zou hij een *Passierschein* kunnen krijgen en komen en gaan naar believen, wat er ook gebeurde.

'Je zult zien, het komt goed, Věra,' zei hij.

Ze vroeg zich af waar dat vandaan kwam, die rotsvaste overtuiging?

Maar het had haast. De nieuwe uitreiscommissie was al klaar met haar lijst van mensen die uitgeleverd moesten worden in plaats van 'de vrijgekochten' en het Sonderkommando liep in fabrieken en woonhuizen al overal naar hen te zoeken.

Op de middag van de derde dag na het begin van de actie liet de Voorzitter een nieuwe bekendmaking aanplakken voor het kantoor van het Bevolkingsregister aan de Kirchplatz. Van nu af aan, stond er, nam het rekruteringskantoor van het Centrale Arbeidsbureau ook werkverzoeken van kinderen van *negen jaar en ouder* in behandeling.

Dat kon maar één ding betekenen: *alle kinderen onder de negen jaar zouden ook worden gedeporteerd!*

Andermaal begonnen de mensen als gekken rond te rennen. Maar niet naar de ziekenhuizen en klinieken, maar naar het Centrale Arbeidsbureau aan het Bałutyplein, waar ze uren in de rij stonden om hun kinderen nog in het arbeidsregister ingeschreven te krijgen voordat het te laat was.

Allemaal vroegen ze naar de Voorzitter.

Waar is heer Preses in deze tijd van nood, nu we hem het hardst nodig hebben? Morgen, heette het; morgen, op het brandweerterrein aan de Lutomierskastraat, zal hij een toespraak houden voor de bevolking van het getto, waarin alle vragen zullen worden beantwoord.

◆

Vroeg op de avond ging Věra voor het laatst naar Maman in het kamertje. Maman praatte over de familie Hoffman, die al die jaren naast hen had gewoond aan de Mánesovastraat. *We zijn in Łódź, mamma, niet in Praag*, zei Věra. Maar haar moeder hield vol. Elke nacht hoorde ze het jongste dochtertje over het portaal voor het verzegelde appartement lopen en roepen om haar beide gedeporteerde ouders.

Věra bracht de ondersteek en voerde Maman met in water opgeloste stukjes brood. Na een poosje kwamen ook Martin en Josel het kamertje in. Tegen die tijd begreep ook Maman dat alles anders was dan anders. Ze keek haar kinderen de een na de ander met glanzende, onzekere ogen aan. Arnošt zette de injectie in haar ene arm en haar hoofd viel slap in zijn handen. Toen zetten Martin en Josel de muur terug. Arnošt had al een doodsattest uitgeschreven. Hij zei dat het maar het beste was niet meer aan Maman te denken als aan iemand die nog leefde, in elk geval de eerstkomende, kritieke dagen niet.

Toch kon Věra niet anders dan haar hartslag horen achter de gesloten muur. Die nacht en alle volgende was het alsof niet alleen de muur, maar de hele kamer waar ze alle vier lagen, pulseerde en klopte van Mamans onzichtbare hartslag.

Op de middag van 3 september 1942 ontboden de Duitsers de Gettopreses opnieuw. Hij stond voor hen zoals altijd, met zijn hoofd gebogen, zijn handen naast zijn lichaam.

Aanwezig waren Biebow, Czarnulla, Fuchs en Ribbe.

Biebow zei dat hij serieus had nagedacht over het voorstel van de Voorzitter om de ouden en zieken te laten gaan, maar de kinderen te sparen.

Er zit natuurlijk een zekere logica in uw voorstel, Rumkowski, maar de bevelen die wij uit Berlijn hebben gekregen, laten geen ruimte voor een dergelijke inschikkelijkheid. Alle inwoners van het getto die niet in hun eigen onderhoud kunnen voorzien, moeten het getto definitief verlaten. Dat is het bevel, en dat geldt ook voor kinderen.

Daarna verklaarde Biebow dat er op grond van berekeningen die hijzelf had laten uitvoeren volgens hem in totaal in het getto minstens twintigduizend arbeidsongeschikten moesten zijn, merendeels ouden van dagen en kinderen. Als ze zich van deze *Unbrauchbare* konden ontdoen, zou Berlijn geen reden meer hebben om zich met de 'interne' aangelegenheden van het getto te bemoeien.

Rumkowski antwoordde dat dat een bevel was dat geen mens kon uitvoeren. 'Geen mens staat vrijwillig zijn eigen kinderen af.'

Toen antwoordde Biebow dat Rumkowski zijn kans al had gehad, maar niet had benut.

U hebt weken, maanden gehad, Rumkowski, maar wat hebt u gedaan? U hebt elke gelegenheid aangegrepen om eronderuit te komen. U hebt kinderen aan het werk gezet die amper weten wat de voor- of achterkant van naaiwerk is. De zie-

kenhuizen hebt u veranderd in rusthuizen...! En dat alles terwijl ons bestuur alles doet wat in zijn macht ligt om jullie van levensmiddelen te voorzien.

En Fuchs zei:

U moet rekening houden met de aard van onze heroïsche oorlogsinspanning, meneer Rumkowski. Van iedereen worden opofferingen gevraagd.

En Ribbe zei:

Hoe kúnt u het trouwens in uw hoofd halen dat wij tijd en energie zouden steken in het ondersteunen van simpele Joden nu Duitsers zich wegens de laffe bomaanvallen van de geallieerden gedwongen zien alles achter te laten wat ze hebben opgebouwd en bezitten? Bent u werkelijk zo naïef dat u meende dat we dit soort sociale liefdadigheid tot in het oneindige zouden blijven bedrijven, meneer Rumkowski?

Rumkowski vroeg of ze hem tijd konden geven om erover na te denken en zijn medewerkers te raadplegen. Ze antwoordden dat er geen tijd meer was. Ze zeiden dat ze, als hij niet binnen twaalf uur complete lijsten van alle inwoners van het getto boven de vijfenzestig en onder de tien jaar inleverde, de actie zelf op gang zouden brengen.
    Czarnulla zei:

Het getto is een pestzone, een abces dat moet worden weggehaald.
Als u dat nu voor eens en voor altijd doet, kunt u hopen dat u het overleeft.
Zo niet, dan hebt u geen kans.

De bijeenkomst op het brandweerterrein aan de Lutomierskastraat was uitgeschreven voor halfvier 's middags, maar de mensen kwamen al vanaf twee uur bij elkaar op het grote open plein. Om die tijd van de middag staat de zon op zijn hoogste punt aan de hemel en de hele enorme steenvlakte tussen de beide woonblokken is veranderd in een put van gloeiend heet, wit licht. Pas later op de middag kruipt er een smalle schaduw over de lange rij schuurtjes en secreten die tegen de verweerde buitenkant van de muur staan. Naar die smalle reep schaduw gaan de nieuw aangekomenen. Ten slotte drommen er zoveel mensen bij de muur samen dat de commandant van de gettobrandweer, meneer Kaufmann, vrijwillig zijn koele kantoor verlaat en met duwen en soebattend aan tegenstribbelende armen trekken, probeert de massa zich enigszins te laten verspreiden.

Maar niemand wil uit zichzelf in de verzengende zon gaan staan.

Wanneer de Voorzitter eindelijk arriveert is het halfvijf en heeft de schaduw zich over de ene helft van het terrein verspreid. Maar de menigte is nu zo groot geworden dat er slechts voor een fractie plaats is in de schaduw. De rest is ofwel bij de gevels verderop op het terrein gaan staan of boven op het dak van de schuurtjes en secreten geklommen. Degenen die boven op deze daken staan, krijgen de Voorzitter en zijn lijfwachten het eerst in het oog.

Bij het zien van de oude man houdt de mensenmassa als het ware haar adem in. Hij loopt niet met zijn hoofd en zijn wandelstok trots omhoog, zoals anders, maar met afgezakte schouders, zijn ogen naar de grond. In een oogwenk is het volkomen doodstil op het terrein. Het wordt zo stil dat men de vogels zelfs kan horen kwetteren in de bomen aan de andere kant van de muur.

Het podium bestaat ditmaal slechts uit een wankele houten tafel. Daar bovenop heeft iemand een stoel gezet, zodat de spreker tenminste een kop hoger komt dan de rest van de menigte. Dawid Warszawski is de eerste die het geïmproviseerde spreekgestoelte bestijgt. Omdat de microfoons een stukje van hem vandaan zijn aangebracht, moet hij zich naar voren strekken om erbij te komen, waardoor hij de hele tijd zijn evenwicht dreigt te verliezen en te vallen. Maar hij komt toch te dicht bij de microfoons, en elk woord dat hij uitspreekt echoot heen en weer tussen de luidsprekers met een effect alsof zijn echo hem voortdurend in de rede wil vallen.

Warszawski zegt hoe ironisch het is dat juist de Voorzitter gedwongen wordt dit zware besluit te nemen. Hoeveel jaren heeft de baas van het getto niet gewijd aan de opvoeding van de Joodse kinderen. (KINDEREN! knalt de echo terug van de muren.) Ten slotte doet hij een poging de verzamelde menigte om begrip te vragen.

> Er is een oorlog aan de gang. Elke dag klinken de luchtafweersirenes boven onze hoofden. Iedereen moet rennen om dekking te zoeken. In die situatie lopen kinderen en oude mensen alleen maar in de weg. Daarom is het beter hen te verwijderen.

Na deze woorden, die slechts onrust en rusteloosheid in de menigte veroorzaken, klimt de Voorzitter op de tafel en leunt voorover naar de microfoon. Ook aan zijn stem horen de mensen nu dat hij is veranderd. Weg is de schelle, ietwat hysterische commandotoon. De zinnen volgen elkaar langzaam op en hebben een doffe, hol metalen klank; alsof het uitspreken van elk woord een kwelling is:

> Het getto heeft ons een verschrikkelijke slag toegebracht. Ze verlangen van ons dat we ze geven wat het allerwaardevolst voor ons is: onze kinderen en onze bejaarden. Ik heb nooit het voorrecht gehad zelf kinderen te krijgen, maar ik heb mijn beste jaren te midden van kinderen doorgebracht. Ik had me dus nooit kunnen voorstellen dat ik gedwongen zou worden het offerlam naar het altaar te brengen. Maar in de herfst van mijn leven word ik nu gedwongen mijn handen naar u uit te strekken en te smeken: Broeders en zusters, geef me hen. Geef me uw kinderen...!
> [...]
> Ik had mijn vermoedens. Ik verwachtte 'iets' en was voortdurend op mijn

hoede om het te voorkomen. Maar ik had niet de mogelijkheid in te grijpen, omdat ik niet wist welke dreiging ons te wachten stond.

Toen ze de patiënten uit de ziekenhuizen haalden, kwam dat als een totale verrassing voor me. Geloof me. Ik had zelf familie en bekenden in de ziekenhuizen en ik kon hen niet helpen. Ik dacht dat met wat daar gebeurde de zaak afgelopen was en dat we nu de rust zouden krijgen waarvoor ik zo hard heb gewerkt. Maar het lot bleek nog iets anders in petto te hebben. Dat is het lot van de Joden: wanneer we lijden, worden we gedwongen nog meer te lijden – vooral in oorlogstijden als deze.

Gisteren kreeg ik het bevel meer dan twintigduizend mensen uit het getto te laten deporteren; anders, zeiden ze, zouden ze het zelf doen. De vraag was of we deze weerzinwekkende taak op ons moesten nemen of aan anderen moesten overlaten. Maar omdat we ons niet laten leiden door de gedachte 'hoevelen zullen er vergaan', maar door de gedachte 'hoevelen kunnen we er redden', besloten we – we, dat wil zeggen: mijn naaste medewerkers en ik – hoe zwaar het ook is, dat wijzelf dit besluit moeten uitvoeren. Ik moet zelf deze wrede, bloedige operatie uitvoeren. Ik moet de armen amputeren om het lichaam te redden. Ik moet de kinderen laten gaan. Als ik dat niet doe, moeten er misschien ook anderen gaan –

Ik heb vandaag geen troostend woord voor u. Ik ben ook niet gekomen om te proberen u voor te liegen. Ik ben gekomen als een dief om van u af te nemen wat u het meeste liefhebt. Ik heb alles gedaan wat in mijn vermogen ligt om de autoriteiten ertoe te bewegen dit bevel terug te draaien. Toen dat niet lukte, heb ik geprobeerd het besluit te verzachten. Ik heb geprobeerd ten minste één jaargang te redden: kinderen tussen de negen en tien. Maar ze weigerden toe te geven. Slechts één ding heb ik weten te bereiken. Kinderen boven de tien jaar zijn gered. Laat dat tenminste een troost zijn in uw grote leed.

We hebben veel tuberculosepatiënten in het getto; hun dagen – in het beste geval weken – zijn geteld. Ik weet niet – misschien is het alleen maar een slechte en kwaadaardige gedachte, misschien ook niet – maar ik kan die toch niet van me afzetten. Geef me deze patiënten en u maakt het me mogelijk gezonde mensen in hun plaats te redden. Ik weet hoeveel het voor u betekent om uw zieken thuis te kunnen verplegen. Maar wanneer we te maken hebben met een decreet waarbij we moeten kiezen wie we kunnen redden en wie niet, moeten we naar ons verstand luisteren en redden wie de grootste kansen heeft te overleven, en niet wie toch in ieder geval zal sterven...

236

We zitten in een getto. We leven in zo'n ellende dat we niet genoeg hebben om voor de gezonden te zorgen, laat staan voor de zieken. Ieder van ons zorgt voor zijn zieken ten koste van zijn eigen gezondheid. U geeft hun het beetje brood of suiker dat u kunt missen, maar door dat te doen wordt u zelf ziek. Als ik gedwongen was te kiezen tussen het opofferen van de zieken, degenen die nooit van hun ziekte kunnen herstellen, en het redden van de gezonden, zou ik zonder aarzelen kiezen voor het redden van de gezonden. Daarom heb ik mijn artsen opdracht gegeven de ongeneeslijk zieken over te geven, teneinde in hun plaats de gezonde mensen te redden, die nog in staat zijn te leven...

Ik begrijp u, moeders. Ik zie uw tranen. Ik hoor ook uw harten kloppen, vaders; u die naar uw werk moet gaan, de dag nadat ik uw kinderen van u afgepakt heb, diezelfde kinderen met wie u pas nog speelde. Ik begrijp en voel dat alles. Sinds vier uur gisterenmiddag, toen dit besluit medegedeeld werd, ben ik een gekweld, gebroken man. Ik deel uw onmacht en voel uw smart; ik weet niet hoe ik na dit alles verder moet leven. Ik moet u een geheim vertellen. In het begin eisten ze vierentwintigduizend offers van me, drieduizend mensen per dag, acht dagen lang, maar door onderhandelen wist ik dit aantal terug te brengen tot twintigduizend, en nog minder op voorwaarde dat het ging om kinderen tot tien jaar. Kinderen boven de tien jaar zijn buiten gevaar. Omdat het aantal kinderen en bejaarden samen dertienduizend bedraagt, moet het resterende aantal gevonden worden onder de zieken.

Het praten valt me zwaar. Ik heb niet genoeg kracht. Maar één laatste ding moet ik u vragen. Help me deze actie uit te voeren. Het idee dat ze – God verhoede het! – de zaak in eigen hand nemen, doet me rillen van ontzetting...

Voor u staat een gebroken man. Wees niet jaloers op mij. Dit is het zwaarste besluit dat ik tot nu toe heb moeten nemen. Ik hef mijn bevende handen op en smeek u: schenk mij deze offers, opdat ik kan verhinderen dat anderen worden geofferd, opdat ik honderdduizend Joden kan redden.

Dat hebben ze me namelijk beloofd: als u ons deze offers zelf geeft, zult u met rust gelaten worden –

(Geroep vanuit de menigte: 'Laten we allemaal gaan' en: 'Meneer de Voorzitter, neem niet alle kinderen, neem er één van gezinnen die meer kinderen hebben!')

Maar beste mensen – dat is allemaal maar loze praat. Ik ben niet in staat met u in discussie te gaan. Wanneer de autoriteiten komen, moet niemand van u ook maar een woord zeggen.

Ik begrijp wat het betekent om ledematen van je lichaam los te scheuren. Ik heb hun op mijn blote knieën gesmeekt, maar het had geen zin. Uit plaatsen waar vroeger zeven-, achtduizend Joden woonden, hebben er maar ruim duizend ons getto levend bereikt. Dus, wat is het beste? Wat wilt u? Dat we achttien- of negentienduizend mensen laten leven of zwijgend toezien hoe ze allemaal omkomen…? Bepaal het zelf. Het is mijn plicht te proberen ervoor te zorgen dat zoveel mogelijk mensen het overleven. Ik doe geen beroep op de heethoofden onder u. Ik doe een beroep op mensen die hun verstand nog hebben. Ik heb alles gedaan en zal alles blijven doen wat in mijn vermogen ligt om de wapens van de straat te houden en bloedvergieten te vermijden… Het besluit is niet ongedaan te maken, wel te verzachten.

Het vereist het hart van een dief om te verlangen wat ik nu van u verlang. Maar denk eens vanuit mijn positie. Denk logisch na en trek uw eigen conclusies. Ik kan niet anders handelen dan ik doe, omdat het aantal mensen dat ik op deze manier kan redden, het aantal dat ik moet laten gaan ver overstijgt…

Bekanntmachung Nr 391.

Betr.:

Allgemeine Gehsperre im Getto.

Ab Sonnabend,
den **5.** September 1942 **um 17 Uhr,**
ist im Getto bis auf Widerruf eine

ALLGEMEINE GEHSPERRE.

Ausgenommen hiervon sind:

Feuerwehrleute, die Transportabteilung, Fäkalien- und Müllarbeiter, Warenannahme am Baluter Ring und Radegast, Aerzte und Apothekerpersonal.

Die Passierscheine müssen beim Ordnungsdienstvorstand – Hamburgerstrasse 1 – beantragt werden.

Alle Hauswächter

sind verpflichtet darauf zu achten, dass keine fremden Personen in die für sie zuständigen Häuser gelangen, sondern sich nur die Einwohner des Hauses dortselbst aufhalten.

Diejenigen, die ohne Passierscheine auf der Strasse angetroffen werden, werden evakuiert.

Die Hausverwalter

müssen in ihrem Häuserblock mit den Hausbüchern zur Verfügung stehen.

Jeder Hauseinwohner hat seine Arbeitskarte bei sich zu halten.

CH. RUMKOWSKI
Der Aelteste der Juden in Litzmannstadt

Litzmannstadt-Getto, 5. September 1942

Tussen de huizen aan de Gnieźnieńskastraat 22 en 24 zit een opening, een ruimte van een paar meter. Het is alsof de beide panden die hier staan in al die jaren steeds dichter naar elkaar over zijn gaan leunen, maar het niet helemaal hebben gehaald. Midden in deze krimpende opening tussen de huizen staat een half ingestorte bakstenen muur en daar bovenop staat Adam Rzepin de wacht te houden.

Het is sabbat. Het is rustdag. De fabriekspoorten zijn gesloten.

De houten bruggen die de gescheiden delen van het getto met elkaar verbinden en die normaal gesproken zwart zien van de mensen die zich eroverheen dringen, staan leeg als galgen. Nergens verkeer. Het enige wat Adam hoort is het metalige gezoem van vliegen dat opstijgt van de vuilnisbelt achter hem. Het geluid van zwermen vliegen, dat opstijgt en dan verdwijnt; verder niets dan zijn eigen bonzende hartslag.

Vanaf de muur heeft hij een onbelemmerd uitzicht over het hele zuidwestelijke deel van het getto. Hij kan kijken tot aan de Lutomierskastraat en tot aan de versperring van hout en prikkeldraad bij de Wrześnieńskastraat, waar het bejaardenhuis ligt en het *gericht* van rechter Jakobson.

Overal op strategisch belangrijke plaatsen in het getto staan andere uitkijkposten, net als hij, en sturen elkaar 'lopers' om te vertellen wat ze hebben gezien.

Van hen hoort Adam dat de actie is begonnen.

◆

Hoewel ze al meteen moeten hebben begrepen dat het ze nooit zou lukken, probeerde de Joodse ordepolitie eerst de hele actie zelf uit te voeren.

In het vroege ochtendgloren, toen de zon nog laag en bol boven de afgesleten kasseien van het getto hing, sloten mannen van Gertlers *Sonderabteilung* enkele huizenblokken aan de Rybnastraat af. De conciërges werden naar binnen gestuurd om met de hoofdsleutels de deuren van alle zolder- en voorraadruimtes open te maken, evenals de deuren van alle woningen die niet vrijwillig werden geopend.

De meeste mensen leken een poging te hebben gedaan zich in hun huis te verschansen.

Joodse *politsajten* droegen schreeuwende en wild om zich heen slaande vrouwen en kinderen uit de huizen, terwijl de oude mensen zich aan de deurposten vasthielden met een soort krampachtige, zwijgende vastberadenheid, alsof ze aan de muren vast probeerden te groeien. Te zien was hoe oudere mannen hun uitgemergelde benen als spinnen achter zich aan onder de bedden trokken waaronder ze zich probeerden te verstoppen, of met dekens of gebedssjaals over hun hoofd heen en weer zaten te wiegen.

In de woningen aan de Rybnastraat die op de binnenplaats uitkeken, hing een tiental vrouwen uit de ramen met hun kinderen aan hun armen en ellebogen. Waanzinnig, hysterisch schreeuwend, dreigden ze zichzelf en hun kinderen los te laten als de politieagenten die in de kamers stonden te wachten ook maar een stap in hun richting deden. Twee mannen – een boven in een huis op de derde verdieping en een boven op het dak van het secreet beneden op de binnenplaats – hadden lakens en dekens tot een lange lijn aan elkaar geknoopt en spoorden de vrouwen aan langs deze lijn te vluchten. De vrouwen lieten hun kinderen eerst naar beneden gaan. Enkelen van hen slaagden er onhandig dravend in zichzelf over de rand van het secreetdak in veiligheid te brengen. Maar slechts enkele minuten later kwamen Gertlers mannen de binnenplaats op stormen en zij trokken de kinderen die daar nog waren van het dak af, voor de ogen van hun vertwijfelde ouders, die hulpeloos boven uit de ramen hingen.

Niet alleen de politie was deze ochtend opgetrommeld, ook de brandweerlieden van Kaufmann en de mannen die meelzakken van de opslagdepots naar de bakkerijen van het getto reden: de zogeheten *Witte Garde.*

Een gerucht dat ook Adam bereikte terwijl hij daar op zijn muurpost stond, wilde doen geloven dat alle brandweerlieden, transportarbeiders en lossers die de politie hielpen bij het bloederige karwei dat ze van de bezetters moesten uitvoeren, de garantie hadden gekregen dat hun eigen kinderen in veiligheid zouden worden gebracht. Soms kenden slachtoffer en dader elkaar zelfs: *Wat heb je met je eigen zoon gedaan, Schlomo?* hoorden ze een man vragen wiens kind juist door vreemde mannen in uniform van het dak van het secreet was gehaald. *Hoeveel bloedgeld heb je gekregen, verrader...?* Na zulke woordenwisselingen kwam het in de regel tot een handgemeen. Een paar huizenblokken verderop aan de Rybnastraat was een groep mannen begonnen barricades op te werpen. Zodra de Joodse agenten en brandweerlieden zich vertoonden, werden ze begroet met een regen van stenen –

Gajt avek ajere nachesn, mir veln undzere kinder nisht opgebn...[11]

Op dat moment besloten de Duitsers de zaak zelf aan te pakken.

De Sicherheitspolizei zette dezelfde commando-eenheden in als toen ze de ziekenhuizen van het getto leeghaalden. De soldaten kwamen in dichte formatie door de straten aanrennen, als om alleen al door hun verschijning vrees in te boezemen; vrachtwagens en tractoren volgden met knarsende versnellingsbakken en schril schakelende motoren. Algauw waren de barricadebouwsels omvergeduwd, de dubbele toegangsdeuren ingeslagen of opgeblazen en stormden de soldaten met hun geweer in de aanslag door de deuren.

Achter de toegangsdeur had de verschrikte conciërge in het beste geval de families die in het pand woonden al weten over te halen de stap te wagen om uit hun huis naar de binnenplaats te gaan.

Terwijl de officieren bevelen rondschreeuwden, probeerden mannen en vrouwen hun kinderen en familieleden bij elkaar te krijgen en lieten ze gezondheidsverklaringen en werkboekjes aan de inspecterende Duitse politie zien. In sommige gevallen kwamen er Joodse agenten mee als een soort zwijgend escorte. Het gerucht ging dat Dawid Gertler zelf gezien was terwijl hij huizen in of uit ging waarin prominente personen woonden.

Lang niet alle bevelvoerende ss-officieren namen echter de moeite de werkboekjes te bestuderen of de namenlijsten die hun waren overhandigd, te raadplegen. Ze beoordeelden hoe jong of oud of hoe gevoed of ondervoed de aangetreden Joden eruitzagen. Kinderen en uitgemergelde, krachteloze bejaarden werden meedogenloos aan de kant geschoven om op de klaarstaande wagens te worden geladen. Intussen hadden Gertlers *politsajten* alle mogelijke moeite om vertwijfelde vaders en moeders ervan te weerhouden de lange tractoraanhangers te bestormen om de kinderen te bevrijden die hun waren afgenomen. Er stonden ten minste twee ss-soldaten bij elke wagen geposteerd, en die schoten zonder pardon zodra iemand dichterbij probeerde te komen.

◆

Tegen vijf uur 's middags hebben de Duitse commando's met hun vrachtwagens en tractorcombinaties ook de Gnieźnieńskastraat bereikt. Zoals Adam al had verwacht, stoppen ze eerst voor het bejaardenhuis. Vanaf zijn uitzichtpost ziet hij hoe mannen van de Witte Garde oude mannen en vrouwen de laadbak op helpen. De meesten van hen kunnen amper zelf lopen en strekken hun armen hulpeloos uit naar hun beulen, die hen er op hun schouders heen dragen of naar elkaar toe gooien als meelzakken.

Maar tegen deze tijd heeft hij al besloten Lida te verstoppen. Op de binnenplaats zijn twee kolenkelders. In de ene worden de kolen via een breed, ijzeren luik in de grond naar beneden gestort. Adam neemt aan dat als de Duitsers ergens naar vluchters zoeken, het hier zal zijn. De andere kelder werd vroeger als opslagplaats voor gereedschap gebruikt. Hier werden de kolenschoppen bewaard, en ook bezems, sneeuwruimers en een oude kruiwagen, waarin Adam Lida vaak had rondgereden.

Helemaal achter in de nu lege gereedschapskelders had hij een gat in de grond gegraven, precies zo diep dat degene die zich in het gat bevindt, niet kan worden gezien in de streep licht die naar binnen valt als de deur opengaat.

In die kuil zet hij Lida.

Eerst verzet ze zich. Ze begrijpt niet waarom ze helemaal onbeweeglijk moet blijven staan in de ijskoude grond, tussen spinnen en oud kolengruis. Maar hij blijft een tijdje bij haar in het gat staan. Hij zingt voor haar, en dan gaat het beter.

Ze zijn er veel eerder dan Adam had verwacht.

Hij hoort de vrouw van de conciërge, mevrouw Herszkowicz, opgewonden over de binnenplaats schetteren:

De Duitsers komen eraan, de Duitsers komen eraan...
Allemaal aantreden op de binnenplaats, allemaal naar de binnenplaats...

Vandaag is de grote dag van mevrouw Herszkowicz. Ze heeft een donker-bruine, fluwelen jurk aan met roomwitte ruches rondom haar royale de-colleté; daarbij draagt ze een hoed zo groot als een wagenwiel, met een gecompliceerde stellage van in de band gestoken veren. Zoals ze daar pie-pend over de binnenplaats heen en weer rent, doet ze Adam aan een felge-kleurde fazant denken.

Hij houdt Lida's gezicht tussen zijn handpalmen. Hij wil het lied in haar tot zwijgen brengen. Na een poosje staan ze samen in het gat zoals ze altijd staan: hij met zijn arm om haar lichaam, zij met haar hoofd op zijn schou-der. Broer en zus. Omdat zij groter is dan hij, moet ze door haar knieën buigen om bij zijn schouder te komen; en op het moment dat ze dat doet, en tegelijkertijd haar hals strekt om met haar hoofd tegen zijn keel te kun-nen liggen, weet hij dat hij van haar houdt en altijd van haar zal houden met een liefde die vermoedelijk elk menselijk begrip te boven gaat.

De Duitsers staan onder bevel van dezelfde kleine Mühlhaus die de zuive-ringsactie bij het ziekenhuis aan de Wesołastraat leidde. Wegens de hitte heeft hij zijn pet afgezet en zijn handschoenen uitgedaan, en die houdt hij in zijn ene hand terwijl hij snel langs de door mevrouw Herszkowicz neer-gezette huurders loopt. Wanneer Adam op de binnenplaats komt, heeft ss-Gruppenführer Mühlhaus al twee mannen van de ordepolitie het huis in gestuurd om degenen die nog niet in het gelid staan op te jagen. En me-vrouw Herszkowicz is met die twee politieagenten mee naar boven ge-gaan. Ze ziet het als haar plicht al haar huurders aan te wijzen.

Adams vader, Szaja Rzepin, is een van de laatsten die zich aansluiten bij degenen die er al staan.

Naast hem staan Moshe en Rosa Pinczewski met hun dochter Maria.

Maria Pinczewska ziet er doodsbang uit. Op papier heeft ze geen reden om bang te zijn. Sinds drie maanden werkt ze in een kleermakerij die in-signes en uniformbeslag voor de Wehrmacht maakt. Als ze maar een frac-tie van de onderdanigheid had gehad die mevrouw Herszkowicz aan de dag legt bij het rondleiden van de Duitse soldaten door het huis, zou ze haar eigen nut hebben aangetoond en zich hebben kunnen redden. Juffrouw Pinczewska is immers ook nog jong en mooi, blond en blauwogig, bijna als een echte ariër.

Erger is het met Samuel Wajsberg, en ook met meneer en mevrouw Frydman van het huis aan de andere kant van de binnenplaats. Mevrouw Frydman heeft een hoofddoek om het hoofd van haar dochter geknoopt, waardoor die er aanzienlijk ouder uitziet dan ze is. Naast haar staan meneer en mevrouw Mendel en hun dochter. Zelfs de anders zo nauwgezette Mühlhaus neemt niet de moeite in het werkboekje van meneer Mendel te kijken; hij wuift slechts ongeduldig naar een plek rechts van de boomstronk die het enige is wat er nog rest van Fabian Zajtmans grote kastanjeboom. Daar moeten degenen die voor deportatie zijn geselecteerd gaan staan. Ook de kinderen Frydman worden daarheen gebracht. Op dat ogenblik zijgt mevrouw Frydman in de armen van haar man ineen.

Samuel Wajsberg roept zijn vrouw Hala, die zich nog niet heeft laten zien.

Het klinkt meer als een hulpkreet.

Hala! schreeuwt hij.

De echo kaatst in lange golven tegen de hoge, verweerde gevels van de omringende huizenblokken op. Adam komt en gaat naast zijn vader staan.

Szaja Rzepin blijft strak voor zich uit staren.

Waar is Lida? vraagt hij ten slotte, nog steeds zonder zijn ogen van de grond te halen.

Adam geeft geen antwoord. Szaja herhaalt zijn vraag niet.

HA-A-A-LAAA! roept Samuel weer.

Geen antwoord; alleen de echo die terugrolt.

Mevrouw Herszkowicz glimlacht veel te breeduit en plukt nerveus aan de rand van ruches om haar borsten.

Dan, eindelijk, komt Hala Wajsberg naar de binnenplaats. Ze duwt haar jongste zoon Chaim voor zich uit. In hun kielzog volgt Jakub. Ze heeft haar zonen witte, pas gestreken bloezen, donkere broeken met omslag en keurig gepoetste zwarte schoenen aangetrokken. Ook Hala is stemmig gekleed in een onopgesmukte jurk met lange mouwen. Haar haar zit in een stijf knotje in haar nek. De hoge knot maakt dat haar anders zo krachtige nek en hals er vreemd kwetsbaar uitzien. Haar jukbeenderen zijn hoog en glanzen, alsof ze haar gezicht met boenwas heeft opgepoetst.

Er zijn nog maar een paar minuten verstreken sinds Adam naast zijn vader ging staan. Nu is ook mevrouw Herszkowicz terug.

'Opdracht voltooid,' meldt ze trots aan de elegante ss-officier met zijn hoge zwarte laarzen en zijn stralend glimmende uniformbeslag.

Mühlhaus staat vlak voor Samuel Wajsberg, die in zijn volle lengte bijna een kop groter is dan de Duitse officier. Mühlhaus doet niet eens een poging hem aan te kijken; hij steekt slechts zijn hand uit en wacht tot Samuel hem de werkboekjes van zijn gezin heeft gegeven.

Maar dat de officier geen notitie van haar neemt ondanks alle inspanning die ze zich voor hem heeft getroost, wordt mevrouw Herszkowicz plotseling te veel. In tegenstelling tot de meeste anderen in dit pand komt zij uit een goede familie en ondanks haar Joodse komaf heeft ze een goede Poolse opleiding gehad. Bovendien heeft ze deze taak die haar was opgedragen toch met glans uitgevoerd. Ze heeft al haar huurders op tijd hun huizen uit weten te krijgen. Hier staan ze nu allemaal met hun werkboekjes in hun hand aangetreden. En toch heeft die Duitse officier nog niet eens haar kant op gekeken.

Hier hebben we een gezin waarvan nog iemand ontbreekt, zegt ze daarom luid en duidelijk in het Duits, en wijst naar Szaja en Adam Rzepin.

ss-Gruppenführer Mühlhaus haalt zijn ogen van het document dat hij in zijn hand heeft. Voor het eerst lijkt hij volledig te begrijpen wat deze opgedofte vrouw tegen hem probeert te zeggen, waardoor mevrouw Herszkowicz nerveus wordt: *Fräulein Rzepin hat sich vielleicht versteckt,* verduidelijkt ze en voert iets uit wat op een hoofse nijging zou hebben geleken als de ruches van haar jurk niet in de weg hadden gezeten.

Mühlhaus knikt. Met een verstrooide beweging met de hand waarin hij zijn handschoenen vasthoudt, beduidt hij de beide Joodse *politsajten* die met hem meegekomen zijn, de ontsnapte meteen te gaan zoeken; dan gaat hij door met het bestuderen van de papieren van Samuel Wajsberg. Binnen een paar minuten is ook Lida Rzepin er. Ze is twee keer zo lang als de twee politiemannen die haar dragen; haar benen bungelen slap onder haar lichaam en haar gezicht is helemaal zwart van kolengruis en aarde.

Guten Tag, meine Herren, zegt ze nonchalant en zwengelt haar armen heen en weer.

Mühlhaus staart haar aan.

Wo hattest du dich versteckt...? brult hij, overvallen door zijn eigen woede.

Lida blijft haar armen heen en weer zwengelen. Het is alsof ze een aanloop neemt om op te stijgen.

Mühlhaus komt dichterbij. Met een snelle beweging grijpt hij haar haar vast, rukt haar hoofd naar het zijne toe en schreeuwt haar recht in haar uitdrukkingsloze gezicht:

WO HATTEST DU DICH VERSTECKT!

Maar Lida blijft maar glimlachen en met haar armen langs haar bovenlichaam zwengelen.

Mühlhaus tast met zijn vrije hand naar het dienstwapen in zijn holster; dan schiet hij het meisje met een uitdrukking van grenzeloze walging twee keer, dwars door haar hoofd.

Doet dan snel een stap achteruit.

En Lida valt. Het is de laatste keer dat ze valt.

Bloed en hersenmassa schieten als een walm uit haar achterhoofd.

Na de schoten breekt er een complete paniek uit. De vrouwen beginnen schel te gillen, de mannen proberen hen te overstemmen. De twee zorgvuldig gescheiden groepen – de ene die geselecteerd was om op de tractoraanhangers te worden weggevoerd en de andere – dreigen weer samen te vloeien, waarop de twee Joodse politieagenten uit eigen beweging tussenbeide komen en wat onhandig mensen beginnen weg te duwen en te slaan, zodat ze toch gescheiden blijven.

Alsof hij plotseling zijn geduld met de hele toestand verloren heeft, doet Mühlhaus een paar stappen naar achteren, wijst dan met zijn met bloed besmeurde rechterhand snel nog een handvol mensen aan die opzijgezet moeten worden. De hand valt op de oude mevrouw Krumholz en, na een kort glimlachje, ook op de blonde, blauwogige Maria Pinczewska.

Na haar op Chaim Wajsberg.

De beslissing berust uitsluitend op toeval. Hij heeft niet eens de moeite genomen op de lijsten te kijken die mevrouw Herszkowicz hem heeft gegeven.

Gertlers beide *politsajten* grijpen Chaim Wajsberg en schuiven hem voor zich uit in de richting van de andere geselecteerden. Hala gaat al achter haar zoon aan. Maar Samuel is haar voor. Met een schreeuw waarvan niemand had gedacht dat zijn vernielde longen ertoe in staat waren, werpt hij zich op zijn vrouw en trekt haar languit op de grond.

Alleen Jakub Wajsberg staat er nog. Beduusd kijkt hij toe hoe zijn vader over zijn moeders lichaam kruipt als wilde hij elke centimeter daarvan met zijn eigen lichaam bedekken. Een paar meter verderop zit Adam Rzepin; hij wiegt het bloedende hoofd van zijn zus Lida op zijn schoot.

De laatste ochtend in het Groene Huis was Rosa Smoleńska, zoals altijd, al tegen vieren opgestaan om het water dat Chaja Meyer al in de grote wasteil had gegoten naar de keuken te dragen; en Józef Feldman was, zoals altijd, op zijn fiets gekomen om de kolenstapel aan te vullen en de kachels aan te steken. Zoals altijd: omwille van de kinderen hadden ze hun uiterste best gedaan om ook deze laatste dag te laten beginnen zoals alle andere. De zon was nog niet boven de horizon, maar de hemel was al stralend, doorzichtig blauw, en een enkele zwaluw fladderde al in de lucht op een manier die erop wees dat ook deze septemberdag warm en zonnig zou worden.

De avond ervoor hadden directeur Rubin en kinderarts Zysman iedereen bij elkaar geroepen in de *świetlica*. Directeur Rubin had uitgelegd dat de bezetters hadden bepaald dat het verblijf in het getto nu afgelopen was en dat sommige kinderen naar huis terug zouden gaan, terwijl andere verzorgd zouden worden in 'gewone' kindertehuizen buiten het getto. Hij had gezegd dat degenen die ergens anders geplaatst werden, dat niet erg moesten vinden. Er was ook een wereld buiten de muren, had hij gezegd, en die was groter, oneindig veel groter dan welk getto dan ook.

Hij had weer gelachen. Nooit was er waarschijnlijk zoveel gelach gehoord als die avond in het Groene Huis. Maar de kinderen hadden er achter hun glimlach ernstig en zwijgend bij gestaan. Toen had Nataniel gevraagd wie hen uit het getto zou brengen en hoe ze zouden reizen, met de trein of misschien met de tram (alle kinderen hadden de trams gezien die al in het begin van het jaar de gedeporteerden naar Radogoszcz hadden gedeporteerd), en de glimlach van directeur Rubin was zo mogelijk nog groter geworden, en hij had geantwoord dat ze dat morgen te horen zouden krijgen; nu moesten ze hun spullen maar gaan inpakken, en ze moesten alleen maar meenemen wat ze op reis nodig hadden en erom denken dat ze hun mooiste goed aantrokken en niet vergeten dat ze moesten buigen en nijgen voor de Duitse soldaten wanneer die hun de weg wezen.

Een vrouw van het bestuurskantoor aan de Dworskastraat, een zekere mevrouw Goldberg, had de opdracht gekregen de kinderen naar de aangewezen verzamelplaatsen te brengen. Mevrouw Goldberg had zwaar rood gestifte lippen; ze ging gekleed in een strak, getailleerd mantelpakje, waardoor ze zich slechts met zeer kleine pasjes kon voortbewegen. Ze keek de hele tijd recht voor zich uit, alsof ze bang was dat haar ogen ergens zouden blijven steken, en wanneer ze sprak, deed ze dat steeds angstig vanuit haar mondhoek.

Terwijl mevrouw Goldberg en de twee dienstdoende agenten die de kinderen moesten escorteren buiten wachtten, liep Rosa Smoleńska in haar handen klappend door de gangen van het Groene Huis, en de kinderen stelden zich gewoontegetrouw op in precies dezelfde rangorde als wanneer de Voorzitter op bezoek kwam: de jongsten helemaal vooraan, de ouderen trapsgewijs daarachter. Klokslag zeven uur, zoals vastgesteld, marcheerden alle kinderen en begeleidsters weg naar de verzamelplaats op het Grote Veld: Rosa liep in het voorste gelid, hand in hand met de jongste kinderen: Liba, Sofie, Dawid en de tweeling Abram en Leon; Chaja Meyer en Malwina Kempel sloten de rij achter de oudsten.

Verspreid over de zanderige helling staan al kinderen uit de andere kindertehuizen in Marysin, en er zijn er nog meer onderweg. Diepe wielsporen in de losse, kleiige grond laten zien welke kant de vrachtwagens op zijn gegaan. Ze staan zo geparkeerd dat de tractoraanhangers, die ze achteruit hebben gereden, als het ware met de punt naar het terrein toe staan waar de kinderen en hun toezichthouders zich verzamelen. Een meter of tien verderop staan twee ordonnansvoertuigen, waarvan een met het opschrift GETTOVERWALTUNG op de zijkant. Hiervandaan ziet Rosa Hans Biebow zelf aankomen. Hij is gekleed alsof hij net terug is van een jachtpartij: in zijn grote, flodderige Stiefelhosen en met zijn geweer aan een riem over zijn schouder.

Hij lijkt zich ergens over op te winden. Hij draait zich steeds maar weer om en roept en gesticuleert. 'Er komen te veel kinderen tegelijkertijd; het gaat te snel.'

Enkelen van de Joodse politieagenten die daar met hun petjes en hoge, glimmende laarzen staan zonder te weten wat ze moeten doen, komen plotseling in beweging en beginnen de groeiende schare achteruit en dichter op elkaar te duwen.

De kinderen moeten worden geteld.

En dan moeten ze zich allemaal opnieuw opstellen. Elk kindertehuis apart. Zes groepen.

Maar nu begint de onrust ook over te slaan op de kinderen. Velen van hen hebben zulke opstellingen al eerder meegemaakt. Ze dringen ongerust op, elkaar in de weg lopend; een aantal probeert er stilletjes vandoor te gaan, maar ze worden teruggehaald door Joodse politieagenten, die het zelfs op een holletje durven te zetten om hen in de kraag te grijpen. Een meisje in een versleten, grijze jas begint plotseling luid te jammeren. Rosa werpt een angstige blik op haar eigen groep. Staszek ziet er doodsbang uit. Tegelijkertijd komt Biebow op hen af, samen met twee ss'ers in lange, zwarte officiersmantels.

Een van hen, een man met een ronde, stalen bril net als die van Himmler, heeft een stapel papier in zijn hand. Bij de voorste rijen kinderen, onder aan de helling, klinken boze Duitse bevelen dat er opnieuw geteld moet worden.

De zon staat nu hoog aan de hemel; de snijdende zon en het zweet branden in Rosa's nek.

Voor haar staat mevrouw Goldberg van het Secretariaat Wołkowna in haar strakke splitrok; ze probeert achter Rosa orde te houden. Biebow en zijn mannen komen dichterbij.

Plotseling zet een jong ventje in een korte broek en met een alpinopetje op, het op het stoppelige gras op een rennen. Van de plek waar Rosa staat is het volkomen duidelijk waar de jongen naartoe wil. In het tegenlicht van de zon aan de andere kant van het Grote Veld kan ze de golfplaten daken van de houten schuurtjes aan de Brackastraat zien zinderen. Als hij dat eerst maar haalt.

Naast haar geeft een soldaat een woeste brul. Ze hoort zijn koppel rammelen wanneer hij zijn machinegeweer losmaakt en richt. Ze ziet de rugzak op de schouders van de jongen huppelen en stuiteren, en zijn benen daaronder ronddraaien als trommelstokken. Het volgende moment klinkt er een droog schot. Maar het is niet de soldaat met het machinegeweer die schiet. Boven het plotseling onzeker zwaaiende machinegeweer dat de soldaat in de aanslag houdt, ziet ze ook Biebow met geheven geweer staan; een nieuw schot van Biebows geweer – en heel in de verte valt de jongen en verdwijnt in het hoge gras uit het zicht.

Plotseling wordt ze omringd door een zee van rennende benen en wringende lichamen. Ze houdt Staszek stevig met haar ene hand vast, en de gillende Sofia met de andere. Uit angst onder de voet te worden gelopen, durft ze zich niet om te draaien; ze loopt alleen maar net zo recht en stijf in nek en schouders door als alle anderen die nu in het gedrang naar voren worden gestuwd. Van de kinderen die ze niet zelf vasthoudt, neemt ze alleen Liba en Nataniel waar. De tweeling ziet ze nergens. Dan krijgt ze hen plotseling in het oog: een paar politieagenten met Joodse armbanden tillen eerst Abram en dan ook Leon op een al overbelaste laadbak. De gezichten van de kinderen zijn verwrongen van het huilen. Ze slaagt erin een arm vrij te maken om te laten zien dat ze in elk geval in de buurt is. Meteen krijgt ze een harde klap in haar rug. Een van de Duitse soldaten duwt haar hardhandig met de kolf van zijn geweer naar voren en schreeuwt haar van onder zijn glimmende helm toe – Vorwärts, vorwärts, nicht stehenbleiben – en voordat ze het weet, hebben twee politieagenten ook haar om haar middel gepakt en nu staat ze zelf boven op een laadbak. Wanneer de wagen opeens wegrijdt, valt ze pardoes met haar gezicht in een zee van kinderen en harde rugzakken.

Nooit in haar dertig jaar als kinderverzorgster heeft ze geleerd wat je in een situatie als deze moet doen. Voor wat er nu gebeurt, bestaan geen woorden, geen instructies. De motoren van de vrachtwagen dreunen en daveren aan alle kanten om de trillende laadvloer waar ze op zit. Straten die in haar herinnering vol mensen waren, trekken onwerkelijk leeg aan haar voorbij. Af en toe passeert het konvooi een Duitse controlepost; de Duitse wachtposten staan onbeweeglijk in hun hokjes of ze staan in rokende groepjes bij de slagbomen.

Dan schudt de laadbak en de vrachtwagen onder haar staat stil. Handen maken de haken om de schotten rondom de laadvloer los en boven de rand van de laadvloer verschijnen soldatengezichten die schreeuwen dat ze eraf moeten. Aan de andere kant van het grindveld waar ook de andere vrachtwagens zijn gestopt, is de stenen trap naar de ingang van het ziekenhuis aan de Drewnowskastraat te zien.

Het ziekenhuis ligt precies op de grens van het getto – maar waar ooit de prikkeldraadversperring lag, staat nu alleen nog een wachttoren. Alle hindernissen lijken weggehaald en de Duitse legervoertuigen hebben vrijelijk toegang tot de vroeger onneembare grens. Het ziekenhuis is ook geen ziekenhuis meer. Het lijkt eerder een soort magazijn of legerkamp. De soldaten duwen hen een krap, leeg trappenhuis in waarvan de vloer bezaaid ligt met glasscherven; op de trap naar de bovenverdieping liggen vuile kleren en stukken laken. De gangen ontsluiten zich van hieruit als donkere tunnels. Er is geen elektriciteit. Nadat ze een tijdje in het donker hebben rondgestommeld, worden ze een grote ruimte in geduwd die waarschijnlijk een ziekenzaal is geweest. Maar er staan geen bedden meer in de zaal, er is alleen een smerige vloer tot aan een raam waardoor het laatste zonlicht naar binnen stroomt, verzadigd en dik.

Ze doet wat ze kan om de kinderen die haar zijn toevertrouwd bij elkaar te houden.

Staszek is er nog; Liba en de tweeling ook. Ze gaat de gang op en roept Sofie en Nataniel, die verdwaald zijn in een andere zaal.

Algauw verdwijnt de zon uit het raam en dezelfde pikzwarte duisternis die in de gangen heerste, vult nu ook de hol weergalmende ziekenzalen. Het wordt koud. De jongste kinderen hebben stijve, witte lippen van de dorst. Maar niemand komt brood of water brengen. Ze heeft een droog halfbrood in haar tas; ze haalt het eruit en deelt het op, zodat iedereen een klein stukje krijgt. Dan zitten ze stil in de dichter wordende duisternis. Buiten is het lawaai te horen van de overbelaste militaire voertuigen die weer naderen. Het geluid groeit uit tot een muur van gedreun en zwakt dan langzaam af. Ze horen Duitse officieren hun verschrikkelijke bevelen roepen door de lege gangen, die zich daarna om het geluid sluiten als om iets obsceens. Ze hoort stappen die zich in hun eigen echo voortslepen, het geluid van kinderen die ergens vlakbij, maar buiten het zicht schreeuwen en huilen.

Er zijn hier echter niet alleen kinderen, maar ook volwassenen. Vanaf de slaapplaats onder het raam die ze weet te bemachtigen, meent ze een glimp van Rumkowski's vertrouweling rabbi Fajner met zijn grote, witte baard te zien. Naast hem staat een andere rabbi te bidden, zijn gezicht on-

der de neerhangende franjes van de gebedssjaal wit vertrokken en baard-
loos als een vogelskelet. En overal om hen heen hoort ze andere volwassenen die hun zware lichaam de zaal in slepen en dan abrupt zwijgen (of de
kinderen tot zwijgen manen), als betraden ze een heiligdom.

En plotseling is het laatste licht weg. En koud is het: vanaf de kale stenen vloer trekt de kou als een strak gespannen snoer dwars door het lichaam.

Maar de hele nacht en nog tot ver in de ochtenduren is het gedreun te
horen van vrachtwagens die stoppen en weer wegrijden zonder zelfs maar
hun motor uit te zetten; en algauw is het zo'n gedrang in de zaal dat Rosa
alleen nog plaats onder het raam heeft als ze met haar benen opgetrokken
zit. Met Sofie op haar knieën en Liba's hoofd op haar schoot slaagt ze er
toch in een verstolen ogenblik rust te vinden.

◆

In het lawaai en het gedrang van de laadbakken van de tractoren en de
vrachtwagens van gisteren was mevrouw Goldberg als door de aarde ver-
zwolgen. Maar nu, in de ochtend, is ze er weer. Gekleed in hetzelfde strakke mantelpakje als eerder en met dezelfde felrood gestifte lippen staat ze
in de grijsbleke ochtendschemering in de ziekenzaal en geeft Rosa het teken op te staan en de kinderen mee te nemen naar buiten.

Rosa houdt Staszek en Liba met haar ene hand vast en Sofie en Nataniel
met haar andere. Ze lopen door gangen die nu vol zijn van een zwijgend,
naakt, als het ware trillend licht. In de deuropeningen zitten kinderen te
wachten, met hun benen onder zich gekruist of tegen hun borst en kin geklemd. Sommigen houden krampachtig hun soeppannetjes of rugzakken
vast. Anderen wiegen zachtjes heen en weer, hun hoofd vastgeklemd tussen hun opgetrokken knieën.

In het dunne, kwikzilverachtige licht beneden op het ziekenhuisterrein
staan al vrachtwagens te wachten. Er zijn vandaag meer voertuigen: zeker
tien, vijftien stuks. Vanaf de brede stenen trap bij de ingang van het ziekenhuis en verder vormen de soldaten een soort lange muur van wachtende
machinegeweren.

Wanneer ze met de kinderen langs die soldatenmuur loopt, krijgt ze
Rumkowski in het oog. Hij heeft zijn koets vlak bij de trap laten parkeren,

zodat de kinderen allemaal voor hem langs moeten voordat ze op een van de wachtende laadbakken worden getild. En hoe dichter ze bij hem komt, hoe meer bewust ze zich wordt van de minutieus onderzoekende blik die over ieder van hen gaat. De magere, de hinkende, de misvormde: daaraan snelt de blik van de Voorzitter voorbij. Hij is op zoek naar het ene *volmaakte* kind, dat hem eerherstel kan geven voor de duizenden die hij heeft moeten opofferen. En nu ziet ze ook hoe zijn gezicht openbarst in die glimlach die ze vaak heeft gezien, maar nooit heeft weten te duiden.

Hij glimlacht, maar het is geen glimlach –

Achter haar trekt iemand Staszeks hand uit die van haar en meteen weet ze niet waar ze heen moet. Staszek achterna, wiens protesterende geschreeuw als een schok door haar heen gaat, of achter de andere kinderen aan, die van verderaf naar haar staan te roepen. Sommigen van hen zijn al op de laadbak getild, en terug naar Rumkowski kan ze niet.

Ze ziet hoe de oude zich vooroverbuigt en de koetsier een teken geeft om Staszek in de koets te helpen. 'Ik ben het,' hoort ze hem tegen het kind zeggen, als in een parodie op de stem waarnaar ze al die jaren hadden geluisterd, *Pan Śmierć*. De koetsier heeft het paard al gekeerd en nu komt de hele equipage langzaam in beweging – weg van de volgeladen Duitse vrachtwagens die tegelijkertijd door de weggehaalde prikkeldraadversperringen rijden – terug naar de veiligheid van het getto.

255

II

Het kind

(september 1942 – januari 1944)

Uw wil geschiede, U die nu naar ons onzaligen luistert die ons tot U wenden, die luistert naar het gezucht en geweeklaag dat elke ochtend, elke avond en elke middag uit onze harten opstijgt. We houden het niet lang meer vol. We hebben niemand die ons leidt, niemand die ons steunt, ook hebben we niemand om ons toe te wenden, geen ander dan U, Heer, die elke dag een stortvloed van wraak, hongersnood, uithongering, zwaard, vrees en paniek over ons laat neerdalen. 's Morgens zeggen we: 'Was het maar vast avond.' En 's avonds zeggen we: 'Was het maar vast ochtend.' Niemand weet meer wie van Uw kudde zullen overleven en wie ten prooi zullen vallen aan plundering en geweld. Wij bidden U, onze Vader in de hemel, het volk van Israël terug te voeren naar zijn land, zijn zonen naar de schoot van hun moeder en zijn vaders naar hun zonen. Schenk de wereld vrede en verjaag de kwade wind die over ons waait. Verlos ons van de ketenen aan onze benen en bevrijd ons van onze kapotgescheurde, smerige kleren. Laat hen terugkeren naar hun huizen die zijn weggevoerd, gedeporteerd of gevangengenomen. Bescherm hen, waar zij zich ook mogen bevinden, tegen alle kwaad, alle verwoesting, alle ziekte en alle wraak, breng eindelijk verlichting voor onze smart en licht in onze duisternis, opdat wij U mogen dienen met heel ons hart, en Uw heilige sabbat en Uw hoogtijdagen met vreugde mogen vieren. Verlicht en begeleid ons met Uw macht en laat Uw tekenen zichtbaar blijven, zodat wij duidelijk kunnen zien hoe de Heer Zijn eigen volk uit deze gevangenschap verlost. Die dag zal Jakob jubelen en heel Israël zich verheugen, en niemand die zijn toevlucht bij U heeft gezocht, zal nog schande en vernedering ervaren. Moge de Heer ons spoedig en zonder enige aarzeling de gerechtvaardigde genoegdoening schenken, en laat ons allen zeggen: Amen...

Uit een gebed dat in het Hebreeuws geschreven was op een van de muren van de gebedsruimte aan Podrzecznastraat 8 (vlak voor Rosj Hasjana en Grote Verzoendag 1941).

Uit de Gettokroniek
Litzmannstadt Getto, zaterdag 1 januari 1944

Vandaag om 10 uur v.m. heeft de Voorzitter in het voormalige preventorium aan de Łagiewnickastraat 55 de bar mitswa van zijn aangenomen zoon Stanisław Stein gevierd. Uitgenodigd was een dertigtal personen die de Voorzitter na staan. Toen de jongen uit de profeten las, gebruikte hij de sefardische uitspraak. In het jaar dat is verstreken sinds de adoptie heeft de Voorzitter erop toegezien dat de jongen een volledige Joodse opleiding kreeg.

Bij de bescheiden receptie na afloop hield Moshe Karo een toespraak tot de gasten.

Van de dames waren zoals altijd aanwezig: mevrouw Regina Rumkowska, mevrouw Helena Rumkowska, mevrouw (Aron) Jakubowicz en mejuffrouw (Dora) Fuchs. Ondanks de bescheidenheid van de consumpties wist de Voorzitter een warme, vertrouwelijke sfeer onder zijn gasten te creëren.

Dit is de foto: in het midden staat een twaalf of dertien jaar oude jongen met een keppeltje op zijn hoofd en een kaars in zijn hand. Hij heeft een kennelijk geheel nieuw maatkostuum aan, dat zeker een paar maten te groot lijkt, breed in de schouders en met mouwen die tot over zijn polsen vallen. Rechts van hem staat een oudere man met dik, achterovergekamd haar, een gerimpeld gezicht en een bril met rond, 'Amerikaans' montuur. Zijn bril moet een tik hebben gehad of hij is alleen maar over zijn neus naar voren gezakt ten gevolge van de onhandige beweging die hij maakt wanneer hij zijn hand in een zegenend gebaar boven het hoofd van zijn zoon probeert te houden. Links van de jongen staat een jongere vrouw, klein van stuk, maar met haar rug recht en haar schouders naar achteren, alsof ze zo een of twee centimeter groter kan worden op de foto. Ondanks de glimlach waarmee ze de fotograaf probeert te verblinden, is haar gezicht uitgemergeld en afgemat, de huid tussen de neuswortel en de uitstekende kin is bedekt door een uitslag of zwelling, als het tenminste niet alleen maar schaduwwerking is die ontstaat door de sterke belichting die de hele scène overstroomt op het moment dat de foto wordt genomen.

Alleen de jongen lijkt er zich niets van aan te trekken. Niet bekommerd om zijn vaders onhandige bewegingen en de stijve houding van zijn moeder, om alles wat er is gebeurd en nog met hem zal gebeuren, kijkt hij slechts nieuwsgierig in de camera. Alsof het enige wat hem op dit moment interesseert is *hoe het nou eigenlijk werkt* – hoe gebeurtenissen en dingen die er anders nauwelijks zouden zijn, plotseling werkelijkheid worden, vastgelegd voor de eeuwigheid.

Er is ook een andere foto. Dat is een kopie van de röntgenfoto die de Voorzitter heeft laten maken om er zeker van te zijn dat het kind dat hij besloten had aan te nemen 'volkomen gezond' was.

Dit is het enige echte beeld van jezelf dat je ooit te zien zult krijgen, had professor Weisskopf tegen de jongen gezegd op het moment dat de plafondlamp uitging. Het werd pikdonker in de onderzoeksruimte en alsof het precies op deze gelegenheid gewacht had, begon het merkwaardige, doosachtige ding dat ze aan zijn borst hadden vastgemaakt, omhoog te bewegen naar zijn kin en zijn hoofd, en toen weer naar beneden. Tegelijkertijd was er een enigszins rammelend geluid te horen.

Toen werd het stil, en een poosje later kwam professor Weisskopf weer vanachter het scherm tevoorschijn. In zijn hand had hij de plaat die hij hem maar al te graag wilde tonen.

De foto leek op niets wat de jongen ooit had gezien. Vanuit een grote, glanzende duisternis stegen lichte halve bogen op in een ritmisch patroon. Ze zagen eruit als een tempel met hoge pilaren, die hoog in de lucht onder een donkere hemel op glanzende, luchtige wolken zweefde. Had iedereen vanbinnen zo'n lichttempel bij zich? Of zag het er alleen bij hem vanbinnen zo uit, omdat hij (zoals de Voorzitter vaak zei) van een ander soort was?

Het was een vraag die hem in deze tijd vaak bezighield.

Wat onderscheidt een mens van de anderen? Hoe word je een *uitverkorene?*

Dit is wat hij en alle andere schoolkinderen in die tijd moesten leren: toen Wilhelm Röntgen in de herfst van 1885 zijn eerste experimenten uitvoerde met wat toen nog 'kathodestralen' heette, verpakte hij de buis en het apparaat dat de stralen in de buis produceerde in een stuk zwart karton; daarna maakte hij alle openingen dicht. Ondanks de totale afsluiting van de buis scheen er op hetzelfde moment een sterk flikkerend licht op een bank die hij een paar meter verderop had neergezet. Hoewel hij de bank verder wegzette, werd het licht niet zwakker. Het ging ook niet langzaam uit, zoals licht van andere lichtbronnen.

Uit dit experiment trok hij de conclusie dat het nieuwe licht dat hij had ontdekt, ook door vaste voorwerpen heen kon dringen. Hoe lager de dichtheid van het voorwerp, hoe gemakkelijker de stralen erdoorheen konden dringen. Ze drongen bijvoorbeeld heel gemakkelijk door een boek van duizend bladzijden, een pak speelkaarten, hout of hard rubber heen, maar niet door hardere substanties, zoals lood of bot.

De ziel zelf zie je niet, schreef Röntgen, maar als je je hand voor het scherm houdt, toont de schaduwtekening duidelijk elk vingerkootje, met het weefsel als een zwakke contour eromheen. Als bewijs maakte hij een paar fotografische platen. Een daarvan was een afbeelding van de kootjes van de met een ring getooide linkerhand van zijn vrouw.

In juni 1945, een halfjaar nadat het Rode Leger Litzmannstadt had bevrijd, werden er in de kelder onder het voormalige preventorium aan Łagiewnickastraat 55[12] borstfoto's gevonden van duizenden van de kinderen die bij de szpera-actie van september 1942 door de nazi's werden weggevoerd en vermoord.

De röntgennegatieven werden in stapeltjes teruggevonden, elk stapeltje een paar decimeter hoog, met een touwtje eromheen. Op sommige borstfoto's zijn duidelijk donkere, met vloeistof gevulde delen te zien, van het soort dat jonge mensen een verkrampte, gebogen houding geeft en een duidelijk uitstekende of verhoogde schouderpartij. Op andere foto's zijn in het wit glinsterende botomhulsel donkerder gearceerde stukken te onderscheiden, duidelijke tekenen van gevorderde tuberculose. Maar de foto's zijn allemaal anoniem. Als er al namen, geboortegegevens of dossiernummers zijn geweest waardoor de negatieven van elkaar te onderscheiden waren, dan zijn die al lang geleden zoekgeraakt.

Het enige wat de foto's nu identificeert – achteraf een lichaam, een naam, een gezicht geeft – is de kwaal zelf.

Behalve Moshe Karo had ook Fide Szajn tot taak de vorming van de jonge-heer Rumkowski te verzorgen. Zelf had de Voorzitter naar men zei een zwak voor de chassieden in het getto en Fide Szajn werd algemeen be-schouwd als een slimmerik. In elk geval kon hij niet veel kwaad aanrich-ten.

Fide Szajn was degene die de achterkant van de draagbaar had vastge-houden toen reb Gutesfeld rondliep met de verlamde vrouw Mara. Aan Staszek, die nog niet erg veel van het getto had gezien, vertelde Szajn tot in het kleinste detail hoe zij met zijn drieën van huis naar huis gingen. Op allerlei momenten in weer en wind en dag en nacht moesten ze opbreken. 's Nachts schuilden ze in de oude Bajkabioscoop, die nu een gebedshuis was, of in de synagoge aan de Jakubastraat, waar de Talmoed-Thoraschool was geweest en waar de weinige Thorarollen en gebedenboeken die ze van de brandstapels van de nazi's hadden gered, in het grootste geheim wer-den bewaard. Ook in de opslagkelder onder de schoenenfabriek op de hoek van de Towianski- en de Brzezińskastraat hadden ze een vrijplaats gevonden, omdat de kierownik die de zaken daar regelde een diepgelovige Jood was. Een paar dagen hadden ze doorgebracht in de ruïnes van een vervallen huurkazerne aan de Smugowastraat. Volgens een decreet van de Duitsers zou die wijk worden gevoegd bij de arische delen van Litzmann-stadt; de inwoners waren al gedwongen te verhuizen en het afbraakcom-mando was al aan het werk. Maar het huis stond er nog, ook al waren dat alleen de draagbalken en delen van de gevel. Ze werden voortdurend nat van de regen, waar ze ineengekropen onder het hoofdeinde van een ledi-kant en onder een paar oude, gestoffeerde meubels zaten die nog niet door houtplunderaars waren meegenomen; de vrouw lag op een vuile de-ken op de vloer voor hen en mompelde onbegrijpelijke Hebreeuwse ge-bedenreeksen.

Toen waren er, vreemd genoeg, nog plaatsen in het getto waar je kon zijn zonder opgemerkt te worden. Daarna kwam die verschrikkelijke septemberactie en de Joodse ordepolitie dwong reb Gutesfeld met geweld uit de simpele huurkamer waar hij met zijn vrouw woonde. Ook Fide Szajn werd gedwongen een schuilplaats te zoeken. Misschien zou hij zijn gedeporteerd als Moshe Karo niet op het laatste moment een *tsetl* op zijn naam had uitgeschreven en hem had overgeplaatst naar een plek die *optgesamt* werd genoemd, waar duizenden Joden verbleven die de Duitsers wensten te ontzien. Toen hij daar eenmaal was, en nog heel vaak daarna, ging er geen dag voorbij zonder dat hij dacht aan de vrouw die ze hadden moeten achterlaten. Haar naam en de herinnering aan haar bleven zijn grote kwelling. Misschien, zei hij tegen de jongeheer Rumkowski, was ze teruggevlucht over het prikkeldraad, langs dezelfde weg als ze was gekomen, en misschien zou ze op een dag terugkomen als de Joden de *shoifer* weer bliezen. Dan, zo niet eerder, zou blijken dat de Heer ondanks alles wat op het tegendeel wees, het volk van Israël nog niet had opgegeven.

Fide Szajn was een opstandige geest. Hij had zich wel laten knippen en scheren, omdat de Kripo bevel had gegeven dat iedereen gearresteerd moest worden die zich met een religieus uiterlijk waagde te vertonen. Hij bleef echter hardnekkig zijn lange mantel en zijn grote, zwarte hoed dragen. De hoed was een grappig gezicht boven het lange, uitgeteerde, gladgeschoren hoofd. Zijn lichaam zag er ook grappig uit, alsof het een paar maten te groot was voor de kleren die hij droeg. Zijn broek hing op zijn kuiten en de mouwen van het nauwe colbertje lieten een paar centimeter van zijn dunne onderarmen bloot.

Zijn gezicht was knokig en wit, en zijn ogen dwaalden onafgebroken heen en weer als ze niet snel genoeg kwamen waar ze heen wilden. In tegenstelling tot de ogen van alle anderen leken ze geen minuut langer dan noodzakelijk op de jongeheer Rumkowski te willen rusten. Fide Szajns eigen exemplaar van de Thora had Poolse tekst op de ene pagina en Hebreeuwse op de andere. Hij dwong Staszek de linkerpagina met zijn ene hand af te dekken en dan te lezen en uit te leggen wat er op de andere pagina stond. Als ook maar het kleinste Hebreeuwse woordje fout was of als Staszek zich de woorden die hij net nog had gelezen niet kon herinneren, gaf Fide Szajn hem met zijn vlakke hand een tik in de nek.

Dat het Rumkowski's eigen zoon was die hij als *talmid* had, kon hem niet schelen. De woorden waren en bleven het belangrijkste.

Fide Szajn kwam elke dag behalve op sabbat, en hij begon zijn lessen altijd met eten. Zo mogelijk nog meer dan de oude boeken die hij hardnekkig met zich meesleepte, eerbiedigde Fide Szajn het eten dat de huishoudster van de Voorzitter voor hem neerzette, en hij at altijd in absolute stilte, alsof elk brokje zijn totale aandacht opeiste.

Na het eten begon het onderwijs.

Fide Szajn ging uitvoerig in op het verloop van de eredienst, hoe het lezen van de Thora in zijn werk ging en hoe je de geselecteerde passages het gemakkelijkst uit je hoofd leerde, zodat je de hele tekst dankzij zijn eigen goddelijke kracht uit je kon laten stromen. Met speciale zorg leerde Fide Szajn Staszek Hebreeuws. Hij behandelde elke letter van het alfabet grondig, legde uit waarom ze er zo uitzagen als ze eruitzagen en legde ook de goddelijke oorsprong van elk woord uit. Een enkel woord kon aanleiding zijn tot een lezing van een hele, lange middag. *Help me het uit te leggen*, zei Fide Szajn dan bijvoorbeeld (zo drukte hij zich vaak uit, alsof hij degene was die hulp nodig had voor de oplossing van een probleem, en niet Staszek): *help me uit te leggen waarom de woorden voor vrees en geloof dezelfde wortel hebben*. Als Staszek daar geen antwoord op had, riposteerde Fide Szajn door een verhaal te vertellen. Wanneer Jakob in Beer Sheva uit de lange droom ontwaakt is waarin hij de ladder heeft gezien die helemaal tot in de hemel reikte, wordt hij bevangen door de angst dat die plaats waar hij zijn hoofd te rusten heeft gelegd, plotseling heel anders is geworden.

'Waarlijk, de Heer is op deze plaats —
hoe ontzagwekkend is deze plaats...'
En hij noemde de plaats Betel, Gods plaats.

Zo spreekt rabbi Ezrael in de naam van rabbi Ben Zimra:

De vrees leren kennen is Gods ware wezen leren kennen. God heeft ons de vrees ingegeven opdat wij geen navraag zullen doen naar Hem, Zijn geopenbaarde naam of Zijn oorsprong.

Dit was een van Fide Szajns favoriete onderwerpen. Er waren valse profeten die onderscheid maakten tussen de woorden *geloof* en *vrees*, en zichzelf boodschappers van de Heer noemden, aangezien ze meenden dat zij de enigen waren die de woorden weer samen konden voegen. Zo maakten ze zich schuldig aan godslastering, want alleen God kan de kloof tussen woorden en mensen overbruggen.

Vervolgens vertelde Fide Szajn het verhaal van Sabbatai Tzvi uit Smyrna, die zich in de zeventiende eeuw liet uitroepen tot Messias. Nadat hij Smyrna, Saloniki en Jeruzalem uit was gejaagd, reisde hij naar Constantinopel om de sultan af te zetten. De sultan stelde hem toen voor de keus: of hij bekeerde zich tot de islam of hij werd geëxecuteerd. Sabbatai Tzvi koos voor het eerste en bewees door zijn afvalligheid dat hij een valse *shofet* was. Het woord bleef verscheurd aanwezig in zijn prediking, zodat hij, als hij sprak over geloof, eigenlijk alleen maar sprak over zijn eigen vrees. Zulke mannen zijn maar al te graag boodschappers van de sultan.

Fide Szajn hoefde het niet hardop te zeggen, maar het was duidelijk dat hij Chaim Rumkowski beschouwde als een zelfbenoemde verlosser van hetzelfde slag.

Een man die zichzelf had aangeleerd zijn vrees boven zijn geloof te stellen.

Na *di groise shpere* zoals de septemberactie nu wordt genoemd, was de Voorzitter gedwongen uit het ziekenhuis te verhuizen. In plaats daarvan had hij een gewoon huurhuis als privéwoning laten inrichten. Behalve twee kleine, naast elkaar liggende kamers omvatte het nieuwe appartement aan Łagiewnickastraat 61 ook een smal kamertje dat als het ware een gangetje vormde tussen de beide kamers en de keuken. In de lange muur van het huis zat een hoog raam dat uitkeek op een gesloten binnenplaats, waar allerlei troep en rommel verzameld lag en waar alle duiven van het getto wel leken te broeden.

Hoewel, *huis* zei je niet over de woning van de Voorzitter: je zei *stadsappartement.*

Bij het stadsappartement hoorde ook een hok aan de andere kant van het trapportaal, dat de Voorzitter met een aparte sleutel opende en dat hij zijn kantoor noemde, maar waar hij zelden was. Het grootste deel van zijn uren en dagen bracht de Voorzitter net als voorheen door op zijn Secretariaat aan het Bałutyplein of in zijn residentie in Marysin.

Twee kamers. In de ene sliep de Voorzitter en hier werd ook mevrouw Regina geacht te slapen. Maar mevrouw Regina sliep daar maar zelden. Sinds haar geliefde broer was verdwenen, verbleef ze ofwel in haar 'eigen' flat aan de Zgierskastraat waartoe niemand anders toegang had, ofwel zat ze bleek en lusteloos aan het bureau voor het raam in de *tweede* kamer, die uitkeek op de straat. Meestal was de deur naar die kamer op slot. Wanneer mevrouw Regina er af en toe uitkwam, was het alsof ze een toneel betrad. Ze glimlachte breed en raakte verstrooid dingen aan. Wanneer iemand haar aansprak – meestal de huishoudster, mevrouw Koszmar – keek ze de persoon in kwestie aan met een zo zorgeloos mogelijk gezicht of lachte ze alleen maar gekunsteld.

Maar dan was er dus nog die *derde* kamer, die ergens tussen die van de Voorzitter en Regina lag. Hoewel het Stanisław nooit helemaal duidelijk werd of de kamer nu echt een kamer was of dat alleen maar, om het zo uit te drukken, *werd* omdat heer Preses het zo wilde.

Af en toe nam de Voorzitter hem daar mee naar binnen. Stanisław begreep dat wat op het oog een nauw gangetje leek, in feite een vrij grote ruimte was. Groot en krap tegelijkertijd: volgepropt met een hoop oude, kapotte meubels die nooit ergens toe dienden. En dan dat raam waar iets in viel dat licht had kunnen zijn als de ruit niet zo dichtgeslibd was met vuil en modder. Ook echte lucht was er hier niet. Staszek probeerde adem te halen, maar elke inademing voelde alsof er een dikke, stinkende kous in zijn keel werd geperst. Hij deed zijn ogen dicht en het enige wat er overbleef, behalve de stank, was het gekir en het tere vleugelgeritsel van de duiven die landden in en opstegen vanaf de door glas omgeven binnenplaats; en dan die hatelijke en vleiende vaderlijke stem, die zich neerboog en tegen hem praatte, met dezelfde vieze adem als de meubels uitwasemden: een eigenaardige mengeling van duivenpoep, rottend hout, oude, penetrante sigarettenrook en de speciale boenwas waarmee mevrouw Koszmar alle kastdeuren en stoelleuningen regelmatig inwreef:

Dit is een plek voor jou en mij alleen, Staszek, een heilige plek:
dan moeten we het ons ook gemakkelijk kunnen maken!

Iedereen zei dat hij nu een Rumkowski was. Prinses Helena zei het, en meneer Tausendgeld; en juffrouw Fuchs; en de sleutelman en Fide Szajn, die elke dag stipt verscheen met ogen glanzend van honger. Evenals de man die iedereen zijn weldoener noemde, meneer Moshe Karo.

Maar niets kon maken dat hij zichzelf beschouwde als een Rumkowski. Voor zichzelf had hij altijd hetzelfde geheten – Stanisław Stein – ook al herinnerde hij zich niet erg goed meer hoe zijn echte moeder eruitzag. Alleen dat ze haar haar altijd in twee lange vlechten droeg, en dat die zo strak gevlochten waren dat je van bovenaf recht op de witte hoofdhuid keek. Dat deed hij toen ze hem dwong rechtop en doodstil voor haar te staan terwijl ze de gele davidster op de zak van zijn jas naaide. Daarna moest hij zich omkeren en met zijn rug naar haar toe staan terwijl ze daar net zo'n ster op naaide. Hij weet nog hoe haar haar rook. Fris en zacht, en met een warme, kruidige geur die alleen bij haar hoorde. Niemand anders rook zoals zij.

Ze waren met zeven kinderen en ze moesten allemaal sterren hebben.

In het Groene Huis hadden ze steeds gevraagd wat hij nog wist van de tijd voordat hij naar het getto kwam, maar hij kon geen antwoord geven. Het was alsof de inspanning van het herinneren zelf alles weghaalde wat er ondanks alles nog te herinneren was.

De Duitsers. Die herinnerde hij zich. En de schaamte: hoe hij als een opgewonden hondje langs de eerste voertuigen van de colonne had gerend, had gelachen om de heerlijke schittering in het matte staal van de pantservoertuigen en in de helmen van de soldaten, en hoe Krzysztof Kohlman, de cantor van de synagoge, hem in de nek had gegrepen en met een tikje op zijn bips naar huis had gestuurd.

Later hadden de Duitse soldaten de cantor in de grote kastanje voor de katholieke kerk gehesen, waarvan de bast in de loop der jaren was weggesleten en afgeschraapt, zodat alleen het kale witte hout tevoorschijn kwam, en eerst had hij gedacht dat het een straf was omdat meneer Kohlman zo onaardig tegen hem had gedaan. Toen mevrouw Kohlman naar buiten kwam en hun smeekte haar man neer te laten uit de boom, gingen ze zijn zaak in en kwamen terug met hamer en spijkers. Ze zetten een ladder tegen de boom; een van de soldaten klom erin, maakte Kohlmans armen aan de boomstam vast en boog zijn vingers open, zodat hij de spijkers dwars door zijn handpalmen kon slaan. Toen lieten ze hem daar hangen.

De hele tijd hoorde hij zijn moeder roepen, nu eens duidelijk, dan weer hees fluisterend: *Mijn kinderen zijn christenen, mijn kinderen zijn christenen, mijn kinderen zijn christenen* —

Waarom zei ze dat? Alle Joden van de stad waren toen bij elkaar gedreven op het grote grasveld voor de kerk, maar de kerkdeur zat dicht, net als de kerkhofpoort in de muur; en buiten viel een dunne, koude regen die alles wat eerder vaste grond was geweest, veranderde in dikke, stroperige modder. Overal liepen soldaten. Ze hadden brede, zwarte uniformjassen aan en je kon de regen als kleine, glimmende druppeltjes zien op de stof daarvan, op hun helmen en op de glanzende wapens die ze in holsters hoog op hun middel droegen. Af en toe deden er een paar een snelle stap naar voren, trokken een of twee mannen uit de groep naar zich toe en begonnen met de kolf van hun geweer of met een ander slagwapen op hen in te hakken.

Ook wanneer de mannen op de grond lagen, bleven de soldaten slaan.

En wanneer de mannen zich niet meer konden verroeren, werden ze door de soldaten naar het eind van de kerkhofmuur gesleept, vanwaar nog urenlang schoten weerklonken.

Pas tegen middernacht kreeg de groep vrouwen bevel zich in beweging te zetten.

Glimmende stalen helmen en leren jassen die *schnell* en *raus* riepen, en het klagende vrouwenkoor begon opnieuw te jammeren, en hij struikelde tussen lichamen die nu zo doorweekt waren dat het enige wat hij zag dikke, zware, kousenvoeten waren, die door de modder baggerden en zich aldoor verstapten; en de vrouwen die opgewonden met elkaar in gesprek waren over de kinderen die ze achter zouden moeten laten. En over eten. En over hoe ze konden overleven als ze niets te eten hadden. Hij was heel bang geweest, en omdat er overal angst was, was alles wat hij zag en in zich opnam ook angst. De bussen die op hen stonden te wachten werden nerveuze, boosaardige dieren, die onder de rammelende motorkappen trilden van ingehouden woede. Hij probeerde recht voor zich uit te kijken om niet misselijk te worden, zoals zijn moeder had gezegd dat hij moest doen, maar binnen in en voor hem was het helemaal zwart. Hij had het in zijn broek gedaan. Ze zaten in een bus, een andere bus of was het dezelfde, en de bus trilde in zijn zachtwarme, olieachtige motorgeluid zo hevig dat het was alsof onzichtbare handen hem aan het kneden waren. En toen kon hij het niet meer ophouden. En zijn kletsnatte kleren waren aan zijn onderlichaam vastgevroren. Hij klappertandde, ook al drukte zijn moeder hem stevig tegen zich aan. En hij wist nog dat zijn moeder had gezegd *ik wou dat ik een deken had om hem mee warm te maken...*

Maar ergens tussen die sterke wens om een deken te krijgen en het even plotselinge als onverwachte opduiken van die deken (snelle, nerveuze handen die de deken een aantal keren stevig om hem heen wikkelden) was zijn moeder zomaar verdwenen.

Hij had haar nooit meer teruggezien.

◆

Onder degenen die die ochtend toen de bussen aankwamen een deken om zijn koude lichaam wikkelden, waren ook Malwina Kempel en kinderverzorgster Rosa Smoleńska van het Groene Huis. Maar dat wist hij toen nog niet. In feite zou het maanden duren voordat hij begreep dat hij niet meer in Legionów was, maar in *Litzmannstadt Getto*. (Hij schreef in hetzelfde zacht geronde Poolse handschrift als mevrouw Smoleńska alle kinderen leerde: *Litz-mann-stadt Get-to* –)

In het begin waren de gedeporteerde vrouwen bijeengebracht in een gebouw dat Kino Marysin heette, maar dat helemaal geen bioscoop was, maar meer een groot kampgebouw met tochtige houten muren die naar oude aardappels en grond roken. Hier zat hij met het plankje met het transportnummer dat ze hem om zijn hals hadden gehangen en de deken waarin ze hem hadden gewikkeld en met niets anders te eten dan een paar droge sneetjes brood en de soep die elke dag in grote, rammelende ketels werd gebracht en die zuur en vies, naar vuil afwaswater, smaakte. Na een week kwam zijn *weldoener* Moshe Karo, samen met een vrouw in een pasgestreken blauw kinderverzorgstersuniform; zij lazen hele namenlijsten voor en de kinderen wier naam werd voorgelezen, moesten opstaan en meegaan.

Dus hij bevond zich al in het getto toen Rosa hem kwam halen?

Litz-mann-stadt Get-to.

Juffrouw Smoleńska knikte.

Maar wat *was* dat dan, dat getto?

Juffrouw Smoleńska kon daar geen antwoord op geven. Het getto was wat er daar, *buiten*, was. Zelf was hij nu hier, *binnen*. 'Gered,' zoals juffrouw Smoleńska het uitdrukte.

Waren er in het getto ook stalen helmen?

Hij had haar al verteld hoe alle Joden op het plein zich voor de katholieke kerk moesten opstellen, dat ze door de regen niet konden zien met hoeveel ze waren; en hoe de stalen helmen daarna hadden ingeslagen op alle mensen die ze eerst bij elkaar hadden gedreven en toen weer uit elkaar sloegen. Hij was bang voor die stalen helmen, zei hij; en toen hij dat zei, keek juffrouw Smoleńska zoals ze altijd keek wanneer de vragen van de kinderen haar te na kwamen of ze niet wist hoe ze moest reageren. Haar gezichtsuitdrukking werd vlak en haar kleine, stevige handen kregen opeens veel te doen.

De Duitsers zijn hier, maar ze blijven meestal buiten. Als je niets verkeerd doet, komen ze niet meer.

Komen ze *nooit* meer?

Als de oorlog afgelopen is, komen ze niet meer.

Wanneer is de oorlog dan afgelopen?

Maar die vraag kon zelfs Rosa Smoleńska niet beantwoorden.

Maar er was toch een buiten, en dat zag eruit zoals heer Preses bepaalde dat het eruit moest zien. De vorst verhief zich in zijn koninklijke wagen en wees, en wat hij aanwees *verscheen*. Wat het tweetal op deze manier in het oog sprong toen ze op hun *koninklijke inwijdingstoer* door het getto reden, was een ziekenhuis dat was veranderd in een uniformkleermakerij, een kinderziekenhuis dat was omgevormd tot tentoonstellingszaal, een nu vergrendeld (en zorgvuldig bewaakt) kolenmagazijn, een groentemarkt en resorty natuurlijk, *een heleboel resorty*. 'Kijk!' zei de vorst en wees, en er verscheen een groot plein voor hen met slagbomen en hekken en wachtposten en politieagenten met hoge, glimmende laarzen en petten en geelwitgestreepte armbanden met davidsterren erop. *Hier*, zei de Voorzitter, *zijn dertienduizend mannen en vrouwen elke dag aan het werk voor mijn zaken en die van het getto!*

Stanisław had graag gewild dat de Preses hem had gevraagd naar zijn broers, naar zijn moeder, ja zelfs naar Rosa Smoleńska en directeur Rubin van het Groene Huis; hij had over wie of wat dan ook willen praten, behalve over dat wat de Voorzitter aanwees en tevoorschijn beval.

'En wat gebeurt er met alle mensen in het getto die dood moeten?' vroeg hij ten slotte, vooral om iets te zeggen. Maar daar gaf de Voorzitter geen antwoord op. Met zijn stok liet hij nog een hele reeks fabrieken verschijnen uit de lange rij aftakelende gebouwen en hij zei dat *dit alles op een goede dag van jou zou zijn.*

Ten slotte vatte Staszek moed.

'Bent u degene die bepaalt wie er moeten sterven? Mevrouw Smoleńska zegt dat de autoriteiten bepalen wie er moeten sterven!' Maar de Voorzitter weigerde hardnekkig antwoord te geven. Hij zat zo diep op de bank van de koets ineengezakt dat zijn knieschijven tegen zijn kin kwamen. Langs de straat waarop ze reden, hadden zich groepjes mensen gevormd, politie-agenten en gewone arbeiders door elkaar heen. Sommigen glimlachten en zwaaiden, anderen probeerden op de wagen te klimmen, weer anderen probeerden zonder enige reden om het hardst te lopen met de koets. De Voorzitter leek de gunst van de massa niet erg te vinden, integendeel, hij leek er bijna uitbundig van te worden. Hij boog voorover naar de koetsier en riep: *Harder, harder*; en toen riep hij naar Staszek: *Wil jij de teugels vasthouden?*

Maar de teugels die de Voorzitter hem aanbood waren geen echte teugels, maar slechts een excuus om hem op schoot te tillen; en zo zat hij daar op een stijve, ongemakkelijke Voorzittersschoot te rukken en te trekken en *hop hop* en *ho ho* te zeggen en andere dingen die hij kon verzinnen om te proberen de aandacht van de koninklijke Vorst af te leiden, totdat heer Preses zijn geweldige lichaam tegen het zijne perste en als een locomotief recht in zijn nek hijgde:

Ty jestes moim synem, moim drogim synem —[13]

◆

Het eindigde er altijd mee dat ze naar de kamer met het smoezelige licht en de duiven gingen, waar de lucht zo dik was dat het voelde als een wollen sok in zijn keel; maar dat deden ze pas wanneer alle anderen naar bed waren gegaan.

De Voorzitter had mevrouw Koszmar gevraagd alles voor te bereiden. Op de schaal lagen plakken kaas en vette ham, opgevouwen zodat je ze kon vullen met plakjes radijs en plukjes peterselie en dille. Tussen twee glimmende schijfjes citroen lagen stukken gerookt en gemarineerd vlees, die de Voorzitter aan de punt van een mes spietste en dan zijn Zoon aanreikte om te zien hoe hij die als een vis met zijn mond weghapte. De Voorzitter vond het leuk om Stanisław te zien eten, en terwijl Stanisław at, was het of de Voorzitter zelf zich niet kon inhouden; hij stak zijn eigen vingers in een pot pruimenjam en zei tegen Stanisław dat hij de jam van zijn vingers moest likken en moest zuigen als een geit (*tsig*, zei de Voorzitter en smakte en slurpte zelf als een geit met zijn tong tegen zijn gehemelte, *tsig*, *tsig*, *tsigerli…!*); en de volle smaak van de rijpende pruimen was zo overweldigend dat hij er bijna misselijk van werd, terwijl die vreemde Presesvingers diep, steeds dieper, naar binnen wilden, zo diep dat hij bijna stikte en de arm van heer Preses hard moest beetpakken om hem te laten stoppen. Wat heer Preses in het geheel niet leek te storen. Hij glimlachte alleen maar – een glimlach vol tevredenheid en afkeer, als een chirurg die zojuist is begonnen aan een zware, moeizame operatie.

Maar het gebeurde ook wel dat de Voorzitter weer binnenkwam nadat ze met zijn tweeën juist in de Kamer waren geweest en dat hij dan totaal veranderd was. Hij smeet alle schalen en borden weg en schreeuwde dat Staszek EEN SCHANDE VOOR HET HELE HUISHOUDEN was en dat hij moest leren zijn omgeving schoon te houden en eens moest ophouden met er een zwijnenstal van te maken, en het draaide er vaak op uit dat hij Regina of mevrouw Koszmar riep om te komen schoonmaken, zodat het er weer FATSOENLIJK uitzag. Het ergste was dat je nooit kon weten wie heer Preses het volgende moment zou zijn. Of liever gezegd: in welke gedaante hij zich zou openbaren.

Wat Staszek verbaasde was niet hoe verschillende delen van het lichaam van de Voorzitter konden worden samengevoegd tot een en dezelfde gedaante, maar wat er intussen met de andere delen gebeurde. Waar bleef bijvoorbeeld *de vrolijke, uitgelaten Preses*, degene die zich op de knieën sloeg en hard en schel lachte als een mechanisch stuk speelgoed? En waar bleef intussen *de bezorgde Preses*, degene die tegen Staszek over oorlog en *gettozaken* praatte als tegen een kleine volwassene? Of *de sluwe Preses*, degene met de schuine, kille en berekenende roofdierogen? En waar bleven *de handen*? De handen, die de actiefste delen van het Preseslichaam waren en die volkomen zelfstandig bewogen, ook al hield Staszek zijn rug stijf en recht en trok hij zijn hoofd tussen zijn schouders om eraan te ontkomen. De handen wisten hem toch altijd op de een of andere manier te vinden. De Voorzitter grijnsde met zwarte tanden, zijn ogen glommen en Staszek waagde het niet iets aan te raken, uit angst dat *Preses de Boze* hem van de bank zou trekken en hem zo op zijn hoofd en zijn schouders zou slaan dat het hem duizelde en dat hij moest overgeven; en daarna bleef Staszek als een beest in zijn eigen braaksel zitten, dat grijs en kleurloos was zoals de duivenpoep die zich tegen de buitenkant van het raam naar de binnenplaats ophoopte.

Jij klein, goor varken, zei de Voorzitter, en hij lachte zijn allerwarmste glimlach.

Uiteindelijk bedacht Staszek een andere strategie. Hij zorgde ervoor dat hij de hand opving *voordat* die begon te slaan; hij ving hem op en hield hem vast zoals je een spartelende kikker op schoot houdt. Dan bracht hij hem liefdevol naar zijn gezicht en streelde met de ruwe knokkels langs zijn hals, wangen en kin. De Voorzitter leek eerst niet goed te weten wat hij met deze uitbarsting van hondse genegenheid aan moest, en als er al een slag klaar had gezeten in zijn hand, was die nu de kluts kwijt.

En zo ook de Voorzitter, die daar plotseling met het betraande hoofd van zijn zoon tussen zijn handen zat als met een voorwerp waarvan hij ineens niet meer wist wat hij ermee aan moest.

Dat was ook een methode.

De deuren van mijn huis staan altijd open, placht de Voorzitter te zeggen.

Ik leid een gewoon leven. In mijn hart ben ik gewoon een normale, eenvoudige Jood.

Ik heb niets te verbergen.

De kamer van de Voorzitter stond stampvol naast en op elkaar gezette borden en schalen van verschillend formaat, fraai opgemaakte, driehoekige sandwiches met gerookt vlees en mierikswortelsaus in zo grote hoeveelheden dat je ogen ervan begonnen te tranen; en koekjes, *echte* koekjes, gebakken van *echte* bloem, suiker en eieren. Helemaal aan de buitenkant, aan alle randen van de tafel, stonden de wijnflessen als het ware in het gelid, met hun schenktuitjes, en met mooie, witte doeken om hun hals geknoopt.

Om de tafel scharrelden altijd dezelfde mensen. Resort- en bestuurschefs, hoofden van alle secretariaten en kanselarijen van de Voorzitter, juffrouw Fuchs, meneer Cygielman en mevrouw Rebeka Wołk. Er waren ook uniformpetten met allerlei 'strepen'. In de menigte zag hij de petten van Rozenblat en andere agenten met een oranje band; commissaris Kaufmann, die brandweerman was, had een blauwe band en de baas van de posterijen een groene. En de opgetogen lach van prinses Helena hing als een glinsterende guirlande over de egaal grijze, mannelijke geluidsdeken. Er werd gepuft en gekreund boven de glazen en borden die op tafel stonden. Voor Staszek, die, samen met de kinderen van Gertler en Jakubowicz, helemaal achter in de kamer moest blijven, was het net of hij een toneelstuk zag. De Vorst in het midden, luidruchtig en rood aangelopen van de alcohol en de opwinding, en om hem heen die hofhouding van genodigde hoogwaardigheidsbekleders, die niet zozeer spraken als wel replieken ten beste gaven. Lange, bombastische spraakwatervallen of kleine, simpele, spitsvondigheidjes die uit hen rammelden alsof het munten waren of die in de lucht bleven hangen of weggeslagen of vertrapt werden door plotselinge stappen, ongemotiveerde schouderklopjes en overdreven hard gelach.

Omdat de deuren altijd open stonden, maakte Staszek gebruik van de gelegenheid: hij bemachtigde een handvol kleffe sneetjes brood, liep door de hoge ontvangstruimte en vandaar verder de trappen af waar de sleutelman de wacht hield. Staszek zag meestal alleen de achterkant van de man in zijn hokje, de rug van zijn uniform en dan nog de drie vetrollen van nijlpaardhuid in zijn nek, waarboven een *echte*, rood-witgestreepte politiepet zat. Dus was de sleutelman niet alleen sleutelman – hij was ook politieman! Om de mouwen van zijn jas had hij een rood-witte armband met een blauwe, zespuntige ster in het midden en daarin een witte cirkel met een V-teken erdoorheen. (Staszek wist dat dat embleem betekende: *Oberwachtmeister*.)

De enige manier om langs deze machtige kolos te komen, was een smalle keldertrap achter het wachthokje af sluipen. Staszek had al een weg naar buiten gezien via een smal keldergangetje naar wat vroeger waarschijnlijk een washok was geweest. Daar stonden teilen en wastobbes schuin tegen de muur, sommige met grote, vlammende roestplekken waar het water uit allang verwijderde kranen ooit op was gegutst. Door op de rand van een van de lege kuipen te klimmen, kon hij bij een raam vlak onder het plafond, dat op een kiertje stond. Met één hand duwde hij de haak die het raampje openhield omhoog, pakte toen de buitenkant van het kozijn beet en perste zijn hoofd en schouders er zo ver mogelijk door. En o, wonder: voordat de kuip omviel, was er *aan de buitenkant* iemand die zijn armen beetpakte en aan hem rukte en trok tot hij zijn hele lichaam erdoor had weten te persen.

Voor hem stond de merkwaardigste verschijning die hij ooit had gezien.

Een jongen, ongeveer net zo oud als hijzelf, wiens voorovergebogen gezicht in een grimas verwrongen was alsof hij voortdurend pijn leed. Op zijn rug droeg hij een kruis van houten balken, de ene haaks op de andere gelegd. Aan de houten balken hingen flessen, potten en buisjes die tegen elkaar tikten en rammelden toen hij zijn lichaam verschrikt probeerde te rechten. Maar de ogen onder de houten balken rustten niet meer op Staszek, maar op de sneetjes brood die hij had laten vallen toen hij door het raam kroop en die nu verspreid in het smerige weggruis lagen. De jongen stortte zich er meteen op en stopte alles wat hij te pakken kon krijgen in zijn mond, zonder onderscheid te maken tussen gruis en brood, terwijl de flessen, bakjes en potjes boven hem rammelden en rinkelden als een carillon.

Toen hij alles op had, leunde hij achterover onder zijn beide balken, wreef zich over zijn buik en verkondigde op hoogdravende toon: *Ik ben de zoon van de Voorzitter!*

Staszek staarde hem alleen maar aan. Twee met wonden overdekte, blauw bevroren benen, gestoken in een paar modderige *trepki* – en dat moest de zoon van de Voorzitter voorstellen? Maar de flessenjongen bleek het niet helemaal zo letterlijk te menen als het klonk:

Alle mensen in het getto zijn kinderen van de Voorzitter.
Dat zegt Bronek.
Dus moet ook ik een zoon van de Voorzitter zijn.

Toen begon hij met hoge, klaaglijke koopmansstem te gillen:

EL-I-XEEER, EL-I-XEEER
Verschaf uzelf een heerlijk, nieuw leven

Nu pas begreep Staszek dat de flessenjongen een wandelende apotheek was. Aan zijn houten kruis hingen niet alleen flessen en potten, maar ook – aan touwen en koorden – stoffen buideltjes, spiegelscherven, schaarbenen en kleine stukjes zeep. Boven dit garnituur tekende het gezicht van de jongen zelf zich klein en bleek af, en ogenschijnlijk doodsbenauwd voor alles wat eromheen bungelde.

'Er is hier geen apotheek meer,' stelde de *echte* zoon van de Voorzitter vast met een stem die hij probeerde te laten lijken op de autoritaire, afwijzende stem van de Voorzitter zelf.

Maar de flessenjongen liet zich niet uit het veld slaan. 'Dat maakt niet uit,' antwoordde hij. 'Beter ergens gaan staan waar de mensen *denken* dat ze een apotheek zullen vinden dan ergens anders. Dat zegt Bronek in elk geval!'

Staszek verdacht de jongen ervan dat hij niet helemaal normaal was. Er was iets met zijn ogen wat niet begreep wat ze zagen. 'Wil je nog meer eten?' vroeg Staszek en haalde een stukje brood uit zijn zak. (Hij had zich aangewend altijd iets mee te nemen – ook om iets te hebben om in zijn mond te stoppen als er geen ontvangst was.) De flessenverzamelaar graaide het brood snel naar zich toe en beet er een stuk af. Pas toen hij het hele stuk naar binnen had geschrokt, leek het tot hem door te dringen dat het een beetje typisch was dat er midden op zijn eigen territorium een vreemd kind opdook, en dan ook nog met zijn zakken vol eten.

Maar toen was Staszek al op weg ergens anders heen –

Wacht op mij...! schreeuwde de flessenjongen en begon zijn weldoener achterna te hollen, maar met twee zware houten balken op je schouders is het niet makkelijk rennen, en toen Staszek de volgende keer omkeek, was de hele reusachtige flessenhandel uit het zicht verdwenen; alleen het zachte glasgerinkel was ergens ver achter hem nog te horen.

Staszek liep in een rustiger tempo door, een hobbelige, op en neer gaande straat af waaraan lage huizen en vervallen houten schuurtjes stonden. Langs de straat boden mensen koopwaar aan. Een raamkozijn of een deurpost diende als toonbank en daarop lagen een paar restjes stof of metalen voorwerpen uitgestald. De ramen van de huizen hadden geen lijsten of kozijnen; sommige waren dichtgespijkerd met houtvezelplaat of er hing een los stuk stof voor. In een portiek zat een oude man met de stompjes van zijn geamputeerde benen in grof jute gebonden. Tussen zijn houten krukken had hij een heel scala aan ijzerwaren, potten en pannen uitgestald met of zonder bijbehorend deksel. Ter bescherming tegen de rauwe herfstkou droeg hij een ruige schapenhuid als een cape over zijn schouders en een muts met oorwarmers, die hij onder zijn kin kon vastknopen. Op zijn neus stond een grote, zwarte bril, van waarachter hij hulpeloos om zich heen keek.

Staszek ging voor de blinde staan en liet een stuk brood in diens schoot vallen, tussen de twee krukken, en de blinde moet het brood zo duidelijk hebben zien vallen als manna uit de hemel, want zijn handen begonnen onmiddellijk tussen de pannendeksels en steelpangrepen te zoeken, en door de menigte die zich al om hen heen verzameld had, ging een laag *ooohhh* van verbazing. Niet alleen was de jongen goed gekleed en zo te zien

ongeschonden en schoon, hij deelde ook nog aalmoezen uit aan de aller-
armsten.

Zelf was het kind al zijn eerdere voorzichtigheid vergeten.

'Ik zou de weg willen vragen naar het kindertehuis aan de Okopowastraat,' zei hij in het beleefdste Pools dat hij kon bedenken.

'Opkwat?'

De man wees alle kanten op totdat Staszek begreep dat al dat wijzen alleen maar diende om te verdoezelen dat hij achter zijn donkere bril nog
steeds probeerde uit te vinden wat voor iemand er voor hem stond. Intussen waren de nieuwsgierigen dichterbij gekomen en waren ze niet langer
een groepje op afstand, maar een kwaadaardige meute mensen die allerlei
vragen stelde.

Wie ben je? – Wat doe je hier? – Waar kom je vandaan?

Staszek dook weg tussen de disselbomen van een handkar vol oud me-
taalschroot en rende de straat verder af tot hij zich veilig waande.

Toen hij zich omdraaide, stond de menigte nog steeds om de blinde
man heen, maar bij de man met de kar hadden zich twee agenten gevoegd,
en Staszek zag hoe de man zijn ene arm optilde en wees, en hoe ze allemaal, de beide agenten incluis, in zijn richting keken.

Maar niemand maakte aanstalten om hem achterna te komen.

Langzaam loste alle kleur op uit de lucht. Er kwam meer ruimte tussen de
huizen; bomen en muren deden een stap terug van de weg. Nergens was
elektrisch licht te zien. Met de invallende duisternis kwam ook de kou.
Wat Staszek eerst aanzag voor zijn eigen ademcondens bleek een steeds
dichtere nevel te zijn. Langzaam begon het gevoel in zijn voeten en vingertoppen verdoofd te raken.

Hij dacht dat de Voorzitter waarschijnlijk wel al naar hem op zoek was.
Samen met zijn lijfwachten zou hij alle huizen langsgaan en vragen of iemand *de uitverkorene* had gezien, en straks zou hij bij de man met de handkar komen en de mensen zouden bang zijn en misschien de waarheid zeggen, dat ze *hem hadden gezien*. Misschien hoopten ze dan een soort beloning
te krijgen. Of ze zouden, om problemen te voorkomen, zeggen dat ze niets
wisten. Mevrouw Smoleńska had altijd gezegd: hoe minder je wist, hoe
beter. In elk geval als je met de autoriteiten te maken had.

Af en toe waren er ook andere mensen te zien in het donker. Sommigen van hen hadden armbanden en uniformpetten op. Wat zou er gebeuren als hij hen aanhield en vertelde dat hij degene was die ze zochten? Maar misschien zouden ze hem niet geloven, omdat er zoveel kinderen rondliepen die zeiden dat ze kinderen van de Voorzitter waren. Misschien was het dan maar beter als hij de waarheid vertelde. Dat hij niet wist wat of wie of waar hij was. Het laatste wat hij zich herinnerde was dat hij met zijn moeder in een bus had gezeten, en er waren andere mensen bij, en er was iemand gekomen die een deken om hem heen had geslagen omdat hij nat was en het koud had. Maar het waren vreemden, alle mensen die hij in het getto tegenkwam waren *vreemden*. Samen met hen had hij van alles meegemaakt, maar nu moesten ze hem helpen weer thuis te komen, of toch tenminste bij het Groene Huis, waar mevrouw Smoleńska vast wel zou vertellen wie hij was, en hij moest toch ook ergens slapen.

Maar hij was nog steeds niemand; en het donker dat om hem heen was geweest, zat nu ook ín hem. Als het tot aan zijn ogen kwam, zou het zoiets als water zijn. Donker water, maar diep genoeg om in te verdrinken. Hij was bang voor het donker in zichzelf. Net als 's avonds wanneer hij wilde gaan slapen. Hij durfde niet te bewegen, omdat hij niet wist of híj in het donker bewoog of dat het donker in hém bewoog.

Toen hij zich omdraaide, zag hij hoe een gezicht vorm kreeg in de nevel achter hem. Geen lichaam, alleen maar een bleek ovaal zonder herkenbare trekken, dat in de lucht hing als een ballon of als de weerspiegeling van licht in een raam. Bij het gezicht hoorde ook een stem, een heel rustige, heldere, vaste stem, die vroeg wat iemand als hij na spertijd buiten deed. Hij herhaalde wat hij al had gezegd: dat hij zocht naar het kindertehuis aan de *Oko-powa*-straat.

Dat is hier, dat is hier vlak om de hoek, antwoordde het gezicht.

Ze waren voor een hek blijven staan. Achter het hek stond een huis in de nevel. Maar was dat echt het Groene Huis?

Hij herkende het niet. Hij probeerde het zich te herinneren. Die keer dat alle kinderen zich op de trap naar de eerste verdieping moesten opstellen, terwijl directeur Rubin en mevrouw Smoleńska hen telden: tien, twaalf, veertien (hij was nummer veertien?) en hen vervolgens naar het Grote Veld lieten marcheren, waar de Duitse soldaten hun bemodderde vrachtwagens bewaakten met hun machinegeweren in de aanslag. Het ging precies zoals die keer dat ze bij de muur van het kerkhof moesten aantreden, toen de nazi's kwamen en al zijn broers meenamen. Hij herinnerde het zich niet meer. Het was alsof het nu al heel vaak was gebeurd.

Wie zoek je? vraagt het gezicht.

Staszek schudt zijn hoofd en maakt aanstalten om alleen naar het hek te gaan. Maar het gezicht houdt hem tegen. De stem is nog vriendelijker wanneer hij nogmaals vraagt: *Is er een speciaal iemand naar wie ik moet vragen?*

Staszek weet een moment lang niets te zeggen. Zo ver heeft hij nog niet doorgedacht.

Mevrouw Rosa, zegt hij ten slotte. *Mevrouw Rosa Smoleńska.*

Rosa, zegt het gezicht en het lost op in de nevel. Na een poosje slaan vuisten hard tegen een deur: 'Ik moet vragen naar een zekere juffrouw R-r-r-osa,' hoort hij het gezicht overdreven energiek zeggen en vanuit het huis komt een minstens even harde en schelle stem, niet als antwoord op de vraag van het gezicht, maar als dringende vraag aan iemand anders: *Mevrouw Rooo-osa? Mevrouw Rooo-osa? Is er hier een mevrouw Roo-osa?*

In het huis is nu een storm van luid en uitbundig gelach te horen. Mannengelach.

Wanneer de lach weggestorven is, wordt het helemaal stil. Het duurt even. Het is alsof alles om hem heen – het witte gezicht, de stem, het huis – is opgelost in de nevel en zomaar verdwenen. Vanuit dit vacuüm nadert langzaam het geluid van trappelende hoeven. Lange tijd ziet hij alleen het witte paard. Het rijtuig heeft geen haast. Pas als ze heel dichtbij zijn, verschijnen de kromme rug van meneer Kuper en de gedaante van de Voorzitter, die ineengedoken onder het ingeklapte vouwdak zit.

Kuper heeft het opstapje al naar beneden gedaan, en Staszek laat zich met een onbeschrijflijk gevoel van opluchting in de koets helpen. Andermaal wordt zijn lichaam in een deken gewikkeld. Al die tijd heeft de Voorzitter zich niet omgedraaid, hem aangeraakt of zelfs maar een woord gezegd. Zacht knarsend zet de wagen zich weer in beweging.

Na Staszeks 'uitstapje', zoals het ging heten, gedroeg de Voorzitter zich anders tegenover hem. Het was of hij zich niet langer rechtstreeks tot hem wendde, maar in plaats daarvan praatte tegen iemand die naast hem stond, een *andere* Staszek, die er net zo uitzag en dezelfde dingen deed, maar toch iemand anders was.

Het leek alsof de Voorzitter een beetje bang was voor die *andere* Staszek.

Soms was die angst zo hevig dat de Voorzitter iets koortsachtigs en donkers in zijn ogen kreeg. Alsof de andere Staszek hem voortdurend achtervolgde en kwelde, maar hij niet kon uitleggen hoe en er ook helemaal niet over kon praten.

Ook nu waren de Voorzitter en hij in dat ene kamertje, waar je niets anders kon inademen dan oud stof en duivenpoep.

Als ze vroeger in die kamer zaten, had de Voorzitter alles in het werk gesteld om het hun 'gemakkelijk' te maken. Hij had fauteuils bij de muur weggetrokken, een asbak gehaald en sigaretten opgestoken. Soms had hij ook dingen verteld. Het gebeurde wel dat hij zo vervuld was van de verhalen die hij te vertellen had, dat hij zelfs vergat dat zijn handen klaar voor gebruik op zijn schoot lagen. Maar tegenwoordig zat hij daar meestal alleen maar naar Staszek te kijken met een sprakeloze, waterige uitdrukking in zijn ogen en iets wat op een glimlach leek om zijn mond.

Toen ik je voor het eerst zag, was je zo groot en sterk en flink, zei de Voorzitter en naast hem zat Staszek, in afwachting.

Het was of er tralies van een kooi tussen hen in zaten. De Voorzitter zat aan de ene kant daarvan, Staszek aan de andere. Op dat moment wisten ze geen van beiden *wie van hen de meester en wie de slaaf was*, zoals de Voorzitter het zelf zou hebben uitgedrukt.

Of liever gezegd: Staszek wist het wél.

De Voorzitter was degene die *achter* de tralies zat.

Maar dat was nauwelijks een opluchting. Het waren de momenten waarop de Voorzitter in zijn kooi zat die Staszek het meeste vreesde. Het ging niet meer om de Voorzitter en Staszek, maar alleen nog om de Voorzitter en de kooi. De Voorzitter liep maar heen en weer. Hele nachten lang ijsbeerde hij, en mat de afstand van de ene kant van de kooi naar de andere. Of hij stond helemaal alleen in zijn kooi te bidden. Rumkowski bad elke ochtend en avond; ofwel in het oude preventorium, twee blokken verder-op in de straat waar ze woonden, ofwel in de oude Talmoed-Thoraschool aan de Jakubastraat, die gebruikt werd als synagoge. Wanneer Rumkows-ki bad, deed hij dat met luide, schelle, dringende stem, alsof hij iets van de Allerhoogste eiste. En zo praatte hij ook tegen Staszek:

Waarom, Stasiulek? Ik heb je opgenomen opdat je te midden van de reinen zou zijn. Daarom liet ik je naar mij toe komen in plaats van al die andere ganci vim, die alleen maar tegen me in opstand komen, me honen en me vernederen. – Waarom blijf je me dan toch zo hardnekkig pijn doen?

Maar er waren ook momenten waarop de Voorzitter zijn vingers een voor een om de tralies van de kooi klemde en smeekte: *Staszek!* riep hij; *Stasiu, Stasiulek, Stasinek…* En hij stak zijn armen door de tralies, pakte het hoofd van zijn Zoon en drukte het tegen zich aan.

En dan kuste hij hem.

En dan kroonde hij hem.

En de Zoon was tijdens de kroning gehuld in royale, rode kleren, die de Voorzitter zelf had laten naaien, en als schoeisel kreeg hij hoge, glimmen-de schoenen, gemaakt van echt leer, in welks beschermende holte elke teen moest worden gebogen met een behoedzaamheid en zorgvuldigheid waartoe slechts de nobelste edelman in staat was. (De Voorzitter deed het zelf voor: *Niet te snel, niet te langzaam; buigzaam en soepel moet het gaan.*) En na het volbrengen van de kroning stond de Koning, de hoge Vorst, alleen in zijn kooi en nam zijn schepping aan de andere kant waar, en de tranen lie-pen hem over de wangen. (*Waarom huilt ge toch, o vader?*) Misschien huilde hij omdat hij, hoe hij zijn zoon ook kleedde en opsmukte, nooit de kans kreeg zijn Innerlijk te beroeren, datgene wat zijn spitse tenen vederlicht deed bewegen in de fijne leren schoenen, datgene wat zijn schouders deed trillen onder het gewicht van zijn schitterende rode mantel, en zijn hart deed bonzen en kloppen in zijn brede borstkuras.

En de Voorzitter keek naar zijn geliefde en volmaakte Zoon en zei:

Staszek, Stasiu, Stasiulek – mijn geliefde kind: wat is er van je geworden, en wat is er geworden van al die andere geliefde kinderen?

Maar Staszek bleef die andere jongen, die met het draagkruis en de apothekerspotjes, zien. Tegenwoordig spraken ze af op veilige plekken, waar de sleutelman hen niet kon zien. Een van die plekken was een stukje de binnenplaats op, waar een nathuis en looierij waren die de schoenmakerijen van het getto voorzagen van leergrondstoffen. Elke keer dat ze elkaar ontmoetten, voerde Staszek de flessenjongen stukjes brood die hij eerst in zijn mond zacht had gemaakt en daarna tot kleine balletjes gekneed, en de jongen deed zijn mond open, slikte het brood door als een schildpad en vertelde verhalen over wat er op andere plaatsen in het getto gebeurde.

Een daarvan beschreef hoe de Voorzitter op bezoek was gekomen in de kamer met de potkachel die de flessenjongen en zijn oom Bronisław, deelden met een oudere neef die Oskar heette en blind was, en dus niet voor zichzelf kon zorgen of hoe dan ook in het levensonderhoud van de familie kon bijdragen.

Dat was in die strenge winter van 1941.

Bronek, die, om de huur te kunnen betalen, extra werk als conciërge op zich had genomen, had bepaald dat de flessenjongen in plaats van zich te zitten opwarmen bij de kachel, naar buiten moest gaan om ijs weg te hakken voor de toegangsdeur. Af en toe bedacht Bronek van die dingen. Niet omdat het per se gedaan moest worden, maar gewoon om te zien dat zijn neef *wat deed voor de kost.* De jongen had dus met hak en spa voor de deur gestaan en plotseling was er een leger van wagens met briesende paarden ervoor door de straat gekomen, en het hele leger had halt gehouden voor Broneks neef, en uit de voorste wagen was de legeraanvoerder, de Vorst, gestapt, *en kijk nou* – hij stapte uit, schudde de onbetekenende jongen de hand en verklaarde dat hij, als hij zo'n ijverige, zorgzame zoon had, trots

zou zijn zich zijn vader te mogen noemen, en toen gaf hij de jongen een hele handvol voedselbonnen en snoepjes.

Vanaf dat moment begreep Bronek dat de zoon van zijn broer een echte
glik was, zo eentje 'waar geld uitstroomde als stront', zoals hij de blinde
Oskar uitlegde.

Bronek maakte daarom twee lange planken aan de schouders van zijn
neef vast en stuurde hem op pad met zoveel van de zwarte apotheek van
meneer Winaver als hij maar enigszins aan hem kon hangen; en sinds die
dag liep de neef door het getto als een wandelende uitdragerij, volgehan-
gen met Vigantol, Azetynil, Betabion, gewone suikerpillen (wie merkte
het verschil nou als hij maar sterk genoeg hoopte?), tabletten die mensen
namen tegen de zure, stinkende oprispingen die je kreeg van de fabrieks-
soep, en een schorsextract met een toevoeging van *Kaffeemischung*, die niet
alleen 'extra voeding' heette te bevatten, maar ook goed was voor de potentie, en die de mensen in het getto 'Biebows blend' noemden, omdat
Biebow naar men zei ooit koffiehandelaar was geweest.

(Oom Bronek had daarover een theorie, namelijk dat er in deze zware
tijden maar één ding is wat gewone mensen willen, en dat is het getto uit
komen – en als dat niet langs 'natuurlijke weg' kan, dan moet je het maar
met medicamenten proberen!)

Kijk...! riep de flessenjongen, stak een fles tussen zijn tanden en beet de
dop eraf; en voordat Staszek wist wat er gebeurde, kwam er een prachtige
wolk van vlammen uit de mond van de jongen, waardoor de andere potjes
begonnen te schitteren en stralen als een sterrenhemel. De flessenjongen
smoorde de vlammen door beide handen voor zijn mond te houden, en
toen Staszek weer keek, zag de kleine schildpaddenmond eruit als een
zwarte krater waarboven twee witte ogen angstig terugkeken.

Zo was het gegaan –

Op een keer toen Rosa Smoleńska de kinderen in het Groene Huis les
gaf in geschiedenis en rekenen, liep ze naar een klein kamertje naast het
kantoor van directeur Rubin en kwam terug met een pennenbakje met een
schuifdeksel en bloemenslingers op de zijkanten, dat ze aan Staszek gaf.
Teken eens een kaart van Palestina voor me, had ze gezegd, en zet er de namen van alle steden, rivieren en meren in Judea en Samaria op die je je kunt
herinneren. Staszek was begonnen met Palestina – hij wist wel hoe dat

land, *Eretz Israel*, eruitzag – maar binnen de omtrekken daarvan tekende hij geen meren en steden, maar jakhalzen, schorpioenen, woestijnratten en andere dieren met horens, staarten en scherpe tanden.

Daarna tekende hij Duitsers, *veel* Duitsers – omdat er zoveel wáren.

De uiterlijke kenmerken waren makkelijk: de gendarmes met hun veldgrijze uniformjassen en stalen helmen die tot in de nek kwamen, en dan de *andere* soldaten, degenen die met hun glimmende, zwarte auto's waren gekomen en hadden staan lachen terwijl ze cantor Kohlman aan de boom vastspijkerden, degenen met doodskoppen voor op hun uniformpetten en met stippen in plaats van strepen op hun uniformknopen.

Vanaf de Zagajnikowastraat, de brede, stoffige uitvalsweg onder langs het Groene Huis, kon je elke dag zien hoe de Duitsers de wacht hielden bij de Radogoszczpoort. Hij tekende prikkeldraad, een hoge wachttoren en minstens twee soldaten die papieren bestudeerden en de slagboom open en dicht deden elke keer wanneer er een goederentransport passeerde. Hij probeerde zich te herinneren hoe het was, die keer toen de regen in de weinige straatlantaarns hing die nog licht gaven, en alle Joden van de stad uit hun huizen gehaald en naar het plein voor de kerk gedreven werden. Maar het enige wat hij zich nog echt kon herinneren was de man van wie de soldaten zeiden dat hij had geprobeerd te vluchten en die ze naar het midden van het kerkplein hadden gesleept, en hij herinnerde zich het gezicht van de soldaat die hem sloeg en schopte en die hem bleef slaan en schoppen hoewel de man al helemaal stil lag. En het gezicht van de soldaat die sloeg en schopte zag er precies zo uit als het gezicht van de man die op de grond lag en geslagen en geschopt werd. Allebei waren ze even glimmend van de regen, even overschaduwd en verwrongen. Daarom waren de blote, witte voetzolen die uit de modderige kledinghoop staken die er van de man overbleef, het enige wat echt duidelijk te zien was op de tekening die hij maakte: blote, witte voetzolen en een kapotgeschopt lichaam, en een woedend, verwrongen soldatengezicht dat er óók uitzag alsof iemand ertegen geschopt had.

Toen hij de flessenjongen had ontmoet en alle fantastische verhalen had gehoord die hij te vertellen had, begon Staszek iets anders te tekenen dan Duitsers. Hij tekende een heerschaar van engelen, die over een stad vol prikkeldraadversperringen en hoge muren trok. De engelen waren onzichtbaar voor de Duitse soldaten in hun wachttorens, ook al was de lucht boven hen vol van de vlammen der wraak. Sommige van de engelen in de lucht droegen zelfs *shoifer*-hoorns die ze in de muren en versperringen staken zodat die barstten, maar de soldaten merkten er niets van.

Soms, wanneer hij zat te tekenen, was juffrouw Smoleńska langsgelopen en had met haar hand over zijn nek gestreeld. Dat deed mevrouw Regina nooit, hoewel zij net zo nauwgezet volgde wat hij tekende als juffrouw Smoleńska altijd deed, en ook de hele tijd glimlachte met een grote, brede grijns. Maar nooit raakte ze Staszek aan of zei ze ook maar iets tegen hem buiten het hoogstnoodzakelijke of wat de plicht vereiste – zoals wat hij op school had geleerd en of hij zich netjes had gedragen, zodat zijn vader of Moshe Karo of desnoods de huishoudster, mevrouw Koszmar (*Madame Cauchemar*, zoals mevrouw Regina zei), zich niet voor hem hoefde te schamen. Alles wat mevrouw Regina zei ging over schaamte.

Midden in de kamer waar de Voorzitter zijn ontvangsten altijd hield, stond nu een grote paspop zonder hoofd en bij die paspop hoorde een privékleermaker die Meester Hinzel heette, een saai, klein mannetje met was in zijn oren en zijn mond vol spelden, gekomen om een kostuum te naaien voor Staszeks bar mitswa. Meester Hinzel speldde allerlei stoffen op de paspop en mevrouw Regina en prinses Helena liepen eromheen en bespraken ze. Soms moest Staszek zelf model staan en dan speldden ze hem vast alsof hij ook van stof was.

Mevrouw Regina en prinses Helena konden elkaar niet uitstaan. Mevrouw Regina noemde prinses Helena een *gekke hysterica*; prinses Helena zei dat mevrouw Regina een *fanatieke parvenu* was *die een oude man zand in de ogen strooide*. Wanneer er anderen bij waren, wisselden ze stijve glimlachjes uit onder honende ogen. Wanneer ze met zijn tweeën waren, maakten ze voortdurend ruzie. *Jij hebt ook de smaak van een simpele buffetjuffrouw*, kon prinses Helena zeggen over iets wat mevrouw Regina had gezegd, en het glimlachje bestierf op Regina's gezicht, ze liet alles in de steek waar ze mee bezig was en trok zich terug in haar kamer met de verduisteringsgordijnen. Prinses Helena, die niet voor haar wilde onderdoen, stortte op de bank neer terwijl meneer Tausendgeld binnenkwam met een kop thee. *Mein Gott, ich halte es mit dieser einfältigen Person nicht mehr aus*, zei prinses Helena in een Duits dat bedoeld was voor de salons, maar dat grof en stuntelig klonk in een kamer waar niemand anders luisterde dan meneer Tausendgeld, die immers alleen maar Jiddisch sprak.

De laatste keer dat Staszek de flessenjongen zag, had hij het kostuum van Meester Hinzel voor het eerst aan, en de broodrestjes had hij in de zakken van zijn colbert gestopt, die veel te groot en te wijd aanvoelden voor het beetje dat mevrouw Koszmar zei te kunnen missen.

Het was de dag waarop de brand in de houtfabriek aan de Wolborska-straat uitbrak, waardoor bijna het hele getto in vlammen was opgegaan; en Staszek had tegen Meester Hinzel gezegd dat hij de zakken extra groot moest maken, omdat ook zijn *Chanukageld* erin moest passen.

(Hij zei zulke dingen altijd omdat hij wist dat het mensen amuseerde.)

De flessenjongen en hij hadden zoals gewoonlijk afgesproken op het terrein achter de looierij. Er was een klein gaatje in de bakstenen muur waar Staszek het eten in stopte als de flessenjongen om de een of andere reden niet kon komen. Toen hij deze keer kwam was de flessenjongen er niet, maar iemand had de baksteen eruit gehaald waarmee hij het gat altijd afsloot en die op de grond gelegd. Was de flessenjongen hier geweest, had hij gezien dat de bergplaats leeg was en was hij weer weggegaan? Of was het een *teken?*

Hoewel hij begreep dat er nu gevaar dreigde, kon Staszek de verleiding niet weerstaan om naar de muur toe te gaan. Op het moment waarop hij vooroverboog naar de baksteen werd er een arm om zijn keel geslagen, en een vuist dwong hem op zijn knieën. Het gehijg in zijn rug bleek afkomstig te zijn van een man met rotte, zwarte tanden, die zijn pet zo diep over zijn voorhoofd getrokken had dat zijn ogen nauwelijks te zien waren. Achter hem doken andere mannen op die aan zijn kleren trokken en rukten, en die de zakken van zijn broek en zijn colbert leegden van alles wat eetbaar was. Hij hield zijn handen voor zijn gezicht om zich te beschermen, maar tussen zijn vingers door zag hij de flessenjongen staan, verschrikt, onder een hemel die intussen heel groot en onnatuurlijk rood geworden was.

Zo had ook het verraad duidelijk gestalte gekregen.

Maar het ergste was dat hij naar huis moest met zijn pasgenaaide kostuum aan flarden en alle ruime zakken eruit gescheurd: een gekroonde koning in de goot beland.

Mevrouw Regina had al het bewijsmateriaal verzameld. De tekeningen en plaatjes die hij zo zorgvuldig had verstopt, lagen nu uitgespreid voor heer Preses. Mevrouw Regina gaf de Voorzitter ook de potloden en het tekenblok terug en verklaarde dat iemand die in zijn vrije tijd Duitsers zat te tekenen, er vast ook niet vies van was geheime orders van hen aan te nemen. Niet alleen via Gertler, die al blijk had gegeven van een volgens haar *ziekelijke* belangstelling voor de jongen, maar ook via iedereen die achter Gertler aan liep: Miller en Klieger en Reingold. Ze hadden begrepen dat de jongen het *zwakke punt* van de Preses was, en door de jongen te bederven probeerden ze *hem* nu te pakken te krijgen.

Dat alles borrelde zo snel uit haar op dat ze tussen de woorden door amper adem kon halen, en de Voorzitter bladerde snel door het blok, keek naar een tekening en liet hem aan Staszek zien: *Wat is dat hier?* vroeg hij.

De tekening stelde een jongen voor met een vierkant houten kruis op zijn schouders. Het leek op het kruis waarmee je een marionet bedient, met het verschil dat dit direct op de schouders lag en de draden eronderaan hingen, verzwaard door honderden flesjes, bakjes en potjes. Het was de flessenjongen. Maar dat kon hij natuurlijk niet tegen de Voorzitter zeggen. Evenmin als hij kon zeggen wat de flessenjongen had gezegd: dat ook hij een zoon van de Voorzitter was. Even speelde hij met de gedachte te zeggen dat het de *andere* Staszek was, maar ten slotte zei hij alleen dat hij zijn eigen paspop had willen tekenen. De Voorzitter doorzag de leugen natuurlijk meteen: *Jij brutale vlegel*, zei hij slechts en hij duwde hem dat ene kamertje in, nam niet eens de moeite de deur achter zich dicht te doen, maar haalde zijn riem uit zijn broek en begon al te slaan voordat Staszek zich over de rugleuning van de stoel had kunnen buigen.

En de Voorzitter sloeg maar, zoals altijd, en Staszek schreeuwde en verzette zich. Na een poosje greep hij de straffende Preseshand vast en streelde ermee over zijn betraande gezicht, zoals hij wist dat de Voorzitter wilde. Omdat hij niet meer door een riem op zijn plaats gehouden werd, was de broek van de Voorzitter afgezakt, en Staszek zag hoe diens penis opzwol en stijf werd in zijn onderbroek, en toen de Preses zijn hand erheen bracht, liet hij de opwellende rode eikel langs zijn gezicht gaan en begon hij zijn handen erover op en neer te wrijven zoals de Voorzitter hem geleerd had.

Toen hij zich omdraaide, zag hij dat mevrouw Regina in de half open deur naar hen stond te kijken. In het bruine, troebele licht van de schacht die de binnenplaats vormde, zag haar gezicht bleek en gezwollen, en het was onmogelijk er trekken in te onderscheiden. Maar ze zei niets (stond

daar maar met haar ene hand over de zijkant van haar gezicht te vegen, alsof er daar iets kleefde of kriebelde wat ze maar niet weg kon strijken). Het
volgende ogenblik was ze verdwenen.

Een hele week hielden ze hem opgesloten en vastgebonden in de kamer die één enorme verstikking was.

's Nachts stortten de vogels van de binnenplaats zich op hem en haalden hun droge, uitgespreide vleugelpennen over zijn gezicht. 's Morgens kwam mevrouw Regina om te kijken of zijn armen en benen nog vastgesnoerd waren aan het hoofd- en voeteneinde van het bed. Hij schreeuwde dat zijn mond vol bloed en veren zat, maar ze hoorde het niet, boog alleen maar lichtjes over hem heen en zei dat het allemaal voor zijn eigen bestwil was. Dan ging ze weg en deed de deur op slot, en het enige wat overbleef waren die vreselijke vogels, waarvan de schaduwen als insecten over de loodgrijze muren kropen.

Pas tegen de avond was het licht in de binnenplaatsschacht zo ver gedoofd dat de weerschijn van de brand in de houtfabriek de kamer weer uit haar verstikkende schaduwen haalde. Dan kwam mevrouw Koszmar met een dienblad met eten, beklaagde luid jammerend *de toestand van de jongeheer* en deed het touw om zijn handen wat losser, zodat hij tenminste kon eten.

Het was een 'verraderlijke' brand geweest, heette het naderhand.

De twee politieagenten die die nacht brandwacht hadden, hadden niets gemerkt, hoewel ze een paar keer langs het toen al volop brandende voormalige ziekenhuisgebouw waren gekomen. Pas tegen de ochtend rook een van hen lont. Er lag een dun laagje verijsde sneeuw in het park; ook op de houtstapels voor de ingang lag sneeuw. De agenten zagen het sneeuwvliesje boven op de houtstapel achteruit kruipen en hoorden het smeltwater druppelen en stromen alsof 'hartje winter lente was geworden'. Toen pas keken ze omhoog en zagen ze 'een flinke hoeveelheid' rook uit de kieren van de nu dichtgemetselde ramen van het ziekenhuis komen. Een van de agenten wist een bijl te bemachtigen, waarmee ze het slot en de beide ijzeren stangen die de toegangsdeuren afsloten kapot sloegen, waardoor de beide deurhelften vanzelf openvlogen en de bevrijde vuurzee zich op hen stortte.

Vierentwintig uur lang raasde het vuur in de fabriek. Intussen renden mensen voortdurend het appartement van de Voorzitter in en uit, brachten verslag uit en kregen nieuwe directieven.

Staszek lag met zijn oor tegen de muur en hoorde commandant Kaufmann bevelen geven aan zijn mannen. Kaufmann telefoneerde zelfs met zijn 'Poolse' collega's in Litzmannstadt. Aan hen rapporteerde hij dat ook belendende huizen en andere percelen vlam hadden gevat, waaronder een houtopslag, en dat ze de brand onmogelijk konden blussen als ze geen toegang kregen tot een waterpunt dat zich vijfentwintig meter buiten de gettogrens, op *arisch gebied*, bevond. Kon hiertoe wellicht toestemming worden gegeven?

Een halfuur later kwam het bericht. Kaufmanns verzoek was ingewilligd.

Nog een halfuur later werden de palissades en prikkeldraadversperringen aan de Wolborskastraat verwijderd en meteen daarna ging het als een enorme schok door de honderd *dygnitarze* heen die in het appartement van de Voorzitter bij elkaar waren gekomen: *ook de Duitsers nemen deel aan de bluswerkzaamheden...!*

Staszek verbeeldde zich hoe Duitse brandweerlieden met breekijzers en vuurhaken op brandende deuren in sloegen en hele brandweerlegers aanvoerden onder balken die in een regen van vonken over hen heen vielen. Voor de eerste keer in vier jaar waren de grenzen van het getto open, en Duitse, Poolse en Joodse brandweerlieden streden zij aan zij.

De oorzaak van de brand werd langzaam maar zeker duidelijk.

Toen het ziekenhuis na de septemberactie werd omgebouwd tot hout- en meubelfabriek, dacht niemand eraan dat de patiëntenlift niet als materiaallift kon worden gebruikt zonder dat de elektrische installatie werd versterkt. Door de extra belasting ontstond er een breuk in een elektriciteitskabel, en een vonk daarvan stak de hele fabriek aan.

Vanuit de fabriek verspreidde de brand zich naar een loods waar 3500 pas geproduceerde kinderledikantjes wachtten op verder transport naar het Rijk. De brandweercommandant van Litzmannstadt gaf later toe dat als de Joodse brandweer niet zo doortastend had ingegrepen, niet alleen de hele bouwvallige houten bebouwing van het getto in vlammen zou zijn opgegaan, maar ook vitale civiele en militaire installaties ter waarde van miljoenen marken in de stad zelf. Tijdens een ceremonie in het Cultuurhuis, twee maanden later, kregen de brandweerlieden die het overleefd hadden een medaille van verdienste die het speciale stempel van de Voorzitter droeg (zijn gezicht en profil afgedrukt op een gestileerde afbeelding van de hoogste houten brug), en in de toespraak die volgde hechtte de Voorzitter eraan vooral de inzet van alle individuele brandweerlieden voor de redding en het behoud van het getto te benadrukken:

> De Heer, de God van Israël, legt Zijn Volk voortdurend nieuwe beproevingen op. Er zijn er die de beproevingen die hun worden opgelegd overleven, en er zijn er die eraan ten onder gaan... Zo zullen alle Joden in het getto beproefd worden; en alleen degenen die waardig worden bevonden, zullen erbij mogen zijn op de dag dat Jeruzalems tempel uit zijn ruïnes herrijst...!

Staszek hield ervan om bij de mannen te zijn die zich op hoogtijdagen bij de Voorzitter thuis verzamelden. Mannen als Jakubowicz, Reingold, Klieger en Miller. Hij hield van hun resolute ernst, hun gedempte kuchjes en hun aarzelende stemmen achter afgewende ruggen. Hij hield vooral van Moshe Karo, de man van wie men zei dat hij hem gered had, die keer dat de transporten met de kinderen en de 'gekke' moeders uit Legionów en Pabianice waren gekomen en de Duitsers hadden gedreigd dat ze hen allemaal zouden wegvoeren en doodschieten.

Op een dag toen het nog maar een paar maanden voor zijn bar mitswa was, nam Moshe Karo hem mee naar de oude Talmoedschool aan de Jakubastraat, waar de heilige boeken werden bewaard. Meneer Karo kreeg een bos sleutels van de mannen van Rozenblat die hier dag en nacht de wacht hielden, en nam Staszek door een nauw zijgangetje mee naar een galerij op de eerste verdieping, waarvan de muren helemaal waren betimmerd met hout. Achter een zwarte, fluwelen draperie verborg zich een hoge deur met ijzerbeslag. Karo trok het gordijn opzij en probeerde verschillende sleutels uit in het slot van de deur voordat hij hem uiteindelijk open kreeg. In het schijnsel van een kaal peertje tekenden zich tegen de muren en op de planken van de ruimte die ze betraden lange rijen Thoraschrijnen en gebedenboeken af. Sommige Thorarollen waren zo zwart verbrand dat ze bijna niet meer konden worden geopend. Twee ervan, legde Karo uit, kwamen uit de *Altshtot*-synagoge aan de Wolborskastraat, andere uit de zogeheten *Vilker shul* aan de Zachodnia, een van de oudste synagogen van Łódź en een onderwijscentrum waar Talmoedstudenten uit heel Polen naartoe kwamen om te studeren. De dag voordat de huurmoordenaars en brandstichters kwamen, hadden de Duitsers bijna alles wat van waarde was uit de synagoge laten breken en weghalen – van menora's en kroonluchters tot lessenaars. Ook de Thoraschrijnen hadden ze leeggeroofd. Maar de cantor van de synagoge had begrepen wat er te gebeuren stond en was erin geslaagd enkele van de waardevolste schrijnen onder een stenen plateau voor de gevel te verstoppen. In het grootste geheim waren de boeken daarna naar het getto gebracht.

Moshe Karo was een rustige, ingetogen man die langzaam en met grote waardigheid schreed. Zijn gezicht had diezelfde stijve, onveranderlijke uitdrukking van welwillendheid die hij ook toonde aan iedereen met wie hij sprak en die zelfs niet veranderde, stelde Staszek zich zo voor, als hij lag te slapen. Maar af en toe was het alsof zelfs Karo werd bevangen door innerlijke onrust. Zijn ogen begonnen te glanzen en keerden zich naar binnen, en zijn stem, die anders zo mild en verzoenend was, werd plotseling hard en vermaande ongerust:

In mijn nood en ellende denk ik vaak aan ons verblijf hier in het getto –

Ik denk aan alle heilige plaatsen die vernield zijn, ik denk eraan dat we gedwongen worden treif te eten en dat we ons niet meer mogen houden aan het sabbatsgebod. Maar één ding kunnen ze ons niet afnemen: de leer van de Talmoed en de heilige wijsheid van de profeten.

'Als gij niet vast staat in uw geloof, bestaat gij niet…'

Zo spreekt de Heer, en steeds opnieuw heeft Hij dezelfde gestrengheid jegens Zijn volk getoond, Hij heeft het gestraft omdat het zich niet aan Zijn geboden heeft gehouden, Hij heeft de steden van Zijn volk vernietigd en het de woestijn in gejaagd.

Maar hoe zwaar de beproevingen ook waren die Hij ons oplegde, er bleven toch altijd mensen over die het overleefden en die de muren van Jeruzalem weer konden herbouwen, en het geloof was met deze overgeblevenen. De profeet Jesaja wist het. Daarom doopte hij zijn zoon Shear Jashuv, hij die terugkeert. Ook onze innig geliefde heer Preses weet het. Hij, de allernederigste van allemaal, weet hoe het is om slechts geroepen te worden om gereedschap te zijn.

Daarom heeft hij bepaald dat alles wat er aan macht resteert, op jou zal worden overgedragen en dat jij de overgeblevene zult zijn.

Zo zal jouw naam Shuv zijn, hij die terugkeert, hij die door niets en niemand kan worden vernietigd, hij die ons allen zal overleven –

Later dacht Staszek vaak na over wat Moshe Karo had gezegd. Vooral over wat Moshe Karo had gezegd over heer Preses die alleen maar gereedschap was, dacht hij na, en zonder dat hij over pen en papier beschikte, tekende hij zichzelf zittend op een hoge troon, met zijn vader hulpeloos aan zijn voeten kruipend. En zijn machtige vader in deze onderworpen houding te zien, gaf hem een zo intens gevoel van voldoening dat hij pas weer bij zijn positieven kwam toen Moshe Karo – weer een heel gewone, bescheiden man die de traliedeur sloot en de draperie dichttrok voor de heilige boeken die hij tot taak had gehad hem te tonen – met zijn heel gewone stem zei dat hij de sleutels aan de bewakers moest teruggeven.

◆

Toen gebeurde natuurlijk wat iedereen wist dat er zou gaan gebeuren en wat iedereen had kunnen voorzien. Ook de Voorzitter werd door de autoriteiten naar Litzmannstadt gehaald.

Toen Regina hier bericht van kreeg, bleef ze stokstijf staan, alsof alles om haar heen, inclusief de lucht die ze inademde, plotseling in glas was veranderd.

Meneer de Voorzitter heeft me gevraagd vooral te zeggen dat er niets met hem aan de hand is, zei dokter Miller, die de hele weg van het Secretariaat naar hun nieuwe huis aan de Łagiewnickastraat was gekomen om dit bericht over te brengen. *Het is niet zoals met Gertler. Het gesprek met de Duitsers zal uitsluitend gaan over de voedseldistributie.*

Maar Staszek zag duidelijk hoe Regina schrok van de woorden *het is niet zoals met Gertler.*

◆

De meeste van alle hoofden van de Voorzitter hoorden bij zijn functie. Die hoofden hadden priemende ogen, en de huid onder zijn wangen en zijn onderkin was strak en onbeweeglijk alsof ze gemaakt was van gips. Maar er waren ook hoofden die rond waren als manen, met smalle, Chinese spleetjes als ogen en met een mond die open stond en slinks glimlachte, alsof er iemand in die mondholte klaar zat om eruit te springen en toe te slaan zodra degene die aan het woord was iets zei wat de Voorzitter niet wilde horen.

Het was met de glimlachjes van de Voorzitter net als met zijn handen: de glimlachjes waren gereedschap waarmee hij beval wat er moest worden gedaan. Als hij tenminste niet alleen maar lachte om zijn tevredenheid te *laten zien.* Hij sloeg zich dan nadrukkelijk op de knieën en schokte met zijn bovenlichaam. Altijd op zulke momenten was daar zijn blik – die instemmende blik van dat vriendelijke en inschikkelijke hoofd dat Staszek meer dan wat ook had leren vrezen.

Helemaal zonder hoofd had Staszek de Voorzitter maar twee keer gezien.

De eerste keer was toen de Voorzitter in zijn kooi zat en naar Staszek keek alsof hij wilde dat die het hek zou komen opendoen. De tweede keer was toen de Duitsers kwamen om Gertler te halen. Staszek was die dag per ongeluk naar de andere kant van de gang gegaan, naar de kamer die de Voorzitter als thuiskantoor gebruikte. Daar had hij de Voorzitter op de bank zien liggen, met zijn mond open en zijn benen opgetrokken tot tegen zijn borst, als een kind. Zijn gezicht was zo strak en onbeweeglijk in slaap, dat Staszek ervan overtuigd was dat het niet meer het lichaam en het gezicht van een levend mens waren. Niet dat de Voorzitter echt dood zou zijn, maar zo zou hij eruitzien als hij eenmaal dood zou gaan.

Daarom liep Staszek nu rond te midden van die ernstige mannen die zich onmiddellijk nadat de Voorzitter was opgepakt, in zijn huis verzameld hadden, en riep:

Mijn vader de Preses, is hij nu dood?
Mijn vader de Preses, is hij nu dood?

In alle kamers van de Voorzitter stonden groepjes mensen die met lage, fluisterende stemmen de kalmerende woorden herhaalden die dokter Miller al had doorgegeven. Dat de Duitsers alleen maar wilden weten hoe het stond met de voedseldistributie, dat er beslist geen sprake zou zijn van nog meer deportaties. Het duurde daarom vrij lang voordat de verzamelde hoogwaardigheidsbekleders door hadden dat er te midden van de volwassenen een kind onbetamelijke dingen liep te schreeuwen.

Mevrouw Regina pakte hem gauw bij zijn arm en sleepte hem naar de Kamer.

Staszek spartelde uit alle macht tegen. *Ik wil mijn vader de Preses terug,* schreeuwde hij. Hij was buiten zichzelf. Het enige wat er van hem over was, was een volstrekt ongebreidelde wil: *Ik wil mijn vader de Preses terug*, schreeuwde hij steeds maar weer.

Tegelijkertijd waren er onderhandelingen gaande in de open, lichte kamer. Er werd al over gesproken wie eventueel kon worden benoemd tot Opvolger van de ouwe.

Met behulp van mevrouw Koszmar scheurde Regina een stuk laken af dat ze uitrafelde tot een harde, stevige dot, die ze samen in zijn mond propten om ervoor te zorgen dat hij ophield met schreeuwen. Dat was de tweede keer dat Staszek werd vastgebonden. Maar deze keer kon hij geen enkel deel van zijn lichaam bewegen. Zelfs zijn mond niet. Zijn tong zat als een verstikkende prop in zijn keelholte, en het kostte hem moeite hem niet door te slikken, waardoor hij steeds moest kokhalzen.

Maar de schreeuw zat nog steeds in hem.

En de schreeuw kwam van de ontzetting dat hij iemand was die er niet meer was.

Hij zag zichzelf op de bodem van een kledingkast liggen, samen met een hoofd dat niet van hem was, maar toch op de een of andere manier deel van hem uitmaakte. En ergens in de buurt raapte de Voorzitter zijn verspreide lichaamsdelen bij elkaar en hij schreed door het donker naar Staszek toe, en de voorschoot die de Voorzitter om zijn middel had, was bloederig van alle lichaamsdelen die hij had moeten afsnijden om helemaal hier te kunnen komen: bij zijn enige, zijn innig geliefde Zoon.

De Voorzitter bleef die hele dag en de helft van de volgende weg. Pas tegen halfelf de volgende dag belde juffrouw Estera Daum vanuit het Secretariaat om te zeggen dat de Hoogste behouden was teruggekeerd. Hij was uit de stad gekomen met de 'arische' tram die elke dag over Bałuty reed, en was gekleed in hetzelfde kostuum en dezelfde overjas als hij aan had toen de Gestapo hem kwam halen. Het eerste wat hij had gedaan toen hij weer in functie was, was zich opsluiten in zijn kantoor, en daar zat hij nog steeds, meldde juffrouw Daum, nadat hij zijn naaste medewerkers een voor een bij zich had geroepen.

In zijn duisternis stelde Staszek zich voor dat hij met zijn rug tegen een muur lag.

De muur herinnerde hem aan de bakstenen muur voor de leerlooierij aan de binnenplaats, maar zonder dat er stukjes baksteen uit los te maken waren. Hij lag met zijn rug tegen de harde, koude muur geperst, en voor hem in het donker stond de jongen met het houten kruis waar alle flesjes en potjes met medicijnen en tincturen met lange touwen en koorden aan bevestigd hingen.

Als een marionet waarvan de draden in de war waren geraakt, begonnen ze melancholiek tegen elkaar aan te rinkelen, rammelen en ratelen. Het klonk als het geluid van water, als dat hier ergens had kunnen stromen, of als het geluid van hoeven en wagenwielen ver weg op een kasseiweg. De vrouwen over wie de flessenjongen had verteld, lagen langs de kant van de straat of op de binnenplaatsen: sommigen nog met hun armen beschermend om hun kinderen heen, anderen wijdbeens, als kadavers van dieren, en niemand bekommerde zich erom hoe ze lagen of hoe ze eruitzagen, maar ze pakten de dode lichamen beet en gooiden ze als meelzakken op de laadbak.

Er was zo'n verdriet in de dunne stem van de flessenjongen toen hij dat vertelde, dat ook Staszek begint te huilen. Hij huilt niet om de flessenjongen of om zijn dode moeder of om alle andere doden; nee, hij huilt om zichzelf. Hij huilt omdat hij met zijn gezicht naar een muur ligt. En omdat die muur degene die hij nu is, scheidt van wie hij ooit was, en omdat de muur zo hoog is dat je aan de andere kant ervan niets kunt zien, niets kunt horen; alleen de lege potjes die rinkelen en rammelen, elke keer als het onbeduidende lichaam dat tot taak heeft ze te dragen overeind komt en weer valt, overeind komt en weer valt; en Moshe Karo's stem, die eentonig leest over de belofte van de Heer aan de verstrooiden, zoals geschreven door de profeet Ezechiël, dezelfde tekst als die hijzelf bij zijn bar mitswa moet lezen:

Niet langer zullen zij zich verontreinigen met hun afgoden, hun gruwelen en al hun overtredingen, maar Ik zal hen verlossen van alle afvalligheid waarmee zij gezondigd hebben, en hen reinigen, zodat zij Mij tot een volk zullen zijn en Ik hun tot een God zal zijn.

Hij moet hebben geslapen, want het volgende moment is het flessengerammel vervlogen, en de geur van tabaksrook hangt dik in de lucht. Een vaag reepje licht is de kamer binnengedrongen. Zonder dat hij zich om hoeft te draaien, weet hij dat de Voorzitter in de kamer is, en vermoedelijk is hij daar al lang. Zoals al zo vaak eerder heeft hij het listig observerende hoofd op, en Staszek ziet het en begint weer te huilen. Listig als hij is, verkiest de Voorzitter dit echter verkeerd te begrijpen. Het ledikant bezwijkt haast onder hem wanneer de Voorzitter gaat zitten, en hij pakt Staszek zo voorzichtig met een hand om zijn kin beet dat je zou kunnen denken dat hij een uiterst kostbaar juweel vastpakt.

Wees niet verdrietig, jongen. Ik heb eten voor je bij me.

Kijk eens wat een heerlijk eten.

Het papier ritselt wanneer hij het pakje openmaakt. Meteen dringen de kleine, speenachtige vingers zijn mond binnen met de eerste stukjes brood. Hij slikt ze snel door om de rillingen van misselijkheid die door hem heen slaan, te verdrijven.

Ik heb met Moshe Karo gesproken.

Hij zegt dat je erg vooruit bent gegaan.

Ik ben trots op je.

De Voorzitter veegt grote klonten ietwat ranzige boter langs zijn lippen, laat die volgen door brood, gekonfijte perziken, jam. De tranen stromen over zijn wangen van walging en weerzin, maar hij zuigt en likt en slikt gehoorzaam. Ook dikke slagroom. De Voorzitter heeft er een hele hand mee vol en duwt die nu tegen zijn mond, zodat hij alles naar binnen moet likken.

De eerste sabbat na Chanoeka vieren we je bar mitswa.

De Voorzitter is languit op het bed gaan liggen en houdt nu zijn plakkerige handen om Staszeks borst en middel. Ze gaan tastend langs zijn ruggengraat omlaag, en strijken en smeren de dikke boter in lange halen tussen zijn dijbenen, de hele tijd met die dikke, hijgende ademhaling als een grote, zware machine puffend achter hem; en dan zitten er twee met boter besmeerde vingers in zijn anus en twee nog gladdere vingers aaien en strelen zijn balzak en peniswortel, en ondanks de pijn en de schaamte kan hij niet voorkomen dat hij stijf wordt, en de plotselinge pijn doet zijn hele lichaam wegdraaien, maar –

Je hoeft niet bang te zijn, zegt de stem flets en vochtig in zijn nek, Staszek plotseling hullend in een vette wolk van alcohol en schrale tabaksrook –

Ik zal ze je nooit van me laten afpakken.

Jij bent alles voor me.

Er volgt een onduidelijk grommend geluid, alsof de Voorzitter zachtjes huilt of maar wat lacht. Of het is het geluid van oude lucht die uit zijn lichaam wordt gestoten. Of het zijn hun lichamen die tegen elkaar slaan, en met een soort briesend gejuich wurmt de Voorzitter zijn lichaam boven op dat van Staszek en blijft daar, terwijl hij met zijn grote, zware, dankbare hoofd omlaagglijdt langs de hals, de nekbotjes en de schouderbladen van Staszek, en met zijn gezwollen lippen en zijn grote, natte tong begint hij al dat kleverige, vloeibare spul dat hij al in Staszeks huid heeft gewreven op te zuigen en te likken. En stukje bij beetje, slag op slag, wordt Staszeks lichaam dichter tegen de muur aan geperst. Hij zit daar vast, als een insect dat door iemand doodgeslagen is: precies gelijk aan de stomme afdruk die zijn dode lichaam achterliet. Nu is er geen muur meer – geen huilen, geen pijn. Alleen een lichaam zonder hoofd. En wie is er nou bang voor een lichaam zonder hoofd?

De voorzitter buigt voorover, slaat zich op de knieën en begint te vertellen:

Er was eens een jongen die Kindl heette, en die had de sleutels van alle huizen in de hele stad. Magische sleutels. Er was geen deur die Kindls sleutels niet open zouden kunnen krijgen. Zijn sleutels pasten even goed op het huis van de burgemeester, boven in de stad bij het kasteel, als op de eenvoudige woning van de rabbi achter de synagoge. Ook tot de voorraadschuur met de zakken meel van de molenaar en tot de huizen van de rijke kooplieden in de stad had Kindl toegang. Hij kon naar binnen gaan en pakken wat hij wilde, maar hij was niet zo'n jongen die anderen bestal.

Ook tot de harten van de mensen had hij toegang. Vaak schrok hij van wat hij zag als hij de deuren naar de harten van de mensen opende. Er was zoveel slechtheid, bedrog en afgunst. (Maar wanneer hij de sleutel van zijn moeders hart omdraaide, zag hij alleen maar hoeveel ze van hem hield...!)

Op een keer liep Kindl, zoals gewoonlijk, in de stad deuren open te maken met zijn sleutels. De mensen waren gewend aan zijn komst, en zetten daarom vaak eten voor hem klaar. Veel mensen in de stad beschouwden het als een goed teken wanneer Kindl bij hen was geweest. Deuren moeten niet op slot zitten. Ze zijn er opdat mensen erdoorheen kunnen komen en gaan. Waarom zouden er anders deuren zijn?

Veel mensen in de stad waren dol op Kindl.

En toen op een dag kwam hij bij een huis dat hij nog nooit had gezien. Een groot, prachtig huis, met veel verdiepingen, en met torens en kantelen. De poort was minstens drie meter hoog, en klein en nietig als hij was kon Kindl met zijn sleutel maar net bij het sleutelgat.

Maar de sleutel paste en met moeite kreeg hij de deur open.

Maar achter de deur was alleen maar een grote, troosteloze duisternis, en een machtige stem, die zei: Wees niet bang, Kindl, kom binnen!

Maar Kindl was wel bang. De duisternis achter de grote poort was heel anders dan alle duisternissen die hij tot nu toe had gezien. Deze duisternis was als een nachthemel zonder sterren. Ze was groot en koud. Er waaide zelfs geen wind door deze duisternis; alles wat erin viel, werd opgeslokt alsof het nooit had bestaan.

Voor het eerst in zijn leven durfde Kindl niet naar binnen te gaan. Hij deed de deur die hij net had opengemaakt weer dicht, ging naar huis, naar bed, en daar lag hij dagen en nachten lang, ziek, terwijl zijn moeder naast hem zat en de Heer bad om zijn jonge leven te sparen.

Toen Kindl na weken beter werd, ontdekte hij iets eigenaardigs. Geen van zijn sleutels paste meer op een huis. In de woning van de burgemeester, in het kotje van de rabbi, in het molenaarshuis, in het koopmanspand: nergens konden zijn sleutels de grote sloten open krijgen. Hij begreep dat hij maar één ding kon doen. Teruggaan naar het grote huis en niet bang zijn, maar de aansporing van de stem volgen en naar binnen gaan.

Andermaal stond Kindl voor de grote deur, en hier paste de sleutel nog. Het was alsof er geen tijd was verstreken.

Andermaal stond hij voor de grote duisternis, en uit de duisternis kwam dezelfde machtige stem, die zei: Wees niet bang, Kindl, kom binnen!

En Kindl vatte moed en ging de grote, zwarte duisternis in.

En hij werd niet blind, zoals hij had gevreesd. En hij werd ook niet door het grote, donkere zwart opgeslokt, zoals hij had gedacht. Hij viel niet eens, maar zweefde in de duisternis alsof hij werd omsloten door een grote, veilige hand. En toen begreep hij dat de machtige stem die hij vanuit de duisternis had gehoord, de stem van God de Heer was, en dat God hem alleen maar op de proef wilde stellen. Vanaf die dag voelde Kindl zich thuis, waar ter wereld hij ook was. En hij hoefde niets te vrezen en nergens bang voor te zijn, zelfs niet voor de duisternis, want hij wist dat waar in de duisternis hij ook ging, God daar was om hem de weg te wijzen.

Vijf dagen na de achttiende en laatste dag van Chanoeka vierde de Voorzitter van het getto, Mordechai Chaim Rumkowski, bar mitswa voor zijn aangenomen zoon, Stanisław Rumkowski. De ceremonie vond plaats in het voormalige preventorium aan Łagiewnickastraat 55, waar Moshe Karo zijn *minjens* altijd hield en waar de Voorzitter, naar men zei, een ontmoeting had gehad met de chassieden. Moshe Karo liep aan het hoofd van een kleine processie die de *Sefer Thora*, de Thorarol, het hele eind vanaf de gesloten galerij in de Talmoed-Thoraschool aan de Jakubaweg door het getto droeg; en hij droeg de Thorarol openlijk, zonder bang te zijn voor verklikkers of onomkoopbare Kripo's.

Het was een vrieskoude winterdag. Rook steeg kaarsrecht uit de schoorsteenpijpen omhoog naar een hemel die niets aannam of afwees.

Behalve de naaste familieleden waren er een stuk of dertig gettonotabelen uitgenodigd; tot de gasten behoorden behalve naaste medewerkers van de Voorzitter zoals het hoofd van het Algemene Secretariaat, juffrouw Dora Fuchs, en haar broer Bernhard, ook het hoofd van het Centrale Arbeidsbureau, de heer Aron Jakubowicz, rechter Stanisław-Szaja Jakobson, de heer Izrael Tabaksblat en natuurlijk ook Moshe Karo, die met zijn doortastende ingrijpen de jongen destijds het leven had gered en die misschien meer een vader voor hem was dan de Voorzitter ooit was geweest, al kon dat op een dag als deze natuurlijk niet worden gezegd. Als teken van hun speciale verbondenheid was het ook Moshe Karo die de jongen de gebedssjaal had gegeven die hij nu voor de eerste keer droeg, terwijl hij op het podium zat te wachten.

De Thorarol werd binnengebracht en omdat er geen rabbi was die de ceremonie kon leiden, viel ook de eer om daarmee te mogen rondgaan Moshe Karo te beurt, zodat alle aanwezigen die dat wilden de franjes van zijn gebedssjaal konden kussen en aanraken. Er ontstond een warme, in-nige stemming onder de aanwezigen in de in- en inkoude zaal, een stemming die nog werd versterkt doordat de heer Tabaksblat de Thoratekst van de dag voorlas. Volgens de kalender was de lezing uit de profeten vandaag een stukje uit Ezechiël, en de jonge Rumkowski las de tekst die hem geleerd was, helder en duidelijk voor.

Want zo spreekt de Heer:

Zie, ik haal de Israëlieten weg uit de volken naar wier gebied zij gegaan zijn; Ik zal hen van alle kanten bijeenverzamelen en hen naar hun land brengen.

En Ik zal hen tot één volk maken in het land, op de bergen Israëls, en één koning zal over hen allen koning zijn; niet langer zullen zij twee volken zijn en niet langer verdeeld in twee koninkrijken.

Niet langer zullen zij zich verontreinigen met hun afgoden, hun gruwelen en al hun overtredingen, maar Ik zal hen verlossen van alle afvalligheid waarmee zij gezondigd hebben, en hen reinigen, zodat zij Mij tot een volk zullen zijn en Ik hun tot een God zal zijn.

Staszek stokte maar één keer. Dat was toen de ceremonie vereiste dat hij zich tot zijn ouders wendde en hen ervoor bedankte dat ze het hem mogelijk hadden gemaakt de kennis te verwerven waarmee hij nu in de gemeente kon worden opgenomen. De Voorzitter zat met zijn vrouw, broer en schoonzuster helemaal vooraan, vlak bij de provisorische lessenaar, met zijn hoofd gebogen en zijn benen over elkaar, alsof hij door het ongeduld dat hij voelde alleen nog maar dieper in zichzelf verzonken was geraakt.

Staszek keek hem aan, maar kreeg de woorden er niet uit. Toen kwam Moshe Karo naar voren en zei het hem voor. Zo snel en ingetogen fluisterend zei hij het voor dat niemand het leek te merken. Regina had nog steeds die brede glimlach die ze tegenwoordig dag en nacht op haar gezicht had, en naast haar zat prinses Helena, die erin geslaagd was van haar 'zware ziekbed' op te staan om – zoals de Kroniek ongeveer tezelfdertijd meldde – de leiding van alle gaarkeukens van het getto weer op zich te nemen. Haar vervangster op die post, een niet nader genoemde vrouw, had moeten terugtreden om, zoals het heette, 'politieke redenen'.

Vooraan, bij de lessenaar, stierven de heilige woorden uit en de gemeente stond op om de heilige ruimte te verlaten en naar buiten te gaan, onder de hoge, witte hemel, die wel een geweldig gat leek waar al het licht in wegstroomde. Slechts een paar honderd meter scheidde het preventorium van de nieuwe woning van de Voorzitter, waar een 'Spartaanse' receptie plaatsvond met brood en wijn, en een heleboel cadeautjes.

◆

De foto is genomen door Mendel Grossman. Grossman was een van de vijf, zes fotografen die aangesteld waren bij het bureau voor archivering en bevolkingsstatistiek van het getto. Hij was een van degenen die de foto's namen voor de werkboekjes die de mensen in het getto vanaf de zomer van 1943 waar ze ook gingen bij zich moesten hebben. Deze foto onderscheidt zich in de manier waarop hij gearrangeerd, belicht en ontwikkeld is, nauwelijks van al die andere met een soort vertraging waardoor de mensen op de foto eruitzien alsof ze hun bewegingen uittrekken op dezelfde manier als waarop andere mensen hun kleren uittrekken.

Regina Rumkowska, op haar paasbest, met haar brede maar angstige glimlach, alsof ze achter een gebarsten of stukgeslagen ruit staat en wanhopig haar welwillendheid jegens iemand aan de andere kant probeert te tonen;

Chaim Rumkowski, op weg naar voren of naar het middelpunt van de foto, met één hand onhandig uitgestrekt in iets wat lijkt op een zegenend of verzoenend gebaar;

en *Stanisław Rumkowski*, de zoon: met de jarmulke en de gebedssjaal die hij van Moshe Karo heeft gekregen, en met een kaars in zijn ene hand.

Alleen is dat geen kaars (zie je nu), maar een vogel die van zijn vingers opstijgt en zo snel uit beeld verdwijnt dat de camera het niet bij kan houden. En achter dit drietal, op wat in een fotoatelier een coulissefoto of misschien een stuk vernuftig gedrapeerde stof zou zijn, tekenen zich, als de tenen van een gevlochten mand of als een zuilengalerij in een ingestort paleis, rij na rij, de tralies van de kooi af die hen allemaal gevangen houdt.

III

De laatste stad

(september 1942 – augustus 1944)

Er was een toneel. Op het toneel een getto. Er stond zelfs prikkeldraad om het toneel om aan te geven waar het getto begon en waar het eindigde. Er liep een acteur door de coulissen die het draad optilde, het liet zien en ernaar wees. 'Dit is het draad. Probeer er niet langs te komen, want dat loopt niet goed af. *Probeer het ook niet mee te nemen, want dat loopt nog slechter af...!*' En het publiek in het Cultuurhuis huilde van het lachen. Nog nooit had Regina Rumkowska een publiek zo zien lachen als toen hun kleine wereldje te kijk werd gezet door een stel derderangs revueartiesten. Daarna werden er aan draden van hoog aan het plafond figuren neergelaten: simpele bordpapieren figuren met ruggen van karton. Ze herkende ze allemaal, hoewel de gezichten zo grof waren getekend dat ze nauwelijks van elkaar te onderscheiden waren. Hier kwam de Voorzitter in zijn koets aanrijden, daar patrouilleerde hoofdcommissaris Rozenblat met zijn wapenstok in de aanslag; hier kwam Wiktor Miller, de Rechtvaardige, met zijn witte doktersjas wapperend om zijn houten prothese, daar zat rechter Jakobson in zijn rechtszaal als een jaknikker met zijn rechtershamer te zwaaien, terwijl dieven en andere misdadigers voor zijn hoge balie langs paradeerden.

Maar boven al die mensen hing één Gezicht. Het Gezicht was gladgeschoren, had sluik, donker, gepommadeerd haar en een open en oprechte glimlach, als van een kind. Op het toneel eronder verzamelde zich een koor; de ene acteur na de andere stormde het toneel op, ze vielen elkaar in de armen en zongen:

Gertler der naier keiser
Er iz a jid a heiser
Er zugt indz tsi tsi geibn
Man zol es nor darleibn

Poilen bai dem jeke
Men zol efenen di geto[14]

Gertler...?! Natuurlijk ging het liedje niet over Gertler! Regina begreep niet eens hoe ze op zo'n oneerbiedige gedachte had kunnen komen. Het was toch zeker haar man die Gettovoorzitter was, en hem gold natuurlijk het satirische huldebetoon van de acteurs op het toneel. Toch wist Regina dat zij bepaald niet de enige toeschouwer was die het slappe gezichtsmasker van de oude man dat daar aan een draad uit het plafond hing, in gedachten verwisselde met het aanzienlijk elegantere portret van de jongere hoofd-commissaris, dat op een kartonnen bord op de achtergrond te zien was.

Chaim Rumkowski was een bestuurder; hij zorgde ervoor dat mensen zich ondanks honger en vernedering veilig voelden. Maar met Dawid Gertler was het anders. Het was bijna magisch. Hij bewoog zich zo onbe-zwaard, was zo gemakkelijk in de omgang. En dan had hij natuurlijk die bijzonder goede relatie met de Duitsers. Biebow, zei men, at letterlijk uit zijn hand! Alleen daarom al dachten veel mensen dat Gertler geheel en al tot een andere wereld behoorde.

Tijdens de receptie na de voorstelling had ze hem midden in dat groepje bewonderaars zien staan dat hem altijd omgaf, en hem horen zeggen dat Duitsers ook mensen waren: *Ja, als de Joden de Duitsers leerden behandelen als mensen, zou er beslist veel gewonnen zijn*, zei hij, en ontlokte een orkaan van ge-lach. De mannen klapten dubbel, ze sloegen hun handen op hun dijen, ze kregen geen lucht meer: zo moesten ze lachen.

En ze weet nog dat ze dacht: *Zo praat alleen een man die geen angst kent.*

Verder regeerde in deze dagen alleen de angst. De angst maakte dat de le-dematen verstijfden, dat de adem je in de keel stokte. De angst maakte dat mensen hun gezicht elke ochtend zorgvuldig in de plooi trokken en be-vreesd in de gaten hielden wat er achter hun rug allemaal gebeurde. De angst maakte mannen en vrouwen in het publiek zo onbedaarlijk aan het lachen om de karikaturen die de revueartiesten hadden gemaakt, dat hun gelach haast op extase leek. Eindelijk kregen ze de kans uit hun ellendige lichamen en gezichten te stappen. En naderhand praatten ze allemaal zo luid en aanstellerig met elkaar dat alleen hun stemmen te horen waren, en geen woord van wat iemand zei, áls er al iets werd gezegd.

Ze praatten allemaal. Behalve Gertler.

Hij stond zwijgend buiten de lichtcirkel en was de enige die wist waar de geheime uitgangen uit het getto zich bevonden, en haar verlangen om daar samen met hem doorheen te gaan was zo sterk dat het vanbinnen zeer deed.

◆

Over Chaims relatie met Dawid Gertler was eigenlijk niet veel te zeggen.

In het begin wantrouwde hij hem. Daarna was hij van hem afhankelijk geworden. Ten slotte was hij hem gaan vrezen en haten.

Voordat zijn wantrouwen overging in haat, was Gertler echter een regelmatige gast in hun huis geweest. Hij placht op alle mogelijke tijden van de dag of de nacht te komen voor lange, vertrouwelijke gesprekken met zijn Voorzitter. Het was ook wel gebeurd dat hij alleen maar verscheen om met haar te praten. *Ik heb gehoord dat u de laatste tijd niet helemaal wel was, mevrouw Rumkowska*, zei hij dan bijvoorbeeld, alleen maar om hand in hand met haar te kunnen gaan zitten en haar diep en ernstig in de ogen te kunnen kijken.

Natuurlijk wist ze dat dat maar toneelspel was.

Als Gertler op bezoek kwam wanneer de Voorzitter niet thuis was, was dat omdat hij iets te weten wilde komen wat de Voorzitter zelf niet kon of wilde zeggen.

Toch kon Regina het niet laten hem in vertrouwen te nemen. Een keer had ze hem zelfs *het allerergste* verteld. Ze had hem op allerlei manieren laten weten dat Chaim ontevreden over haar was, omdat ze niet in verwachting raakte. Gertler had haar toen met zijn grote ogen aangekeken en gevraagd wat haar er zo zeker van maakte dat een kind per se de enige en de juiste uitweg voor haar was. 'In tijden als deze kunnen kinderen ook bijna een last zijn,' had hij gezegd en daarna, als het ware terloops, was hij begonnen te praten over enkelen van zijn vertrouwelingen bij het Duitse gettobestuur.

Hij praatte vaak op die manier over Duitse gezagsdragers, liefst met een of andere concrete bepaling erbij waaruit de aard van zijn relatie met hen bleek, zoals *de ouwe* Joseph Hämmerle of *mijn goede vriend* ss-Hauptscharführer Fuchs – en waarom dacht ze dat deze hooggewaardeerde heren alle

Joden over één kam schoren? vroeg hij. Zij hadden natuurlijk óók ogen. Van de week nog had hij de rechterhand van Biebow op bezoek gehad, die melkmuil van een Schwind, die wat meer wilde weten over de beide ingenieurs Dawidowicz en Wertheim, die de röntgenapparatuur van het getto zo succesvol hadden gerepareerd. 'In Hamburg is op het ogenblik een *schreeuwende* behoefte aan goede röntgentechnici, had Schwind laten weten, en misschien zou het zelfs mogelijk zijn een treinkaartje te regelen.' 'Naar Hamburg?' had Regina gevraagd. En Gertler: 'Zelfs een *Herrenvolk* heeft niet *overal* verstand van; en om de kennis te verwerven die hij nodig heeft, zijn zelfs sommige nazi's bereid de hand te lichten met bepaalde regels.' 'Er is een *lijst*,' vertrouwde hij haar bij een latere gelegenheid toe; een *onofficiële* lijst die onder de bestuurders van Litzmannstadt circuleerde, met de namen van *zeer weinig* Joden erop die de Duitsers als *absoluut onmisbaar* beschouwden. Maar om op die lijst te komen, moest je de Duitsers wel duidelijk maken dat je *open stond*, dat je je op ieder gewenst ogenblik *beschikbaar* wilde stellen. En: 'Staat Chaim op die lijst?' kon ze niet nalaten te vragen, maar hij schudde, met een excuserend glimlachje, slechts zijn hoofd: 'Nee, helaas; Chaim staat niet op die lijst. Ze vinden hem eerlijk gezegd een beetje te *simpel*, en bovendien is hij te zeer gebonden aan het getto.' Maar aan de andere kant zouden andere mensen, mensen zoals zij bijvoorbeeld, als ze aan de juiste voorwaarden voldeden, er heel goed op terecht kunnen komen; en mevrouw Regina was, in tegenstelling tot sommige anderen – dat was hem toch wel duidelijk geworden – een vrouw van een bepaalde rang en statuur.

Pas veel later zou ze begrijpen dat de Duivel deze manier had gekozen om tot haar te spreken. Waar het hele getto verder naar uitwerpselen en afval stonk, was de Duivel keurig gekleed en had hij een lekkere lichaamsgeur. Ze vertrouwde hem toe dat het getto voor haar niet de muren waren die haar omgaven, niet het prikkeldraad, niet het uitgaansverbod, de honger of de ziektes, maar iets wat in haar vastzat zoals een graat in je keel blijft steken: een langzame verstikking; het benam haar alle lucht en ze moest eruit zien te komen, anders zou ze niet meer kunnen leven. En de Duivel boog zich naar haar toe, pakte haar hand en zei: 'Wees kalm en geduldig, Regina. Als het niet anders gaat, koop ik je vrij.'

In september 1942 kondigden de autoriteiten hun totale uitgaansverbod af, di *gesphere* of kortweg *di shpere*, zoals het ging heten. Het uitgaansverbod duurde twaalf dagen en de hoogste elite van het gettobestuur kreeg de opdracht zijn zomerverblijven in Marysin niet te verlaten en onder geen beding naar het centrum van het getto te gaan.

Vanuit het keukenraam onder de nu uitgebloeide seringen aan de Miarkistraat zag Regina lange rijen Duitse legervoertuigen uit de richting van het Radogoszczstation aankomen. Op de laadbakken zaten zwaargewapende soldaten met verveelde of alleen maar blonde en kinderlijk grijnzende gezichten onder hun helmen, en met de geweerlopen omhoog stekend tussen hun benen.

De Schupo had een wegversperring opgeworpen bij de toegang tot de Miarkistraat. Of dat diende om degenen die hier in het hogere deel van de stad opgesloten waren te verhinderen weg te gaan of om de mensen uit het lagere deel te verhinderen hier naartoe te komen, begreep ze niet goed. Nu en dan was er hevig schieten te horen vanaf het grote, open veld aan de andere kant van de Próznastraat. Er kwamen de hele tijd nieuwe konvooien met ss-troepen aan over de weg. Van de kinderen over wie zoveel werd gesproken, zag ze echter geen glimp.

De dagen daarna waren chaotisch.

Iedereen wilde de Voorzitter spreken, maar de Voorzitter had laten weten dat hij onwel was, had zich in de slaapkamer op de eerste verdieping opgesloten en weigerde wie dan ook te ontvangen.

Ze bonsden op zijn deur. Ze riepen door het sleutelgat. Juffrouw Dora Fuchs ging zelfs op haar blote knieën voor de drempel zitten en somde luidkeels de namen van alle vertwijfelde mensen op die hem wilden spreken. 'Het gaat om leven en dood, om het voortbestaan van het getto, u kunt ons nu niet in de steek laten!' Ook Regina werd op hem afgestuurd. Ze was per slot van rekening zijn vrouw. 'Doe het voor Benji,' zei ze. Maar terwijl haar broers naam vroeger een regen van vloeken uit de kamer zou hebben opgeleverd, kwam er nu geen geluid. *Is onze Preses wel in die kamer?* vroeg Helena Rumkowska met gespeelde naïviteit. Józef Rumkowski stelde voor de deur domweg open te breken. Maar daar waren ze allemaal op tegen. Meneer Abramowicz zei dat ze wel terughoudendheid moesten betrachten. Heer Preses had zich alleen maar teruggetrokken om op dit beslissende moment zijn gedachten te ordenen. Hij zou op tijd naar buiten komen.

Ten slotte arriveerde ook Gertler, als altijd keurig gekleed in kostuum met stropdas, maar met smetjes (was het bloed of vuil?) in zijn gezicht en op de rug van zijn hand, en om zijn kleren hing een bedorven, wat zurig bedompte lucht van chemicaliën of verbrande olie.

Hij kwam in gezelschap van Schlomo Frysk, verantwoordelijk voor de vrijwillige brandweer van Marysin, en van de commandant van het IVe district van de ordepolitie, de heer Isajah Dawidowicz. Ze werden gevolgd door twee agenten met een groot serveerblad, gewikkeld in een witte linnen doek, en met dat blad stommelden ze alle vijf de trap op naar de deur van de Voorzitter; meneer Gertler klopte met zijn knokkels op de deur en meldde toen plechtig voor de gesloten deur:

Je hebt ongelooflijk veel mazzel, Chaim: mijn vrouw heeft net een bakplaat vol verse appels voor je uit de oven gehaald – met suiker en kaneel! –

Vervolgens gingen ze weer naar beneden, naar de keuken en begonnen zelf maar te eten. Er heerste toch al een vreemde stemming onder de mannen van Gertler. Ze waren druk aan het lachen en herrie maken, alsof ze een gesprek of oogcontact met elkaar wilden vermijden. Maar zodra Gertler ook maar de geringste beweging maakte, zwegen ze allemaal onmiddellijk en keken hem aan alsof ze op duidelijke orders wachtten.

Gertler leek zelf uiterst kalm te blijven. Hij herhaalde dat de Duitsers hadden verzekerd dat het doel van de actie uitsluitend was het getto vrij te maken van arbeidsongeschikte elementen. 'Niemand die zijn papieren in orde heeft, hoeft iets te vrezen.'

Maar mijn broer...! wierp Regina tegen.

Ook anderen wilden weten wat er was gebeurd met familieleden die gedwongen waren in het getto te blijven. Toen verzocht Gertler met een gebiedende handbeweging om stilte rond de tafel. De autoriteiten, zei hij, zijn natuurlijk de eersten die het betreuren dat er gewelddadigheden hebben plaatsgevonden. Dat komt natuurlijk alleen maar doordat onze eigen politie er niet op tijd in is geslaagd de opgelegde taak uit te voeren.

'Wat we op dit moment nodig hadden gehad, is iemand die stevig en resoluut *greep* op de situatie zou kunnen krijgen; iemand met een *Preseskarakter*,' voegde hij eraan toe met een vluchtig glimlachje. Zolang het de Voorzitter niet behaagde ter plaatse zijn verantwoordelijkheid te nemen, had hij echter zelf, samen met de heer Jakubowicz en de heer Warszawski, een voorlopig 'noodcomité' gevormd, dat middelen inzamelde om *de harde kern van intellectuelen* die onmisbaar werden geacht voor het voortbestaan van het getto, maar die niet in het bezit waren van de vereiste liquide middelen, vrij te kopen. Het comité had ook, met stilzwijgende goedkeuring van Biebow en Fuchs, een beschermd en omheind terrein weten in te richten dat zij *de vrijplaats* noemden, waar de mannen en vrouwen die amnestie kregen, in veiligheid konden worden gebracht. 'En dan natuurlijk ook hun bejaarden en kinderen,' voegde hij eraan toe.

'Waar ligt die vrijplaats?' vroeg iemand.

'Tegenover het ziekenhuis aan de Łagiewnickastraat.'

'Klopt het wat ze zeggen, dat alle patiënten uit alle ziekenhuizen worden gehaald?' Maar daar gaf Gertler geen antwoord op. Hij legde zijn met bloed bezoedelde handen op tafel en stond langzaam op. *Ik sta erop mijn vader te zien; en mijn broer Benjamin,* zei Regina. *Ik weet dat zij daar nog zijn.*

'Je mag met me meerijden,' zei Gertler slechts.

Het bleek dat hij al een vervoermiddel had geregeld. Een soort bestelwagen uit Litzmannstadt, met hoge, witte spatborden, stond met zijn ene voorwiel in de greppel geparkeerd. De chauffeur had een pet met een glanzend gelakte klep op als de eerste de beste bode, en zijn blik werd onzeker toen hij de gele davidsterren op hun borst in het oog kreeg. *Bij de wacht vroegen ze of ik Volksdeutscher was en ik zei ja, maar eigenlijk ben ik Pool, hoor,* zei hij en gluurde naar Gertler, die zei dat hij moest ophouden met dat gezever.

Regina had een Jood nog nooit zo tegen een Pool of een ariër horen praten, maar waarschijnlijk was de chauffeur gewoon een van die mensen die Gertler had 'gekocht'.

Ze ging naast de tegensputterende chauffeur zitten, met Gertler aan haar rechterzijde. Twee man van de Sonderabteilung hielpen dokter Eliasberg op de laadvloer. Eliasberg ging mee omdat Gertler had gezegd dat er in de zone een grote behoefte aan artsen was. Vervolgens zette de chauffeur de auto in een boos knerpende versnelling en stuurde hem de stukgereden weg weer op.

Ze was niet in het hart van het getto geweest sinds het uitgaansverbod van kracht was geworden. Toen was het een wanhopige drukte op straat, met mensen die voedsel in huis probeerden te halen voor meer dan een paar dagen. Nu zag het eruit als oorlogsgebied. Deuren naar portieken en binnenplaatsen stonden wijd open en op de gladgesleten keien lagen kriskras boeken en gebedssjaals, bebloede matrassen en bedbodems waar de vering uitstak. Duitse posten zag ze niet; alleen restanten van versperringen die kennelijk in grote haast opzijgeschoven waren.

Pas op de Łagiewnickastraat werden ze aangehouden door een Schupo-officier, die, zodra de auto naderde, een van zijn manschappen de straat op stuurde met zijn hand omhoog. Na een snelle blik op Gertler, wiens Jodenster natuurlijk in het oog sprong, keek hij de chauffeur aan en vroeg om zijn papieren. De chauffeur, wiens functie nu duidelijk werd, stak nerveus het ene na het andere vel door het omlaaggedraaide zijraampje. De agent deed een stap opzij om de papieren te bestuderen, kwam toen terug en stelde een vraag aan Gertler, die razendsnel en in verrassend autoritair Duits antwoordde: *Der Passierschein ist vom Herrn Amtsleiter persönlich unterschrieben.*

'Als de Heer het wil zul je zien dat we er nog heel wat hebben kunnen redden,' zei hij in het Jiddisch tegen Regina op het moment dat de chauffeur zijn papieren terugkreeg van de agent, die om onbegrijpelijke redenen salueerde voordat hij hen liet passeren.

Ze reden langzaam door naar het terrein dat Gertler *optgesamt* noemde, de vrijplaats. Het ging om een afgezet binnenplein dat omgeven was door huurkazernes, sommige zo vervallen dat delen van de muren waren ingestort; waar geen lakens en dekens waren opgehangen om bescherming te bieden tegen hitte en vliegen, kon je zo in de overvolle woningen naar binnen kijken, als in een bijenkorf. Langs de hoge schutting die aan de kant van de straat was neergezet, slenterden voormalige *Funktionsträger*: administratief personeel van het departement sociale zaken en van het *Arbeitsamt* van het getto, *kierownicy*, employés van de politie en de brandweer en hun vrouwen en kinderen: opmerkelijk stil en timide drongen ze nu allemaal naar het hek, met de blik gericht op de vernieling buiten de omheining.

Ertegenover lag het ziekenhuis – althans dat wat eens het ziekenhuis was *geweest* – dat nu, onder de ogen van de opgesloten Joodse functionarissen, werd geplunderd.

Infuusstandaards, onderzoekstafels, banken, medicijnkasten, alles wat te dragen was, werd via de toegangsdeuren weggedragen door soldaten wier kennelijk dronken commandanten liepen te wijzen en te bevelen. Enkele van de hoge, kuipvormige wagens die de Witte Garde altijd gebruikte om meel en aardappels te vervoeren, waren voorgereden en met behulp van wat er nog aan ziekenhuispersoneel over was, hees een speciaal voor dit doel samengestelde ploeg Joodse arbeiders de meubels op de laadbakken. *Vorsicht bitte, Vorsicht...!* schreeuwde een van de officieren die leiding aan het werk probeerde te geven, maar zelf was hij allesbehalve voorzichtig terwijl hij tussen al dat gebroken glas door waggelde.

Dezelfde onbestemde, vettige, misselijkmakende stank die Regina eerder aan Gertlers kleren had geroken, hing hier als een duidelijke substantie in de lucht; een verbrande geur: als van verhitte en verdampte chemicaliën. Misschien kwam de stank van het geplunderde ziekenhuis ertegenover, of was het een of andere substantie in het vuur dat iemand had aangestoken in een kuil bij een van de keldertrappen op de vrijplaats. Om de rook – die zwart walmde tegen een onbarmhartig blauwe, bijna kleurloze hemel – slenterden uitgehongerde kinderen rond die niets te doen hadden, jongens in colbert en korte broek, en meisjes in jurken die vast en zeker ooit onberispelijk wit waren geweest, met strakke lijfjes, en met strikken in het haar als propellers. Overal waar plaats was, waren massa's koffers en valiezen opgestapeld tot hoge torens en hopen, en in de schaduw van deze geweldige bagagebergen zaten of lagen groepjes volwassenen. Ook haar vader zat, of liever lag half, op een oude klapstoel, met zijn gezicht naar de opstijgende zwarte rook. Iemand had heel barmhartig een zakdoek over zijn hoofd geknoopt om zijn kale schedel tegen de zon te beschermen. Maar zijn gezicht was al verbrand en zijn ene hand – de hand die omhooggekeerd op de stoelleuning rustte – was tot dubbele omvang gezwollen.

Zijn arm was waarschijnlijk klem komen te zitten, vertelde haar vader, of iemand had erop gestaan toen de vrachtwagens die ochtend werden geladen; hij wist het niet meer. Slechts een handvol schreeuwende Duitse soldaten was plotseling de zaal op gestormd. Het was heel vroeg in de ochtend geweest, lang voordat de verpleegsters hun ronde gingen doen om de ondersteken te legen. Sommigen hadden geprobeerd te vluchten – degenen die zelf konden lopen – maar die waren meteen gegrepen door soldaten of misschien waren het wel Joodse *politsajten*, die in alle gangen de wacht hielden. Daarna was iedereen die nog op zaal was, ongeacht of ze konden lopen of op hun benen konden staan, naar buiten gebracht en op de aanhangwagens van de tractoren gesmeten.

Meer kon hij zich niet herinneren. Alleen dat Chaim eindelijk was gekomen. Het was een hele opluchting geweest toen Aron Wajnberger zijn schoonzoon eindelijk zag. *Chaim, Chaim...!* had hij naar hem geroepen vanaf de hoge laadbak.

Maar Chaim Rumkowski had niets gezien of gehoord. Nadat hij een tijdje met een van de ss-commandanten ter plekke had onderhandeld, had de Voorzitter zich gewoon omgedraaid en was het ziekenhuisgebouw in gegaan.

En Benji? Regina pakte haar vader bij de schouders, schudde hem haast heen en weer.

Maar onder zijn witte hoofddoek had Aron Wajnberger nog steeds alleen maar oog voor zijn schoonzoon: *Het was alsof Chaim een volkomen vreemde voor ons was. Het was alsof hij ons niet meer zag. Kun je dat verklaren, Regina? Hoe bestaat het dat hij ons opeens niet meer ziet...?*

De hele tijd was Gertler blijven hangen bij de slagboom die de ingang van de vrijplaats versperde; daar wisselde hij grappen uit met de Joodse wachtposten. Maar nu kwamen er twee Duitsers van het gettobestuur in burgerkleding aan, en Gertler werd weer 'opzij' gecommandeerd en moest onderhandelen. Terwijl Gertler met de Duitsers praatte, probeerde Regina haar vader onder zijn armen beet te pakken en op te tillen. Ze vroeg de chauffeur haar te helpen, omdat haar vader niet zelfstandig kon lopen, maar de chauffeur liep alleen maar angstig weg. Hij durfde niets te doen zolang de Duitsers er waren.

Gertler kwam terug. Toen ze in de auto zaten, vroeg ze of ze door konden rijden naar het ziekenhuis aan de Wesołastraat. Gertler schudde zijn hoofd; dat was onmogelijk. Alles was daar afgezet.

Maar Benji, smeekte ze.

Hij zei dat hij zou informeren. Er zou vast iemand zijn die wist waar hij heen was gebracht. Hij zou zijn uiterste best doen.

Toen ze terugkwamen in de Miarkistraat, zag Regina dat de trap die meneer Tausendgeld tegen de muur had gezet om door Chaims raam naar binnen te kunnen kijken, was neergehaald; zelf was meneer Tausendgeld teruggegaan naar de *działka* van Józef en Helena, en nu stond hij in het aviarium, terwijl honderden gevleugelde wezens om zijn uitgestrekte rechterarm cirkelden. En opeens zag ze hoe klein en onbeduidend de wereld was die ze hier in Marysin bewoonden: een poppenhuiswereld aan de rand van een afgrond.

Chaim was uit zijn zelfgekozen isolement afgedaald en zat aan de keukentafel met zijn ellebogen op het tafelblad. Aan de andere kant zat een *ganef* van een jaar of elf, met kleine, smalle, brutale ogen. Zijn ogen hechtten zich aan de hare op het moment dat ze over de drempel stapte, en op hetzelfde ogenblik deed de jongen zijn mond open en liet de Voorzitter er nog een stuk in schuiven van de met kaneel en poedersuiker bestrooide appels die mevrouw Gertler had gebakken en die Chaim eerst zorgvuldig in een schaal met pasgeklopte room doopte.

Regina haatte dit kind al vanaf het allereerste moment, met een zwijgende, duistere, irrationele haat, die ze nooit zou toegeven, laat staan begrijpen of proberen te verklaren.

Het kwam niet door wat het kind zei of deed. Het feit dat het er wás, was al voldoende. Iets wat in haar had horen te zijn, bevond zich nu buiten haar; het was niet de vrucht van haar schoot, en vanaf het eerste moment dat de ogen van het kind zich op haar gezicht richtten, lieten ze haar geen seconde meer los. Ze kon er niet tegen dat iemand haar op die manier aankeek. Plotseling bood het scherm van haar glimlach, dat ze anderen altijd voorhield om te voorkomen dat er iemand binnendrong, geen enkele hulp of bescherming meer.

Maar *wie* zag hij?

Wat zag hij?

◆

Nadat de uitzonderingstoestand was opgeheven, hadden de Duitsers hen van het voormalige administratiekantoor van het Centrale Ziekenhuis laten verhuizen naar een paar tamelijk eenvoudige kamers een paar blokken vanaf de Łagiewnickastraat. Tegenover hun nieuwe appartement lag een van de weinige apotheken van het getto die nog in bedrijf waren en die de Voorzitter als *dietka* gebruikte om levensmiddelen die verder alleen op recept verkrijgbaar waren, zoals melk en eieren, te betrekken. De apotheek verschafte ook de nitroglycerinetabletten die hij 'voor zijn hart' slikte.

De eerste maanden na de komst van het kind klaagde hij voortdurend over pijn in de borst en hield hij vol dat het enige wat een beetje verlichting bood, was dat hij even bij het kind mocht liggen, en naderhand kon ze uren wakker liggen en naar hun half gesmoorde stemmen en naar Chaims gekunstelde vrolijkheid luisteren.

Mensen kwamen en gingen in hun nieuwe stadsappartement, net als in hun oude flat in het nu vernielde ziekenhuisgebouw. Ook Dawid Gertler bleef met vrouw en kinderen op bezoek komen. Het was echter evident dat de relatie tussen de Voorzitter en zijn voormalige protegé niet meer zo was als voorheen. Gertler liet geen gelegenheid voorbijgaan om erop te wijzen dat het geheel en alleen zíjn verdienste was dat er een *optgesamt* was ingericht; dat hij tijdens de betreurenswaardige afwezigheid van de Voorzitter niet alleen gedwongen was geweest de onderhandelingen met de Gestapo zelf te voeren, maar dat hij ook uit *eigen zak* had moeten betalen wat het kostte om degenen die nog niet van de lijst gehaald waren, vrij te kopen. *Geen złoty was er te krijgen uit de algemene middelen.*

Chaim had zich aanvankelijk geprobeerd te verdedigen door een schertsende toon aan te slaan: *Hoed u voor deze man!* zei hij dan bijvoorbeeld, en legde een vaderlijk beschermende arm om Gertlers schouders.

En op het oog leek Gertler zich neer te leggen bij de reprimandes, maar iedereen wist dat de Voorzitter, zelfs als hij zich níét onzichtbaar had gemaakt in deze dagen toen *het getto zijn ergste crisis meemaakte,* toch nooit met de autoriteiten had kunnen onderhandelen. Die macht bezat alleen Gertler. Dat was altijd al zo geweest. Wat had de Preses ooit anders in te brengen gehad dan zijn eindeloze, zelfverheerlijkende toespraken?

Maar toen de audiëntie afgelopen was, zag Regina ook dat de jonge hoofdcommissaris twee man van zijn eigen bewakingsdienst voor de deur van hun nieuwe huis achterliet. Twee extra lijfwachten bij de zes die heer Preses er al had. Van nu af aan, wist ze, werd alles wat zij of Chaim deed, rechtstreeks doorgegeven aan de commandocentrale van Gertler, die op zijn beurt weer rapporteerde aan de Gestapo aan de Limanowskiegostraat. Hoewel ze daar niet graag bij stilstond, was dat natuurlijk ook de reden waarom Gertler haar zo vaak bezocht. De Voorzitter was onder toezicht geplaatst. Dat was het enige wat al zijn inspanningen om ten koste van alles 'de kinderen te redden' hadden opgeleverd.

◆

Alleen dwazen blijven hardnekkig denken dat ze met de Duitsers in gesprek kunnen gaan! zei Benji altijd wanneer hij op de markt tegen mensen stond te praten.

De dood wordt niet minder dood doordat hij een uniform aan heeft!

Wat zou ze er niet voor over hebben gehad om haar Benji terug te hebben, al was het maar voor een paar uur.

's Middags gebeurde het wel dat Gertler zich losmaakte van zijn vele dringende verplichtingen om thee met haar te drinken in wat Chaim en zij waren overeengekomen dat *haar* kamer in het nieuwe huis was. En mevrouw Koszmar serveerde thee in het juiste servies, precies zoals ze in de goede oude tijd had gedaan toen ze 'echte' recepties gaven.

En alles had ook echt kunnen zijn. Als dat kind er niet geweest was.

De hele tijd dat ze met meneer Gertler converseerde, bleef het kind maar bij hen rondhangen.

Ze zei tegen mevrouw Koszmar dat ze het kind iets te doen moest geven, maar het duurde maar een paar minuten of hij was alweer terug. Ze hoorde zijn haperende, hijgende ademhaling achter de rugleuning van de stoel en zag dat hij in de krappe ruimte tussen de stoelzitting en de vloer was gekropen. Daar, pal onder haar stoelzitting, had hij met een paar harde stukjes touw hun schoenen – die van meneer Gertler en die van haar – aan de stoelpoten vastgebonden.

De koningin kan niet lopen!
De koningin kan niet lopen!

– gilde hij met een stem die haar voorkwam als een kopie van die van Benji. Zo gilde Benji altijd naar haar toen ze klein waren: met een zo schelle stem dat die bijna oversloeg.

Heel even werd het haar zwart voor de ogen.

Ze wist niet meer of ze mevrouw Koszmar riep of dat mevrouw Koszmar zelf de kamer in stormde. Het volgende moment was het kind in elk geval weg en Gertler stond gegeneerd in de vestibule en trommelde schichtig met zijn vingertoppen tegen de rand van zijn hoed:

En wat uw broer betreft, mevrouw Rumkowska, ik verzeker u dat ik alles in het werk zal stellen om informatie van de Duitsers te krijgen waar hij heen kan zijn gebracht!

Ze besefte natuurlijk maar al te goed dat Chaim van dit kind hield met een liefde die van een andere orde was dan de liefde waarmee vaders doorgaans van kinderen houden.

Maar wat voor soort liefde was dat?

Hij kon uren in de kamer doorbrengen die hij voor hen beiden had uitgekozen, waar hij het kind lag te strelen en te voeren. Maar er waren ook momenten waarop hij alleen maar ontevreden over het kind leek te zijn en niets anders deed dan het uitschelden en afranselen. Het gekke was dat het kind zich moeiteloos aanpaste, zelfs aan de klappen van de Voorzitter. Ook het slechte humeur van de Voorzitter en zijn voortdurende wantrouwen tegen alles en iedereen nam het kind in zijn eigen karakter over.

Zo werd het kind in alles het evenbeeld van de vader. Wanneer de Voorzitter er niet was om hem in de watten te leggen, lag het kind verwend en wel in bed, met de tekeningen die hij van zijn geliefde vader had gemaakt uitgespreid op zijn borst en buik, te kermen *waar is mijn Preses, waar is mijn Preses*, tot ze het niet meer uithield en wenste dat ze hem voor eens en voor altijd een kopje kleiner kon maken.

Maar dan gingen de deuren van het appartement eindelijk open, de Voorzitter was terug en die twee konden weer opgaan in hun perverse liefde.

Die twee.

En zij – de afgewezene, de buitengeslotene – verlangde alleen maar naar iemand die haar hier weg kon halen.

Maar het kind leidde toch een eigen leven.

Hoe weerzinwekkend het ook kon lijken, er zat een inwendige wil in.

Dat bewezen de tekeningen wel.

Wanneer hij niet met de tekeningen om zich heen in bed lag, bewaarde hij ze in een op een kist lijkende doos die hij van Chaim had gekregen en waar hij heel geheimzinnig mee deed.

Op een dag, terwijl hij les had van Moshe Karo, pakte ze de kist onder het bed vandaan, waar hij hem bewaarde, en maakte het slot met een schroevendraaier open.

Ze vond dat dat haar goed recht was.

In de doos lagen niet alleen papier, pennen en kleurtjes, maar ook een stel apothekerspotjes met onbestemde inhoud, en een paar met een grof koord samengebonden pakjes stof of papier. Ze maakte de pakjes open. Er zaten een paar van die kleine, brosse honingkoekjes in die mevrouw Koszmar bij de laatste ontvangst had geserveerd.

Even vergat ze de apothekerspotjes en staarde ze naar de tekeningen. Een ervan stelde Chaim voor met drie harige uitwassen op zijn lichaam in plaats van armen en benen. Zijn gezicht was een rood opgezwollen pompoen die eigenaardig vrouwelijke trekken kreeg doordat zijn haar tot aan zijn middel reikte. Behalve het Voorzitterslichaam was er een tekening van haarzelf met een koninginnenkroon op haar hoofd, maar omlijst door een zee van rode vlammen.

Op dat moment bedacht ze dat er gif in de apothekerspotjes moest zitten en dat de kleine honingkoekjes vergiftigde koekjes waren, die het kind van plan was weer op tafel te zetten als niemand het zag. De tekening van haar hoofd omgeven door vlammen was natuurlijk een tekening van haarzelf brandend in Gehenna.

Dat was het natuurlijk. Dat was het geheim: het kind was van plan hen allemaal om te brengen.

Maar hoe kwam hij aan dat gif?

Ze legde Chaim de bewijzen voor. Maar Chaim keek van de apothekerspotjes naar de tekeningen zonder er enig verband tussen te zien.

Wat heb ik je aldoor gezegd? Een begaafd kind.
Misschien zit er een echte kunstenaarsziel in onze zoon?

Dat was op sabbat. Ze had kaarsen aangestoken en de zegen uitgesproken over de beide broden, en het kind zat aan hun tafel met zijn ogen aan de hare gehecht, zoals gewoonlijk.

Chaim las de dankzeggingsgebeden en de gebeden voor de vrouw, en wel met bijzonder inlevingsvermogen, *Ye'simcha Elokim ke-Ephraim ve'chi-Menash*, en voegde er op de hoogdravend onderwijzende toon die hij altijd opzette als hij tegen het Kind praatte, aan toe: ... *zoals Jakob ooit toen hij op sterven lag tegen zijn zonen Efraïm en Manasse zei dat ze alle Joden tot voorbeeld moesten strekken, zo moet jij ook opgroeien en ervoor zorgen dat je een voorbeeld wordt voor alle Joden hier in het getto...*

Het viel haar op dat Chaim tegen haar nooit anders had gesproken dan op die verheven, plechtige, dag-des-oordeelsachtige manier. Ook de sabbat – het enige echte, het enige *levende* moment dat ze samen hadden – was veranderd in een toneel van gekunsteldheid en dood.

Daar zaten ze dan achter hun Gezichten, en Chaim was de Voorzitter en zei tegen zijn Vrouw dat hij via via had vernomen dat *de Duitsers aan het oost-front zwaar tot terugtrekken waren gedwongen en dat de Vrede, als de Allerhoogste het wilde, misschien al deze lente zou komen;* en het Kind was het Kwaad zelve, zoals het daar Berekenende Blikken van de Vrouw naar de Vader zat te werpen; en de Vader lachte en zei dat hij nog goed wist hoe hij daar in dat kamertje aan de Karola Miarkistraat had gelegen en doodsangsten had uitgestaan om alle kinderen die hij uit het getto weg had moeten sturen, maar dat op hetzelfde moment een Engel, gezonden door de Allerhoogste Zelf, zijn kamer binnengekomen was en tegen de Voorzitter had gezegd – ja, tegen Mordechai Chaim Rumkowski PERSOONLIJK had de Engel *des Heren ge-zegd dat hier in dit getto het huis gebouwd moest worden, en dat, al bleef er slechts een van hen over, ze dan toch Zijn Huis hier moesten bouwen;* en toen hij, getroost door deze woorden, later uit zijn kleine Tempel van het Lijden naar buiten was gekomen, was hij opgebeld – ja, hij, Rumkowski, was heus opgebeld door Gauleiter Greiser PERSÖNLICH – en die had gezegd dat *net als, laten we zeggen, de vrijstaat Danzig ooit had geleefd onder de bescherming van de omringende machten, deze Joodse staat ook heel goed zou kunnen bestaan binnen de huidige grenzen van het Derde Rijk;* ja, Herzls eigen uitdrukking had Gauleiter Greiser gebruikt: *uw Joodse staat,* had hij gezegd, en waarom de moeite doen om deze staat in het land Israël op te bouwen wanneer al het *mensenmateriaal,* alle machines en alle apparatuur hier in het getto al aanwezig waren? Het kwam er immers maar helemaal op aan wat voor werk je bereid was te doen. Ja, dat had Gauleiter Greiser tegen Rumkowski gezegd (zei Chaim, en hij knipoogde naar het kind, en het kind knipoogde terug); en toen stond Chaim van tafel op en zei dat hij naar bed wilde gaan en een poosje van de sabbatsrust wilde genieten, en of het kind mee wilde; en toen stonden ze allebei op en gingen naar hun Kamer. En net als in een gangsterfilm in de Bajkabioscoop sloop Gertlers slanke gestalte uit de coulissen te-voorschijn, en Gertler zei op ironische toon *waarom wil je het getto verlaten, Ruchla, je weet toch dat je het nooit meer zo goed krijgt als je het nu hebt...?* Ze ziet hem met een wereldwijs gebaar rook door zijn beide neusgaten uitblazen, dan buigt hij voorover, dooft de sigaret in de asbak die ze voor hem neerge-zet heeft en zegt op een zakelijke, nuchtere toon die aan die van Benji doet denken (en hun voeten zijn nog steeds aan de stoelpoten vastgebonden):

Hij zal niemand van jullie ontzien, mevrouw Regina, niemand; hij zal jullie allemaal om het leven brengen...

En daarmee bedoelt hij het Kind. Geen twijfel mogelijk. Het Kind.

Als eerste teken van de nieuwe, heerlijke tijden die er aanbraken, lieten de autoriteiten een kleine drie maanden na de *szpera*-actie een grote *Industrietentoonstelling* openen, waar de inmiddels 112 resorty van het getto hun formidabele productieresultaten lieten zien.

Het nu 'gesaneerde' kinderziekenhuis aan Łagiewnickastraat 37 was omgevormd tot expositiezaal. In de ziekenzalen en de spreekkamers op de begane grond stonden vitrines en uitstalkasten met voorbeelden van allerlei gettoproducten, en langs de muur had iemand een groot spandoek met het beroemde devies van de Voorzitter opgehangen – UNSER EINZIGER WEG IST ARBEIT! – gedrukt met grote, zwarte sjabloonletters, in het Duits en in het Jiddisch.

Aan alle kanten een montage van foto's van allerlei werkplaatsen: jonge vrouwen aan een lange werkbank, allemaal met persijzers en banen stof in hun handen. De foto's van de vrouwen waren verwerkt in statistische kolommen die lieten zien dat het productietempo in de kleermakerijen van het getto voortdurend omhoogging. Hoe hoger de kolommen stegen, hoe meer er van de daarin verwerkte foto's van de vrouwen te zien was, vrouwen met gebogen hoofden boven hun persijzers of hun Singermachines, de ene bank na de andere, in een oneindig eeuwigheidsperspectief:

Trikotagenabteilung:	– Militärsektor:	42.880 Stück.
	– Zivilsektor:	71.028 Stück.
Korsett- und Büstenhalterfabrik:		34.057 Stück.

Drie jaren van slavernij, drie jaren van onderwerping aan een onderdrukkingsmacht die geen ander doel hadden dan de totale uitroeiing van het getto: dat moest natuurlijk gevierd worden.

De opening van de tentoonstelling bestond uit twee delen. Het eerste, officiële gedeelte bestond uit 'toespraken van verschillende hoofden van departementen', waarna de verschillende tentoonstellingsruimtes werden bezichtigd. Na de bezichtiging verplaatste het gehele evenement zich naar het Cultuurhuis, waar het programma bestond uit: 1) een muzikaal impromptu, 2) toespraken en verlening van onderscheidingen door de Preses, 3) een banket met feestmenu, speciaal voor de gelegenheid samengesteld door *Frau Helena Rumkowski*. Het banket en de voorstelling in het Cultuurhuis behoorden tot het onofficiële deel van het programma. De voorbereidingen ervoor hadden weken geduurd. Aangezien het banket bedoeld was als een *gemengde* bijeenkomst – dat wil zeggen: het was zeer wel denkbaar dat hooggeplaatste personen uit het Duitse bestuur of de Duitse ordedienst op bezoek zouden komen – werd er niets aan het toeval overgelaten.

Evenals het *Kinderhospital* van de Voorzitter en trouwens alle andere ziekenhuizen in het getto was ook het Cultuurhuis onlangs aan een ingrijpende sanering onderworpen. De coulissen van de Gettorevue van meneer Puławer waren afgebroken en afgevoerd en in plaats daarvan waren er hoge vaandels neergezet: een voor elk resort. Aan de muur achter de vaandels hing nu een groot portret van de Voorzitter zelf. Het was de klassieke foto waarop een glimlachende Rumkowski met armen vol bloemen alle gelukkige, weldoorvoede kinderen van het getto ontvangt. Daarna was de foyer versierd met slingers en bloemstukjes gemaakt van lapjes stof en restjes papier uit het *Altmaterialressort* van het getto, en was het geheel bekroond met het uitrollen van weer zo'n breed spandoek:

UNSER EINZIGER WEG...   אונזער איינציגער וועג איז – ארבייט! – וועג איז

De feitelijke opening vond begin december plaats, op een woensdag.

Het was een behoorlijk koude dag en er stond een harde, buiige wind. De lucht was grijs als cement en de sneeuw joeg in hevige rukwinden over de daken. Onder het net van tramleidingen boven de Łagiewnickastraat trekt een lange rij *dróshkes* voorbij, waarvan de kappen als monden open en dicht gaan in de maat van de windvlagen.

Het zijn de hoofden van de diverse resortafdelingen die arriveren: divisiechefs, commissionairs, directeuren van werkplaatsen, bestuursdiensten, intendance. En na hen komen op hun beurt allerlei vertegenwoordigers van de vage klasse die in de Getto-encyclopedie alleen maar *getto-ingenieurs* heet: chefs van fabrieken, opzichters, inspecteurs. Met een hand aan de rand van hun hoed en de andere om de panden van hun jas om te voorkomen dat die opwaaien, gaan ze in een gestage stroom het omgebouwde, nu van alle cultuurvernis ontdane Cultuurhuis binnen en worden onder de wimpels en slingers in de foyer ontvangen door belangrijke, door de omstandigheden opgeklommen functionarissen als Aron Jakubowicz en Dawid Warszawski, mannen die hadden geleerd dat de beste manier om met de eisen van de nieuwe tijd om te gaan niet is de strijd om de macht aan te gaan (een strijd die ze toch niet kunnen winnen), maar zich te gedragen alsof het getto een doodgewoon industriegebied is waar je handel kunt drijven en waar alle middelen zijn toegestaan als je je opdrachtgevers maar tevredenstelt. Te midden van deze werkelijke architecten van de Gettotentoonstelling vinden we ook hoofdcommissaris Dawid Gertler terug, in burgerkleding, maar met een grote W (van *Wirtschaftspolizei*) op zijn armband, om een voor deze dag geschikte verbondenheid uit te drukken.

Daar klinkt een schallende trompetfanfare van de koperblazers bij de entree; de heren van het ontvangstcomité slaan hun hakken tegen elkaar en rechten hun rug. De Voorzitter, zo wordt er aan de voorkant gefluisterd, is gearriveerd; met zijn hele familie nog wel.

Daar hebben we hem dus. Rumkowski. Zwijgzaam, verbeten, schrijdt hij voort, met zijn ogen naar de grond, alsof hij er in eerste instantie op geconcentreerd is om zijn benen onder controle te houden. Zijn vrouw, mevrouw Regina Rumkowska, loopt, zoals altijd krampachtig glimlachend, met haar arm onder de zijne. En ook de Zoon is erbij! En plotseling is er rondom de weg die het gezelschap aflegt zoveel ruimte ontstaan dat iedereen kan zien hoe Het Geadopteerde Kind daar bleek en nors te midden van alle in kostuum gestoken heren staat, gekleed in een monsterlijk kinderkostuum met brede, met zijde afgezette revers en een soort brokaten overhemd met brede achttiende-eeuwse ruches van voren. Van alle aanwezigen lijkt hij de enige te zijn die er min of meer ongedwongen uitziet. Hij staat onverschillig naar de slingers aan het plafond te gapen, en steekt intussen snoepjes in zijn mond uit een puntzak die de Voorzitter of wellicht een of andere gedienstige employé hem heeft toegestopt.

De meeste mensen hebben intussen wel begrepen dat er iets niet is zoals het hoort: dat heer Preses zijn benen niet goed kan aansturen en met zijn handen zoekt naar een muur die er niet is. Iemand zegt het zelfs hardop: *is die man daar soms een beetje aangeschoten?*

Maar dan is het al te laat. De koperblazers zijn klaar met hun trompetgeschal; Rumkowski heeft het podium betreden en begint met het uitreiken van de onderscheidingen, hoewel er nog geen onderscheidingen zijn om te verlenen, laat staan te onderscheiden personen. Maar daar komen toch een paar sterke meisjesarmen het voorbereide blad aandragen. De onderscheidingen liggen als vissen met de linten allemaal naar één kant. En juffrouw Dora Fuchs, kennelijk geschrokken door het grillige gedrag van de Voorzitter, heeft hem een papiertje in zijn handen gedrukt en wijst eerst op de tekst en dan naar de in kostuum of in uniform gestoken mannen – allemaal met armbanden met een W erop om de mouw – die, vol verwachting glimlachend, in het gelid staan opgesteld op de trap naar de foyer. Dat zijn de te onderscheiden personen.

De Voorzitter knikt alsof hij hen voor het eerst ziet.

Mijne heren, zegt hij met onvaste stem.
(Juffrouw Fuchs maakt een gebaar om het publiek tot zwijgen te manen.)
Mijne heren, mijne dames – mijne broeders en zusters!
U kent allemaal het GOEDE *nieuws: van de 87.615 nog resterende Joden zijn er vandaag de dag niet minder dan 75.650 volledig werkzaam in de productie.* DAT IS EEN GEWEEEEL-DIGE PRESTATIE!
Wij zijn nu met minder mensen in het getto dan vroeger.
MAAR WE HEBBEN ONZE TAAK VOLBRACHT.
Die na ons komen – onze kinderen en kleinkinderen (degenen die het hebben overleefd!) – zullen terecht trots zijn op deze mannen en vrouwen, die dankzij hun harde, zelfopofferende werk, hun – ons allemaal! – het recht op voortbestaan hebben gegeven.
Ja, ik zou zonder meer willen zeggen dat ze aan deze mannen hun leven te danken hebben.

Mijne heren, zegt hij opnieuw, met zijn gezicht weer naar de verwachtingsvolle mannen op de trap gewend. Maar met een gezicht alsof hij tot zijn ontzetting vergeten is wat hij ook alweer wilde zeggen. Het jonge meisje met de onderscheidingen leidt uit zijn verwarring af dat ze opnieuw naar voren moet komen met haar blad. Vanuit het publiek stijgt een ongeduldig gemompel op, dat wordt afgebroken door een van de trompetspelers, die zich niet kan inhouden en een lange, langzaam dalende toon over de mensenzee uitstoot. Alsof het kopergeschal ook in hem een snaar heeft beroerd, hoort men de Voorzitter opeens scanderen:

WERKEN, WERKEN, WERKEN!
Keer op keer heb ik u gezegd:
Werk is de ROTS VAN SION!
Werk is de BASIS VAN MIJN STAAT.
WERKEN – HARD, KASTIJDEND WERKEN –

En beneden in de zaal zien ze alles in de rondte vliegen: velletjes papier, dienblad en onderscheidingen – in een brede waaier waarvan het handvat zich bevindt in de retorisch uitslaande rechterhand van de Voorzitter. De velletjes papier dwarrelen langzaam omlaag, voorafgegaan door het dienblad, dat een elegante boog in de lucht beschrijft voordat het met een doffe knal op de grond slaat, gevolgd door de onderscheidingen aan hun linten, die her en der als kleine, met wimpels versierde raketten neerploffen.

Midden in de lintjesregen kruipt de Voorzitter op handen en knieën rond, op jacht naar zijn verloren paperassen. Achter in de zaal barsten sommigen in lachen uit. Eerst discreet: met de hand voor de mond. Dan (wanneer ook anderen beginnen te lachen) steeds openlijker.

Twee ordebewakers hebben zich een weg naar het podium gebaand om te kijken of ze kunnen helpen, maar ze worden tegengehouden door Gertler, die abrupt opstaat van zijn plaats op de eerste rij, en zegt:

Maar je ziet toch:
het is helemaal gedaan met die man! –

Op dat moment worden de deuren naar de foyer met een klap opengesmeten en Amtsleiter Biebow komt door het middenpad van de zaal aangeschreden, met in zijn kielzog zijn ordonnans en zijn lijfwachten. De scherp geroepen bevelen en de stampende en dreunende laarzen zorgen ervoor dat alle functionarissen van de eerste rij zich terughaasten naar hun plaatsen en daar zijgen ze nu neer, terwijl Biebow – nadat hij de hele toestand even met zijn handen in zijn zij heeft staan aankijken – gedecideerd het toneel op stapt, de nog steeds op handen en knieën rondkruipende Voorzitter beetpakt, overeind trekt en vervolgens met zijn gehandschoende hand twee keer snel midden in zijn gezicht slaat.

Rumkowski, die nog steeds niet helemaal lijkt te hebben begrepen met wie hij te maken heeft, staart maar wat voor zich uit, terwijl het speeksel uit zijn mondhoeken sijpelt.

Biebow raapt de over het podium verspreide diploma's en onderscheidingen op en drukt ze de Voorzitter in handen; dan slaat hij zijn armen om hem heen om alles op zijn plaats te houden (de diploma's, de onderscheidingen en de Voorzitter zelf): *U bent een oude man geworden, Rumkowski*, horen ze hem zeggen, en voor degenen die op de eerste rij met angstig gespitste oren luisteren, klinkt wat hij mompelt bijna liefdevol:

U bent een oude man geworden, die bij een verouderde tijd hoort, Rumkowski.

U dacht dat u macht en invloed kon kopen, dat u uw perverse, smerige nest kon bouwen binnen de muren van een Sterkere Macht, en dan maar door kon gaan met verkwisten en verduisteren, zoals de mensen van uw soort al zo vaak in de geschiedenis hebben gedaan en zoals jullie van nature doen.

Maar ik zeg u één ding, Rumkowski, en dat is dat die tijd nu voorbij is. Die tijd is auf ewig vorbei.

Nu gaat het om Entschlossenheit, Mut und Kompetenz.

Dat laatste zegt hij niet tegen Rumkowski, maar met zijn gezicht naar het publiek. En hij glimlacht erbij: een glimlach die tegelijkertijd om instemming wil vragen en mededogen wil uitdrukken.

En kennelijk slaagt hij daarin, want opeens begint iedereen (behalve juffrouw Fuchs, die volkomen overstuur lijkt, en mevrouw Regina Rumkowska, die aan haar handtas zit te frunniken alsof ze zich erin zou willen verbergen) te lachen. De hele zaal, van de rij hoogwaardigheidsbekleders helemaal vooraan tot aan de voormannen en machinechefs helemaal achterin. Sommigen steken hun armen zelfs in de lucht en beginnen te applaudisseren en kreten van instemming te uiten alsof ze bij een simpele variétévoorstelling zaten, en wanneer de spanning eenmaal uit hun armen en benen is verdwenen, doen anderen mee en beginnen opgelucht of overmoedig met hun voeten op de vloer te stampen en te joelen en te schreeuwen.

Maar dit is geen variété. Misschien duurt het even voordat de mensen helemaal beseffen dat niemand minder dan Herr Amtsleiter daar met de voorzitter van de Joodse Raad als een kind in zijn armen de bijval van het publiek in ontvangst staat te nemen. Een lid van het blaasorkest was in elk geval voldoende bij zijn positieven om te begrijpen dat er maar één uitweg uit deze in potentie levensgevaarlijke situatie was en zette op eigen initiatief de eerste tonen van *der Badenweilermarsch* in:

Vaterland, hör' deiner Söhne Schwur:
Nimmer zurück! Vorwärts den Blick!

Wat er daarna gebeurde is onduidelijk. Onder aanvoering van de mannen van de nieuwe tijd, in de eerste plaats Gertler en Jakubowicz, die het slepende ceremonieel op het toneel zat waren, gingen de hoogwaardigheidsbekleders naar de foyer, waar Het Heerlijke Buffet op tafel stond.

Het Heerlijke Buffet was al veelbesproken voordat het het daglicht had gezien. De vraag is zelfs of Het Heerlijke Buffet niet meer besproken, meer tot in detail voorbeschouwd, in zekere zin al geproefd en gekeurd was, dan de Tentoonstelling zelf.

De reden dat de autoriteiten überhaupt toestemming hadden gegeven om prinses Helena een Buffet op tafel te laten zetten, was dat ook de levensmiddelen die het getto produceerde, getoond moesten worden. Er waren dus worstjes en gezouten vlees uit hun eigen slachterijen – helaas niet koosjer, maar die droom hadden ze al lang geleden opgegeven – er was brood uit hun bakkerijen, er waren zelfs banketbakkerswaren en zoete koekjes met marmelade, geproduceerd in de voormalige fruitconservenfabrieken van Schlomo Hercberg in Marysin. Daarbij werd rode wijn geserveerd in borrelglaasjes. De wijn kwam uit Litzmannstadt en was een *Geschenk* van Biebow, maar de glazen waren van echt kristal en zo vernuftig op spiegelende dienbladen geplaatst dat de ondernemers die hun hand er begerig naar uitstrekten, onvermijdelijk terug moesten denken aan de gouden tijden toen *di sheine jidn* in een café aan de Piotrkowskastraat konden zitten en *szarlotka* konden eten en thee of goede rijnwijn konden drinken uit hoge glazen, zoals iedereen.

De Voorzitter zelf leek te zijn bekomen van de brandrede en liep nu rond tussen de buffetgasten, steunend op het beetje dat er nog over was van zijn vroegere waardigheid.

De meeste mensen in de kringen rond Jakubowicz en Gertler wendden hem discreet de rug toe zodra hij naderde. Anderen waren niet zo vooringenomen. Algauw had ook de Voorzitter een groepje om zich heen verzameld: onbeduidende klerken en secretarissen die hoopten dat er een welwillend woord over zijn lippen zou komen, een woord dat ze later misschien zouden kunnen inwisselen voor een betere positie; en misschien kwam het ook door de concurrentie – mannen als Jakubowicz, Warszawski, Gertler en Reingold verzamelden scharen om zich heen die een veelvoud van de omvang van de zijne hadden – maar de Voorzitter was vanavond zeldzaam royaal met beloftes en toezeggingen.

Maar kijk, meneer Schulz! barstte hij los toen hij dokter Arnošt Schulz met zijn dochter in het oog kreeg aan de andere kant van Het Heerlijke Buffet.

Dit, mijne heren… verklaarde hij aan de rest van zijn Gevolg, dat hem ongerust en angstvallig op de hielen volgde. (Na het incident tijdens de uitreiking van de onderscheidingen was er niemand meer die hem ook maar een seconde uit het oog durfde te verliezen.)

Dit is Herr Professor Schulz – uit Praag, nietwaar?! – de enige van mijn artsen die me eerlijk durfde te zeggen wat hij op zijn hart had.
U bent een Verlichtingsman, niet, Herr Professor Schulz?

Věra Schulz zou zich later deze eerste en enige keer dat ze oog in oog stond met de schertsvorst van het getto, de zelfbenoemde bestuurder van het lot van honderdduizenden hier al gevestigde of hierheen gedeporteerde Joden, goed herinneren. *Een automaat – schreef ze later in haar dagboek – een man zonder enig uiterlijk teken van leven, wiens energieke manier van lopen, luidruchtige gepraat en plotselinge, op het oog volkomen ongemotiveerde handbewegingen aangedreven leken te worden door een mechanisme dat ergens in zijn lichaam verborgen zat. Zijn gezicht dood, bleek, gezwollen; zijn stem schel als een stoomfluit.*

Gedurende een paar lange minuten staat de Voorzitter met de hand van Věra in de zijne, alsof hij in het bezit is gekomen van een kostbaar voorwerp waarvan hij niet weet wat hij ermee moet doen. Het valt Věra op dat er zweetpareltjes ontstaan bij de haargrens onder zijn opzijgestreken witte haardos.

Maar hoe... begint hij, onderbreekt zichzelf en begint opnieuw (met ogenschijnlijk oprechte verbazing): *hoe kunt u werken met zo'n hand?*

Misschien verkoos de later als zodanig omschreven *Maagkwaal* juist op dit moment toe te slaan. Later werd het in elk geval een *beklagenswaardig incident* genoemd, dat had plaatsgevonden onmiddellijk nadat Het Heerlijke Buffet op tafel was gezet.

Over de oorzaken van 'het incident' liepen de meningen later uiteen.

Of de slachterijen van het getto hadden zich, ondanks de beperkte hoeveelheid beschikbare vleesgrondstoffen, al te zeer uitgesloofd en hadden om het Vereiste Aantal Worsten te halen inferieure grondstoffen gebruikt, die anders al meteen bij aankomst op Radogoszcz werden begraven. Of de extra levering van *gutes gehacktes Fleisch* die de Gettoverwaltung had beloofd, bleek te bestaan uit precies hetzelfde bedorven paardenvlees dat de Duitsers altijd leverden en dat al mijlen in de omtrek stonk als het aankwam: bleekgroen en zo door verrotting aan het ontbinden dat het bij het lossen bijna van de wagons naar de karren stroomde. Maar ditmaal hadden de verantwoordelijken van de vleesdistributieafdeling geen melding durven maken van de inferieure grondstoffen uit angst om (zoals het later heette) 'het hele evenement te bederven'. En dus waren de gemaakte worsten toch aan het Buffet geleverd, vet en zuur, en uit hun slijmerige darmvelletjes puilend van de soda en de giststoffen...!

Of misschien – dat dachten de meesten – was er voor deze receptie plotseling zo'n overdaad aan reuzel verstrekt dat zelfs overigens welgesmeerde directeursingewanden onvoldoende weerstand hadden; vooral omdat alle genodigden voor dit gulle Buffet wisten dat een gebeurtenis van dit kaliber waarschijnlijk slechts één keer in de geschiedenis van het getto zou voorkomen en dat het zaak was nu te eten terwijl ze de kans hadden, en de worsten lagen daar toch zo lekker rood en tevreden in hun glanzende, glimmende vet...!

Al tegen middernacht wankelden de eerste hoogwaardigheidsbekleders in hun feestgewaad in de richting van de binnenplaats, waar ze steun zochten tegen de met roet besmeurde bakstenen muren en met opgetrokken schouders stonden over te geven. In de foyer dwaalden mensen verwilderd rond. Sommigen hadden dekking gevonden achter de grote buffettafel of achter de stoelen en tafels die er nog steeds stonden, terwijl de keuken en de gang daarheen in beslag werden genomen door Gertlers lijfwachten, die ongeremd spuugden in alles wat zich voordeed aan emmers en bakken, zelfs in de pannen en schalen waarin de worsten lagen die nog niet genuttigd waren.

Nadat hij met vochtige ogen zijn hele Gevolg had zien omvallen, wandelde de Voorzitter met trotse, reigerachtige passen naar de binnenplaats, waar ook hij omviel. Juffrouw Dora Fuchs, die de hele avond haar mondhoeken met een zakdoek had lopen bevochtigen, zwaaide nu onmachtig met het doekje in de lucht terwijl ze om een dokter riep. En zo moest dokter Schulz ook op deze jubileumdag doen wat hij al elke dag had gedaan sinds hij in het getto was aangekomen. Hij pakte de dokterstas die hij altijd bij zich had, vroeg Věra een stoelhoes onder de nek van de Voorzitter te leggen en ging toen op zijn knieën zitten om de pols van de op leeftijd rakende man op te nemen:

De Voorzitter (mat, met zijn ogen naar de verre gettohemel): Wie bent u?

Schulz: Schulz.

De Voorzitter: Schulz?

Schulz: Schulz. We hebben elkaar al ontmoet.

De Voorzitter (tegen Věra): En deze wonderschone dame aan uw zijde?

Schulz: Dat is mijn dochter Věra. U hebt een paar minuten geleden nog met haar gesproken.

De Voorzitter: Maar wat hebt u met uw mooie, jonge handen gedaan, jongejuffrouw Věra?

Schulz: Meneer de Voorzitter heeft zelf gezegd dat ze niet meer geschikt zijn om te werken.

De Voorzitter: Nee maar, heb je nou ooit? Iedereen die zijn handen nog heeft, moet natuurlijk werk krijgen, en ik zie dat u mooie, schone handen hebt, juffrouw Schulz.

Schulz: Schoon of niet, u hebt niets met die handen te maken...!

Op dat moment gaf Herr Amtsleiter zijn politie-escorte opdracht de menigte uiteen te drijven. Degenen die nog op hun benen konden staan, werden met harde klappen van wapenstokken en geweerkolven naar buiten gejaagd, de achterplaats op. Daar moesten ze maar blijven liggen – perso-

neel, ordebewakers en gewone mensen door elkaar heen – totdat ze op-
knapten en daar op eigen kracht weg konden gaan. Op weg terug naar het
Rode Huis kon je dienstdoende Duitse commandanten horen mompelen
over smeerlappen van Joden die niet eens het beetje eten dat ze kregen,
binnen konden houden.

Maar natuurlijk was er niets te eten. Ze konden doen alsof, of zichzelf wijsmaken dat er genoeg was of dat ze geld genoeg hadden om voedsel te kopen of kostbaarheden genoeg om ervoor in te ruilen en dat het alleen maar zaak was om het te bewaren, zuinig te zijn, aan te lengen.

Maar het feit bleef: er was geen eten.

De prijs van een stuk brood op de zwarte markt bedroeg driehonderd mark, maar omdat zelfs de verkopers zich niet de verschrikkelijke kou van die winter in waagden, was er geen brood te koop. Op de onderste plank van de voorraadkast lagen een paar aardappels met vorstschade, met de verschrompelde schil naar boven. Dat was alles wat ze hadden. Zelf stond Věra elke ochtend aardappelmeel door halfflauw water te roeren waarin ze roggevlokken strooide. Dat was 'de soep' waarmee ze Maman elke ochtend voerden. Als het vader niet was gelukt Maman een bed in de kliniek aan de Mickiewiczastraat te bezorgen, had geen van hen het waarschijnlijk overleefd. Zolang ze in de kliniek lag, kreeg Maman tenminste gratis soep en brood, en als er wat overbleef kon ook Věra een schaaltje krijgen. Als dank voor het eten mocht ze de hele dag met haar Olympia op schoot zitten en vader helpen patiëntenstaten te schrijven en registratiekaarten in te vullen. Dokter Schulz had op uitdrukkelijk bevel van Rumkowski niet alleen de verantwoordelijkheid voor de vroegere tuberculosekliniek overgenomen, maar ook voor de voormalige poliklinieken aan de Dworskastraat, en honderden patiënten verdrongen zich nu in een ruimte waar eerder hooguit plaats was voor tien bedden. Zelfs in de kelder en de vochtige wasruimtes onder de feitelijke kliniek lagen patiënten, en de gangen zaten vol zogeheten dagpatiënten (hoewel ze daar dag en nacht waren), mensen die niet zo ziek geacht werden dat ze een bed nodig hadden: mannen met bloedvergiftiging of chronische diarree, met van honger opgezwollen of acuut verlamde benen of alleen maar met bevriezingswonden. Věra registreerde honderden van dergelijke gevallen per week; de meesten van hen ondergingen een amputatie, ongeacht of het nodig was of niet, omdat professor Schulz van mening was dat sepsis een *aanzienlijk groter kwaad* was en dat hij in de huidige omstandigheden onvoldoende middelen had om die te behandelen.

In het bed naast dat van Maman op de afdeling van dokter Schulz lag een oudere man, kaal als een ei, maar met brede, nog zwarte wenkbrauwen, die zich elke keer wanneer hij iemand waarnam, samentrokken, net als bij een dier.

De verpleegsters noemden hem rabbi Einhorn of alleen maar *meneer de rabbi* en liepen met de grootst mogelijke eerbied om zijn bed. Een paar keer per dag haalde rabbi Einhorn de gebedssjaal en gebedsriemen tevoorschijn die hij samen met zijn boeken in een klein, aftands koffertje bewaarde. Omdat hij zo zwak was dat hij zijn bovenlichaam nauwelijks overeind kon houden, mocht Věra hem helpen de gebedsriemen om zijn arm te wikkelen en het leren hoofddoosje aan zijn voorhoofd vast te maken, maar de boeken wilde hij per se zelf pakken, en daarna wilde hij niet dat zij of iemand anders ze aanraakte, maar lag hij met de boeken tegen zijn kippenborst geklemd in bed.

Vaak merkte ze dat hij haar lag te bekijken wanneer ze papier in of uit de schrijfmachinerol draaide of een staataantekening of een adres tikte.

Hij wilde weten hoe ze aan deze prijzenswaardige vaardigheid was gekomen.

Ze antwoordde dat er op het handelsgymnasium in Praag ook cursussen stenografie en machineschrijven werden gegeven. Hij wilde weten welke talen ze sprak en ze antwoordde dat ze zich redelijk kon uitdrukken in het Engels en Frans, maar helaas niet in het Jiddisch of Hebreeuws; toen zei hij dat hij haar zou helpen, pakte een boek en las eerst een paar gebeden in het Hebreeuws en toen in het Pools voor en legde meteen uit wat hij las. De dagen daarna lazen ze samen allerlei gebeden. Hij las ze eerst, en daarna moest zij ze lezen. Naderhand klaagde hij luidkeels over haar onwetendheid. *Het is of jullie jongelui een kamer binnengaan en erover klagen dat het overal zo donker is dat jullie niets zien, terwijl het licht toch tot in de kleinste hoeken en gaten doordringt.*

Maar toen had hij haar al heel wat woorden in de nieuwe taal geleerd. Hij had haar geleerd hoe de letters eruitzagen, hoe ze uitgesproken werden, en hoe ze samengesteld en uit elkaar gehaald werden om nieuwe betekenissen te vormen. Een paar eenvoudige lettergrepen met klinkers ertussen konden een wereld aan woorden vormen. Een van de vele Hebreeuwse woorden die hij haar leerde was *punem*. Het oorspronkelijke woord voor *gezicht* dat, al naargelang hoe je het uit elkaar haalde en in elkaar zette, van alles kon betekenen van *geplaatst worden voor* tot *blootgesteld worden aan* of *door en door verlicht worden* door de Almachtige:

> Dus u begrijpt misschien, juffrouw Schulz, dat de handeling niet bestaat uit het afraffelen van woorden uit een boek, maar uit het wenden van je gezicht tot de Heer, zodat Hij elk van Zijn heilige woorden van binnenuit kan verlichten...

Een keer toen ze samen hadden gelezen, greep hij haar hand en vroeg of ze hem kon helpen als de tijd daar was. In haar onschuld dacht ze dat hij wilde dat ze hem zou helpen met sterven. Maar toen ze daarop zinspeelde, schudde hij energiek zijn kale hoofd. Wat hij wilde was veel concreter. Hij zei dat er een brief op haar naam bezorgd zou worden. En wanneer de brief kwam: wilde *Fräulein Schulz* hem dan de dienst bewijzen het verzoek dat die bevatte in elk geval zorgvuldig in overweging te nemen?

◆

In mei 1940, toen het getto werd gevormd, had de Joodse gettoadministratie hooguit een paar honderd werknemers gehad. Drie jaar later, in juni 1943, verdienden meer dan 13.000 gettobewoners hun inkomen in een van de vele kanselarijen en departementen, ondersecretariaten, arbeidsbureaus, rekenkamers en inspectie-eenheden waarover Rumkowski de leiding had.

Omdat Rumkowski's bestuursapparaat in drie jaar zo'n wirwar was geworden, zei men gewoon *de Kanselarij*.

Of de kanselarij van de Voorzitter.

Of het paleis.

Dat mocht dan een paleis zonder zichtbare torens of borstweringen zijn, het had wel veel onderaardse gangen, waar mensen berekeningen zaten te maken zonder dat ze wisten wat ze berekenden, of alleen maar ach-

ter nachtelijke inspectieloketten zaten te slapen. Het paleis was een bouw-
werk met een hachelijk fundament, waarvan de groei voortdurend ter discussie stond. Kanselarijen en kantoren konden zomaar opduiken in gewone huurhuizen om dan weer te worden ontruimd alsof ze nooit hadden
bestaan. Een duidelijke toegangspoort had dit paleis wel. Deze lag bij het
Secretariaat van de Voorzitter aan het Bałutyplein. Daar moest iedereen
heen die in, hogerop in of voorbij de hiërarchie van het getto wilde komen.

De mensen die hun toevlucht zochten tot de Voorzitter werden *petenten*
genoemd, en de Voorzitter had sinds het begin van het getto duizenden
van die petenten ontvangen.

In die tijd kregen de smekelingen bij het Bałutykantoor speciale door-
gangspasjes om kortstondig in de door de Duitsers geblokkeerde zone
te mogen verblijven. Na de *szpera*-actie had Biebow echter bepaald dat
het moest zijn *afgelopen met dat gedraaf* en hij had iedereen die niet bij het
bestuur in dienst was, verboden op arisch gebied te komen. Al weerhield
dit de Voorzitter er geenszins van petenten te ontvangen. Er werd nu een
wachthuisje aan de Łagiewnickastraat voor in gebruik genomen. Men
kreeg het voor elkaar daar een bureau in te proppen, waar de Voorzitter
achter zat met alle persoonsdossiers, en juffrouw Fuchs regelde een primitief volgordesysteem waarbij de gunstzoekers een nummertje kregen,
buiten in de rij moesten staan en vervolgens een voor een werden binnengeroepen.

Mensen deden alle mogelijke verzoeken.

Velen, zoals Věra, verzochten om een ziekenhuisplaats voor familieleden. Anderen vroegen melkrantsoenen aan voor hun kinderen. Of stukjes
tuin om te gebruiken nu het teeltseizoen begon.

Velen dienden een verzoek in om te trouwen. Een huwelijk aangaan was
in deze tijd een van de weinige wettelijke mogelijkheden om aan extra
voedselrantsoenen te komen. De Voorzitter zelf wees deze voedselrantsoenen toe uit zijn eigen quotum aan extra levensmiddelen. De Voorzitter
was ook degene die de huwelijken voltrok, omdat alle religieuze ceremonies in het getto verboden en alle rabbijnen formeel gedeporteerd waren.
Er werd wel gezegd dat het *schandalig* was welke vrijheden de ouwe zich nu
permitteerde: rechtsgeleerde en rabbijn spelen, terwijl hij er nota bene van
verdacht werd bloed aan zijn handen te hebben! Anderen zeiden dat ze er
wel enig begrip voor hadden dat de ouwe deze rol op zich nam. Hoe moest

hij anders zijn macht laten zien, nu hij niet alleen door Herr Amtsleiter Biebow zelf openlijk beschimpt en bespot was, maar nu hem ook alle zeggenschap over zowel de productie als de levensmiddelendistributie in het getto was ontnomen, om nog maar te zwijgen van 'het politiële'?

In een van de huwelijksceremonies die regelmatig werden gehouden in het oude preventorium aan de Łagiewnickastraat verbond de Voorzitter volgens de Gettokroniek maar liefst dertien bruidsparen in één keer in het huwelijk; en op een dienblad stonden dertien verschillende wijnglazen, die gevuld werden vanuit een fles die voorzien was van een speciale, 'sanitaire' tuit. Dokter Miller stond erop dat het zo gebeurde, om het risico van overdracht van epidemische ziektes te minimaliseren. Dokter Miller stond zelf verscholen achter het bruiloftsbaldakijn om zich ervan te vergewissen dat iedereen uit zijn *eigen* glas dronk en dat elk glas daarna werd schoongemaakt en zonder breken werd teruggezet op het dienblad.

Naderhand werd er veel gesproken over de ontheiliging van het Joodse bruiloftsritueel, dat nu in het paleis plaatsvond, en over het bruiloftsbaldakijn dat maar een simpele gordijnstang was waarover stof was gedrapeerd en dat na de ceremonie in opdracht van dokter Miller voor onmiddellijke desinfectie naar het sanitaire station aan het Bałutyplein werd gebracht. Je kon bijna Benji's stem weer horen die op straathoeken stond te vloeken en vervloeken: *Een vazallenkoning – dat is waartoe hij zich heeft laten reduceren, meneer Rumkowski; met zijn vazallengevolg en al zijn belachelijke ceremonies!*

Maar de voedselbonnen die mevrouw Eybuszyc van de afdeling *Approvisation* voor de dertien bruidsparen uitschreef, waren in elk geval echt en in te ruilen voor echt brood en genoeg echt zetmeel in de soep om al was het maar een paar dagen verzadigd te zijn.

◆

Het had een 'gelukkige' dag moeten zijn, de dag dat Josel de behangwand losmaakte en Maman eindelijk vrijliet uit haar opsluiting. Věra zou nooit de aanblik vergeten van de vreemde vrouw die ze aan de andere kant zagen: net zo dun als de naalden waarvoor ze Věra even 'om de hoek' had laten rennen om ze te halen, maar glimlachend, met rechte rug en met haar *Ausweis* uitgestoken, alsof ze al weken op dit moment had zitten wachten.

Maar Věra zag meteen dat er iets kliederigs om Mamans lippen zat en dat de muren om het bed heen zwart waren van bloed en opgedroogde ontlasting.

Arnošt, die de behangwand de voorbije dagen vaak had geopend, zei dat Mamans gezondheidstoestand ondanks alles niet slechter was dan je kon verwachten. Hij haalde de canule uit de rug van haar hand en een paar dagen zat ze zelfs tijdens het eten bij hen aan tafel. Věra sopte dobbelsteentjes brood in de soep en stopte ze haar moeder in de mond, en die zoog ze met haar ingevallen wangen op en keerde haar blik naar binnen om te onderzoeken wat voor merkwaardig iets er nu toch op haar tong was beland. Maar ze slikte alles door en leek voor even zelfs tevreden met wat ze binnen kreeg en met het rumoer en het gedoe om zich heen.

Maar schijn bedroog. Misschien werden ze allemaal voor de gek gehouden door het feit dat ze het überhaupt had overleefd, daar 'achter het behang'. Na een poosje was het duidelijk dat Mamans nieren niet tegen het eten konden dat ze haar gaven. De primitieve dialyse die Arnošt uitvoerde, werkte niet, de wond in de buik waar de dialysevloeistof in ging, zwol op en het buikvlies raakte ontstoken; Maman kreeg koorts.

Věra waakte en wachtte de hele nacht tot de 'crisis' zou komen, waarna de koorts hopelijk zou zakken. Maar er kwam geen 'crisis'. De koorts ging wel naar beneden, maar Maman werd niet wakker. Haar pols was zwak, ze haalde hortend en stotend adem en haar hartslag was onregelmatig.

Ze zaten allemaal bij haar toen ze stierf. Věra vertelde haar moeder over de laatste keer dat ze samen in het Riegerpark hadden gewandeld, over de vogels die in de schemering uit de bomen tevoorschijn kwamen en als het ware een tweede hemel vormden boven alle daken en koperen torens van Praag; en het leek even of Maman een beetje glimlachte en of haar vingers, die Věra streelde, terugstreelden. Toen verdween langzaam haar ademhaling. Maman glipte uit haar lichaam zoals je uit een oud, vies kledingstuk glipt dat je liever niet meer wilt aanraken en toen het uittrekken goed en wel gelukt was, lag haar gezicht daar volkomen rustig en stil, alsof niemand het ooit had aangeraakt.

Ze begroeven Maman toen het nieuwe kalenderjaar 1943 achttien dagen oud was, op een berijpte ochtend, terwijl de zon glanzend en laag als rook boven de muren in Marysin hing. De hoofdingang van de grote begraafplaats lag vroeger aan de Brackastraat, aan de noordoostelijke kant van het getto, maar omdat die nu op arisch gebied lag, had de begrafenisonderneming een kleinere poort gemaakt in de bakstenen muur aan de westkant, aan de Zagajnikowastraat, en daar reden ze door met de wagen die professor Schulz had gehuurd.

Binnen de nauwe muren breidde de dodenstad zich uit. Aan de westkant van de weg vanaf het kleine mortuariumgebouwtje strekten zich lange rijen aarden wallen uit, rijpwit nu in het gezwollen, blauwwitte zonlicht.

Achter elke wal verborgen zich rijen graven, sommige bedekt met aarde, andere nog wachtend op hun doden. Om genoeg plaats te hebben, waren ze al in november begonnen met graven, had Józef Feldman verteld, terwijl ze het gewassen en afgelegde lichaam van de wagen overtilden op de lage, platte kar waarop de doden hier op de begraafplaats werden vervoerd. Ze wisten allemaal nog hoe het het jaar daarvoor was geweest, in januari en februari, toen de deportaties net waren begonnen en mensen in onverwarmde barakken werden samengedreven en doodvroren terwijl ze op een transport wachtten dat nooit kwam. Toen zat de vorst zo diep in de grond dat ze er niet eens een spa in konden slaan, en ze hadden geen andere keus dan de lijken op elkaar te stapelen in afwachting van het invallen van de dooi.

Józef Feldman vertelde dit op die emotieloze, maar toch op de een of andere manier tedere toon die kenmerkend is voor mensen die dagelijks met de dood te maken hebben, maar Věra hoorde amper wat de oude man zei. Terwijl ze achter het met metaal beslagen, ritmisch knerpende karrenwiel, achter de rabbijn die de ceremonie verrichtte en achter haar vader en haar twee broers aan liep, zag ze heel in de verte nog een paar doodgravers met kruiwagen, pikhouweel en spa. De contouren van de doodgravers losten bijna op in de rijpwitte koudenevel, zodat ze een paar meter boven de grond leken te zweven, en plotseling was het of alles voor haar ogen samenvloeide: het ritmische geknars van het karrenwiel, de eindeloze rijen anonieme graven, de ijzige wind die in haar wangen beet en pijnlijke tranen uit haar ogen perste.

Waarschijnlijk was ze niet aan al die open ruimte gewend. Ze was nu al zo lang in het getto dat alles daar haar even donker en krap leek; dat je, waar je ook ging, in elkaar moest kruipen om ruimte te maken voor anderen. In tegenstelling daarmee leken de afstanden hier op de begraafplaats haar bijna onvoorstelbaar; onvoorstelbaar in elk geval dat er al zoveel doden waren.

◆

De schrijfmachine stond nog op het kleine wandtafeltje toen ze terugkwam van de begrafenisplechtigheid, maar in het bed waar rabbi Einhorn had gelegen, lag nu een andere man, die haar met lege, nietszeggende ogen aankeek. Naast haar schrijfmachine stond het kleine, met ijzer beslagen koffertje met de gebedssjaal en de boeken van de rabbi. Later zou ze zich vaak afvragen wat er gebeurd zou zijn als ze het koffertje die dag niet had opengemaakt. Er stierven zoveel mensen en ze lieten allemaal wel onbruikbare voorwerpen na. Het werd ten slotte een begrip zonder enige inhoud: hoe kon je spreken van nagelaten persoonlijke bezittingen als zelfs de dood al niets persoonlijks meer was?

Maar ze maakte het koffertje wel open – misschien uit respect voor de oude man. In het koffertje zat een klein papiertje, met een in het Duits geschreven tekst in dezelfde typeletter als die van haar eigen schrijfmachine:

Afspraak aan de voet van de houten brug, hoek Kirchplatz/Hohensteinerstrasse, vrijdag 9.00 uur. Neem uw schrijfmachine a.u.b. mee!
A. Gl.

Met deze brief, door een vreemde op haar eigen schrijfmachine geschreven, begon wat ze later in haar dagboek zou omschrijven als haar *Unterirdisches Leben*, haar ondergrondse leven.

Op een natte, nevelgrijze ochtend begin februari 1943 stapte Věra dus voor de eerste keer over de drempel van het paleis. Waar het getto ophield en het prikkeldraad begon, hoorde de hoge, zwarte houten brug vijf machtige meters boven de straat op te rijzen, maar het enige wat er in de mist te zien was, waren de mensen die naar de voet van de trap kwamen en er dan op verdwenen alsof ze zo de hemel in klommen. Daarboven was nu alleen het eindeloze gestamp van schoenen op natte traptreden te horen en de zware ademhaling van duizenden mensen die zich zonder gezien te worden – zonder te zien – naar hun anonieme werk haastten.

Fräulein Schulz? De man achter haar moet meteen geweten hebben wie ze was, ondanks het slechte zicht; of hij liet zich leiden door de gevraagde Olympia met bijbehorende beschermkap die ze onder haar arm had.

Sind Sie denn für den heutigen Arbeitseinsatz bereit, Fräulein Schulz?

Ze draaide zich om alsof ze aangesproken werd door een echte Duitser.

Maar hij zag er niet gemeen uit. Hij had een glimlach op zijn gezicht. Onder de natte rand van zijn hoed stonden grote ogen, die almaar groter werden naarmate hij haar langer aankeek. Zonder ook maar enig idee te hebben om wat voor soort werk het ging, liep ze door de mist met hem mee, eerst een nauw binnenplaatsje op, daarna een keldertrap af met treden zo smal als in een putschacht. Op de bodem van deze schacht wachtte hun een kloeke houten deur met een groot hangslot. De man maakte het slot los en trok de knarsende deur voor hen open.

Als er geen planken of in elk geval steunen genoeg waren geweest om ze op hun plaats te houden waren alle boeken toen al meteen over haar heen gestort...

De boeken stonden en lagen overal: in brede, doorzakkende kasten die tegen de muren leunden, op planken of stukken karton die op de kale stenen vloer waren neergelegd, en daarop waren ze in hoge torens op en naast elkaar gestapeld, met dikkere en bredere banden ingeklemd tussen smallere, als ongelijke stenen in een muur.

Dit hier was allemaal het werk van rabbi Einhorn, verklaarde hij. 'De eigen boeken van de rabbi zijn maar een fractie hiervan. De rest komt uit Joodse huizen hier in het getto. Wij verzamelen ze al sinds de eerste dag van de deportaties. Alleen al de gedachte dat ze in verkeerde handen zouden vallen, bracht advocaat Neftalin ertoe een acquisitiebevel op te laten stellen door het woningbestuur. Op grond daarvan is iedere buurtbeheerder en huisbaas verplicht alle bovenhuizen, kelders en voorraadzolders die door gedeporteerde Joden zijn verlaten, te doorzoeken en alles wat er aan boeken en geschriften wordt gevonden naar het archief te laten overbrengen; en wanneer we zeggen "alles", dan bedoelen we ook letterlijk *alles*,' zei hij glimlachend. 'Er zijn hier niet alleen boeken, maar ook allerlei andere geschriften en publicaties. Maar niemand heeft ze nog kunnen tellen, niemand heeft ze gecatalogiseerd of de namen kunnen terugvinden van degenen die ze ooit bezaten. Dat moet allemaal nog worden gedaan.'

Ergens tussen de wankele stapels boeken hadden ze een tafel voor haar weten te persen. Meneer Gliksman kwam beneden met een paar warme dekens. Daarna met een gloeilamp, die hij uit zijn mond toverde als een clown in een circus, en vastdraaide in een armatuur hoog aan een van de keldermuren. Hij was kennelijk verzot op dat soort kunstjes. Toen ze om een pen vroeg, haalde hij er een vanachter zijn oor vandaan en later toverde hij uit de mouwen van zijn overhemd twee velletjes carbonpapier tevoorschijn om tussen de vellen te leggen die ze in de schrijfmachine draaide. Alle titels moesten ten minste twee keer worden gecatalogiseerd: eerst op gewone cartotheekkaartjes en dan op lange lijsten waarop ook de naam van de oorspronkelijke eigenaar moest komen te staan.

In een scheve lichtbundel vol steengruis en dorre schaduwen deed ze een eerste poging om orde te scheppen in de boekenstapels. In sommige kasten waren de boeken al geordend – ofwel naar onderwerp ofwel in bundels of op stapels naar de huizen waar ze vandaan kwamen: versleten en beduimelde exemplaren van Tanak; oude gebedenboeken, sommige zo klein dat ze heel gemakkelijk in de zoom van een blouse of in de plooien van een kaftan konden worden genaaid; fotoalbums met foto's van feestelijk geklede mannen en vrouwen aan lange, gedekte tafels of van school-kinderen in korte broek en met kniekousen tijdens uitstapjes; schoolboe-ken met rekensommen; grammaticaboeken in het Pools en Hebreeuws; agenda's die vele decennia terug gingen in de tijd; spoorboekjes; vertaalde romans van Lion Feuchtwanger, Theodor Fontane of P.G. Wodehouse.

Ze zette alle namen en titels zorgvuldig op de registratiekaartjes die ze haar hadden gegeven.

Het probleem was dat niet alle titels als boeken te classificeren waren. Wat moest ze bijvoorbeeld doen met alle particuliere kasboeken – er waren er honderden –, simpele wasdoeken schriften waarin huisvrouwen de bedragen van al hun inkopen hadden ingevuld en opgeteld?

Aleksander Gliksman kwam en ging, maar zo zwijgend en stil dat ze hem nauwelijks opmerkte. Ze keek op van waar ze mee bezig was, en dan was de kelder leeg; dan keek ze weer en dan stond hij weer naast haar, naar haar te kijken met die grote ogen die almaar groter leken te worden naar-mate hij langer keek. Soms had hij eten bij zich, buiten de dagelijkse mid-dagsoep een sneetje brood met een dun laagje margarine erop of fijnge-sneden plakjes radijs. Soms aten ze samen en een keer vroeg ze waarom het zo belangrijk was om altijd de aparte ingang te gebruiken en te komen en te gaan zonder gezien te worden.

Ze had verwacht dat hij ontwijkend zou antwoorden, maar hij was ver-bazend eerlijk. 'Het archief is het hart van het getto,' zei hij. 'Een aanstel-ling hier krijgen alleen mensen die de hoogste graad van bescherming ge-nieten.' Daartoe werd Věra niet gerekend en als het zou uitkomen dat ze haar aanstelling langs 'de gewone weg' had gekregen, bestond altijd het risico dat iemand anders aanspraak op haar werk zou maken (ook al was het hoofd van het archief, meneer Neftalin, het er natuurlijk helemaal mee eens dat zij hier werkte). Verder waren er in haar geval ook speciale om-standigheden, zei hij, en maakte een wat onhandige beweging alsof hij haar gepijnigde handen van haar schoot wilde optillen. Maar dat had hij niet hoeven zeggen. Iedereen wist tegenwoordig welke gevaren het met zich meebracht om mensen die als arbeidsongeschikt geclassificeerd wa-ren te huisvesten of aan te stellen.

Maar een paar keer nam meneer Gliksman haar toch mee naar boven, naar 'de vrijheid'. Na lange dagen in de volle, donkere kelder leek de grote archiefzaal op de eerste verdieping wel een wonder van licht en ruimte.

Midden in de grote zaal stond een grote houtkachel met een kachelpijp die langs het plafond door een van de brede ramen naar buiten ging. De kachel moest warmte genoeg geven, want de archivarissen stonden allemaal in hemdsmouwen te werken. Er waren vijf archieftrommels. Die stonden vlak naast elkaar op een rij, als grote, achthoekige tombolawielen, met luiken aan de zijkanten die van buitenaf geopend konden worden als kastdeuren. Binnenin zaten registratiekaarten van alle inwoners van het getto, gedeeltelijk alfabetisch, op naam, gesorteerd en gedeeltelijk op woonadres. De archieftrommels werden elke nacht gesloten en verzegeld, en men zei dat de enige die een sleutel had behalve de Voorzitter zelf, die de patentsleutel had, advocaat Neftalin was, het hoofd van het archief. Advocaat Neftalin was ook degene die de trommels elke ochtend plechtig opende. Aan lange werkbanken rondom de voortdurend ratelende en roterende trommels zaten de overige werknemers van het archief briefafschriften en verslagen in enveloppen en bruine archiefmappen te ordenen.

De vier ramen van de archiefzaal keken uit op de Mariakerk en de brug over de Hohensteinerstrasse. Elke dag reikte het licht van de zon, die achter de brug en de dubbele torenspitsen van de kerk met de dag hoger steeg, verder over de vloer van de archiefzaal, en de markiezen voor de ramen werden steeds verder neergelaten, totdat de hele archiefzaal in een wonderlijk donkergrijze, bijna onwerkelijke halfschaduw verzonken lag. Maar elke ochtend en avond waren de markiezen weer omhoog gedraaid en weer was er geen grens meer tussen de grote zaal met zijn archieftrommels en het plein met zijn hoge houten brug. De mensen die de brug op en af gingen, kwamen soms zo dicht langs dat het leek alsof ze dwars door de archiefzaal zouden lopen.

◆

Nr. 1: De arbeider FRIEDLÄNDER, DAWID (zestien jaar) veroordeeld tot vier maanden TUCHTHUIS wegens diefstal van aardappels. Bewijs hiervoor zijn drie stuks aardappels bedoeld voor Keuken Nr. 9 (Marysińska), wederrechtelijk aangetroffen in de broekzak van de verdachte.

Nr. 2: De kleermakersleering KAHN, LUBA (negentien jaar) veroordeeld tot drie maanden TUCHTHUIS wegens diefstal van klosjes garen en stopdraad ter waarde van in totaal 45 gettomark. Het stopdraad en de klosjes werden bij fouillering aangetroffen, wederrechtelijk ingenaaid in de binnenkant van de schoenen van verdachte.

Het is gebouwd om een eeuwigheid te blijven bestaan, het paleis van de Voorzitter, zegt Aleks, en hij laat haar de kopie zien van het proces-verbaal dat hij op het punt staat in een van de bruine archiefenveloppen op te bergen.

De uitspraken van de rechtbank van een week zijn samengevat op twee carbondoorslagen; in totaal negentien vonnissen in zaken uiteenlopend van diefstal en inbraak tot poging tot verduistering. Maar Aleks is zo verontwaardigd dat zijn handen ervan trillen: *Wat heeft het voor zin een tuchthuisstraf van vier maanden of meer op te leggen als je niet gelooft dat het getto nog zo lang bestaat? Is het niet zo dat we met dit imbeciele rechtssysteem alleen maar een verlengstuk van de Duitsers zijn: dat we hier achter hun prikkeldraad zitten totdat de wereld vergaat en wij Joden tot de laatste man zijn uitgeroeid?*

Toe maar, steel je aardappels maar, arme drommel! Door je honger te stillen heb je in elk geval bewezen dat je een vrij man bent!

Aleksander Gliksman heeft een merkwaardige manier van praten. Wanneer hij zich opwindt of alleen maar geestdriftig wordt, schiet zijn hoofd naar voren als dat van een schildpad en staart hij haar met halsstarrige, koppige ogen aan alsof hij haar uitdaagt hem tegen te spreken.

Eigenlijk is het een wonder dat hij nog niet gedeporteerd is, denkt Věra herhaaldelijk. Of het moet zijn dat het geheim in zijn handen zit. Zodra Aleks zijn vingerling op heeft, vliegen de archiefstukken als de wind door zijn bladerende handen. Er zit iets jongensachtigs, formeels, bijna plechtigs in de manier waarop hij feiten bekijkt en beoordeelt. Wanneer ze samen in de kelder zijn, laat hij haar in vertrouwen de wereldkaart van samengevoegde oude papiermaculatuur zien die hij al een paar jaar koestert. In het archief geldt, net als overal elders in het getto, een strenge papierrantsoenering, en elke afdeling krijgt pas een toewijzing nadat advocaat Neftalin een formeel verzoek daartoe heeft ingediend bij de materiaalkanselarij. Maar Gliksman heeft ergens in de gewelven afgedankte dossiers gevonden uit de tijd dat dit deel van Polen door tsaristisch Rusland werd bestuurd: met grove touwen samengebonden documenten die zo lang in weer en wind hebben gelegen dat de bundels zijn verkleefd tot balen zo dik als bakstenen.

Op deze in oud cyrillisch schrift volgeschreven documenten schetst hij nu met grove pennenstreken hoe de Russische frontlinie zich na Stalingrad heeft ontwikkeld.

'Zes hoge generaals gevangengenomen en de Wehrmacht aan alle fronten op de terugtocht,' zegt hij en wijst op de kaart aan hoe de slag om Charkov is verlopen; dan wijst hij met een stompe potloodpunt hoe generaal Zjoekov zijn troepen daarna in een brede nijptangmanoeuvre naar de Kaukasus heeft verplaatst. Omdat de kaart is samengesteld uit losse vellen papier die alleen te identificeren zijn met behulp van een cijfercode aan de bovenkant, kan hij na elke correctie uit elkaar worden gehaald en weer worden verstopt. Gliksman gebruikt in dit verband een enigszins vervormde codetaal. Het Duitse leger noemt hij *Paulus* of alleen maar *Pl* naar generaal Friedrich Paulus, die bij Stalingrad zo smadelijk moest capituleren. (Aleks oppert dat er een speciale feestdag zou moeten worden uitgeroepen, een *paulidag*, om deze slag te gedenken.) *Azbuk* of kortweg *Az* noemt hij het Russische leger, naar de oud-Slavische aanduiding voor de cyrillische tekst die compact en effen grijs uit de papiermaculatuur stroomt die de basis van de kaart vormt. Grotere steden of fortificaties worden aangeduid met VG – een afkorting van *Velikiy Gorod:* 'grote stad' – gevolgd door de drie letters *pad* voor *padat*, 'vallen'. Het waren altijd de Duitsers die vielen. Als de Duitsers *niet* vielen of als de Wehrmacht een tegenoffensief opzette en eerder verloren terrein herwon, zette Aleks domweg een kruisje door de drie letters *pad*. Want Gliksmans *kaart* was een *tendentieuze kaart*; Russische verliezen werden slechts aangegeven in de vorm van voorlopig uitgebleven of uitgestelde overwinningen.

Hoe kom je daar allemaal aan? Maar op zulke vragen heeft Aleks geen antwoord. Hij spreidt zijn handen uit in een hulpeloos gebaar en kijkt als een schooljongen die betrapt wordt op het gappen van appels. Een andere keer tikt hij met zijn hand hard tegen zijn slaap en zegt: *De kunst is alles in je hoofd te houden...!*

En maakt er gewoontegetrouw een woordspeling van: *De kunst is je hoofd koel te houden...!*

Dan heeft hij de hele Noord-Afrikaanse kust op vier of vijf vellen papier getekend; de cyrillische tekens op de achtergrond lopen nu vuil bruin door de Libische woestijnen.

(Na Kasserine versterkt Rommel zijn pantserleger in Noord-Afrika. De slag om Tunis wordt beslissend...)

Maar natuurlijk waren er originele stukken. Ze begreep later dat de kaart alleen maar een soort test was om haar loyaliteit te bewijzen. Er duiken nu tussen alle boeken ook kranten en andere documenten op in de kelder. Elke ochtend nadat hij de deur voor haar heeft geopend, vindt ze nieuwe krantenpagina's onder of tussen de stapels boeken en de dozen met registratiekaarten. De *Litzmannstädter Zeitung* – die allereerst: exemplaren van Duitse agenten of bestuurscommissarissen die het getto hadden bezocht, vergeten of gestolen. Daarin wordt de terugtrekking van de Wehrmacht uitsluitend beschreven als een tactische poging om bepaalde frontsectoren 'recht te trekken'. Maar zelfs de proclamatie van de 'totale oorlog' op twee hele pagina's, op 19 februari 1943, kan de wanhopige Duitse situatie niet verhelen.

Er was ook ander materiaal om te bestuderen. Documenten, schrijvens, oproepen: uit illegale kranten gescheurde pagina's, soms zo door vocht en verrotting vergaan dat ze nauwelijks nog te lezen waren. (Waarschijnlijk hadden ze zo lang op de bodem van een groentekrat of aardappelkist gelegen dat ze dezelfde kleur en substantie hadden gekregen als de rottende groenten.)

Sommige documenten waren echter nog geheel intact, zoals een exemplaar van de Poolse verzetskrant *Biuletin Informacyjny*, waarin hij haar een oproep in handschrift, met gespatieerde hoofdletters aanwees:

JOODSE JEUGD, GELOOF NIET WAT ZE JULLIE PROBEREN WIJS TE MAKEN...
Ze hebben onze ouders onder onze ogen weggehaald,
ze hebben onze broers en zussen weggehaald.
Waar zijn de duizenden mannen die zich lieten rekruteren voor zwaar werk?
Waar zijn de Joden die op Jom Kipoer gedeporteerd werden?
Van degenen die door de poorten van het getto zijn weggevoerd is er
NIET ÉÉN teruggekeerd.
ALLE WEGEN VAN DE GESTAPO LEIDEN NAAR PONAR,
EN PONAR BETEKENT DE DOOD...!

'Deze komt uit Vilna,' constateerde hij met een droge zakelijkheid die angstaanjagender was dan de inhoud van het document. 'Dat ligt vlak bij de grens; sommige Joden zijn daar al heen gevlucht, maar ze hebben geen wapens om zich mee te verdedigen, zoals in Warschau.'

Waar ligt Ponar? vraagt ze alleen maar.

Hij geeft geen antwoord. Hij praat over Warschau alsof hij daar eeuwen heeft gewoond: in Warschau hebben ze in het hele gebied dat het getto beslaat *kanalizacja*. Dat betekent dat ze wapens naar binnen kunnen smokkelen door rioolbuizen. De smokkelaars aan de andere kant vragen vijftigduizend złoty voor een Duits legerpistool. Het probleem is de munitie. Mijn zegslieden in de ZOB klagen erover dat de Poolse ondergrondse hun geen munitie wil leveren. Net als hier weigeren de Polen in Warschau de Joden wapens in handen te geven. Het lijkt soms of ze banger zijn voor de Joden dan voor de Duitsers zelf.

Plotseling had ze het gevoel dat de boeken die hen in de nauwe, in- en inkoude kelderruimte omringden slechts op een dunne luchtpilaar rustten en elk moment over hen heen konden storten. Haar eerste reactie was zich teweerstellen. Hoe durfde hij haar eigenlijk met al die kennis op te zadelen zonder zich er eerst van te vergewissen of ze er wel aan toe was om dat te *willen* weten? De verdenking dat de deportaties soms hadden geleid tot massa-executies van niet-gewenste Joodse elementen: die had ze al gehoord. Iedere employé in elk resort deed niet anders dan speculeren wat de Duitsers nu eigenlijk van plan waren. Maar dat er ergens, in Warschau of Lublin of Białystok, georganiseerd *verzet* tegen de Duitse bezetters zou plaatsvinden, daar had ze geen idee van gehad. En als dat echt zo was, vroeg ze, hoe kon hij daar dan met zijn gebruikelijke grote ogen staan kijken en er alleen maar *over praten?* Hoe kon hij of konden zij domweg nalaten *iets te doen?*

Het enige wat hij deed nadat ze dat allemaal gezegd had, was haar rustig en stellig blijven aankijken. Voor de eerste keer zag ze dat hij ook iets fanatieks in zijn ogen had, een door de honger goed gecamoufleerde, maar lang gevoede woede: 'Wie zou dat niet *willen?*' vroeg hij. 'Maar waar moeten we de wapens vandaan halen? En als we al aan wapens konden komen: *wat zouden we dan moeten doen om de toestemming van de Voorzitter te krijgen om ze te gebruiken?*'

Hij lachte om zijn eigen grap. Die lach was misschien nog wat haar het meest verbaasde. Die was grof en raspend, alsof hij er aan lange kettingen uit getrokken werd. Daarna bleef hij zwijgend naar zichzelf zitten staren met dezelfde bleke, bijna slaapdronken schrik in zijn ogen als waarmee hij eerder naar haar had gestaard.

Met de verboden documenten waar hij mee aankwam, deed ze wat ze aannam dat hij wilde en wat misschien de hele tijd zijn bedoeling al was geweest. Twee pagina's uit de *Trybuna* bevestigde ze aan de binnenkant van een boek over brandweerwagens; teksten uit de *Biuletin Informacyjny*, *Dziennik Żołnierza* en *Głos Warszawy* plakte ze in tussen bladzijden in jaarverslagen van de Mozaïsche gemeente van Łódź. Een monografie over de grote zoon van de stad, de textielfabrikant Israel Poznanski, was dik genoeg om ook een aantal pagina's met uit de *Völkischer Beobachter* en de *Litzmannstädter Zeitung* geknipte frontverslagen te bevatten. Om aan te geven in welk boek en op welke plank de verboden teksten waren gearchiveerd, bedacht ze een eenvoudig codesysteem met een combinatie van letters en cijfers die ze met potlood rechts boven aan elke getypte registratiekaart schreef.

Na een paar maanden werken, waren de binnenmuren van het paleis volgeplakt met dergelijke tekens en mededelingen. Ze liepen onzichtbaar maar levend, kriskras over alle boekenstapels en door en tussen ruggen en kaften. Maar in plaats van de bezwijkende bibliotheek te herstellen, zoals ze had gehoopt, werd het merkwaardige boekengebouw er alleen maar nog brozer en onbetrouwbaarder van. Op zulke momenten opende zich helemaal onder in de kelder als het ware een wonderlijke maalstroom: als de krachtige draaikolk die in een wasbak ontstaat wanneer het water eruit stroomt. En de zuiging van onderaf was soms zo sterk dat ze zich met beide handen aan de randen van het bureau moest vasthouden om niet te worden meegesleurd.

Het was zo'n normale hongerduizeling –

Ze herkende de lusteloosheid, het gevoel dat alle vastigheid om haar heen losliet. Zoals de bier- en mineraalwateretiketten altijd loslieten wanneer ze de flesjes in de week legde in de grote wasteil die Maman haar met tegenzin liet gebruiken.

(Ze voelde hoe Mamans blonde haar in haar nek kietelde, hoe haar warme lichaam vooroverboog en haar omsloot wanneer ze met voorzichtige vingers de natte etiketten hielp losmaken van hun glibberige flessenbuikjes.)

Alles om haar heen was vochtig en poreus. De gloeilamp die Aleks in de sokkel onder het plafond had vastgedraaid gaf een gezwollen licht. Ze hoorde Aleks naar beneden komen met eten, ze hoorde het blikkerige gerammel van de oude melkkan waar hij de soep in meebracht. (Of was het een stukje brood op de bodem van een glad glanzende theepot?) Op een dag had hij een potje ingemaakte komkommer bij zich. Mijn vader is *klaingertner*, legde hij uit op dezelfde licht gekrenkte toon die alle Joden die in Łódź geboren waren zich leken aan te meten wanneer ze Jiddisch spraken.

Maar hoe graag ze het ook wilde, het hielp niet tegen de hongerzuiging, de draaikolken van plotselinge duizeligheid en lusteloosheid. Of zou ze ziek worden van het opgesloten zijn? Van het gure vocht dat uit de muren sijpelde en in haar zere nek- en schoudergewrichten kroop? Dat ze nooit in echt licht kwam en ook niet in echt donker: alles was gereduceerd tot dezelfde waterige grijsbruine substantie, een mengsel van rioolslib, stinkende kolenrook en stof.

Een paar keer vroeg ze Aleks of ze niet wat vaker boven in de archiefzaal mocht komen zitten. Af en toe stond hij haar dat toe, maar met tegenzin, als het ware tegen beter weten in. Maar op een ochtend verbood hij het haar zonder meer.

De *Voorzitter* is *er*, zei hij slechts, en strekte zijn hoofd zo ver uit dat hij meer op een kwade waakhond dan op een onschuldige schildpad leek.

Die dag bleef Aleks ongewoon lang in de kelder. Alsof hij er zeker van wilde zijn dat de militaire bevelen en het woedende gestamp van laarzen in het trappenhuis niet bij hen beneden zouden komen, naar dit 'archief in het archief', zoals hij dat wat zij samen hadden opgebouwd noemde.

Maar ook Aleks' bezoeken aan haar werden steeds waziger. De volgende keer dat hij kwam, begreep ze met geen mogelijkheid of hij nu net was weggegaan of een paar dagen weggebleven was zonder dat ze het gemerkt had. Het was alsof er een onmerkbare, maar gigantische verschuiving in haar had plaatsgehad. Hele brokken tijd waren ongemerkt gewoon verdwenen.

Ze besefte duidelijk dat ze het werk dat rabbi Einhorn haar had gevraagd te doen, nooit af zou krijgen. Er waren gewoon niet genoeg boeken om alle rampen te beschrijven die dagelijks aan de andere kant van haar volgestouwde keldermuren gebeurden. Toen ze Aleks dat uitlegde, probeerde ze er grapjes over te maken. Ze zei dat het 'grappig' was hoe ze alles in het getto tot nu toe had overleefd – de overbevolking, de honger en de sanitaire wantoestand in het collectief, Mamans lange ziekte en de poging haar moeder te verbergen voor de zuiveringen door de nazi's! – en toen kwam ze in een warme, gezellige kelder, kreeg werk dat naar gettomaatstaven toch als licht beschouwd moest worden, bovendien 'eten in overvloed' – en plotseling gleed alles haar uit haar handen. In feite was het slechts één nieuwtje dat haar evenwicht verstoorde, één enkele krantenpagina die Aleks op een ochtend op haar bureau had gelegd. De toon van het artikel was opstandig, rebels; maar dat maakte het alleen maar zoveel moeilijker de werkelijkheid te verdoezelen. Ze begreep onmiddellijk dat het oproer dat volgens Aleks in Warschau had plaatsgevonden, nu voorbij was en dat iedereen die in dat getto woonde, dood was, áls het getto er nog was:

Jaar in jaar uit hebben de Duitsers zich voorgedaan als vertegenwoordigers van een trots en onoverwinnelijk superras, maar in één nacht is gebleken dat ze niet meer zijn dan een stel sterfelijke mannen die sneuvelen wanneer er een dodelijke kogel op hen afgevuurd wordt.

Ze zijn niet onoverwinnelijk! En ze zullen niet zegevieren!

Nu de oorlogskansen in het oosten zijn gekeerd, zal het verzet tegen Frank en zijn bezettingsmacht ook hier in Warschau en in heel Polen groeien. Dankzij het verzet in de straten van het getto waagde niet een van de moordenaars het terug te gaan naar de kelders en tunnels van het getto waar hun uitverkoren slachtoffers zich verborgen. De übermenschen durfden niet. *De übermenschen waren bang.*

(J. Nowak)

Dat was de laatste krant die ze archiveerde – gedateerd 19 mei 1943. Van daarna kan ze zich niets meer herinneren.

In haar droom staat ze samen met Aleks in het trappenhuis naar het archief. In datzelfde trappenhuis drommen honderden mensen samen die ook wachten tot het ophoudt met regenen. Nooit van haar leven heeft Věra zo'n regen gezien. Over de glimmende kasseien, langs de puntdaken en de gevels, overal klettert en stroomt het. Nu en dan stuurt de donder doffe schokken door de bodem, waardoor de grond onder het hele getto trilt.

Věra en Aleks staan zij aan zij, maar zonder elkaar ook maar een ogenblik bewust te beroeren, alsof de regen hen in een en dezelfde warme mantel heeft gehuld. Na een poosje denkt ze er zelfs niet meer bij na dat ze daar überhaupt staan. Zo warm is het bij hem.

Dan weerlicht het. Een baan van felblauwe lucht opent zich boven hen.

Maar alleen boven het getto. Aan de andere kant van het hek en het prikkeldraad gaat het onweer door; de hemel is er zwaar en glanzend, en zwart van de regen.

Door het bleke, waterige licht komen pauwen aanstappen. Onder aan de houten brug heeft een boom wortel geschoten: een reusachtige es, waarvan de wortels door de harde straatstenen heen barsten en de takken tot hoog boven de brugleuning omhoog slingeren. Op de gevels om haar heen, waar de vochtplekken van de regen nog steeds zitten, bot de begroeiing uit als schitterende vlindervleugels. Gestreepte markiezen worden opgetrokken, ruiten worden opengeduwd om de frisse lucht binnen te laten. In beschaduwde portieken en op binnenplaatsen vinden activiteiten plaats die eerder alleen in het verborgene konden gebeuren. Paarden worden ingespannen, gladde banen stof worden uitgerold of voorzichtig neergelaten op brede tafels, die worden gedekt met borden en glazen. In Wiewiórka's barbierswinkel zitten klanten met ongeschoren gezichten en hun ogen allemaal dezelfde kant op gericht, alsof ze allemaal naar een en dezelfde stem luisteren. Maar het enige wat er uit de overal in het getto aangebrachte luidsprekers klinkt, is het versterkte geluid van de regen: een orkaan van hemelwater dat in geulen en goten gutst.

Ze loopt over de natte straatstenen, maar voelt dat ze geen lichaam meer heeft. Of dat het hele getto plotseling gescheiden is van alles wat het op de grond drukt. Deuren en gevels bladeren voorbij alsof ze bladzijden van een boek zijn, en zo glijdt ze tussen de bladzijden en onder de poortbogen door naar de brede binnenplaatsen waar de kinderen staan. Het viel haar op dat ze die zo nog nooit had gezien. Vroeger kwamen de binnenplaatsen haar ongeveer voor als diepe schachten of opvulling tussen de huizen, zin-loze gaten vol klei, steengruis en geloosd afval. Nu staan waterpomp, schuren en secreten duidelijk apart van elkaar; de staander en het handvat van de pomp zijn geschilderd, de schuren zijn bedekt met spalieren en de asfaltpapieren daken van de secreten rusten op houten wandjes, ze zijn gevuld met aarde en veranderd in tuingrond met komkommers en toma-ten op lange, nijvere rijen.

En dan al die kinderen...

Ze staan in losse groepjes, alsof ze door hoog gras hadden gewaad en plotseling stil zijn blijven staan, met lege ogen, en gezichten die bleek zijn als bloemstengels.

Er waren anders geen kinderen in het getto. Oudere mannen zaten an-ders niet onder hun gebedssjaals, met hun gebedsriemen om hun arm en hun gebedenboeken opengeslagen, vlak onder hun ogen.

En het regende anders ook niet; en er heerste niet zo'n diepe stilte in de regen.

Achter alles wat ze nu ziet, achter de kinderen, de regen en de stilte, be-vindt zich als het ware een verlichte kloof: een innerlijk zonder einde. Ze beseft heel duidelijk, en zonder enige angst, dat het zo gaat als je sterft. Je hoeft alleen maar je vederlichte lichaam recht omhoog de onbegrijpelijk helder wordende hemel in te tillen. Ze denkt dat ze zich tot elke prijs moet verzetten tegen deze verlossing, dat ze bij dat walgelijke, kwaadaardige, donker moet blijven dat aarde, lichaam, gewicht en getto is.

Maar ze is al te ver weg.

Ze klampt zich niet meer aan zichzelf vast. Zelfs het licht klampt zich niet vast.

Aleks schraapte lege lucht uit een oud conservenblik, en omdat de lepel toch helemaal bij haar mond kwam, beet ze maar in de steel ervan. De lepel smaakte naar ijzer en lucht. Aleks doopte een broodkorstje in een beetje soep en streek met het brood langs haar zwerende lippen als met een stukje stof of een sponsje. Ze begreep eerst niet wat hij hier deed. Maar blijkbaar leefde ze nog. Ze lag in het krappe behangkamertje aan de Brzezińskastraat, op hetzelfde vieze matras als waarop haar moeder had gelegen, en boven haar en om haar heen waren dezelfde muren die haar moeder met haar ontlasting had bevuild, en helemaal bovenaan zat het getraliede ontluchtingsluikje dat je van onderaf met een slingerstang open en dicht kon doen. Aleks trok aan de stang om te voorkomen dat het licht te scherp werd voor haar ogen, maar hoewel alle licht zeer deed, hoewel er als het ware een brok zwerende pijn in haar keel zat en ze zo zwak was dat ze nauwelijks in staat was haar armen uit te steken, wilde ze dat het licht bleef; ze zat in het licht als op de bodem van een eindeloze put, terwijl hij met de lepel uit het begerenswaardige conservenblik bleef schrapen: 'Je eet in elk geval,' zei hij tevreden.

Het wonderlijke was niet dat ze het had overleefd, maar dat ze anderen kennelijk het geloof had gegeven dat ze het nog heel lang zou volhouden. Toen haar vader voor Maman een bed had weten te krijgen in de Mickiewiczastraat, had Věra haar op haar rug vanuit hun bovenhuis alle trappen afgedragen. Zo was er niemand die zag hoe dun en afgetakeld Věra's eigen lichaam was geworden, en in het ziekenhuis was ze sindsdien voortdurend in de weer geweest met bevuilde lakens en volle ondersteken. Alsof ze probeerde weg te rennen voor haar eigen uitputting.

Josel zei dat ze de ziekte in het ziekenhuis moest hebben opgelopen. Maar dat werd gedecideerd ontkend door Arnošt, die zei dat hij geen enkel nieuw geval van vlektyfus had gehad sinds ze naar de Mickiewiczastraat waren verhuisd – *de tyfus is verdwenen mét de luizen*, zei hij – en hij gaf de schuld aan het werk met de boeken in die smerige archiefkelder. Hij had chlooramfenicol gebruikt dat hij uit de privéapotheek van de Preses had gehaald, en na tien dagen waren de koorts en de spierkrampen verminderd.

Maar ze was nog steeds zo zwak dat ze niet op kon staan of zelfs maar haar armen kon optillen of uitstrekken zonder dat haar lichaam begon te trillen. Aleks had een houten kar voor haar laten maken, zo een als waar Keizer Franz, de lompenhandelaar aan de Franciszkańskastraat, zijn spullen in rondsleepte, en daarin trokken Josel en Martin haar naar Marysin.

Aleks Gliksmans vader was niet alleen *klaingertner*, zoals de zoon bescheiden had gemeld, maar ook de hoogstverantwoordelijke jurist van het *Landvirtshaftopteil*, de afdeling van het paleis die alle grond van het getto verdeelde die niet bebouwd was of in gebruik als resort of materiaaldepot. De Voorzitter had begin 1943 besloten alle cultiveerbare grond die in beheer was bij de vroegere collectieven onder te verdelen in grondstukjes voor particulieren. Het idee was dat op die manier de 'inheemse' productie van fruit en groente zou stijgen, maar hoewel Ehud Gliksman bij deze afdeling werkte en hoewel er nu voor het eerst sinds jaren nieuwe stukjes grond te verdelen waren, was het verre van vanzelfsprekend dat dit iets zou veranderen aan de feitelijke machtsverdeling. In het gecompliceerde systeem van afhankelijkheid en verworven, maar nog oningeloste dankbaarheidsschulden dat in het paleis heerste, was er altijd wel iemand die voorrang had. Maar waarschijnlijk had Aleks aangedrongen. Věra kon zijn hardnekkig insisterende stem gewoon horen toen hij een goed woordje deed voor de Tsjechische familie Schulz, en haar vader was nog arts ook; en toen, op een dag waarop Věra op haar allerslechtst in het behangkamertje lag – en zelfs de eeuwig optimistische Arnošt de hoop leek te hebben opgegeven – was er een klein, grijs formulier van het *Landvirtshaftsministerium* gekomen, waarin werd medegedeeld dat de familie Schulz was uitverkoren om *einen kleinen Bodenanteil* 'op verantwoorde wijze te bewerken en verzorgen'. Het perceel had het formele adres Marysińskastraat 11:4 (*perceelnummer 14*) en bestond uit vijftien vierkante meter stenig land, precies op de hoek van de Marysińska- en de Próżnastraat. Het huurcontract had de duur van een jaar, met een maand opzegtermijn.

Aleks had ervaring met landbouwwerk. De eerste jaren in het getto was hij bij het jeugdcollectief Hashomer Hatsair geweest, dat op grote schaal pionierswerk had gedaan in Marysin. De *shomrim* van het getto hadden aardappels, bieten, witte kool, wortels en peultjes verbouwd. En niet alleen voor *hazana* – de collectieve verdeling van levensmiddelen – maar ook *voor de toekomst*, om zich *voor te bereiden*, want in die tijd, vertelde Aleks, dacht iedereen dat de oorlog ondanks alles een kortstondige kwestie zou zijn en dat we allemaal gauw in Israël zouden komen.

'Daar hadden we onze vergaderlokalen,' zei hij en wees naar een stenen gebouw met een ingevallen dak verderop aan de Próźnastraat. 'Daar lagen we 's nachts altijd te luisteren naar de vleermuizen; er woonden massa's vleermuizen onder het dak. In die tijd kwam de Preses vaak op bezoek. We dekten lange tafels en hij mocht aan het hoofd ervan zitten. Hij was toen nog een ander mens, bijna onderdanig. Hij had warm gegeten met ons en dan zaten we de hele avond liederen te zingen in het Hebreeuws, ook liefdesliedjes,' zei Aleks, 'en dan zong hij (hij had een ruige, hese, niet erg mooie, maar doordringende stem):

B'erets jisrael muchrabim lisbol
Ani ohevet vesovelet
Ve'tach eincha margish
Prachim li liktof etse
Ki baprachim et libi arape[15]

Later kwam heer Preses bij ons terug, maar toen was hij een ander mens: dat was in verband met de stakingen in de meubelmakerijen aan de Drukarska en de Urzędnicza, die tot opstootjes en hongerrellen leidden, en hij was gedwongen de Duitsers te hulp te roepen om de demonstranten eronder te krijgen. En de Preses was ervan overtuigd dat de agitatie tegen hem was begonnen in socialistische kringen, onder ons *shomrim* en in de andere collectieven. Daarom bepaalde hij dat alle collectieve landbouw in Marysin moest worden opgeheven en dat van iedereen die zich niet meldde voor de arbeidsdienst de werkboekjes zouden worden ingetrokken.

Dat was in maart 1941. We mochten kiezen. Ofwel we traden toe tot een van Praszkiers graafploegen en gingen doden begraven bij de Brackastraat, ofwel we moesten helpen metselen bij de bouw van de Centrale Gevangenis. In die tijd was Schlomo Hercberg gevangenisdirecteur, en hij gedroeg zich tegenover de arbeiders net zo beestachtig als tegen de gevangenen. Het was geen van beide erg aantrekkelijk.'

'Wat gebeurde er toen?' vroeg Věra.

'Ik had me moeten verzetten, natuurlijk. Zoals sommigen wilden. Misschien waren we dan van hem af gekomen. Maar niemand deed iets. En zoveel benul had hij in elk geval, onze Preses, dat hij zwichtte voor mijn vaders verzekering dat ik onschuldig was, en hij liet me op het archief beginnen. Ik was immers notulist geweest bij Hashomer, en zo vreselijk veel mensen die de schrijfkunst beheersen, zijn er in het getto nou ook weer niet.'

◆

Perceel nummer veertien bleek een stukje van de straat af achter een grauwe stenen muur te liggen. Tegen de muur stond een vervallen houten schuurtje met meer gaten en kieren dan gave wanden. De hele Marysińskastraat was omzoomd door zulke bouwvallen, met slechts af en toe bij wijze van uitzondering een of een paar ramen per wand en een ingemetselde schoorsteen of een eenvoudige kachelpijp die door het raam stak. Sommige stukjes grond die bij de schuurtjes hoorden, waren klein, enkele niet meer dan een armlengte in omtrek, andere waren hele velden, afgezet met hoge hekken en poorten.

Het hele voorjaar gingen de kinderen Schulz erheen zodra het kon: op zondag, maar ook na het werk als ze nog fut hadden en er thuis genoeg te eten was. Ook Aleks vertoonde zich er af en toe. Hij zei dat hij het zich niet kon veroorloven haar te verliezen en daarbij moet hij gedoeld hebben op het werk met de boeken, want bij het hakken, graven en onkruid wieden had je niet zoveel aan hem, ondanks alle ervaring die hij beweerde te hebben. Josel en Martin hadden zelf gereedschap gemaakt. Een stuk nokplaat had Martin verbogen tot een eenvoudige spa. Een lange houten stok met een paar spijkers aan het uiteinde werd een hark. Ze zaaiden spinazie en radijs, en aardappels natuurlijk, maar ook witte en rode kool, en bieten waarvan het loof eetbaar was. *Botwinki* heette dat in het getto. Water kregen ze door een sproei-installatie bestaande uit een paar ijzeren buizen die verbonden waren met een ijzeren teil die Martin van een voorman van het *Altmaterialressort* van het getto had kunnen kopen. Dat de prijs overkomelijk was, kwam waarschijnlijk doordat de teil geen bodem had. Nadat Martin eerst het gat aan de onderkant met een oud pannendeksel had dichtgemaakt, hesen ze de teil op een zaagbok die ze in het schuurtje hadden gevonden. Aan de onderkant van de zaagbok boorden ze vervolgens een gaatje en daarop sloten ze een metalen buis aan. Daarna hoefden ze de teil alleen maar te vullen met water dat ze uit troggen en tonnen bij andere *działki* haalden. Wanneer het tijd werd om de sproeier aan te zetten, klom Martin met een lange ijzeren buis met een haak aan het uiteinde op de muur, tilde het deksel een paar centimeter op en liet het water vervolgens uit de teil in de buis stromen, waar het via alle slecht gedichte voegen en kieren uit weglekte.

Na verloop van tijd kwamen er kinderen toekijken terwijl zij werkten. Jonge kinderen, hooguit vijf tot tien jaar, sommigen van hen verbazend schoon en goed gekleed. Vooral een jongen van een jaar of acht, gestoken in een wollen ribbeltjestrui die amper tot zijn middel kwam, een korte broek tot op zijn knieën en hetzelfde soort afgesleten *trepki* dat alle kinderen in het getto droegen, ongeacht jaargetij en weersomstandigheden. Hij had een stuk of vijf, zes vriendjes bij zich, zowel ouder als jonger dan hij, die om hem heen dromden als om een natuurlijke leider. Dat zijn 'rijkeluiskinderen', zei Aleks toen hij op een zondag op bezoek kwam; kinderen van *kierownicy*. Hun ouders hadden hun al een keer het leven weten te redden. Nu durven ze geen kinderen meer in de stad te hebben.

Op een dag, toen de kinderen zoals gewoonlijk in een kring om hen heen op de muur van de tuin zaten, verschenen er twee mannen van de Sonder, die werkboekjes en eigendoms- en toestemmingspapieren wilden zien. Martin overhandigde de brief van het ministerie van landbouw en de beide politiemannen bogen zich erover, humden en wiegden op hun hakken. 'Het lijkt wel in orde,' zei de oudste van de twee, deed een stap naar achteren en gaf het papier terug. 'Maar jullie zullen toch niet zo erg lang meer in vrede kunnen oogsten.' Dat laatste werd gezegd met een achterwaartse knik naar de muur waar de jongen in de geribbelde wollen trui nu was opgestaan om te kunnen zien wat voor geheimzinnig papier de politiemannen onderling uitwisselden.

'Het vijfde politiedistrict is een groot district, en lastig te bewaken,' zei de andere politieman. 'Vooral dit soort kleine *działki*, die redden het niet zonder extra toezicht.'

'Hoeveel?' vroeg Martin, die meteen begreep welke kant het gesprek op ging.

De oudste politieman keek berekenend over de muur en legde diepe plooien in zijn voorhoofd terwijl hij berekende: 'Een lap grond van deze grootte doet doorgaans zo'n vijftig mark.'

'Per seizoen?' vroeg Martin.

'Per week,' zei de politieman. 'Wij accepteren geen verplichting voor een langere periode. Geen van ons kan immers met zekerheid zeggen wat er volgende week hier in het getto gebeurt, nietwaar?'

Maar ten slotte gingen ze toch akkoord met een lagere prijs, en hoewel ze wat bromden dat het te weinig was, kwamen de agenten de hele herfst en hielpen ze zelfs mee de grond om te spitten en te wieden, en later de eerste aardappels te oogsten. De ene noemde zichzelf Gorek en vertelde dat hij zich in de eerste plaats voor Gertlers Sonder had laten strikken voor het salaris – ze kregen achthonderd mark per maand en twee keer per dag soep – en dankzij dat salaris had hij zich aan *di shpere* kunnen onttrekken en al zijn kinderen behouden. Hij had er drie, vertelde hij trots; allemaal meisjes.

Heel die lange, zachte herfst trokken stoeten hongerende stadsbewoners elke vrije zondag naar Marysin. De meesten waren gewone ambtenaren van de kantoren en departementen van het getto, die net als de familie Schulz door de gezagsdragers bevoordeeld waren en respectabele 'grondeigenaren' waren geworden. Sommigen duwden een kruiwagen voor zich uit, anderen trokken bolderkarren of handkarren met daarin hun schoppen, emmers, gaffels en harken, allemaal duidelijk zelfgemaakt, net als die van Josel en Martin. Het was een gevecht tegen de tijd. Binnenkort kwam de winter, *der libe vinter*, zoals het in het lied heette, en wat dan, als de vorst kwam, nog niet uit de grond gehaald was, zou er tot diep in het volgende jaar in blijven zitten. Als er al een nieuwe lente kwam.

De familie Gliksman had een eigen perceel, niet zo ver van de familie Schulz. Daaruit had Aleks pompoenzaad meegenomen, dat ze bij de muur zaaiden nadat ze de aardappels gerooid hadden.

Toen ze nog samen op het archief werkten, had Věra er nooit erg op gelet hoe Aleks eruitzag. Hij had altijd die sluipende manier van dichterbij komen gehad, als het ware zijdelings en van opzij; je zag hem bijna nooit komen en gaan. Nu zag ze hoe dun en mager hij was. Hij had een lange sjaal om zijn hals en daarboven staken zijn oren uit als twee rode pannenhandgrepen. Alleen de ogen die haar bekeken waren hetzelfde. Kalm, vast en nieuwsgierig.

Ze liepen in het schemerende oktoberlicht over de Marysińskastraat en alsof het een gewone dag op het archief was, bracht hij verslag uit van alle geruchten die hij had opgepikt. De geallieerden hadden Napels ingenomen en een stevig bruggenhoofd verworven op het Italiaanse vasteland. De Russische legers naderden Kiev en zouden de Oekraïense hoofdstad binnenkort heroveren. En als Kiev viel, als Oekraïne viel, dan was het – dat wist iedereen – nog maar een kwestie van tijd voordat het Rode Leger aan de oever van de Weichsel stond.

Misschien zijn onze bevrijders al vóór Chanoeka hier!

Hij glimlachte, maar op de een of andere manier bereikte zijn glimlach niet helemaal zijn ogen. Er zat iets strengs, waakzaams in de manier waarop hij haar aankeek, alsof hij probeerde af te lezen welk effect zijn woorden op haar hadden.

Haar vader had haar herhaaldelijk gewaarschuwd niemand in het getto in vertrouwen te nemen. Vertrouw zelfs degenen die je kent niet. *De honger maakt ons allemaal tot verraders!*

Maar op dat moment, terwijl ze in de wonderlijk rookkleurige oktoberschemering door de laan van fruitbomen achter Praszkiers werkplaats liepen, had Věra Aleks toch verteld van de droom die ze had gehad toen ze ziek was: hoe ze diep in haar droom had gemeend het huis aan de Brzezińskastraat weer te zien waar de jonge ingenieur Schmied had gewoond. Er had daar een oude handkar gestaan; de wielen waren eraf gehaald, maar met zijn disselbomen leunde hij tegen de huismuur – en net zoals het vroeger overal elders in het getto was, waren er ook in deze buurt massa's kinderen. Ze stonden op de binnenplaats, met hun ellebogen boven hun schouders, alsof ze door metershoog gras liepen, of ze zaten in de beide donkere trapportieken: honderden kinderen, tegen muren en leuningen geklemd, gekleed in broeken met bretels en kapotte bloezen, met geschoren hoofden en met hun knokige, geschaafde knieën tegen hun kin gedrukt.

Ze voelde dat dat *de plek* was.

Ze voelde het met dezelfde absolute, onwrikbare zekerheid als waarmee ze wist in exact welk boek ze de krantenknipsels had geplakt die Aleks haar had gevraagd te archiveren, en gedurende een duizelingwekkend ogenblik veranderde het hele getto in één groot archief, waarvan de gewelfde trappenhuizen en binnenplaatsmuren waren volgeplakt met teksten en geheime berichten; en helemaal boven in het huis waar Schmied had gewoond, scheen nog licht in de zolderkamer met de uitneembare bakstenen waarachter ze hem zijn zelfgebouwde radio had zien verstoppen.

Maar de kinderen in de trapopgang versperden haar de weg. Het was onmogelijk langs hen te komen. En zelfs al had ze erlangs *gekund*, dan miste ze toch de kracht. Misschien was het om die reden dat ze, ondanks haar vaders waarschuwingen, alles aan Aleks vertelde. Alleen had ze er toch nooit helemaal heen gekund.

'Maar je hebt de sleutel nog?' vroeg hij.

Zijn ogen waren zo groot dat het leek alsof ze aan haar bleven plakken.

'Ja, de sleutel heb ik nog,' antwoordde ze, en ze kneep haar hand dicht, net als in haar droom: met haar vingers stevig om het voorwerp heen waarvan ze zichzelf had beloofd dat geen buitenstaander het ooit te zien zou krijgen.

Zo waren er in het getto *levenden en doden.*

Met dien verstande dat de levenden niet per se onder degenen waren die elke dag de hoge houten bruggen op en neer stommelden. En dat de doden niet per se onder degenen waren die vroeger over dezelfde afgesleten traptreden waren gestommeld, maar die er nu tussenuit gehaald en weggevoerd waren – niemand wist waarheen.

Pinkas Szwarc, of *Pinkas der felsher* zoals hij werd genoemd, werkte op het bevolkingsregister van het archief, waar hij werkboekjes en *Passierscheine* maakte voor alle Joden die door de Duitsers nog aan het werk werden gehouden. *Pinkas der felsher* had ook, lang geleden, toen het getto nog jong was, de opdracht gekregen de waardeloze munten en bankbiljetten te ontwerpen die als gettovaluta zouden dienen. Evenals de minstens net zo waardeloze postzegels. Op de postzegels staat de Voorzitter glimlachend en vrolijk voor een gestileerde houten brug, omlijst door een gigantisch tandrad. De symbolen van werk, macht en welvaart in het getto.

Unser einziger Weg, et cetera.

Behalve dat hij betaalmiddelen vervaardigde, schilderde *Pinkas der felsher* decors voor de Gettorevue van Moshe Puławer. De decors zagen er op het eerste gezicht misschien onschuldig uit: traditionele landschapjes met berken en weilanden of getto-exterieurs met hekken die tussen vervallen krotten en scheefgezakte lantaarnpalen hingen. Bij nadere beschouwing werden er echter merkwaardige, verontrustende details zichtbaar. Achter een landelijk privaat stak een duivelskop tevoorschijn. Een wagen met engelen die op *shoifer*-hoorns bliezen, reed door een schoorstenenlandschap vol walmende rook. Ook de Voorzitter dook in allerlei gedaantes op. Verkleed als rabbijn stond hij voor een badhuis en stopte protesterende kinderen in een grote teil of hij waadde door een rivier, met een schepnet vol als vissen uitgedoste mensen in zijn hand. Van mei 1940 tot augustus 1942 werden er in totaal III voorstellingen van de Gettorevue gegeven, en op al die avonden zaten de hoge pieten van het getto naar de onbehoorlijke grappen en krenkende toespelingen van de acteurs te luisteren, en ze waren zo op de dialogen geconcentreerd dat ze nooit het bescheiden oproer op de achtergronddecors zagen.

Toen later de opdracht kwam om het aanplakbiljet voor de grote Industrietentoonstelling te maken, zag *Pinkas der felsher* de kans van zijn leven.

De Duitsers hadden besloten het oude kinderziekenhuis aan Łagiewnickastraat 37 als tentoonstellingsruimte ter beschikking te stellen, maar om als zodanig dienst te doen moest het gebouw eerst worden opgeknapt. Pinkas liet zijn twee jongere broers komen – allebei meubelmaker – en samen met hen brak hij om te beginnen de vloer van de begane grond van het ziekenhuis open, en voerde hij stenen en grond af.

Je zou verwachten dat zoiets wantrouwen zou opwekken: al te hoge bergen zand en steen op één plaats duiden er toch op dat er iets aan de gang is wat niet helemaal zo is als het zou moeten zijn. Maar de Duitse politie die het gebouw bewaakte, nam toch aan dat alles in orde was. Alles wat binnen de bouwschutting gebeurde, was immers al op het allerhoogste niveau vastgesteld en goedgekeurd. Toen de eerste officieren van de Reichswehr en de ss dus de glimmend gepoetste vitrines vol wanten, oorbeschermers, sneeuwschoenen en camouflagepakken kwamen inspecteren, wisten ze niet dat er in drie onderaardse ruimtes die *Pinkas der felsher* en zijn broers pal onder hun voeten hadden gegraven, al een stuk of twintig Joden zaten.

Dat was het begin van wat in het getto 'de bunker' ging heten: een plek waar de doden konden verblijven zonder te worden aangezien voor mensen die nog leefden. Het was ook een plek waar mensen als de pianostemmer, die voortdurend tussen het rijk der doden en dat der levenden heen en weer ging, tussen zijn reizen door wat kon uitrusten.

De pianostemmer was bovendien gewend aan kleine ruimtes.

In al die jaren sinds hij het getto voor het eerst had betreden, was hij niet zoveel gegroeid dat hij niet meer, zo nodig, in een piano kon klimmen. Op een ochtend was hij ook in het Cultuurhuis verschenen. *Pinkas der felsher* stond op een ladder pluizige wolkjes te schilderen in de onveranderlijk blauwe decorlucht van het getto, toen de pianostemmer het toneel op kwam met zijn twee aftandse tassen met stemgereedschap en zijn tegen deze tijd minstens even versleten vraag. Pinkas nam niet eens de moeite de kwasten uit zijn mond te halen om antwoord te geven, maar wees alleen maar naar de grote concertvleugel van kapelmeester Bajglman, en als een dier dat eindelijk een prooi heeft gevonden, maakte de pianostemmer de klep van de vleugel open en klom erin.

Daarna probeerde hij zich verdienstelijk te maken waar hij kon. Hij zette het instrument van juffrouw Rotsztat elke avond dat ze als solist optrad op het toneel en hielp de tweeling Schum in en uit hun toneelkostuum. Hij knipte kaartjes, wees de hoge omes de weg naar hun van tevoren gereserveerde plaatsen vlak bij het toneel, leegde asbakken en converseerde met treuzelende gasten in de foyer.

Maar toen kwam *di groise shpere*, en toen musici en acteurs elkaar begin oktober weer ontmoetten, kwam maar iets meer dan de helft van de orkestleden terug. Het kinderkoor bestond niet meer en van de toneelknechten waren alleen meneer Dawidowicz en zijn helper, de onhandige kleine Herzl (die door alle anderen altijd werd geplaagd) er nog. Het Cultuurhuis, heette het, zou voortaan alleen nog worden gebruikt voor het toekennen van onderscheidingen en soortgelijke serieuze doeleinden, niet voor schandaalrevues. Bajglman was bereid het orkest op te heffen. Ook de musici waren ofwel te moe ofwel te uitgeput van honger en ziekte om er zelfs maar aan te denken om te blijven spelen.

Maar de pianostemmer weigerde het op te geven. Als de resortarbeiders niet meer naar het theater konden komen, zei hij, moest het theater maar naar hen toe gaan.

◆

Hoewel er geen kindertehuizen meer waren in het getto, had Rosa Smoleńska nog steeds haar aanstelling bij het departement voor sociale en gezondheidszaken van het getto. In een verloren hoekje van het secretariaat van mevrouw Wołk aan de Dworskastraat registreerde ze elke dag de verzoeken om melksurrogaat voor zwangere vrouwen of om extra porties gerantsoeneerde levensmiddelen voor tuberculosepatiënten. Maar af en toe gaf ze in bepaalde fabrieken aan kinderen van hogere gettoambtenaren ook les in taal, rekenen en Joodse geschiedenis. Ze mocht met haar leerlingen zijn waar toevallig plaats was, in vuile opslagruimtes of in een of ander hok dat de directeur ter beschikking stelde, en ze moesten accepteren dat ze elk moment konden worden onderbroken, wanneer de fabrieksfluit klonk of wanneer er extra bestellingen kwamen, waarvoor alle aanwezige arbeidskrachten onmiddellijk moesten worden ingezet.

Er waren echter ook leukere onderbrekingen. Een daarvan was wanneer de theaterwagen tijdens de middagpauze door de fabriekspoort reed en onder groot gejuich precies voor het wachthokje ging staan waar de opzichters en de voormannen altijd bij elkaar kwamen.

Natuurlijk konden ze tijdens 'de tournee' niet meer dan een paar stukken uit de Gettorevue opvoeren; ze doorspekten hun *plotki* met allerlei zangnummers.

Mevrouw Harel zong 'Berele en Braindele', op de viool begeleid door meneer Gelbroth. In de buitenlucht klonk de vioolpartij broos en dun, zoals wanneer je met een nagel over een ruit gaat. Beter klonk het wanneer de hele troep daarna het liedje 'Tsip tsipele' zong, met een nieuwe, door meneer Bajglman zelf geschreven tekst over de Schenkmadam – *pani Wydzielaczka*. Haar kenden ze immers! Dat was die dikke, slechtziende vrouw die achter de toonbank op de eerste verdieping stond en elke dag soep voor hen inschonk: een voorzichtig schepje voor iedereen die ze niet mocht en een grotere schep met een kop erop voor wie om de een of andere reden haar respect had verworven. En diep ontroerd door het feit dat ze zelf deel uitmaakten van het spektakelstuk van de theatergroep, zong het hele publiek mee; tweehonderd vrouwen met hoofddoekjes tezamen:

Pani vidzelatske: Ich main nisht kain GELECHTER
– A bisele tifer, A bisele gedechter[16]

– en timmerden en trommelden met hun lepels op hun soeppannetjes zodat commissionair Stech zijn handen voor zijn oren hield en de ploegbaas opdroeg de fabrieksfluit aan te zetten om een eind aan het kabaal te maken.

Rosa Smoleńska herkende de pianostemmer onmiddellijk. De laatste keer dat ze hem had gezien, zat hij op een trapje en manipuleerde de bel aan de muur tussen de hal en de keuken in het Groene Huis. Nu zat hij in dezelfde houding boven op het bagagerek van Bajglmans theaterwagen, balancerend als een vlieg op de rand van een glazen pot.

Toen de voorstelling was afgelopen en meneer Gelbroth met zijn viool-kist rondging om munten en broodkorstjes bij elkaar te bedelen, sprong de pianostemmer van de kar en liep snel naar mevrouw Smoleńska toe. Hij had het een en ander te vertellen. Het ging over de piano in het Groene Huis. Die was er nog, en in goede staat, kon hij berichten. Het probleem was dat hij niet langer werd gebruikt, omdat het hele huis was omge-bouwd tot *Erholungsheim*. Doch niet voor Preseskinderen, maar voor de *ei-gen mensen* van Gertler, die daar de hele nacht uit volle borst zaten te zingen en te brullen en niet eens piano konden spelen. Hoe kon hij die piano te pakken krijgen als het hele huis vol Sonder zat? Kon mevrouw Smoleńska dat uitleggen?

Hij had het woord Sonder nog niet uitgesproken of er ging een soort schokgolf door de toeschouwersschare heen en de jongste fabrieksarbei-der begon te schreeuwen:

Loif, loif! – der Zonderman kimt!!!

Vanuit het wachthokje hadden twee voormannen het gevaar gezien, en ze kwamen met fladderende voorschoot aanrennen. *Ksst, ksst!* schreeuwden ze om de vrouwen terug te jagen naar hun werktafels, alsof het een stel kippen was.

Deze eenheid van de Sonderabteilung werd geleid door een jonge, lan-ge, magere man, gekleed in een enigszins smoezelig krijtstreeppak dat zeker twee maten te groot was. Zijn gezicht onder zijn pet was glimmend en bleek; elk bot en elke spier vanaf de haargrens tot aan de lange, spitse kin, was zichtbaar.

Dokumente! schreeuwde hij tegen Gelbroth, die zijn vioolkist tegen zijn borst klemde alsof het een reddingsvest of een baby was die koste wat kost moest worden gered.

Sommige toeschouwers verwonderden zich erover dat deze Joodse *po-litsajt* leden van de theatergroep in het Duits aansprak. Maar Rosa Smo-leńska was niet verbaasd. Sinds die vroege sabbatsmorgen toen de ge-broeders Kohlman uit het Keulse collectief op de deur hadden geklopt met de jongeheer Samstag tussen zich in, had hij met de oudste en waarschijn-lijk lastigste kinderen uit het Groene Huis nooit anders dan Duits gepraat.

Ze wist dat Samstag sindsdien zowel Pools als Jiddisch had leren fingeren. Maar *fingeren* was het goede woord. Dat deed hij ook met het zogenaamde Duits dat hij nu met meneer Gelbroth sprak. Dat klonk net als het hoogdravende militaire of bestuurlijke Duits met een paar woorden Pools of Jiddisch ertussendoor dat de *dygnitarze* van het getto gebruikten als ze gewichtig probeerden te doen. Maar Rosa maakte hij niets wijs.

> *'Beruf? Oder hast du keine Arbeit?'*
> *'Ich bin Schauspieler.'*
> *'Was machst du denn hier – du shoifer – wenn du Schauspieler bist?'*
> *'Ich habe hier meine gute Arbeit!'*
> *'Hörs mal oyf zum shráien, wir sind nisht afn di stséne!'* [17]

De pianostemmer hing vol ontzag bij juffrouw Smoleńska aan de arm.

Samstag, fluisterde hij op bijna vrome toon. Vanaf zijn pas verworven hoge bevelspositie keek Samstag met een glimlach die op een zak vol glimmende tanden leek neer op de pianostemmer.

Samstag ist leider im Getto kein Ruhetag, zei hij alleen maar; hij gaf meneer Gelbroth zijn papieren terug en verliet het fabrieksterrein, gevolgd door zijn mannen.

Ze hadden toch een besluit genomen, de Sonder, en wel dat ze de menigte *niet* uit elkaar zouden jagen, hoewel ze dat heel goed hadden kunnen doen en het ook de voorschriften waren. En ze hadden de vluchtende groep acteurs ook niet in hechtenis genomen, maar Bajglmans wagen laten rijden, en dat zou die ook de daaropvolgende maanden en jaren doen. Menig resort zou nog plezier beleven aan deze *badchonim* die de voortdurende honger even verdreven met hun dissonante akkoorden van de viool en een paar liedjes die je herkende en kon meezingen.

Maar de pianostemmer zag er opeens heel klein uit zoals hij daar ineengedoken boven op de berg rekwisieten op de theaterwagen zat:

Stel je voor, Samstag – die shóite – is bij de Sonder in dienst gegaan!

Toen hij daarna echter zijn lippen tuitte om een melodie te vinden bij een liedje dat zou bezingen hoe een eenzaam jongetje uit een kindertehuis *politsajt* werd in het leger van nota bene Gertler, begon hij over zijn hele lichaam te trillen, maar er kwam geen geluid. De pianostemmer zou nog talloze pogingen doen om dit liedje te maken, in allerlei toonaarden en registers; maar zelfs in de cementgrauwe toon van het getto zelf – uitgehold en van alle resonantie ontdaan – was er geen passende melodie te vinden.

Rosa Smoleńska had alles gedaan wat ze kon om uit te zoeken wat er met de kinderen uit het Groene Huis was gebeurd. Op het Secretariaat aan de Dworskastraat stonden een paar grijze mappen die officieel alleen mevrouw Wołk mocht openen, maar waar Rosa ook af en toe stiekem in gekeken had. Een keer was ze betrapt door mevrouw Wołk zelf. *Als ik u nog een keer in de verslagen van het adoptiecomité zie kijken, zal ik er persoonlijk voor zorgen dat u wordt gedeporteerd*, zei mevrouw Wołk, terwijl Rosa haar jurk rechttrok en daarna met haar armen strak langs haar lichaam en haar blik op de grond stil bleef staan, zoals ze zich had aangeleerd te doen wanneer ze een standje van een superieur kreeg. *Nee, meneer Rumkowski, ik stond niet te luisteren*, had ze gezegd, die keer dat de Voorzitter zich op het kantoor had opgesloten met de 'ongehoorzame' meisjes in Helenówek; en zoiets zei ze nu ook:

Nee, mevrouw Wołk, dat moet een misverstand zijn, mevrouw Wołk, die mappen heb ik niet bekeken.

Om vervolgens elke dag terug te gaan naar het kantoor van mevrouw Wołk en langzaam, map voor map, alle namen in haar geheugen te prenten.

Dat waren in de eerste plaats alle Preseskinderen. Zo werden degenen genoemd die de Voorzitter tijdens zijn grote campagne 'om de kinderen van het getto te redden' leerlingplaatsen had weten te bezorgen: ofwel op de speciaal daarvoor opgerichte ambachtsschool aan de Franciszkańska-straat ofwel rechtstreeks bij de Centrale Kleermakerij. Jonge modelarbeiders waren het geworden, en bij de mensen die na *di shpere* bij het Secretariaat Wołkowna een adoptieverzoek indienden, waren de Preseskinderen zeer populair.

380

Het was ook duidelijk dat veel van deze verzoeken afkomstig waren van mensen die zelf kinderen hadden verloren tijdens de gebeurtenissen in september.

Kazimirs nieuwe ouders, de voormalige trambestuurder Yitzak Topolinski en zijn vrouw, waren hun beide zonen, van zes en vier jaar, kwijtgeraakt. Nataniels pleegouders hadden een dochter verloren die geboren was op de dag dat de Duitsers Polen bezetten, 1 september 1939. 'Ik dacht altijd,' zei haar moeder, 'dat het feit dat ze even oud was als de oorlog haar zou beschermen, maar al op de eerste dag van het uitgaansverbod kwamen de Duitsers haar bij me weghalen. Kunt u me dat uitleggen, mevrouw Smoleńska? Hoe kunnen ze van een klein meisje van drie jaar verwachten dat ze het helemaal alleen kan stellen, zonder haar moeder?'

Er waren ook verhalen van kinderen die het hadden overleefd. In het getto werd veel gesproken over de zogeheten putkinderen. Het verhaal kende verschillende varianten. Een daarvan ging over een meisje van twee jaar dat ze in een windsel van lakens hadden gelegd en in een waterput hadden laten zakken met behulp van de ketting waarmee ze normaal de emmer ophaalden. Toen de Duitsers kwamen, zeiden de ouders dat het kind aan de tyfus was gestorven en dat ze in verband met het besmettingsgevaar al haar kleren hadden verbrand en in de tuin begraven. Veertien dagen lag het meisje in haar lakenlier onder in de koude put. Elke dag lieten ze eten en water naar haar omlaagzakken, totdat het uitgaansverbod werd opgeheven en ze haar weer op konden takelen. Toen was ze onderkoeld en uitgeput, maar ze leefde nog.

En ze leefde nog steeds. Want het merkwaardige aan deze putkinderen was dat, toen de szpera-actie uitgeraasd was, niemand zich er meer druk om maakte dat ze ooit op een deportatielijst hadden gestaan. Het bureaucratische apparaat van het getto nam hen weer op en het meisje uit de put kreeg nieuwe bonnen voor brood en ander voedsel.

Ook Debora Żurawska, misschien wel het kind dat Rosa het allerdierbaarst was, zou een leerlingplaats aan de Franciszkańskastraat hebben gehad als ze na het bezoek van de Voorzitter aan het Groene Huis en wat er met Mirjam was gebeurd, niet had geweigerd ook maar iets te doen wat met de Preses te maken had. Over haar huidige leven wist Rosa niet meer dan wat er in de adoptiedocumenten in de mappen op het kantoor van mevrouw Wołk stond.

Herrn PLOT, Maciej, FRANZSTR. 133

In Beantwortung Ihres Gesuches vom 24.9.1942 wird Ihnen hiermit das Kind ZURAWSKA, Debora im Alter von 15 Jahren zur Aufnahme in Ihre Familie zugeteilt.

Litzmannstadt Getto, den 25.9.42 –

Franzstrasse/Franciszkańska 133 bleek een vervallen, langwerpig houten huis naast een ondiepe sloot te zijn, waar ontlasting en afval in dreef. Een deur was er niet, niet naar de straat in elk geval, en het enige raam in dit 'langhuis' was al lang geleden dichtgemaakt met planken en metselspecie. Toen Rosa over de stinkende sloot naar de achterplaats van het huis probeerde te komen, werd ze opgewacht door een paar mannen die luidkeels en met veel misbaar verzekerden dat er hier geen Debora Żurawska woonde, en ook geen Maciej Plot, ongeacht wat haar document beweerde.

Toen Rosa Smoleńska naar het bevolkingsregister ging, kreeg ze van een vermoeide kanselarist te horen dat er inderdaad iemand in het getto had gewoond die Maciej Plot heette, maar dat die naam nu uit het register was verwijderd. Maciej Plot had bij de zagerij aan de Drukarskastraat gewerkt. In januari 1942 was hij op de lijst van 'in het getto ongewenste personen' van de uitreiscommissie gezet, en in februari was hij gedeporteerd. Iemand had hem ervan beschuldigd hout te hebben gestolen uit de opslag van de zagerij. Misschien was de beschuldiging terecht, misschien was hij verzonnen om de huid van iemand anders te redden. Dat was immers de winter waarin het zo koud was dat iedereen die de kans had hout stal; en degenen die dat om de een of andere reden niet konden, vroren dood voordat ze de wachtende treinen in Marysin zelfs maar hadden gehaald.

Maar als Maciej Plot gedeporteerd of dood was, wie had de adoptieformulieren dan in zijn naam ingevuld? En waar en bij wie bevond de jonge juffrouw Żurawska zich in dat geval?

Wat Rosa nog niet wist, was dat er voor een Jood twee manieren waren om het getto te verlaten. Ze namen of de weg 'binnendoor' of de weg 'buitenom'. In beide gevallen waren de nabestaanden gedwongen hun werkboekjes en rantsoenbonnen in te leveren; deze werden dan door de autoriteiten ongeldig gemaakt met het stempel TOT of AUSGESIEDELT, al naargelang welke weg men had genomen.

Maar dat de werkboekjes werden gestempeld betekende niet dat de voormalige houders daarvan uit het systeem verdwenen. Er waren uitgekookte types die overgebleven rantsoenbonnen opkochten of personeel van het Centrale Arbeidsbureau omkochten om geen stempel in de identiteitspapieren van de gedeporteerde te zetten. Zodra er een nieuw rantsoen werd bekendgemaakt, gingen ze met de werkboekjes van de doden halen wat er nog op hun bonnen te krijgen was. Brood, roggevlokken, suiker. Toen er zoveel mensen vertrokken, tienduizenden mannen en vrouwen in de loop van slechts enkele maanden, ging het om flinke hoeveelheden levensmiddelen, die vervolgens op de zwarte markt terechtkwamen, waar ze konden worden gekocht door mensen die *geld genug* hadden, dat wil zeggen mensen die al op andere manieren goede zaken hadden gedaan.

Een van degenen die zo hele legers doden lieten marcheren, was een in het getto bekende dief en bedrieger die *Mogn* – Pens – heette. Deze Mogn was zo mogelijk zelfs nog uitgekookter. Met de werkboekjes en rantsoenbonnen van de doden ging hij naar de resortchefs, die hij overhaalde hun vroegere personeel opnieuw aan te stellen. Zo moesten ze weliswaar loon betalen aan mensen die al uit het getto gedeporteerd waren, maar Pens bood aan die kosten op zich te nemen. Het belang daarvan was natuurlijk dat de doden op deze manier, in principe eindeloos, hun uitkering konden blijven incasseren en nieuwe rantsoenbonnen krijgen.

Een op niets gebouwd imperium, een schaduwimperium, maar Pens was rijk: wanneer hij gasten ontving, zat hij in een twee meter hoge leunstoel, met zijn achterwerk en zijn rug rustend in zachte zijden kussens, en zijn geweldige buik slap maar machtig hangend tussen twee vette onderarmen. Een goede, vrome Jood, die de sabbat in ere hield, zich aan alle rituele geboden hield en het zich zelfs meende te kunnen veroorloven koosjer te eten. En hij deed ook nog aan liefdadigheid. Om zijn nijvere godsvrucht en liefdadigheid te bewijzen, besloot hij een verzoek in te dienen om de voogdij voor enkele van die arme weeskinderen te krijgen die na de *szpera*-actie de *ochronki* hadden moeten verlaten en die nu door het Secretariaat Wołkowna werden geveild. Een aantal van zijn meest profijtelijke doden – onder wie dus de vroegere zagerij-arbeider Maciej Plot – vulde een aanvraagformulier in, en ze waren allemaal zo correct ingevuld dat zelfs mevrouw Wołk en haar collega's bij het adoptiecomité er niets op aan te merken hadden.

En zo belandde ook juffrouw Debora Żurawska in het rijk der doden, hoewel ze nog onder de levenden was. Haar werkboekje en haar rantsoenbonnen moest ze natuurlijk zodra ze bij Pens in huis kwam, afgeven. In ruil voor een bescheiden deel van haar eigen rantsoen, poetste ze de vloer in het langhuis aan de Franciszkańskastraat of bediende ze de vele 'echtgenotes' die Pens in de loop der jaren had verworven. Omdat ze er nog altijd goed uitzag, moest ze ook af en toe dienst doen in een van de 'rusthuizen' die Gertler van de Voorzitter had overgenomen en die Pens nu bevolkte met doden, om de vermoeide politiemannen die daar kwamen uitrusten iets te bieden te hebben. In een van de huizen stond een piano, en omdat van Debora Żurawska bekend was dat ze piano kon spelen, moest ze de gasten van Pens ook muzikaal vermaken.

Rosa Smoleńska had opnieuw navraag gedaan bij het bevolkingsregister en daar vernomen dat Pens tijdelijk werk voor Debora had geregeld in de hoeden- en pettenfabriek aan de Brzezińskastraat. Daar werden de mutsen met oorkleppen voor het Duitse leger gemaakt. Dag in dag uit wachtte Rosa voor de hekken in de hoop tenminste een glimp van haar voormalige beschermelinge te kunnen zien. Uiteindelijk vatte een ander personeelslid sympathie op voor de geduldige wachtster en legde uit: als ze Debora zocht – die nam altijd een andere uitgang. Rosa ging dus naar de achterkant van de fabriek, waar een kleine laad- en losplaats was, en daar zag ze Debora de volgende avond na afloop van haar dienst naar buiten komen, met nog een paar jonge meisjes. Aan het eind van de laadplek wachtten, als een soort escorte, dezelfde twee mannen die haar eerder bij de aanbouw in de Franciszkańskastraat hadden tegengehouden.

Debora is iemand anders geworden, maar lijkt toch nog op zichzelf.

Vermagerd, met opgezwollen buik zoals alle andere hongerkinderen en met een gezicht zo spichtig als een dier. Ze loopt bovendien op een eigenaardige, krabachtige manier, met haar ene schouder opgetrokken. Rosa herinnert zich dat ze altijd zo liep als ze samen water uit de put hadden gehaald, maar dan was het om met haar lichaam tegenwicht te geven tegen de volle emmer die ze tussen zich in droegen, op die ijskoude herfstof winterochtenden, wanneer de aarde donker was als een schaal van twee tot een kom gevormde handen, met de lichter wordende lucht als de kier ertussenin. Debora had verteld wat ze allemaal wilde gaan doen na de oorlog: zich aanmelden bij het conservatorium in Warschau, misschien naar Londen of Parijs gaan; en na elke vertrouwelijke ontboezeming pakte ze het hengsel van de emmer andersom vast. Debora loopt nu net zo – maar zonder emmer. Aan haar voeten heeft ze een paar *trepki* waarvan de zolen zo zwaar versleten zijn dat ze haar ene been moet optillen wanneer ze zich omdraait – of *hinkt* ze?

Nu ziet Rosa het. Ze moeten haar geslagen hebben.

Ze rent achter Debora aan.

Ik heb een baan voor je geregeld, zegt ze, of liever, roept ze: want Debora Żurawska spant zich tot het uiterste in om haar zware, verwrongen lichaam achter de andere arbeidsters aan te slepen, die al voor haar uit snellen.

In de inpakhal van de porseleinfabriek van Tusk.
Je mag zekeringen inpakken. Er is veel werk daar in de inpakhal!
Zoveel je maar wilt!

Maar Debora kijkt niet om.

Wel lopen de beide bewakers van Pens ineens naast Rosa. Ze hebben hun mutsen ver over hun voorhoofd getrokken en op hun onbeweeglijke gezichten staat een glimlach. Die glimlach blijft daar wanneer ze Rosa bij haar middel grijpen en op de grond gooien.

De meisjes zijn nu al in de Franciszkańskastraat en Pens staat hen voor het huis op te wachten. Hij is zelfs nog dikker dan ze zeggen. Zijn buik is zo gigantisch dat hij zich alleen maar kan voortbewegen als hij wordt ondersteund. Dat doen twee vrij jonge vrouwen en een man die eruitziet als een jongere uitgave van hemzelf; de zoon (als het zijn zoon tenminste is) heeft zelfs net zo'n soort Frygische muts op zijn hoofd als zijn vader. Samen slooft of strompelt het groepje over de uitgedroogde klei. De buik waar Pens zijn bijnaam aan te danken heeft, hangt als een zachte, zwabberende zak tussen zijn benen. Je zou denken dat Pens zou lopen te pronken met al die maagvulling die hij krijgt, maar de buik van Pens is leeg; misschien verklaart dat zijn woede. Hij begint al te praten voordat ze bij hem zijn. Hij weet wie ze is, zegt hij. Ze werkt op het Secretariaat Wołkowna, nietwaar? 'Parasieten,' zegt hij. 'Dat zijn jullie. Jullie krijgen je loon door je te vergrijpen aan rechtschapen mensen, want jullie geliefde Preses heeft alleen maar oog voor de kleintjes, wat zeg ik, voor de *hummeltjes*. Die geeft hij sinaasappels en *chocola*, en wij volwassen, *capabele* mannen, die ons werk doen en voor onze gezinnen zorgen – wat krijgen wij? Ja, als dank stuurt hij zulke types als vrouw Wołk op ons af, en dan u – Smoleńska! – dat is niet eens een echt Joodse naam!'

Al die tijd dat Pens zijn gal spuwt, hoort Rosa Smoleńska inwendig alarmsignalen, net als die keer toen de Voorzitter zich met Mirjam opsloot en de pianostemmer op de trap klom en zijn stemvork tegen de bel in de vestibule zette. En net als die keer is het alsof het geluid alles verdringt wat vroeger ruimte en licht rondom hen was. Alles gaat op of lost op in dat huiveringwekkende geluid, dat hen belet te denken of te ademen, of iets te doen of te zeggen.

En Rosa ziet dat Debora's ooit zo smalle pianovingers gehavend zijn: ontstoken, rood en overdekt met wondjes, alsof ze in loog zijn gedoopt; ze heeft ze gestoken in, of liever omzwachteld met een paar vingerwanten die meer op vodden lijken. Ze pakt in een reflex de hand van het meisje beet; Debora schreeuwt van de pijn en probeert haar hand terug te trekken, en iemand (Pens weer?) zegt dan door het lawaai heen: 'Wie bent u eigenlijk, mevrouw Smoleńska?' En Rosa antwoordt: 'Ik ben haar moeder.' Op dat moment zegt Debora: 'Ik heb geen moeder; ik heb er nooit een gehad.' En Pens: 'Willen jullie die vrouw hier nu eindelijk vandaan halen?'

◆

De Sonderabteilung van het getto had haar hoofdkwartier aan de andere kant van het Bałutyplein, achter hetzelfde huis op de hoek van de Limanowskiego- en de Zgierskastraat waar ook de Gestapo en de ordepolitie van het eerste district kantoor hielden. Bezoekers aan de Sonder moesten zich eerst bij de slagbomen van de Duitse wacht melden en als die niets op hun papieren had aan te merken, mochten ze om het gebouw heen lopen en door een klein poortje links van het Gestapogebouw gaan.

Er was geen verwarming achter de getraliede ramen, maar een stukje verderop stond een groepje mannen die zich warmden aan een kacheltje dat ze buiten hadden neergezet: een grote, bolle ton van al lang geleden beroet plaatijzer waaruit dikke wolken zwarte, walmende rook opstegen. Het was alsof de hele lucht binnen verzadigd was van een lichte rooknevel die de lichamen en de gezichten bleek en vaag maakte.

Samstag begroette haar niet toen ze naar hem toe kwam, maar wendde zich met een glimlachje af, alsof ze hem had betrapt op iets beschamends.

Om zijn bovenarm droeg hij de politiearmband met de davidster. De pet die erbij hoorde, had hij tussen de andere op de vensterbank gelegd, maar ze zag dat de zweetband een duidelijke afdruk op zijn voorhoofd had achtergelaten, een smalle lijn die in de weerschijn van het vuur oplichtte alsof het een ontstoken wond was. Het enige aan hem wat niet veranderd was, was zijn glimlach: die rij gelijkmatige, scherpe tanden die glanzend en vochtig van het speeksel ontbloot werden als hij glimlachte.

Ben jij nu zijn minnares? vroeg hij slechts, en toen nog eens in het Pools, zodat ook de anderen het hoorden: *Czy jesteś jego kochanką?*

Bij het woord *minnares* kwamen de andere mannen dichter bij de vuurton staan en keken Rosa breed glimlachend en schaamteloos aan. Door de rook die uit het brandende vat opsteeg, begonnen haar ogen te tranen en plotseling begon haar hele lichaam hulpeloos te trillen.

Samstag liep naar haar toe en pakte haar beet.

Stil maar, zei hij. *Niet huilen.*

De handen die haar vasthielden, waren stevig en eeltig. Ze rook de geur van zuur zweet en in zijn kleren getrokken rook, en ook iets anders, iets zoets en plakkerigs, en opeens overweldigd kan ze niet anders dan toegeven. Als de oude, wauwelende, krachteloze vrouw waartoe ze is gereduceerd, vertelt ze over haar bezoek aan de Franciszkańskastraat, over Debora die naar buiten kwam en haar botweg afwees, over Debora's handen waarmee 'ze zich nooit meer voor het conservatorium hoeft aan te melden' (zo zei ze het exact), en over de walgelijke Pens, die niet zonder ondersteuning kon lopen en wiens ooit zo ronde buik nu als een zwabberende huidzak tussen zijn benen hing. Ze weet niet of Samstag luistert of niet. Misschien wel. Wanneer de naam *Pens* valt, verdwijnt echter de glimlach bij de andere politieagenten. Pens is een machtig man, van wie velen bij de Sonder steekpenningen krijgen. Ze ziet hoe ze haar de rug toekeren, plotseling onverschillig.

Maar Samstag gaat door met troosten, steeds mechanischer, volhardender: *Nie płacz, kochana; nie płacz...*[18]

De rollen zijn omgedraaid. Onvoorstelbaar dat dit hetzelfde lichaam is als ze ooit uit de tobbe van Chaja Meyer in de keuken van het Groene Huis tilde: het tanige ventje van een jaar of vijftien, zestien dat zich probeerde te bedekken wanneer de ruwe handdoek bij zijn geslachtsdeel kwam. Ze denkt aan de putkinderen. Hoe lang kunnen ze daar in het dode, koude water zitten zonder dat er iets in hen onherroepelijk verandert, zonder dat ze iemand anders worden?

Twee dagen na haar bezoek verscheen er een eenheid van Gertlers Sonder-abteilung in de overbevolkte residentie van Pens aan de Franciszkańska-straat. De berichten over wat daar precies gebeurde, liepen naderhand uit-een. Sommigen beweerden dat Samstag de operatie persoonlijk leidde. Anderen meenden te weten dat Samstag zich afzijdig hield en dat hij zijn mannen het werk liet doen.

Alle getuigen waren het er echter over eens dat de politie het huis bin-nenging zonder waarschuwing vooraf. Met stokslagen joegen ze vrouwen en kinderen eruit en toen fouilleerden ze alle mannen die ze te pakken kre-gen. Er werd een groot aantal messen in beslag genomen, evenals dikke pakken reichsmarken en Amerikaanse dollars. Een ongeschreven regel in zulke gevallen was dat de dienstdoende politiemannen de stapels bank-biljetten die ze in beslag namen, in hun eigen zak staken. Toen Pens dat zag, ontwaakte hij uit de toestand van verlamming waarin de onverwachte overval hem had gebracht en met zijn hoofd tussen zijn schouders ging hij in de aanval tegen de agenten.

Men zei, *sommigen* zeiden, dat de geweldige buik van Pens gewoon een oedeem was. Dat Pens net als iedereen honger leed. Maar hij bezat toch een in het getto tot dan toe ongekende brute kracht. Er moesten verschil-lende mannen aan te pas komen om zijn geweldige lijf op de grond te krij-gen en Pens slaagde er herhaaldelijk bijna in zich los te rukken. Volgens sommige bronnen kwam Samstag midden in het gevecht door de kluwen strijdende agenten heen, trok hij de geweldige stierennek van Pens achter-over en sloeg hij hem vervolgens met zijn stok op zijn hoofd totdat het bloed uit zijn gebroken neus spoot en het spartelende lichaam eindelijk tot rust kwam.

Vervolgens zou Pens een poging hebben gedaan om te vluchten. Maar met zijn ogen vol bloed en met een lichaam dat op eigen kracht niet kon lo-pen, kwam hij niet ver. Op de binnenplaats werd hij opnieuw gevloerd.

Midden op de binnenplaats bevond zich, net als op bijna alle andere binnenplaatsen in het getto, een waterput. Op de pompzwengel zat een kromme ijzeren pin, waaraan je de emmer kon hangen terwijl je het water oppompte. Pens lag op zijn rug op de grond bij de waterput; zijn gezicht was veranderd in een woedend masker van bloed en modder. Ze zaten met zes man op zijn armen en benen om te voorkomen dat hij weer opstond. Volgens verklaringen van sommige getuigen zou Samstag nu naar de gevelde Pens toe zijn gegaan. Hij zou vanachter zijn speekselnatte glimlach hebben gevraagd of Pens wist welke straf erop stond als je je vergreep aan kinderen die aan je zorg waren toevertrouwd.

Het is de vraag of Pens begreep waar Samstag het over had. Zijn kaakbeen was waarschijnlijk gebroken door de stokslagen die Samstag eerder had uitgedeeld, want zijn mond hing er slap en stuurloos bij, en een bruisend schuimmengsel van speeksel en bloed welde ongehinderd op boven zijn gebarsten onderlip.

Twee van Samstags mannen bonden Pens' armen op zijn rug om hem te dwingen op te staan. Pens dacht waarschijnlijk dat ze hem wilden meenemen en maakte zijn lichaam dus zo zwaar mogelijk. Samstag profiteerde van deze beweging en terwijl zijn mannen Pens vasthielden, greep hij diens hoofd met beide handen beet en duwde het zo hard tegen de pompzwengel dat de brede, uitstekende ijzeren pin recht in het linkeroog stootte.

Er steeg een welhaast dierlijke brul op uit Pens.

Samstags mannen bleven zijn beide armen vasthouden. In de stroom bloed bungelde het uitgestoken oog aan zijn zenuw als een ei met een vet, bruinachtig vliesje eromheen. Samstag pakte Pens' hoofd opnieuw beet, pareerde het rukken van het lichaam met rustige, behoedzame, bijna liefdevolle tegenbewegingen – en duwde het hoofd toen weer tegen de pompzwengel. Het ging nu zachter. Pens verzette zich met alles wat hij had: armen, benen, schouders, rug. Maar Samstag was geduldig. Verschrikkelijk langzaam, met kort, hevig terugtrekken wanneer Pens zich bijna wist los te rukken, gleed de al bebloede pin ook in zijn rechteroog.

En nu lag hij daar, de eertijds zo almachtige, als een slachtdier, terwijl het bloed over zijn verblinde gezicht stroomde.

Intussen verzamelden de nieuwsgierigen zich. Eerst de huisgenoten van Pens, ruim twintig vrouwen en kinderen; daarna ook voorbijgangers die vanaf de straat op het lawaai afkwamen. Debora begreep dat ze, als ze wilde vluchten, het nu moest doen, voordat de agenten zich terugtrokken en Pens vreselijk wraak zou nemen. Ze ging het huis weer binnen, pakte het weinige wat ze bezat in haar versleten rugzak en waadde door de brede slijksloot naar de straat. Uren doolde ze rond in de buurt rondom het Bałutyplein en vroeg ze aan iedereen die ze tegenkwam of ze wisten waar Rosa Smoleńska woonde.

De gettoklok op de hoek van de Zawiszy Czarnego- en de Łagiewnicka-straat sloeg al bijna vijf uur. In het vallende winterdonker waren de met sneeuwbrij bedekte trottoirs vol mensen die uit fabrieken en werkplaatsen kwamen. Een van de voorbijgangers zei dat hij een oude lerares kende die Smoleńska heette; ze woonde in hetzelfde huis als zijn zus aan de Brze-zińskastraat. Ze zou het huis gemakkelijk kunnen herkennen. Het had een erker aan de voorkant.

Daar, in de portiek van het huis met de afbladderende erker, vond Rosa Smoleńska Debora Żurawska toen ze vele uren later thuiskwam. Het meis-je zat in elkaar gekropen op de drempel van de voordeur, trillend van angst en kou. Rosa liet haar in haar eigen bed slapen en sliep zelf, gewikkeld in een paar dikke dekens, op de smerige vloer voor het fornuis. In het vroege ochtendgloren stond Debora op, pakte haar ransel en verdween zonder een woord te zeggen naar haar werk. Maar 's avonds was ze, met al haar le-vensmiddelenbonnen, terug in Rosa's huis en ten teken dat ze van plan was te blijven, liet ze Rosa die achter slot en grendel opbergen in de keu-kenkast waarin ze haar eigen kaarten en bonnen bewaarde.

Dit is een arbeidersstad, Herr Reichsführer, geen getto.

In 1943 en het eerste deel van 1944 regeerde Hans Biebow over een rijk dat zo dicht bij een goedfunctionerende arbeidersstad kwam als een getto maar kón komen. Negentig procent van de bevolking werkte in de fabrieken en werkplaatsen die de arme Rumkowski op Biebows bevel had laten opzetten. De productie was effectief, het rendement hoog. Het jaar ervoor (1942) was de winst na afschrijvingen voor de totale Gettoverwaltung berekend op bijna tien miljoen reichsmark, een duizelingwekkend bedrag.

Het exploiteren van een *Musterlager* riep echter ook jaloezie op. Tot dusverre viel het getto onder burgerlijk toezicht, maar de pogingen van de ss, die onder leiding van Himmler steeds meer een staat in de staat werd, om het lucratieve getto over te nemen werden steeds talrijker en steeds brutaler. Als het Litzmannstadtgetto een werkkamp was, zou het onder militaire regie veel effectiever kunnen worden geleid, werd er van de zijde van de ss geargumenteerd. Er lag al een concreet voorstel van het zogeheten *Wirtschaftsverwaltungshauptamt* van de ss om het hele getto, met machinepark en al, naar Lublin over te brengen, waar het getto naar aantal Joden bijna even groot, maar slechts een tiende zo productief was. Door de getto-industrieën van Lublin en Litzmannstadt samen te voegen, zouden er miljoenen aan rationaliseringswinst te behalen zijn. Had de ss berekend.

Biebow deed wat hij kon om zich de ss en Reichsführer Himmler van het lijf te houden. Hij ging naar Posen, waar hij zich ervan verzekerde dat de burgerlijke leiding nog steeds werd gesteund. Hij ging naar Berlijn, waar hij Speer ontmoette en vertegenwoordigers van het militaire *Rüstungskommando*, dat ondanks de grootscheepse terugtocht in het oosten de orderportefeuilles van de getto-industrie bleef vullen met bestellingen van uniformen en oorlogsmaterieel. Zolang de oorlogsinspanning op het huidige hoge niveau bleef, zou de Wehrmacht nooit accepteren dat er iets werd verplaatst of veranderd waardoor de leveranties dreigden te worden gestaakt of onderbroken. Biebow wist echter dat alles aan een zijden draadje hing; bij nieuwe tegenslag aan het oostfront zou de Führer zomaar weer naar Himmler kunnen luisteren en bevel geven tot verhuizing of herstructurering van het getto. De oorlog, die allesbepalend was voor Biebows lot, was uiteindelijk een tweesnijdend zwaard. Op sommige momenten beving Biebow de verschrikkelijke vrees dat zijn anders zo betrouwbare en stabiele getto helemaal nergens op was gefundeerd, dat alles wat hij had opgebouwd maar schijn was en dat er maar één woord nodig was – één enkele pennenstreek op een depêche uit Berlijn – om alles in elkaar te laten storten. Zoals toen de nieuwe burgemeester van Litzmannstadt, Otto Bradfisch, onlangs in een gesprek had beweerd dat het getto helemaal geen *Musterlager* was, maar *een schande, meneer Biebow, een schande...!* De anders zo koele, beheerste Bradfisch sloeg met zijn vuist op de politierapporten die op zijn bureau opgestapeld lagen. Biebow wist heel goed wat er in deze rapporten stond: ze maakten melding van Kripo-personeel dat was omgekocht om 'verliezen door diefstal' uit de fabrieken door de vingers te zien, en van ambtenaren van zijn eigen bestuursapparaat die in ruil voor een royale provisie hadden ingestemd met de fabricage van damesondergoed voor het modebedrijf Neckar in Hamburg in plaats van de al uitstaande opdracht voor het leger af te maken; en – *hoe is het mogelijk dat uw eigen ambtenaren zich vandaag de dag nog door Joden laten omkopen; hoe is dat mogelijk, meneer Biebow?*

En wat maakt het dan uit of Biebow al uitlegt dat de verrotting in de Joodse *aard* zit, en of hij dat keer op keer herhaalt (hij geeft de schuld aan de Joden, hoewel de diefstallen door zijn eigen personeel zijn gepleegd). *Maar zorg dan toch voor eens en voor altijd dat die aard beteugeld wordt!* werpt Bradfisch tegen. Biebow zit klem. Wat hij ook doet of wat hij ook laat, hij geeft de ss alleen maar meer argumenten om het bestuur van het getto over te nemen.

◆

Ziehier nogmaals Biebow. Het is hoogzomer. Vanuit het gras sturen de krekels bogen van getjilp naar de hoge hongerhemel. Daaronder zijn duizenden uitgedroogde, kromgebogen mannen en vrouwen voortdurend in beweging. Met karren en bakken komen ze uit de stinkende stegen van het getto of ze staan over hun houwelen en spades gebogen in de klei of het grind aan de kant van de weg.

Maar Biebow ziet hen niet. Zijn auto is gestopt naast het vervallen houten bouwsel dat in het getto bekendstaat als Praszkiers werkplaats. Zijn chauffeur heeft de auto een stukje verplaatst en beide deuren opengezet, zijn lijfwachten hebben beschutting gezocht in de schaduw van de boom. Zelf loopt hij met zijn handen op zijn rug te ijsberen en hij ziet hoe het stof dat de auto heeft doen opwaaien, langzaam op zijn glimmend gepoetste schoenen neerdaalt.

Aan de andere kant van de weg, op de hoek van de Próżna- en de Okopowastraat, zijn twee oudere mannen op een veld gras aan het maaien. Ondanks de stekende julihitte hebben ze dikke jassen aan; de voering komt er zichtbaar doorheen bij de naden op de rug en de borst waar de stervormige gele lap op is genaaid. De zeisbladen schitteren in het zonlicht. Ze geven onophoudelijk een groot blik water aan elkaar door. Plotseling roept een van hen iets naar Biebow.

Wablief? Er wordt hem iets aangeboden. Biebow komt schoorvoetend dichterbij.

Een van de mannen glimlacht zonder tanden, met ingevallen wangen. Houdt het blik op. Biedt Biebow te drinken aan. Dacht dat meneer misschien dorst had in de hitte.

Dit is natuurlijk volkomen ongehoord. Een Jood die een ariër te drinken aanbiedt, de hoogste bevelhebber nog wel; om nog maar te zwijgen van zoiets onhygiënisch als een simpel blik met water. Biebow kijkt van de een naar de ander – ze staan onder hun zeisbladen en er zit een soort verwachting in hun glimlach – dus hij kan niet nalaten om toch in elk geval de dop van het blik te draaien en zijn mond met een grimas af te drogen (want God weet dat hij dorst heeft).

En dan komt het natuurlijk. De ene Jood vraagt met gespeelde bescheidenheid of de hoge heer misschien wat brood kan missen.

Wat? Brood? Brood is op rantsoen. Als je je goed gedraagt, krijg je bonnen en die kun je in de winkel inwisselen voor brood.

Boekjes vol bonnen heeft hij, houdt de man voet bij stuk, maar wat heeft hij daaraan als hij zich naar het distributiecentrum sleept en ze zeggen dat er geen brood te krijgen is – *Es gibt kein Brot zu erhalten*. Hij zet een nederige, inschikkelijke toon op, waarvan hij denkt dat Duitse gezagsdragers die van Joden verwachten en zegt: *Ik heb al drie hele dagen geen eten meer gehad.*

Maar Biebow houdt vol: *Hier in het getto is brood voor iedereen die bereid is te werken.*

Dan vat de maaier moed en wijst erop dat hij toch echt werkt – dat kan meneer met eigen ogen zien; hij en zijn vriend Jitszak hebben een heel veld gemaaid, dat voedsel moet verschaffen aan de melkkoeien van de zuivelfabriek van de heer Michał Gertler. Maar er waren er ook die nog nooit van hun leven een eerzaam vak hadden uitgeoefend. Ze komen en gaan, die *shiskes*! Ja, hoor. Hij weet het heus wel. Sommigen van hen rijden zelfs in een limousi-iine.

Hij spreekt het woord uit alsof hij een warm ei in zijn mond heeft.

Dan luistert Biebow opeens. *Wie?* vraagt hij slechts.

De man maakt een onduidelijke handbeweging.

Biebow: *En waarheen?*

De maaier: *Waarheen?*

Biebow: *Waar gaan ze heen, die limousinerijders?*

De maaier: *Naar dat huis daar.*

Biebow: *Wat is dat voor huis?*

De maaier: *Vroeger heette dat 'Het Groene Huis'. Nu weet ik niet wat voor soort—*

Biebow: *Wat voor soort wát? Voor de dag ermee, man!*

De maaier: *A pensie.*

Biebow: *A watte?*

De maaier: *Een pension.*

Biebow: *Wel, wel, een pension. En voor wie dan wel?*

En de maaier haalt zijn schouders op alsof hij zeggen wil: *Weet ik veel? Voor de machtigen? Voor degenen die het breed hebben? Voor degenen die menen dat ze het verdienen om tussen het ademhalen door uit te rusten?* Maar dat zegt hij niet. Dat hoeft ook niet. Want Biebow beent al naar het Groene Huis. En de beide zeisers erachteraan. Dit zou weleens interessant kunnen worden.

Een jaar nadat het bij de *szpera*-actie is ontruimd, is er niet veel meer over van het oude kindertehuis. De laatste restjes van de kleur die het huis ooit zijn naam gaf, zijn al lang afgebladderd; van de stenen onderkant naar boven is zich een soort verrotting aan het verspreiden die al het hout in een vieze, natte pulpmassa heeft veranderd. Het dak is ingestort en van heel wat ramen zijn de kozijnen weggehaald, zodat er alleen nog maar grote, zwarte gaten in de muur zitten. Toch zijn er voor sommige van deze gaten gordijnen opgehangen, en van daarachter kijkt een stel verschrikte of opgewonden gezichten naar buiten.

Biebow bonst met zijn vuist tegen de bovenkant van de deur en alsof het huis één groot levend wezen is, komt er plotseling een luid gejammer ergens diep van binnen.

Krankzinnig, mompelt de oude maaier, *volkomen krankzinnig*, en zo mogelijk nog krankzinniger is wat er dan gebeurt. Want nauwelijks heeft Biebow zijn hand terug kunnen trekken of de deur wordt met een smak open gegooid en een stuk of tien fladderende kippen stuiven op hem af. Ja, *echte kippen – echte, levende kippen*, verklaart de maaier later, van een soort dat hier zelfs voordat de Duitsers kwamen nooit was. Biebow moet net zo geschrokken zijn als de kippen. Hij slaat zijn handen voor zijn gezicht om deze plotseling op hem af wapperende dreiging af te weren, en het duurt dus even voordat hij de geweldige man in het oog krijgt die aan de andere kant van het vleugelgeklapper in een karretje met open mond net zo krankzinnig en wanstaltig zit te schreeuwen als hij eruitziet. Nee, niet iedereen zou Pens in hem hebben herkend. Niet in de laatste plaats door die schreeuw, die hij tegenwoordig richt op alles en iedereen die hem in zijn blinde vernedering nadert. Hoe kon hij weten dat Herr Amtsleiter zelf daar aan de andere kant van de rondfladderende kippen stond? Hij zag immers niets. En Biebow zag een grotesk, misvormd monster, in een soort wiebelig houten karretje geperst, met alle lichaamsdelen over de rand puilend en een buik in het midden, een glimmende, blauwgeaderde buik, spaarzaam in smerige vodden gehuld, met daarboven een wanstaltig gezicht met schurftige, bloederige wondkorsten waar de ogen hadden moeten zitten en een mond – wijd open, lillend vlees – die tegen hem schreeuwde als een gek.

Automatisch deed hij twee stappen achteruit en tastte naar het wapen in de gordel onder zijn colbert om zich ergens aan vast te kunnen houden;

toen hij het goed en wel te pakken had, leegde hij onmiddellijk het hele magazijn op het weerzinwekkende Creatuur, dat door de kracht van de kogels naar achteren werd geslingerd en met een plof tegen de wand sloeg, en alsof ook zij door de terugslag werden getroffen, stoven de kippen alle kanten uit: de hele lucht was een ogenblik lang bedekt door een wolk van bloed en fladderende veren.

En toen gebeurde er iets merkwaardigs. Er ontstond een stilte die hen als het ware in één klap tot een groep maakte. Biebow stond in de deuropening, met geleegd magazijn en met zijn hoofd en schouders onder de kippenveren; tegenover hem, ook in verenkostuum, stonden twee bewakers van Pens die diens karretje naar de deur hadden geduwd toen er aangeklopt werd omdat Pens, ondanks de risico's die hij daarbij liep, altijd halsstarrig zelf de deur open bleef doen; naast de bewakers stonden weer twee van de jonge prostituees die Pens koppig had meegenomen naar het Groene Huis en die nu mee naar de deur waren gelopen om zich te laten zien, en ten slotte, aan de andere kant van genoemde deur, de twee maaiers die Biebow waren gevolgd vanaf Praszkiers werkplaats.

Op dat moment waren zij met velen – en Biebow was alleen. Een van de helpers van Pens had Chaja Meyers brede keukenmes kunnen gaan halen, dat nog in de bovenste schuifla in de keuken lag. En de maaiers stonden daar ook nog met hun zeisen. Daar, op dat moment, had iemand zomaar kunnen afrekenen met een van de hoogste vertegenwoordigers van het schrikbewind dat hun dagelijks leven tot een hel maakte.

Maar kennelijk kwam er op dat moment niemand zelfs maar op het idee. De dragers en oppassers van Pens leken haast verlamd door de dood van hun baas, terwijl de maaier die Jitszak werd genoemd slechts één gedachte in zijn hoofd had. Voordat het verengewaad op de schouders van Herr Amtsleiter goed en wel stillag, had hij al een van de kakelende kippen onder zijn arm en daarmee stormde hij de heuvel af. Hij had voor minstens een maand eten voor zichzelf en zijn gezin. Halverwege de Zagajnikowastraat kwam hij Biebows chauffeur en lijfwachten tegen, die de schoten hadden gehoord en nu aan kwamen rennen om te kijken wat er aan de hand was.

◆

Niemand in het getto zou serieus durven beweren dat alles wat er daarna gebeurde – de val van het paleis, de arrestatie van Gertler en de moordaanslag op de Voorzitter – het gevolg was van het feit dat een simpele pooier en kruimeldief genaamd Pens de ogen uitgestoken waren en dat hij daarna door een Duitser was doodgeschoten. Maar in de kapsalon van Wiewiórka, waar het gebeuren druk werd besproken, was de conclusie dat hoogmoed in het getto altijd voor de val kwam. Dat gold zowel voor kruimeldieven als voor *shiskes*. En als de sneeuwbal eenmaal aan het rollen was...!

Meneer Tausendgeld, die het Groene Huis als wijkplaats aan de vluchtende Pens had verhuurd, stond vogels te voeren in de volières van prinses Helena toen de eerste schoten in de Zagajnikowastraat te horen waren. Hij schrok zo dat hij bijna van de ladder viel en rende vervolgens het huis in met zijn lange rechterarm voor zich uit zwaaiend: *Daar komen de Engelsen, daar komen de Engelsen...*

Maar alleen de Kripo kwam. Ze kwamen met een handvol mannen en halverwege de trap naar de bovenverdieping waar prinses Helena op haar ziekbed lag, hadden ze de vluchteling te pakken, en ze sleepten hem naar de binnenplaats, waar een van hun auto's stond te wachten. Een halfuur later hing hij al aan zijn achter de rug gebonden armen aan de beruchte vleeshaken in de kelders van het Rode Huis, terwijl een man of vijf, zes van de afdeling detentie de grappige speling der natuur bewonderde die de lange rechterarm van Tausendgeld had geschapen. Het lichaam hing namelijk zichtbaar scheef, zo scheef dat het bultige gezicht *omlaag* wees naar de grond in plaats van, zoals bij de andere gevangenen gebruikelijk was, *omhoog*. Detentiecommandant Müller moest de met rubber beklede houten knuppel dus van onder naar boven zwaaien om het hoofd te kunnen raken, ongeveer zoals een golfswing. Maar hij raakte hem wel; en Tausendgeld schreeuwde – en zijn lichaam dook hangend weg, ook al was er niets om achter weg te duiken. De enige naam die de ondervragers van de Kripo echter uit hem kregen, was die van Gertler, en dat was niet de naam die ze op dit moment wilden horen.

Intussen was Biebow weer terug op zijn kantoor aan het Bałutyplein. Hij had nog steeds kippenveren op zijn revers toen Rumkowski bij hem werd gebracht. Rumkowski ging staan als altijd, met zijn hoofd op zijn borst en zijn armen langs zijn lichaam. Je kon als het ware het hele geweldige paleis om hem heen horen instorten.

Biebow: Ik dacht dat wij een afspraak hadden.

De Voorzitter: Die hadden we ook, en die hebben we nog, Herr Amtsleiter.

Biebow: Toch zijn er in het getto en op uw rekening levensmiddelen ingevoerd voor een bedrag overeenkomend met een bevolking van 126.263
Joden, hoewel er volgens uw eigen berekeningen slechts 86.985 Joden in
het getto zijn. Hoe verklaart u dat?

De Voorzitter: Het moet een of ander misverstand zijn.

Biebow: Misverstand? Hier komen geen misverstanden voor. 39.278 Joden
moeten het getto dus zo ontzaglijk aantrekkelijk hebben gevonden dat ze
uit eigen beweging hierheen zijn gekomen om zich te goed te doen aan de
overdaad. Kunt u mij vertellen waar deze Joden zich nu bevinden, meneer
Rumkowski?

De Voorzitter: Als er foutieve opgaven zijn gedaan, zal ik die onmiddellijk–

Biebow: En hoe zijn ze binnengekomen? Misschien zijn ze naar binnen ge-
glipt terwijl ik sliep of hebben ze een gelegenheid aangegrepen toen ik
toevallig niet keek?

De Voorzitter: Ik zal deze malheur onmiddellijk rechtzetten.

Biebow: En meer dan dat, Rumkowski! Ik beveel u hier en nu een nieuwe
volkstelling te houden. *Elke kop moet worden geteld!* En voor elke Jood dient
duidelijk een adres en een *Ressort* te worden opgegeven. Van nu af aan is er
maar één geldig adres, en dat is het adres dat tevens woonadres is en
waarop de betreffende Jood staat ingeschreven. Begrepen? Dat geldt ook
voor uw eenvoudige hoofd, Rumkowski! Bovendien moeten er nieuwe
werkboekjes worden verstrekt. Elk werkboek moet niet alleen voorzien
zijn van naam, geboortedatum, woonadres en *Ressort*, maar ook van een
foto van de bezitter, waarvan de echtheid dient te worden bevestigd door
Jakubowicz op het Centrale Arbeidsbureau. Deze legitimatie dient bij
elke huiszoeking en elke keer wanneer er bonnen worden ingewisseld, te
worden getoond. – *Ist das verstanden?*

De eerste huiszoeking werd onmiddellijk uitgevoerd. Door de halfopen
slaapkamerdeur zag prinses Helena dezelfde agenten die net de arme Tausendgeld hadden weggesleept bij haar vogelkooien in de tuin staan. Dat ze
meneer Tausendgeld hadden meegenomen kon ze misschien nog verdragen, maar wat wilden ze van haar geliefde vogels? Ze zette het raam wagenwijd open, leunde voorover in het levensgevaarlijke witte licht en riep:

Blijf van mijn hennepvinken af!
Neem alles wat jullie willen hebben, maar blijf van mijn hennepvinken af!

Elk jaar was het hetzelfde verhaal met de lever van prinses Helena: de zomer bracht vermoeidheid, misselijkheid en een hoofdpijn die maakte dat ze haar ogen 's morgens nauwelijks open kon krijgen. Dokter Garfinkel meende bij palpatie van de buikorganen net als vorig jaar een zekere zwelling van de lever te constateren en schreef derhalve een streng dieet voor, bestaande uit wit vlees in zachte bouillon, en bovenal rust in volledige duisternis, omdat geelzuchtpatiënten ernstig oogletsel riskeerden als ze aan direct zonlicht werden blootgesteld.

Prinses Helena stond dus midden in de kamer met een hand voor haar ogen toen de mannen van de Kripo binnenkwamen en alles wat hun in de weg stond ondersteboven gooiden. Rieten kooien met angstig fladderende vogels, dozen en kisten met schoenen en kleren, haar secretaire met alle brieven en uitnodigings- en bedankkaartjes. Ook de gepluimde hoed die ze tijdens Het Heerlijke Buffet had gedragen en waarmee ze ook mannen als Biebow en Fuchs had ontvangen, werd uit zijn hoedendoos in de garderobe gerukt en in het vuil onder hun hoge laarzen vertrapt. Prinses Helena schreeuwde moord en brand en probeerde zich achter de gordijnen te verstoppen. Toen dat niet hielp, zocht ze weer dekking in bed, juist op het moment dat recherchecommissaris Schnellman haar de telefoon aangaf en beval haar zwager te bellen. Toen ze weigerde en maar bleef schreeuwen en met haar armen maaien, belde commissaris Schnellman zelf en rapporteerde aan zijn superieur: *Wir haben noch ein paar Hühner gefunden* – en hij duwde met een geïrriteerd handgebaar een paar spreeuwen weg die, bevrijd uit hun kooien, verward heen en weer fladderden tussen het bed en de wapperende gordijnen.

In normale omstandigheden zou meneer Tausendgeld nu allang naar binnen zijn gekomen om te onderhandelen. Misschien had hij de overijverige commissaris een cadeautje toegestopt. Misschien had hij gezegd dat ze samen konden proberen de verwarring tot tevredenheid van beide partijen op te heffen. Maar nu hing Tausendgeld aan een haak in de kelder van het Rode Huis, waar hij vragen moest beantwoorden over zijn 'geheime' connecties met de Sonderabteilung, en veel ruimte voor compromissen was er helaas niet. Toen de Voorzitter eindelijk begreep dat er ditmaal geen uitweg meer was, gaf hij opdracht om een koets naar de Karola Miarkistraat te sturen om prinses Helena uit haar belegering te ontzetten.

Nu wilde het geval dat er juist die dag in Marysin veel koetsen waren besteld; veel mensen wilden opeens van 'het land' naar 'de stad'. De Voorzitter had alleen zijn eigen calèche ter beschikking en daaraan wist hij na veel geharrewar een eenvoudige boerenwagen vast te haken, zo een als de beide zeisknechten hadden gebruikt om hooi op te tassen.

Toen de equipage arriveerde, bleek echter dat prinses Helena zelf niet zozeer geïnteresseerd was in evacuatie, maar dat ze vooral een veilige plek voor haar vogels wilde vinden. Ze stond voor het open slaapkamerraam en dirigeerde Kuper en de andere menners totdat ze erin geslaagd waren de wagen van de bok tot de kap te vullen met kooien met spreeuwen en vinken. Daarna ging ze weer naar bed en weigerde dat te verlaten, waar men ook mee dreigde. Het draaide erop uit dat dezelfde wagenmenners het bed met Helena en al de smalle, krakende trappen af moesten dragen om het vervolgens op de boerenkar te tillen en alles goed vast te snoeren, zodat de geweldige dame er niet af kon tuimelen. Toen werden er ook nog koffers, dozen en tassen opgeladen en daarna ging de hele equipage op weg.

Het was zaterdagmiddag 10 juli 1943: een drukkende, vochtige dag waarop de lucht zwaar en blauw glanzend als een koeienuier boven de stoffige straten van het getto hing. De hele weg van Marysin naar het Bałutyplein liepen de prostituees van Pens, met hun armen dun als stokjes en hun buiken opgezwollen van de honger, met de wagen mee. Ze riepen naar de afgezette prinses, die daar in haar bed lag, boven op de langzaam voortschommelende boerenwagen. Maar achter het lapje stof dat iemand uit barmhartigheid voor de lichtgevoelige ogen van prinses Helena had gebonden, was ze net zo blind als Pens eerder. En horen deed ze ook niets. Daarvoor kwam er veel te veel herrie uit de vogelkooien.

Bij de Dworskastraat keerde de hele equipage zonder te stoppen om en vervolgde in de richting van de stadsresidentie van de Voorzitter. Als ze hier toch tegen verwachting hadden stilgehouden, hadden ze het verbrijzelde lichaam van meneer Tausendgeld in de afvalpoel op de hoek kunnen zien liggen. Hij lag met zijn gezicht naar beneden en zijn langste arm schuin opzij, alsof hij die ook in de dood uitstrekte naar iets wat hij nooit te pakken zou kunnen krijgen.

Zelf zou Regina Rumkowska zich later altijd de laatste keer herinneren dat ze de familie Gertler in levenden lijve zag, *de hele* familie Gertler, gekleed en gekapt alsof ze zich hadden opgedoft voor een of ander geheel in kleur uitgevoerd weekblad: mevrouw in een lichte katoenen jurk, een mantel en een hoed met tule; de jongens in korte broek, met kniekousen en korte tweedjacks met sportzakken; het dochtertje in dezelfde veterschoenen als haar moeder en met een hoed op die ook identiek was aan die van haar moeder, op twee mooie, rode tulen banden na die van de rand van de hoed op haar rug vielen naast haar lange vlecht.

Heer Preses is niet thuis, was alles wat Regina kon uitbrengen tegen deze miraculeuze familie die plotseling bij haar op de drempel verscheen. Maar Gertler lichtte voornaam zijn hoed en vertelde dat de familie alleen maar langskwam om te vragen of de *jongeheer Stanisław* of de *Zoon des Huizes* wellicht met zijn vrouw en kinderen mee zou willen gaan op een rijtoertje. Zelf, zei hij, wilde hij graag even blijven. Hij had een kwestie van enig belang met haar te bespreken.

De hele dag was het een komen en gaan van mensen geweest, een eindeloze stroom van mensen die discussieerden over de ontruiming van de zomerhuizen in Marysin en over de vraag wie er door de Kripo waren gepakt en wie er nog waren 'gespaard'. Ze hadden schermen om het bed van prinses Helena gezet, zodat ze het ergste niet hoefde te horen, maar zodra ze de stem van haar man boven die van de anderen uit herkende, begon ze weer bevelen uit te delen.

Józef, wil je me mijn thee brengen, zoals dokter Garfinkel heeft voorgeschreven? Denk je eraan om de morellen uit de Miarkistraat mee te nemen? En de schaal met room die de vrouw van Michał heeft gebracht?

(En de schermen om Helena's bed hielpen ook niets tegen de kakofonie van spreeuwen, vinken en putters, die in hun kooien zongen, krijsten en kwetterden: een hele dierentuin die plotseling de plaats van de menselijke gasten leek te hebben ingenomen.)

Onze volgende verblijfplaats wordt niet Hamburg, maar Sosnowice. Maar misschien kunnen we daarvandaan net zo goed uitzoeken wat er met uw broer is gebeurd. Mevrouw Rumkowska, ik geloof dat ik misschien een spoor te pakken heb.

Dawid Gertler boog voorover en bood haar een sigaret aan uit een dun, zilveren etui dat hij openmaakte met de nagel van zijn pink. Ze staarde hem alleen maar aan. Nu begreep ze opeens waarom Gertler en zijn vrouw en kinderen allemaal zo netjes gekleed waren. Ze stonden op het punt het getto te verlaten.

U moet gewoon geduld hebben en wachten, mevrouw Rumkowska.

Dat was de laatste keer dat ze hem zag. Het was 13 juli 1943.

Even later stopte ze haar laatste bezittingen, inclusief haar pas en haar diploma's, in een koffer en toen begon het wachten.

De volgende dag, 14 juli, om een uur of vijf 's middags, reden er twee auto's met kentekens uit Poznań naar de wachtpost voor het hoofdkwartier van de Gestapo aan de Limanowskiegostraat, waar ook de Sonderabteilung zetelde. De wagens bleven met draaiende motoren bij de slagboom staan. Meteen daarna werd Gertler tussen twee politieagenten in burger weggevoerd. Daarna kwamen er nog een paar beambten van de Sicherheitsdienst met hun armen vol kartonnen dozen, mappen, bakken en andere kennelijk geconfisqueerde spullen. Enkele medewerkers van het Secretariaat van heer Preses, die getuige waren van het incident, hoorden Gertler op het moment dat hij in de auto stapte aan een van de agenten in burger vragen of hij vond dat hij genoeg spullen had of dat hij ook zijn privéwoning nog wilde doorzoeken, en ze hoorden de Duitse commandant luid en duidelijk antwoorden dat hij en zijn mannen voorlopig alles hadden wat ze nodig hadden. Meteen daarna reden de twee auto's de hekken bij Bałuty door. De bewakers salueerden plichtsgetrouw; daarna reden ze de Litmanowskiegostraat door, het getto uit.

De dagen daarna dromden de mensen samen op het Bałutyplein omdat elke avond in het getto het gerucht ging dat Gertler zo weer terug zou zijn. Twee weken lang kwamen de mensen daar elke avond bij elkaar om hem te ontvangen. En het aantal wachtenden werd steeds groter; op sommige dagen stond er onder de gettoklok op de hoek van de Zawiszy Czarnego- en de Łagiewnickastraat wel vijfhonderd man met gezichten vol hoop. Het gerucht wilde dat Gertler in dezelfde auto uit Poznań zou terugkomen als waarin hij was weggebracht en dat hij op het moment dat de auto 'door de poorten van het getto reed' vanachter de ruit een speciaal 'teken' zou geven aan ingewijden.

Het gerucht over Gertlers terugkeer was bij tijden hardnekkiger en gedetailleerder dan wat er werd gezegd over de reden waarom hij weg moest.

Ook Regina Rumkowska droomde herhaaldelijk dat Dawid Gertler terugkwam. In de meeste van die dromen was Gertler al dood. Ze kon niet uitleggen hoe ze wist dat hij dood was, maar ze begreep meteen dat er achter de glimmende ruit van de ss-limousine die 's nachts met gedoofde lichten onder de houten bruggen door reed een dode man zat, die vervolgens uitstapte en salueerde voor de erewacht van zijn eigen Sonderkommando, die was gekomen om hem te verwelkomen. Ook de mannen van de crewacht waren dood. In feite was iedereen in het getto dood. Op het Bazarowaplein hingen de lijken nog van de veertien dieven en oproerlingen die de Duitsers hadden laten executeren (allemaal met een bordje om de nek waarop stond *Ik ben een Jood en een verrader van mijn eigen volk*), en de dode Gertler duwde de lijken opzij zoals je een laken aan een waslijn opzij duwt, liep naar zijn kantoor in het huis aan de Limanowskiegostraat en ging daar met zijn naaste medewerkers in conclaaf: de lampen achter de kantoorvensters op de begane grond van het Gestapogebouw waren de enige in het getto die brandden en ze bleven de hele nacht aan. (En al terwijl ze dit over zichzelf en een kwart miljoen andere doden droomde, bedacht ze dat dit nu precies de reden was waarom Gertler zo gemakkelijk dag en nacht de grenzen van het getto over had kunnen gaan. Waarom zijn familie er zo keurig gekleed en mondain uitzag. Ja, misschien verklaarde dit zelfs wel waarom hij eindelijk haar verdwenen broer op het spoor zei te zijn gekomen.

Gertler was dood. Misschien was hij al die tijd al dood geweest.)

Maar toch bleef Regina Rumkowska dus zitten wachten.

Ze zat in de gang van het appartement aan Łagiewnickastraat 61 met in haar tas alleen het allernoodzakelijkste, precies zoals Gertler haar had geïnstrueerd, en ze wachtte op een auto of een kar of wat dan ook die haar zou komen halen. Om haar heen stortte het paleis in. De door Biebow bevolen controle van al het kantoorpersoneel was al begonnen, en mensen uit allerlei departementen kwamen en gingen, en allemaal vroegen ze audiëntie bij de Voorzitter om hem te smeken deze of gene zoon of nicht of schoonvader of tante te 'sparen'. Onder de vele smekelingen was ook het hoofd financiën van het *Landvirtshaftopteil*, dokter Ehud Gliksman, die voor zijn zoon kwam. In de archieven en registers van het getto werden nu jonge, verse kantoorbedienden samengeveegd in arbeidsbrigades die op bevel van Biebow 'nuttig' werk moesten verrichten in Radogoszcz of waar dan ook maar behoefte bestond aan nuttig werk. Pinkas Szwarc, *der felsher*, werd opgeroepen om in alle haast de nieuwe werkboeken met foto te vervaardigen waarvan Biebow eiste dat al deze nieuwe arbeiders ze moesten hebben, en zodra ze hun nieuwe identiteitspapieren hadden, werden ze in lange colonnes afgemarcheerd naar Marysin, begeleid door Joodse *politsajten* die hen met veel inlevingsvermogen schimpscheuten nariepen:

Ir parazitn, vos hobn gelebt fun undz ale teg,
itst iz tsait tsu grobn in dem shais!
Rirt zich ad di polkes, ir chazeirim![19]

(*Meneer Gliksman*: Maar mijn zoon is een intellectueel, hij is niet geschapen voor zwaar lichamelijk werk. *De Voorzitter*: Geloof me, meneer Gliksman; tegen dit besluit van de Duitsers kan zelfs ik niets doen; zelfs ik niet, meneer Gliksman!)

◆

Na slechts enkele uren was het kind teruggekomen van het ontspannen rijtoertje met mevrouw Gertler, maar ze had geen tijd gehad om zich om hem te bekommeren. Juffrouw Dora Fuchs had de *petenten*, die zich erover beklaagden dat ze helemaal van het Secretariaat naar het 'privékantoor' van de Voorzitter moesten komen, in twee van elkaar onafhankelijke rijen verdeeld. In de zitkamer lag prinses Helena achter de draperieën die rondom haar bed waren opgehangen. Dokter Garfinkel had haar een dosis morfine gegeven, maar dat leek niet veel te helpen. Ze lag op haar rug en maaide met haar armen om zich echte of denkbeeldige vogels van het lijf te houden, terwijl vrouw Koszmar op een krukje stond en met behulp van een soeplepel de exemplaren probeerde te vangen die zich in de gordijnen hadden weten te nestelen.

Uiteindelijk viel prinses Helena in slaap. Staszek deed het gordijn op een kier en zag alleen haar hoofd daar op het kussen liggen, met de lange, spitse neus die uit de opgezwollen wangen omhoog stak als uit twee spinnakers. Hij had wel gaten in die wangen willen prikken, maar dat durfde hij niet. Dus hij ging de kamer maar weer uit. De vogels waren eigenaardig stil geworden – alsof ze nu pas beseften dat iemand ze ergens anders heen had gebracht.

In een hoek van de kamer stond de paspop met een bijna gereed kostuum over de hoofdloze schouders; Staszek haalde een van de lange spelden eruit die de stukken stof aan elkaar hielden. Hij ging naast een van de kooien zitten. Daarin zat een witte papegaai, een kaketoe, met zijn veren opgezet. Staszek probeerde iets tegen de vogel te zeggen. Maar die staarde hem alleen maar van onder zijn witte pony aan en draaide hem toen met minachtend wiegende bewegingen de rug toe. Duidelijk een slome, arrogante vogel. Staszek prikte met de lange speld en keek verbaasd toe hoe de punt vlak onder de kop naar binnen gleed. De vogel spartelde tegen en probeerde weg te fladderen. Toen Staszek de speld er weer uit haalde, trok een dun bloedspoortje een mooie rode penseelstreek over het witte gevederte. De vogel zelf leek te wankelen: hij spreidde zijn vleugels uit als om weg te vliegen, maar kreeg zijn rechtervleugel niet omhoog. Zijn ogen staarden Staszek verschrikt, maar zonder verwijt aan en zijn snavel stond open, alsof hij wilde gaan praten.

Staszek wierp een angstige blik op de draperieën, maar daarachter was het stil. Prinses Helena sliep nog. Hij deed de deur van de kooi open, plotseling niet wetend wat hij met die vogel aan moest, die daar volkomen zinloos op de bodem lag, met zijn snavel wijd open en zijn vleugels onder zich getrokken. Na een poosje stak hij zijn hand naar binnen en hij pakte de papegaai uit de kooi. Om de een of andere reden gaf het spoelvormige, nog warme vogellichaam hem een intens gevoel van onbehagen. Hij liet het meteen los en probeerde toen de taaie bloedsmurrie in zijn handpalm kwijt te raken, waar ook veren en wat geels aan kleefden. Hij moest naar de keuken gaan om zijn handen te wassen in de emmer, maar hij durfde niet; mevrouw Koszmar stond nog in de vestibule en probeerde met hulp van juffrouw Fuchs de bezoekers naar het kantoor van de Voorzitter te leiden – en wat zou prinses Helena wel niet zeggen als ze wakker werd? En hoe moest hij die dode vogel verklaren?

Dus hij begon zenuwachtig van de ene kooi naar de andere te lopen – om te kijken of er een was waar hij de dode kaketoe in kon stoppen. Die was er niet. Integendeel, de andere vogels waren nu wakker geworden en fladderden als bezeten rond in hun kooien, alsof ze de geur van de dood roken die hij bij zich droeg.

Af en toe deed hij een uitval naar een erg lawaaierige kooi, ging er schrijlings op zitten en drukte de speld er van bovenaf in, alleen maar voor het genoegen om de vogel te zien schrikken en zich vastklampen aan de tralies, niet wetend waar die scherpe punt vandaan kwam.

Van achter de bedgordijnen klonk opeens een stem: *Stasiu, Stasiulek...?* vroeg die stem, verrassend zacht en mild.

Prinses Helena was wakker geworden. Over meneer Tausendgeld wist ze nog niets, maar ze begon onrustig en ongeduldig te worden en wilde praten met haar geliefde, wonderbaarlijke neef – *Staaa-siooo?*

Hij ging op een andere kooi zitten. Daar zat een merel in met een prachtige, gele snavel. Hij kneep zo hard met zijn dijen dat het lekker begon te kietelen in zijn onderlijf, en stak toen met lange, gravende bewegingen de naald tussen zijn benen door. Hij keek naar beneden en zag dat de merel rondhinkte met een gewonde vleugel. Het ene rondje na het andere hinkte hij, alsof hij de plaats van de secondewijzer van een klok had ingenomen. Het kabaal in de andere kooien was nu verschrikkelijk: een muur van geluid in zijn oren.

Prinses Helena rook onraad. Ze riep door het lawaai van de vogels heen: *Stasiu? Kom eens hier, schat! Wat doe je? Kom! Kom, scha-atje...!*

Hij liep snel van de ene kooi naar de andere. Als hij er was, liet hij zich op de grond vallen en hij stak en hakte in op de vogels die onder hun hulpeloos fladderende vleugels in de lucht probeerden te blijven hangen. De speld gleed uit zijn glibberige hand. Hij moest hem de hele tijd anders vastpakken. Ten slotte liet hij de speld helemaal los, trok de deur van een kooi open en stak zijn hele hand naar binnen. Twee geringde duiven vlogen weg. Hij voelde hun ruisende vleugelpennen langs zijn pols strijken; een andere pikte hem tussen zijn knokkels.

Hij trok zijn hand terug, keek op en zag mevrouw Regina in de deuropening staan. Ze was volledig gekleed en had een koffer in haar hand, maar ze keek alsof ze daar al een hele tijd stond te wachten tot hij haar kant op zou kijken.

Jij bent slecht, slecht, slecht, zei ze alleen maar, en ze glimlachte alsof nu bevestigd was wat ze allang wist.

Overal lagen dode vogels. In de plooien van het vloerkleed onder de stoelen en de tafel in de zitkamer, langs de plint in de gang, op de drempel naar de keuken. Pal voor de drempel stond het kind en het keek op naar zijn pleegmoeder. De handen die de dode papegaai vasthielden waren kleverig van het bloed. Ook in zijn hals, op zijn wangen en om zijn mond zat bloed, en dit bloedmasker verwrong het gezicht van de jongen en gaf het een uitdrukking van lichte ontzetting, bijna van onschuld.

Maar in zijn ogen stond geen onschuld. Het kind keek haar aan met dezelfde trotse, bijna hartstochtelijke haat als voorheen. Regina pakte de hand van de jongen voordat hij die weer naar zijn mond kon brengen, keek even naar het bloederige vogellichaam met de kleine, zielige poten tegen de veren van de buik aan getrokken en smeet dat toen naar mevrouw Koszmar, die tevoorschijn kwam uit de kamer waar Helena lag. Mevrouw Koszmar hield nog steeds de soeplepel in de aanslag: *Er komen nog meer petenten, mevrouw Rumkowska! Wat moet ik doen?*

Regina gaf geen antwoord. Ze pakte de jongen bij zijn arm en duwde hem het kamertje in waar de Voorzitter hem altijd mee naartoe nam en waar hij zijn kistje met al die afschuwelijke tekeningen bewaarde. Ze deed de deur zorgvuldig achter zich op slot en stopte de sleutel in de zak van haar jurk. Toen ze weer in de vestibule kwam, stond Chaim daar, bleek als een doek; achter hem stonden Abramowicz en de rest van de staf. Abramowicz moest uitspreken wat Chaim met opengesperde kaken probeerde, maar kennelijk niet kon zeggen:

Ze hebben Gertler meegenomen; moge de God van Israël zich over ons erbarmen —
Ze hebben Gertler meegenomen!

Ze hadden ook het lijk van meneer Tausendgeld bij zich, en dokter Garfinkel liep meteen tussen de gordijnen door om de krijsende prinses Helena een nieuwe dosis morfine te geven. Regina dacht echter alleen maar aan Gertler. Ze zat met haar tas in de vestibule te wachten op de man die niet meer terug zou komen, maar die de enige was die haar had kunnen verenigen met haar dode broer.

Op zijn kantoor zat de Voorzitter te huilen: *Hij was als een zoon voor me, meer dan iemand ooit als een echte zoon voor me is geweest...*

En op zijn kamer zat de jongen lachend te midden van alle groteske tekeningen die hij had gemaakt van dode en verminkte vogels.

Toespraak van Hans Biebow tot de fabrieksdirecteuren en
commissionairs van het getto, gehouden op 7 december 1943
in het Cultuurhuis (reconstructie)[20]:

Commissionairs, Ressort-Leiter –
(Herr Aurbach! Alstublieft, ik verzoek u te gaan zitten.)
Ik was allang van plan met u te praten, maar door allerlei problemen die zich
voordeden, komt dat er nu pas van. Ik zal langzaam en duidelijk praten, zodat
degenen die geen Duits spreken het toch kunnen volgen of hulp van anderen kunnen krijgen om te begrijpen wat ik zeg.
  Mij is ter ore gekomen dat er onrust in het getto is geweest. Deze onrust was,
naar ik begrijp, in de eerste plaats een gevolg van bepaalde onregelmatigheden
ten aanzien van de voedseldistributie. Het spreekt vanzelf dat ten aanzien van
de voedselvoorziening in de eerste plaats de belangen van het Duitse volk moeten
worden gediend, dan die van de rest van Europa en ten slotte die van de Joden.
  Sinds ik drieënhalf jaar geleden het bestuur van dit getto heb overgenomen,
is het een van mijn hoofdtaken geweest om te zorgen voor de aanvoer van voedsel. U hebt geen idee welke enorme inspanning het voor mij is geweest om het
getto elke dag werk te bezorgen. Alleen doordat u werk hebt, konden de voedsel-
transporten naar het getto worden gewaarborgd.
  Ik ben bereid toe te geven dat verschillende distributievormen die door mijn
Joodse adviseurs zijn ingevoerd, onbedoeld diegenen ten goede zijn gekomen die
al voedsel hadden, ten koste van degenen zonder eten. Er hebben zich walgelijke
gevallen van misbruik voorgedaan, waarbij mensen gulzig alles voor zichzelf
hebben gehouden of, nog erger, de beperkte hoeveelheid levensmiddelen die er
was, hebben doorverkocht. Teneinde voor eens en voor altijd een eind te maken
aan deze criminele daden verklaar ik het vroegere bonnensysteem ongeldig en

voer ik één enkel systeem voor de verdeling van extra rantsoenen in. Vanaf heden zullen degenen die ten minste 55 uur per week werken de aanduiding L (van Langarbeiter) in hun werkboekje gestempeld krijgen, en ik maak hier en nu bekend dat het de plicht van iedere Ressort-Leiter is toe te zien op de naleving van de nieuwe regels, en ik verzeker u dat elke poging om met deze documenten te knoeien of documenten uit te geven op naam van mensen die niet meer in het getto zijn, zal leiden tot iets waaraan u zelfs niet durft te dénken – u zult namelijk worden gedwongen het podium van het Leven te verlaten.[21]

Dat geldt voor Ressort-Leiter, dat geldt voor commissionairs, maar dat geldt ook voor elke afzonderlijke besluitvormende instantie die gaat over de keuringen [die Prüfungen] of over het handhaven van de geldigheid van werkdocumenten.

Arbeiders, commissionairs, hoofden van departementen en secretariaten – u leeft nu al bijna vier jaar opgesloten achter prikkeldraad. In deze jaren hebben sommigen van u erop gespeculeerd dat er verandering in deze situatie zou komen. Ik kan u verzekeren dat dat niet zal gebeuren. De leiding [die Führung] in Berlijn is krachtig en vastbesloten, en wij zullen deze oorlog, waartoe de vijanden van het Duitse volk ons hebben gedwongen, winnen.

Ik wil in dit verband duidelijk benadrukken dat de bewaking van het getto een politiezaak is, waarvan de verantwoordelijkheid allereerst berust bij de Kripo en Herr Aurbach en dat hij en de SD bepalen welke bevoegdheden gedelegeerd worden aan de eigen ordedienst van het getto. We hebben goed samengewerkt met Dawid Gertler. Helaas heeft Dawid Gertler het getto moeten verlaten. Zijn opvolger wordt Marek Klieger. Klieger staat in voortdurend contact met ons en met de Sicherheitsdienst. Ik heb goede redenen om erop te wijzen dat, wanneer de speciale afdeling [Sonderabteilung] een huiszoeking uitvoert – en dat zal in de toekomst steeds vaker gebeuren – dat deze huiszoeking dan bevolen of in elk geval goedgekeurd is door ons, en dat de Sonder verplicht is onvoorwaardelijk zowel voorwerpen te confisqueren als mensen mee te nemen die zich onttrekken aan de regels die van nu af aan voor de totale productie van het getto gelden.

Ten aanzien van de productie wil ik nog de extra eisen en verplichtingen noemen die ons zijn opgelegd. De zogeheten keuringen [die Prüfungen] – dus de rekrutering en registratie van voormalig personeel van kantoren en departementen voor arbeidscommando's binnen en buiten het getto – waarmee al een begin is gemaakt, zullen in het vereiste tempo worden voortgezet. We zullen ongeveer vijfduizend arbeiders nodig hebben voor een project dat ons is opgedragen door de afdeling van het ministerie van Speer [het ministerie van Bewapening] die verantwoordelijk is voor noodwoningen in delen van het Rijk die oorlogsschade hebben geleden; onze fabrieken zullen heraklietplaten gieten voor deze noodwoningen.

Voor degenen die eventueel bezwaren tegen deze taken hebben – of die deze arbeidsinzet als tijdelijk of in elk geval voorbijgaand beschouwen – wil ik benadrukken dat we door zullen gaan met de rekrutering.

We zullen blijvend arbeiders nodig hebben.

We zullen, zolang de oorlogsinspanning duurt, tot in het oneindige arbeiders nodig hebben.

De val van de Voorzitter na de szpera-actie leek wel eindeloos door te gaan. Zoals een dwaas het ene na het andere kledingstuk wordt uitgetrokken, werden hem zijn onbeperkte bevoegdheden een voor een afgenomen. Enige invloed op de productie of de productieomstandigheden had hij niet meer. De levensmiddelenvoorziening viel niet langer onder zijn verantwoordelijkheid – met uitzondering van 'zijn persoonlijke' brokstukje van twee procent, waarvan hij hardnekkig aalmoezen bleef uitdelen, bijvoorbeeld door alle arbeiders met Jom Kipoer bonnen voor een bord *tsholent* te geven. Na de zuiveringen van de zomer van 1943 had hij zelfs geen zeggenschap meer over zijn eigen benoemingen. Alle namen van mensen die hij wilde laten bevorderen – en trouwens ook die hij weg wilde hebben – moesten eerst worden voorgelegd aan de Duitse gettoadministratie. Uiteindelijk was Biebow degene die aan de touwtjes trok. De Preses was een schertsvorst, een paljas wiens totale macht bestond uit maniertjes die hij zich had aangewend en wiens wereld gereduceerd kon worden tot een paar ceremonies, zoals het trouwen of scheiden van mensen en het uitvoeren van zinloze 'inspecties' in fabrieken of gaarkeukens. Zelfs de lijfwachten die altijd aan zijn zijde hadden gestaan, leken hem niet meer zo massaal te steunen.

Maar juist op het moment waarop de val voltooid leek en de vernedering totaal, gebeurde er iets wat, zo het de Voorzitter al niet zijn macht en gezag teruggaf, hem dan toch tenminste een soort eerherstel verleende.

Men zei dat hij het getto had verraden. Al is het met verraad misschien net als met heldenmoed: ze vereisen langdurige voorbereiding om te slagen. In dat geval was het verraad er al toen Rumkowski tijdens het allereerste etmaal van de szpera-actie op zijn heldhaftigst was en weigerde uit te voeren wat de Duitsers hem hadden opgedragen. Maar held of verrader?

Verlosser of beul? Misschien speelde dat op den duur geen rol meer. Rumkowski *was* het getto. Wat hij ook deed, welke of hoeveel Joden hij ook redde of liet redden, uiteindelijk was het toneel van het verraad het enige dat hem werd bereid. Zijn enige taak was dat toneel te betreden wanneer de tijd daar rijp voor was en de machtsdragers dat bevalen.

Uit de Gettokroniek
Litzmannstadt Getto, dinsdag 14 december 1943:

Tegen halftwaalf vanmorgen gaat als een lopend vuurtje het gerucht door het getto: *de Voorzitter is opgehaald door de Gestapo.* Dit zou als volgt in zijn werk zijn gegaan. Om 9.30 uur arriveerde er een voertuig van de Geheime Staatspolizei uit Posen bij de Baluter Ring. Twee agenten, een in uniform en een in burger, vervoegden zich bij het Secretariaat voor het kantoor van de Voorzitter.

'Bent u de Judenälteste van het getto...? Hoe is uw naam?' De Voorzitter zei hoe hij heette, waarna de twee agenten zeiden: 'Laten we even onder vier ogen praten,' en zijn kantoor binnengingen. De twee mannen die toevallig op dat moment bij de Voorzitter waren, Moshe Karo en Eliasz Tabaksblat, verlieten de kamer onmiddellijk.

Het gesprek van de twee officieren met de Voorzitter duurde ongeveer twee uur. Om 11.30 uur begaf de Voorzitter zich in de richting van de stad, in gezelschap van de twee mannen van de Sicherheitsdienst.

Aanvankelijk begreep niemand in het getto precies wat er was gebeurd. Pas tegen zeven uur 's avonds, toen de Voorzitter nog niet was teruggekomen, begon het hart van het getto wild te kloppen. Overal kwamen groepjes mensen bijeen om het voorval te bespreken.

De paard-en-wagen van de Voorzitter stond zoals gewoonlijk voor het kantoor geparkeerd, en die stond er laat op de avond nog steeds, zonder dat er iets werd gemeld. Velen waren ervan overtuigd dat de Voorzitter naar Posen was overgebracht.

Toen hij de Baluter Ring verliet, kon de Voorzitter nog net tegen Dr. [Wiktor] Miller, die toevallig ter plaatse was, zeggen: 'Als er iets gebeurt, weet dan dat het alleen maar om de levensmiddelendistributie gaat. Verder niets.' De Voorzitter wekte een zeer beheerste indruk.

In deze moeilijke uren dachten velen terug aan de affaire-Gertler. De verschillen tussen de twee gevallen zijn echter groot. Gertler was een graag geziene figuur in het getto, maar dit incident – daar waren ze het allemaal over eens – betrof niemand minder dan de vader van het getto. Iedereen zat in angst en vrees. Nooit hadden de mensen het pertinente *Rumkowski is het getto!* zo duidelijk ervaren – vrijwel niemand kon die nacht slapen. Nog meer reden tot ongerustheid was het feit dat ook Amtsleiter Biebow naar de stad was geroepen en dat er van hem ook niets meer was vernomen. Wat kan men in een situatie als deze anders doen dan afwachten?

Slechts aan een klein groepje ingewijden zou de Voorzitter later vertellen wat er was gebeurd in de twee etmalen dat hij uit het getto weg was. Aanvankelijk dacht hij dat de twee mannen van de Sicherheitsdienst hem naar het kantoor van de Gettoverwaltung aan de Moltkestrasse hadden gebracht, maar toen hij naderhand verslag deed van de gebeurtenissen was hij daar niet meer zeker van. Het enige wat hij zich duidelijk herinnerde, was dat de deuren waar hij doorheen werd geleid, zo hoog waren dat je niet kon zien hoe dicht ze onder het plafond zaten, en dat al het hoge sierpleisterwerk was voorzien van bladgoud. Hij werd naar een grote kamer gebracht waar vijf 'hoge heren' aan een lange tafel zaten, met groene lampenkappen zo dicht boven het tafelblad dat de rook die in het schijnsel van de lampen kringelde de gezichten daarachter helemaal aan het oog onttrok. Hij kon geen enkel gezicht onderscheiden, hoewel ze hem op dat moment (zei hij) allemaal aankeken.

Een adjudant sloeg zijn hakken tegen elkaar en schreeuwde zijn *Heil Hitler!* Zelf stond hij zoals altijd met zijn handen langs zijn lichaam en zijn hoofd gebogen:

Rumkowski!
Ich melde mich gehorsamst.

In zijn ooghoeken nam hij wel waar dat een van de mannen van de Sicherheitsdienst binnenkwam met de boeken van de financiële administratie die hij had moeten meenemen, en dat de Duitse heren aan tafel deze boeken nu aan elkaar doorgaven. Het klonk alsof een van hen zijn keel schraapte of misschien zachtjes lachte:

We weten wie u bent.
U bent de Judenälteste, de rijkste Jood van Łódź.
Het hele Reich heeft het over u.

De boeken kwamen uiteindelijk terecht bij de man die het meest links zat. Die bladerde er verstrooid wat door en bleef Rumkowski daarna voortdurend door zijn dikke brillenglazen aankijken, terwijl hij zijn lippen onophoudelijk met het puntje van zijn tong bevochtigde. 'Dat was, naar ik later begreep,' zei Rumkowski, 'ss-Obersturmbannführer Adolf Eichmann.' De man rechts van hem, die met het hoornen brilmontuur, was ss-Hauptsturmführer Doktor Max Horn van het ss Wirtschafts- und Verwaltungsamt, op wiens initiatief het hele comité tot stand was gekomen; en weer naast hem zat ss-Oberführer Doktor Herbert Mehlhorn, verantwoordelijk voor Jodenvraagstukken bij het Rijksstadhouderschap in Posen. Maar geen van de hoge heren stelde zich natuurlijk voor. Geen van hen deed of zei überhaupt iets, afgezien van rinkelen met glazen en karaffen of hun keel schrapen of met hun tong tegen hun gehemelte smakken. (Het was, zou Rumkowski later zeggen, alsof ze allemaal volkomen tevreden waren met alleen maar naar me te kijken.) Vlak daarna ging de hoge deur opnieuw open, een ordonnans kwam binnen, bracht de Hitlergroet en kondigde Amtsleiter Biebow aan. Maar toen had Rumkowski al het verzoek gekregen de kamer te verlaten, en het enige wat hij nog hoorde voordat de deur achter hem dichtging, waren een paar snelle vragen vanachter de tafel, waarop hij Biebow hoorde antwoorden dat de productie van heraklietplaten in volle gang was, *genau, Herr Hauptsturmführer*; er was in de 'laboratoria van het getto' zelfs een speciaal mengsel van cement en houtspaan uitgevonden dat bij alle stevigheidsproeven volkomen *unieke* eigenschappen bleek te hebben. Nergens anders in het Gouvernement of in Warthegau had men een zo *exemplarisch product* weten te vervaardigen.

Und so weiter. Door de kier tussen de deur en de deurpost – of misschien wel daarboven, door een kier bij de hoge latei – drong het geluid van Biebows onderdanige stem door, die bleef opscheppen over de arbeidscapaciteit en de voortreffelijke productieresultaten van het getto.

Rumkowski was naar een voorvertrek gebracht. Tegen de muur, onder een portretfoto van de Führer, stond een rij lage houten banken. Rumkowski ging aan het uiteinde van een daarvan zitten. Omdat het bezoek daarbinnen zo kort had geduurd, was hij er lange tijd van overtuigd dat hij alleen maar tijdelijk naar buiten moest en weer zou worden binnengeroepen. Maar de tijd verstreek en het enige wat er gebeurde was dat de stemmen aan de andere kant van de deur luider werden. Algauw hoorde hij ook glasgerinkel en het onderdrukte, maar onmiskenbare geluid van laarzen die over het krakende parket liepen. Ook de ss-bewaker liet zijn ogen van hem naar de deur dwalen, alsof hij niet wist wat hij aan moest met die Jood die de hoge heren daarbinnen bij hem geloosd hadden. En sigaretten had hij ook niet, zou Rumkowski naderhand zeggen; het enige wat hij had, waren twee biscuitjes die hij in het voorbijgaan uit het trommeltje had gepakt dat juffrouw Dora Fuchs op haar bureau had staan, maar die durfde hij niet tevoorschijn te halen uit angst een ongunstige indruk te maken: 'een arme Jood die zit te eten'.

Toen klonk er daarbinnen plotseling een lachsalvo, de deur werd opengegooid en Biebows gezicht keek rond – eerst niet-begrijpend, toen geschrokken: *Maar – bent u daar nog, Rumkowski?*

Biebow deed de deur gauw met beide handen achter zich dicht en legde een sussende wijsvinger tegen zijn lippen. Daarna nam hij Rumkowski mee een paar trappen af en door een lange, donkere gang naar een schaars verlichte kamer waarvan hij de deur weer, en met een samenzweerdersblik, achter zich dichtdeed.

Wat er nu gebeurde, kon Rumkowski ook aan zijn naaste vertrouwelingen slechts met moeite uitleggen. Misschien had hij gewoon geen woorden om het gevoel van vertrouwelijkheid te beschrijven dat onmiddellijk leek te ontstaan tussen Biebow en hem. Het was bijna zoals in vroeger jaren, voordat er een 'productieproces' was, voordat er zelfs maar noemenswaardige resorty waren, wanneer ze samen op Rumkowski's kantoor zaten en Biebow lange lijsten met offertes doornam, maar nergens het fabricaat kon vinden dat hij zocht, en wanneer Rumkowski dan opeens de naam van een persoon of een bedrijf noemde en Biebow uitbarstte: *Maar dat is geniaal, Rumkowski!*

Alleen was het nieuws dat ze nu bespraken niet zo vreugdevol, zei Rumkowski, en hij probeerde zo goed mogelijk weer te geven wat Biebow hem had toevertrouwd. Namelijk dat ze in Berlijn hadden besloten dat het in verband met de aanhoudende oorlogsinspanning niet meer mogelijk was een gettobeheer van de huidige omvang te handhaven, dat het beheer anders moest worden georganiseerd en dat ook voorheen 'onvervangbare' mensen als Ribbe en Czarnulla verplicht moesten worden Litzmannstadt te verlaten en dienst te doen in het leger.

Maar dat is niet het ergste, Rumkowski; het ergste is dat het hele getto, ja zelfs het hele deel van de gettoproductie dat tot de bewapeningsindustrie behoort, overgaat van burgerlijk bestuur naar de Ostindustrie-Gesellschaft van de ss – kortom: het getto gaat van de Gau naar de ss!

Ze bevonden zich nu in wat Rumkowski noemde 'Biebows stadskantoor'. De ruimte werd gedomineerd door een groot, breed bureau met schrijfblad en pennenbak van imitatiemarmer. Aan het uiteinde van het bureau stonden telefoons in een trapsgewijze opstelling. Biebow haalde een glas uit een muurkast en schonk zichzelf in; hij pakte ook een sigaret uit een etui op het bureau, maar bood Rumkowski er geen aan.

Er is nu een pauze in de onderhandelingen, maar duidelijk is wel dat als Doktor Horn zijn zin krijgt, ook ik mijn bestuursfunctie hier zal moeten opgeven, en wat dat betekent voor de autonomie die ik jullie Joden al die jaren heb geschonken, kunt u zich vast levendig indenken, Rumkowski.

Op dat moment was het alsof een toneel dat tot dan toe geheel in het donker had gelegen, plotseling voor hem oplichtte, vertelde Rumkowski. Met een breed handgebaar en een welwillende glimlach leidde Biebow Rumkowski nu voorzichtig, bijna kameraadschappelijk, dat toneel op:

Maar ik zal mijn functie natuurlijk niet verlaten zonder de goede samenwerking te prijzen die wij altijd gehad hebben, u en ik, Rumkowski.
En misschien is er zelfs nog een mogelijkheid om enkele van uw deugdelijkste arbeiders met me mee te nemen. Maar dan moeten het ook echt deugdelijke arbeiders zijn, zoals ik weet dat alleen u ze kunt voortbrengen.
Ik heb grote plannen, Rumkowski. Ze proberen me te verleiden door me een groot textielexportbedrijf over te laten nemen, met depots in Hamburg en Kiel, en ik heb natuurlijk nog al mijn contacten in de koffie- en theebranche.
En wat u en uw gezin betreft, Rumkowski, zal ik er in elk geval voor zorgen

dat u een veilige en waardige uitweg wordt geboden.

Gute Geschäftsbeziehungen vergisst man doch nicht so schnell.

Maar nu moet u gaan, Rumkowski. Doktor Horn is de stiptheid zelve; hij laat geen minuut voorbijgaan zonder dat je rekenschap moet afleggen van je afwezigheid.

Terwijl hij dat laatste zei, greep hij Rumkowski bij de arm; Rumkowski dacht dat er een soort omarming kwam – een dronken blijk van loyaliteit zoals hij jaren geleden ook geregeld onderging – en schikte zijn lichaam naar dat van Biebow. Maar Biebow wilde alleen maar muntjes uit de zak van zijn colbert halen. Hij drukte Rumkowski een paar pfennig in de hand en gaf hem een vertrouwelijk klopje op zijn schouder: *Hier hebt u genoeg aan voor de tram, Rumkowski!*

En zo deed zich het merkwaardige geval voor dat de 'rijke' Jood Rumkowski, die, met uitzondering van die ene keer dat hij met een vrachtwagenkonvooi van de Gestapo naar Warschau was gegaan, nog nooit buiten het hem toegewezen *Gebiet* was geweest, volkomen alleen en onbewaakt in het arische gedeelte van Litzmannstadt stond te wachten op de tram die hem terug zou brengen naar het getto.

Grijze dageraad. Bij de halte aan de Podolskastraat had zich een menigte heel gewone Polen en *Volksdeutsche* verzameld. Allemaal staarden ze naar de gele ster die hij op de voor- en achterkant van zijn jas had. Ging een Jood *daarmee* in de tram? En wat deed een Jood trouwens buiten de muren van het getto? Maar Herr Amtsleiter had niet alleen gezegd dat hij de tram moest nemen, maar hem ook geld voor een kaartje gegeven, dus toen de tram kwam deed Rumkowski het meest verbodene. Hij stapte in – *een simpele Jood!* – en niemand hield hem tegen. Hij zat helemaal achterin en staarde naar de deuren die bijna miraculeus soepel open- en dichtgingen om andere Polen en Duitsers in of uit te laten stappen. De wagen was algauw helemaal vol. Maar helemaal achterin, waar hij zat, was het leeg. Hij had honger. In de zak van zijn jas zaten nog de twee biscuitjes uit het trommeltje van Dora Fuchs. Maar hij durfde ze niet te pakken. Hij durfde zich helemaal niet te bewegen.

Toen sloot de omheining van planken en prikkeldraad zich dichter om hen heen en de tram begon de 'dode' arische corridor van de Zgierskastraat in te rijden. Sommige passagiers hadden tegen die tijd waarschijnlijk al met de bestuurder gesproken, want tegen alle regels in stopte de tram bij het Bałutyplein en kon de Voorzitter uitstappen. En de tram tingelde en reed weg met verschrikt starende gezichten achter de verlichte ramen, en de Voorzitter liep naar zijn getto en dacht intussen aan Biebow en diens belofte:

aber gute Arbeiter – Musterarbeiter müssen es sein.

Over de vraag wanneer de laatste deportaties uit het getto nu eigenlijk waren begonnen, zouden de meningen later verdeeld zijn. Was het in juni 1944, toen burgemeester Otto Bradfisch bevel gaf tot de definitieve ontruiming van het getto, of al begin februari, toen de autoriteiten plotseling eisten dat er 1500 flinke, gezonde mannen werden geregistreerd voor 'werk buiten het getto'? (Een bevel dat, toen het niet onmiddellijk werd opgevolgd, werd verhoogd tot 1600 man, en daarna tot 1700.) Of begonnen de deportaties feitelijk al op die koude, grijze, nevelige ochtend in december 1943, toen heer Preses zich bij de Duitse wacht aan het Bałutyplein meldde nadat hij twee hele etmalen spoorloos uit het getto weg was geweest?

Hij kwam met lege handen terug, maar toch met iets wat hij voor die tijd niet had gehad. Dat meenden sommigen althans.

Nu had Rumkowski er nooit bekend om gestaan dat hij draalde als er zaken moesten worden gedaan. Amper twee uur nadat hij met de tram op het Bałutyplein was aangekomen, bezocht hij *Betrieb Sonnabend* aan Jakubastraat 12. De schoenmakers daar hadden juist het werk neergelegd uit protest tegen de slechte arbeidsomstandigheden daar en weigerden hun soep te eten, wat directeur Sonnabend ook smeekte of bad. Rumkowski was nog maar nauwelijks door de fabriekspoort, of hij stapte op een van de stakers af en sloeg hem tegen de grond. De andere schoenmakers bestrafte hij door hun werktijden elke avond met twee uur te verlengen, en de aanstichter van de hele actie liet hij naar de Centrale Gevangenis brengen, waar hij hem voor het oog van alle andere gevangenen liet afranselen.

Het was een patroon dat zich het hele voorjaar zou herhalen. Als je een klein stukje henneptouw stal, of zelfs maar een paar schroeven of moeren, belandde je zonder pardon in de Centrale Gevangenis. Vroeger zou het een ramp zijn geweest als er zoveel arbeidsgeschikten achter de tralies hadden gezeten. Maar nu niet meer. Bij een gevangenisinspectie slechts enkele weken in het nieuwe kalenderjaar noemde de Voorzitter 'zijn' gevangenen een *depot voor bruikbaar mensenmateriaal*, dat zou kunnen dienen als *reserve* voor slechte tijden. In het getto werd veel gepiekerd over wat de Voorzitter daarmee kon hebben bedoeld en vooral wat je moest verstaan onder slechte tijden. Kort daarna werd het nieuws bekendgemaakt waarvan iedereen eigenlijk wel wist dat het zou komen:

Bekendmaking Nr. 408:

1500 mannen voor werk buiten het getto

Op gezag van Herr Amtsleiter Biebow moeten 1500 mannen worden weggezonden voor lichamelijk werk buiten het getto. De betreffende arbeiders moeten lichamelijk en geestelijk zodanig zijn toegerust dat ze gemakkelijk voor allerlei doelen kunnen worden opgeleid. Bagage van enige omvang mag niet worden meegenomen. Wel dienen de betreffende arbeiders te beschikken over schoenen en winterkleding.

Uitgezonderd van deze oproep zijn arbeiders bij fabrieken en werkplaatsen die door de Vakcommissie zijn beoordeeld als onmisbaar voor de goederenproductie van het getto, evenals de volgende afdelingen:

1 Chemische reiniging en wasserij
2 Gasafdeling
3 Legeflessenopslag
Arbeiders van alle andere afdelingen dienen zich vanaf morgen 08.00 uur te melden bij de voormalige polikliniek aan Hamburgerstrasse 40 voor een medische keuring door een voor dit doel ingestelde commissie van artsen.

Litzmannstadt Getto, dinsdag 8 februari 1944
Ch. Rumkowski. Judenälteste

Iedereen die deze bekendmaking las, moest automatisch denken aan de *szpera*-actie, anderhalf jaar tevoren. De Voorzitter reed weliswaar rond en verzekerde dat deze keer alles anders was, dat het *alleen maar* om werk ging (waar ging het toen dan om?), dat iedereen die vertrok *buiten gevaar* was, maar als hij de vorige keer niet de waarheid sprak, waarom zouden ze hem dan nu wel geloven? Hardnekkige geruchten wilden bovendien dat het getto niet langer onder burgerlijk bestuur zou blijven, dat alle industrie zou worden opgekocht door een nieuw gevormd ss-bedrijf genaamd *Ost-industrie-Gesellschaft*, dat tot doel had alle arbeidsgeschikte Joden, ongeacht hun leeftijd, uit het getto weg te sturen en het daarmee in de praktijk om te vormen tot een concentratiekamp. De Preses zou bovendien hebben ingestemd met deze plannen; sterker nog, hij zou ze hebben gesteund omdat dat hem de gelegenheid gaf zich definitief van zijn vijanden te ontdoen en het commando over het getto weer terug te krijgen.

Daarom was er niemand die gevolg gaf aan de oproep als die werd bezorgd.

Na twee dagen, op de ochtend van 10 februari 1944, waren er pas dertien van de 1500 arbeiders voor een medische keuring naar de Hamburgerstrasse gekomen.

Weer twee dagen later was het aantal gestegen tot 51.

De rest bleef weg.

De opgeroepen arbeiders kwamen ook niet naar hun werk; ze kwamen zelfs hun dagelijkse soeprantsoen niet ophalen. De Voorzitter dreigde met het intrekken van hun werkboeken en het blokkeren van hun rantsoenbonnen. Maar ook dat hielp niet. Op 18 februari 1944 rapporteerde de Gettokroniek 's morgens dat er in totaal 253 mannen waren ingesloten in de Centrale Gevangenis. Dat was slechts een derde van de 750 man die nodig waren om een eerste transport mogelijk te maken.

De Voorzitter vaardigde dezelfde dag nog een uitgaansverbod uit voor het hele getto.

's Nachts werden alle fabrieken en distributiecentra gesloten en de mannen van de Sonder gingen huis aan huis langs. Woningen, kelders en zolders werden opengebroken en doorzocht, en wie niet op een van de uitzonderingslijsten stond of geen geldige arbeidslegitimatie kon laten zien, werd zonder pardon naar de Centrale Gevangenis gebracht. De mensen zeiden dat het precies zo was als bij *di groise shpere*. Alleen werd het vuile werk nu gedaan door de Joden zelf. Er was in de verste verte geen Duitse soldaat, geen enkel Duits wapen te zien.

◆

Ooit had Jakub Wajsberg geen andere mogelijkheid gehad om in zijn levensonderhoud te voorzien dan kolen uitgraven bij de oude steenbakkerij op de hoek van de Łagiewnicka- en de Dworskastraat, en dat nog in concurrentie niet alleen met honderden andere kinderen, maar ook met uitgehongerde volwassenen die daar rondhingen in de hoop dat ze de kolenzakken van de hardwerkende kinderen konden stelen. (Soms had Adam Rzepin vanaf het dak van de steenbakkerij de wacht voor hem gehouden, soms ook niet.)

Maar dat was nu allemaal veranderd.

Sinds een paar maanden was Jakub namelijk de gelukkige bezitter van een karretje: een eenvoudige boerenwagen met twee stroeve wielen, die zich liet voortbewegen met een boom of een trekriem. In de kar bewaarde hij de gereedschappen die zijn oom Fabian Zajtman voor de oorlog altijd gebruikte bij het maken van poppen in het atelier aan de Gnieźnieńskastraat. Priemen, hamers, beitels, alles wat je maar nodig zou kunnen hebben om een mes te slijpen of een breekijzer te maken. Jakub Wajsberg ging de deuren langs en bood zulke diensten aan. Hij had ook een paar handpoppen en marionetten bij zich die zijn oom had gemaakt. Eerst was hij van plan de poppen te verkopen, of toch in elk geval het materiaal waarvan ze waren gemaakt – stof, hout, spaanplaat of ijzerdraad was vast wel ergens bruikbaar voor. Maar later vond hij dat niet meer nodig, omdat zijn vader dankzij de kar toestemming van zijn *Ressort-Leiter* had gekregen om Jakub te laten helpen bij de transporten van de timmerfabriek.

Allemaal de verdienste van de kar.

In deze tijd, de late winter en het vroege voorjaar van 1944, werd in het getto een begin gemaakt met de productie van de *Behelfshäuser* die het ministerie van Bewapening in Berlijn had besteld. In deze huizen zouden de Duitse gezinnen wonen wier huizen door de geallieerde bombardementen in puin waren gelegd. Alles wat nodig was voor deze noodwoningen moest in het getto worden geproduceerd. Niet alleen de veelbesproken heraklietplaten (waarvoor het wondermengsel van cement en houtvezelmassa door Biebow was verordonneerd), maar ook de deuren, de gevels en de dakstoelen. Nooit in de tegen deze tijd al vier jaar lange geschiedenis van het getto waren de werkintensiteit en de productie zo hoog geweest. De fabrieken die hieraan werkten, hadden ploegendienst ingevoerd; de zaagbladen en de schaafmachines stonden gedurende het hele etmaal geen uur stil; en als het stempel van het Centrale Arbeidsbureau eenmaal in je werkboek stond, was er niemand meer die vroeg wie je was of waar je vandaan kwam, je werd meteen ingezet in de productie. Omdat Jakub een kar had, mocht hij gaan werken bij de houtwarenopslag aan de Bazar-skastraat, waarvandaan elke dag honderden kubieke meters hout werden vervoerd, eerst naar de zagerij aan de Drukarskastraat, later naar de diver-se meubelmakerijen aan de Pucka- en de Urzędniczastraat.

Het waren wonderlijke dagen in het getto.

Het getto waarin Jakub was opgegroeid was een oord vol lawaai en drukte. Nu was het alsof zich over hele wijken een laag van onheilspellen-de stilte verspreidde. Jakub kon met zijn kar midden op een normaal over-bevolkte straat blijven staan en het enige wat hij hoorde was het holle ge-luid van regendruppels die tegen een stuk zeildoek spatten, en daarna de regen zelf die als een fluistering uit de natte grond onder hem opsteeg. Wanneer was het ooit zo stil om hem heen geweest dat hij het bijna on-hoorbare ruisen van vallende regen kon horen?

De enigen die op zulke dagen buiten waren, waren de mannen van de Sonder. Op elke straathoek stonden ze op wacht, met hun handen op hun rug en hun hoge laarzen wijd uit elkaar. Soms alleen, soms in groepjes van vier of zes – alsof ze zich erop voorbereidden de hele wijk te bestormen. Een paar keer sleepten ze iemand mee, een man of iets wat ooit een man was geweest maar nu meer leek op een van Zajtmans poppen, met de be-nen slap onder het lichaam bungelend: weer een van de vele duizenden die zich liever in hun houtschuurtjes of kolenkelders hadden opgesloten dan zich te melden voor de door de Voorzitter bevolen Arbeitseinsatz.

En als Jakub toevallig even met zijn kar stilstond op een plaats waar juist een inval had plaatsgevonden, stortten ze zich ook op hem. Hun gezichten waren verwrongen van het geweld dat ze anderen elke dag toebrachten en vol van de hoon en het soort vage schaamte dat machtswellustelingen ei-gen is:

Nie spacerować, nie spacerować –
Naar huis jij! Naar huis!

Voor hem, met zijn elf jaar, was dat onbegrijpelijk. Hoe was het mogelijk dat zulke onwerkelijk stille plekken dezelfde plaatsen waren als waar het aanhoudende, schurende en schrijnende geluid van de zaagbladen en schaafmachines uur na uur klonk en waar mensen naar adem hijgend van het ene werkstation naar het andere renden? Hoe konden twee arbeiders samen vooroverbuigen om een brede stapel planken op te tillen, terwijl tegelijkertijd een derde man, in elkaar geslagen en met bebloed hoofd, tussen twee sterke uniformarmen werd weggedragen? En niemand keek ernaar om, niemand nam er zelfs maar notitie van.

Uit dit onbegrijpelijke landschap van lawaai en stilte kwam nu, op onwillig schavende wielen, Bajglmans wagen aanrijden.

De pianostemmer, die gewoontegetrouw boven op de berg rekwisieten achter op de wagen zat, sprong op het fabrieksterrein op de grond en tilde het zeildoek op met overijverige bewegingen, alsof hij het doek opzij schoof. Onder een rode, stoffen hoes stond een piano, en daar bovenop en omheen stonden en lagen tuba's en trombones, hun klankbuizen gesmoord door matrassen of oude stoelvullingen, en hun glimmende kleppen en ventielen als verkouden kinderen gewikkeld in smerige vodden. Een contrabas in een lijkkleed van wasdoek. Violen in hun kisten, op elkaar gestapeld als doodskisten.

Het gezicht van de pianostemmer had iets van een roofdier toen hij vertelde over het Duitse jeugdorkest, uitsluitend bestaande uit leden van de Hitlerjugend, dat een paar weken geleden in Litzmannstadt was opgericht en waarvan de leider had geëist dat het rijke Judengebiet het van instrumenten zou voorzien. Zodra hij dit 'verzoek' had ontvangen, had Biebow de Voorzitter bevolen een decreet uit te vaardigen dat alle muziekinstrumenten in het getto onmiddellijk moesten worden ingeleverd bij een opkoper aan de Bleicherweg. Een Duitse taxateur was uit Litzmannstadt gekomen. Deze had de instrumenten in drie groepen verdeeld – waardeloze, onbruikbare en acceptabele – en slechts een paar symbolische marken willen betalen voor de laatste groep, en kapelmeester Bajglman had waarschijnlijk nooit zo gehuild als toen een viool die gebouwd was door een leerling van de achttiende-eeuwse meester Guarneri en die zeker enkele duizenden marken waard was, hem werd afgenomen voor een twintigtal waardeloze rumkies.

Dat mensen honger lijden en sterven of bijeengedreven en gedeporteerd worden, is te verdragen. Maar wat doe je met de stilte, wat doe je met die allesomvattende, verschrikkelijke stilte?

425

Op 9 maart is het Poerim. Het is tevens de verjaardag van Chaim Rumkowski. Maar de Preses ligt die dag op bed en laat weten dat hij geen bezoek ontvangt, maar dat men wel verjaarswensen per post mag sturen. Deze dienen dan te worden gefrankeerd met de speciale postzegels die *Pinkas der felsher* voor de viering van deze dubbele feestdag heeft ontworpen.

Het lijkt wel of de Voorzitter wat van zijn vroegere kapsones heeft teruggekregen.

Bajglmans theatergroep moet dit jaar afzien van een muzikale verjaardagshulde, omdat er in het getto geen instrumenten meer zijn. Mevrouw Grosz moet haar aubade zingen onder begeleiding van wat er wel voorhanden is: houten hamers, vibrerende zaagbladen, *menashies* en bonzende bezemstelen. Daarna voert Jakub Wajsberg een geïmproviseerd Poerimspel op met een paar poppen van Fabian Zajtman. Hij gebruikt de rand van zijn kar als podium en de vuurrode afdekhoes van Bajglmans piano als op en neer te halen doek.

De hongerende rabbi van Włodawa mag de *loyfer* zijn, degene die de hele voorstelling presenteert. De hongerende rabbi van Włodawa was een van Fabian Zajtmans favoriete poppen. Overal waar hij met zijn poppentheater naartoe ging, nam hij de hongerende rabbi mee; soms presenteerde de hongerende rabbi de hele voorstelling en soms was hij alleen maar een van de deelnemers aan de voorstelling.

De hongerende rabbi van Włodawa woont helemaal boven in de synagoge van de stad op een zolder met een schuin dak, een bed, een tafeltje en een houtkachel. Vanaf deze verheven positie – op het toneel ziet men hem nu opkomen voor het zolderraam – verklaart hij dat hij twintig jaar als rabbi in Włodawa heeft gewerkt en al die tijd nooit een stuk brood te eten heeft gehad. Wanneer hij de gemeenteoudste vraagt waarom hij nooit brood krijgt, antwoordt deze dat dat komt doordat zijn preken de bestuurders van de *kehila* niet aanstaan. Maar de hongerende rabbi van Włodawa draagt een zak. Het is dezelfde zak als waarmee Jakub rondloopt, en waarin hij de poppen van Fabian Zajtman bewaart. En nu vraagt de hongerende rabbi het publiek of ze willen dat hij de zak openmaakt om te kijken wat erin zit. En het publiek lacht en roept *ja, ja...!* (ze herkennen Jakub en zijn zak); en uit de zak haalt de hongerende rabbi van Włodawa een zeldzaam, oosters gewas dat bij verbranding een speciale rook afgeeft, die als *vundermitl* fungeert. (Jakub heeft intussen ter illustratie een vuurtje gemaakt en van onder de kar stijgt rook op.) Wanneer mensen hun hoofd in de rook steken is het alsof dat wordt verdraaid, en ze geloven dat alles wat hun wordt verteld waar is, dat de Perzische koning Ahasveros het goede voor heeft met het volk van Israël en dat ze niets te vrezen hebben van de slechte Haman.

En de mensen in het publiek, die het klassieke Poerimverhaal herkennen, schreeuwen nu opgewonden: *Wat is dat voor rabbi?*

Weg met de valse rabbi!

En de rabbi wordt weggejaagd, de giftige rook verspreidt zich, de coulissen worden verwijderd en dan kan het *echte* Poerimspel beginnen: Ester is getrouwd met de Perzische koning Ahasveros en Haman, een dienaar van de koning, is plannen aan het smeden voor zijn kwaadaardige aanval op het Joodse volk. Voor de dienaar Haman gebruikt Jakub een van Zajtmans oude handpoppen, die hij heeft uitgedost als *politsajt*, met pet, hoge laarzen en met de speciale Sonderarmband. Wanneer de toeschouwers de als agent geklede Haman zien, gaat er een soort huivering door hen heen en sommigen beginnen opgewonden te schreeuwen en met hun soeppannetjes te rammelen.

Maar dan komt de reddende Mordechai het toneel op, en dat is natuurlijk weer de hongerende rabbi van Włodawa, maar dan in een andere gedaante. En weer heeft de rabbi zijn zak bij zich. En weer zit de zak vol *vundermitl*. *Kom maar, kom maar...!* zegt Mordechai. *Als jullie je hoofd in de zak steken, krijgen jullie heel veel brood. Ik zal jullie ook naar het land Israël brengen...!* En om te laten zien wie hij achter al zijn vermommingen eigenlijk is, houdt Mordechai zijn hand omhoog in hetzelfde gewijde gebaar dat de Voorzitter altijd maakt wanneer hij huwelijken inzegent.

En: *Chaim, Chaim!* roept het publiek, dat zijn Voorzitter meteen heeft herkend. En de lucht is vol van het walmende *vundermitl*.

En de grote Haman valt op zijn rug, verstikt door al die vreselijke rook.

En de schellen vallen de Perzische koning Ahasveros van de ogen. Hij ziet in dat Haman een werktuig van de Boze is, prijst Mordechai voor zijn list en belooft het Joodse volk eeuwige trouw voor de toekomst. Het publiek heeft echter nog steeds alleen maar oog voor de vermomde Voorzitter met zijn zak en zijn *vundermitl*. Ze stampen op de grond, rammelen met hun soeppannetjes en roepen door elkaar heen:

Chaim, Chaim!
Geef ons brood!
Chaim, Chaim!
Geef ons brood!

◆

De volgende dag: een vrijdag.

Het zou bijna sabbat zijn geweest als de bezetters niet alle sabbatviering in het getto hadden verboden.

Een nevel heeft zich over het getto gelegd en het enige wat er van de huizen te zien is, zijn de door klei zachter geworden grondmuren. Samuel Wajsberg is al bij de poort van de timmerfabriek voordat hij de agenten ziet die een ketting hebben gevormd voor de fabriekshekken. Helemaal vooraan staat een officier, die door de identiteitspapieren van alle zojuist gearriveerde arbeiders bladert. Nadat hun papieren zijn bekeken, moeten de arbeiders zich op het fabrieksterrein opstellen, waarna een soort inventarisatie begint.

Mannen van de Sonder lopen in en uit met vlakschaven en houtzagen, maken berekeningen van houtstapels en schrijven die op. Samuel staat naast Jakub. Jakub staat wat lusteloos te draaien, maar vertoont verder geen tekenen dat er iets niet in orde is.

De mist trekt wat op. In het bleke, waterige licht dat door de wolken valt, glanst het dak van de fabriek strak en mat als kwikzilver. Het is zo stil dat je het geluid van het smeltwater kunt horen dat van de dakgoten op de kleiige binnenplaats druppelt en stroomt.

Plotseling is er een snelle, knetterende woordenwisseling in het kantoor te horen, en meneer Kutner wordt weggevoerd tussen twee strak kijkende ordewachten in. Samuel Wajsberg zou later zeggen dat hij bijna niets van deze Kutner wist – behalve dan dat hij in het deel van Serwanski's meubelmakerij werkte waar deur- en raamkozijnen werden gemaakt. De ketting van agenten heeft een paar stappen naar voren gedaan om elke poging van de andere arbeiders tot protest in de kiem te smoren. Maar niemand protesteert, en na een poosje krijgen alle werknemers opdracht weer aan het werk te gaan.

Een stukje van de werkbank waar Samuel hout in de brede vlakschaaf staat te voeren, heeft zich een klein groepje arbeiders gevormd. Ze praten onderling en wijzen in zijn richting. Te oordelen naar de zinnen die hij kan opvangen, hebben ze het niet over hem, maar over Jakub en over de voorstelling van de theatergroep gisteren.

Hij hoort dat ze zich afvragen waar Jakub al dat stof en hout voor zijn poppen vandaan heeft, waar hout en lappen verder in het getto toch nauwelijks verkrijgbaar zijn.

Samuel vraagt de ordewacht toestemming om de schaaf tijdelijk te mogen verlaten; dan gaat hij naar het fabrieksterrein om Jakub te zoeken. De mist is inmiddels weggebrand. Overal schijnt de zon scherp op het hout dat daar gezaagd en open en bloot ligt, terwijl er hars uit de open snijvlakken stroomt.

Maar geen Jakub.

Samuel trekt de conclusie dat hij weer met zijn kar op pad is en zijn hart krimpt samen. Nadat hij vijf minuten tevergeefs heeft gewacht, gaat hij terug naar zijn plaats aan de vlakschaaf.

Ze gaan samen naar huis, vader en zoon.

Samuel vraagt Jakub of hij na het appèl lastige vragen heeft moeten beantwoorden over houtdiefstal. Jakub schudt zijn hoofd. Maar hij loopt zwijgend en met gebogen hoofd. En de zak met de poppen draagt hij niet zoals gewoonlijk overmoedig over zijn ene schouder, maar in elkaar gefrommeld tussen zijn benen, bijna alsof hij zich ervoor schaamt.

De volgende ochtend wordt Samuel bij de fabrieksdirecteur geroepen.

De laatste keer dat Samuel zich over de drempel van Serwanski's kantoor waagde, was toen hij om werk voor Jakub vroeg. Toen had hij gezegd dat hij trots was op Jakub, dat hij zo handig was met hamer en beitel. Dat had hij vast van zijn oom, de bekende poppenmaker Fabian Zajtman.

Geen van beiden herinnert zich dat gesprek nu nog.

Serwanski schraapt zijn keel en zegt dan dat hij het zo tegen Samuel zal zeggen als het is. Meneer Kutner, die pas door de Sonder in hechtenis is genomen, is een van zijn beste arbeiders, een zeer knappe ingenieur, die hij *onder geen beding kwijt wil raken.*

Verder is er dat probleem met de jongeheer Jakub en de 'gêne' die zijn

Poerimvoorstelling heeft veroorzaakt bij de andere arbeiders van de timmerfabriek, en zou meneer Wajsberg misschien kunnen instemmen met een ruil? Zou zijn zoon Jakub de plaats van ingenieur Kutner kunnen innemen?

U moet proberen te begrijpen, meneer Wajsberg, zegt hij en kijkt Samuel aan alsof hij werkelijk verwacht dat die het zal begrijpen, *dat de bezetters eisen dat ik veertig gezonde arbeiders ter beschikking stel van de arbeidsreserve in de Centrale Gevangenis. Hoe kan ik veertig man missen in de koortsachtige productieomstandigheden van dit moment? Ik weet niet wat ik nog meer kan doen.*

Samuel Wajsbergs long doet zeer op de plaats waar de soldatenlaars hem destijds raakte. Hij weet niet wat hij moet zeggen.

Maar ik heb al een kind verloren, meneer Serwanski.

(Alleen zeg je zulke dingen niet.)

Serwanski antwoordt echter op wat niet is gezegd: *Als u uw zoon niet stuurt, kunt u zelf Kutners plaats innemen, meneer Wajsberg. U hebt immers al zo lang dat probleem met uw long.*

Meneer Serwanski glimlacht; het moeilijkste is achter de rug. Hij legt uit dat er papieren zullen komen. Meneer Wajsberg hoeft niemand 'lastig te vallen met afscheid nemen'. Bovendien zouden de arbeidsomstandigheden in Częstochowa, waar de 1500 arbeiders naar verluidt heen worden gebracht, toch heel behoorlijk zijn. En binnenkort is de oorlog toch in elk geval afgelopen. En dan zullen ze herenigd worden, het hele gezin. Meneer Wajsberg kan zich bovendien troosten met de gedachte dat hij niet de enige is. Dit soort uitruil van arbeiders gebeurt de hele tijd.

◆

Sinds Chaim van hen was afgenomen op die afschuwelijke *szpera*-dag was het of er voorgoed iets was veranderd in Hala.

Jakubs broer Chaim was bemind en geliefd als weinig andere kinderen, en Hala had altijd geweten dat ze een speciale band met hem had. Ze was de enige die tot de tomeloze, stille wilskracht kon doordringen waarvan ze wist dat die zich achter zijn ogenschijnlijk levenloze, grauwe oogopslag verborg; en deze band tussen moeder en zoon was niet verbroken op de dag dat Chaim hun werd afgepakt. Integendeel, hij werd alleen maar nog sterker. Elke dag meende Hala precies te weten waar haar jongste zoon was, wat hij deed, wat hij dacht. Ze kon haar eigen lichaam en geest net zo gemakkelijk en vanzelfsprekend naar de zijne voegen als anderen een paar kousen of handschoenen aantrekken.

Tegelijkertijd was Hala een praktisch ingestelde vrouw.

Ook achterblijvende kinderen moeten worden gevoed, zelfs al is er nauwelijks eten te krijgen.

Hala ging elke dag naar haar werkplek in de Centrale Wasserij en at haar *resortka* samen met de andere in smetteloos wit geklede wasvrouwen. Wanneer er nieuwe rantsoenen werden bekendgemaakt, stond ze uren in de rij om het beetje extra te krijgen dat er was: een zakje bieten, misschien, of een pond *botwinki* waar ze soep van konden maken.

Maar steeds was er dus ook die andere wereld, waarin ze bij Chaim was: het gebeurde wel dat ze huilde als ze aan hem dacht, en wanneer dat heel diep ging, veranderde het huilen in een alles verterende pijn in haar borst. Dan stond hij weer voor haar. Eerst zijn ogen, die sterke grijze kijkers. Uit zijn ogen kwam dan zijn hele miraculeuze lichaam tevoorschijn. Die brede, strakke nek; die schouders, die al zo mannelijk breed waren voor een jongen van nog maar zes; die rechte schouderbladen, die zo scherp waren als messen. Hala raakte het smalle, sterke jongenslijfje aan, en de vochtige, zachte plooien in zijn oksels, in zijn kruis en achter zijn knieën waren als een deel van haar eigen lichaam.

Zijn lichaam, begreep ze al snel, had het hare eigenlijk nooit verlaten.

Tussen de uitwendige en de inwendige wereld, tussen het leven in het getto en haar dromen over Chaim, ontstond in Hala een afgrond. Aan de andere kant van de afgrond waren Samuel en Jakub. Vanaf de kant waar zij zich met Chaim bevond, riep Hala naar Jakub en ze verbood hem met zijn kar weg te gaan, hoewel de kar alles was wat Jakub had; en nooit kwam er verandering in de uitdrukking op Hala's gezicht, waardoor ze eruitzag alsof ze aan de andere kant van een afgrond stond te roepen. Elke avond nam ze Jakub als het ware in een bankschroef, en schrobde alle vuil onder de ruwe nagels van zijn jongensvingers vandaan.

Nadat ze vier lange jaren van honger en ellende in het getto had doorstaan, wist Hala Wajsberg één ding zeker:

je moet niet opvallen

– Als Samuel destijds de aandacht van die Duitse soldaat niet had getrokken bij het oversteken van de Zgierskastraat, was hij nooit in zijn long getrapt en voor het leven kreupel geworden.

– Als Adam Rzepin tijdens het uitgaansverbod zijn zieke zus niet zo koppig had verstopt, zou die Duitse officier niet zo woedend zijn geworden en was haar geliefde Chaim nog altijd bij hen geweest.

– En wat dat met die poppen betrof, had ze al toen Fabian Zajtman nog leefde, volgehouden dat een goede Jood geen afgodsbeelden behoorde te hebben. Een goede Jood heiligt de sabbat, blijft koosjer (als het kan) en houdt zich vooral niet bezig met kluchten. Uit godslastering en afgoderij kan niets dan kwaad voortkomen.

Ze schepte de dunne rodebietensoep op uit de pan en het enige wat ze zag was dat het niet zo was als anders. Aan weerskanten van het soepbord op het tafellaken lagen de handen van haar zoon, smerig en vol wonden na een hele dag in het getto; en naast de handen van haar man lag de brief van de uitreiscommissie, geadresseerd aan Hr. *Samuel Wajsberg, Gnesenerstrasse 28, Litzmannstadt Getto.* Ze zag het adres, duidelijk geschreven in het briefhoofd. Hoe was het mogelijk dat zo'n gehaat document zich in hun eigen huis kon nestelen?

Je meldt je bij geen enkele uitreiscommissie, zei ze slechts.

Zonder enig misbaar, maar met een soort oerdrift achter elke lettergreep, alsof de woorden die ze nu uitsprak de eerste waren die ze sinds tientallen jaren had uitgesproken:

Je meldt je niet. Wat je ook doet, je meldt je niet... We moeten je verbergen!

Samuel was niet eens op het idee gekomen dat hij zich zou kunnen verbergen, hoewel honderden mannen in dezelfde situatie al ondergedoken waren. De Voorzitter dreigde met represailles. Van vrouwen die hun man verborgen, werd de werkvergunning ingetrokken. En iedereen in het getto wist wat dat betekende. Zonder werk geen eten.

Toch twijfelde Hala geen seconde. Ze hadden haar haar oogappel ontnomen. Ze was niet van plan nog iemand af te staan. Dan moesten ze haar maar nemen.

Geen van beiden kreeg nog een hap door de keel. Geen van beiden durfde Hala aan te kijken. (Als ze dat wel hadden gedaan, was het hun opgevallen dat er als het ware een bleke baan van haar hoge jukbeenderen naar haar mondhoeken liep, een masker dat in strakheid niet onderdeed voor de oude poppen van Fabian Zajtman.)

Bij de wasserij aan de Łagiewnickastraat hoorde een opslagplaats die vroeger voor kolen was gebruikt. Tegenwoordig kwamen de kolenleveranties, áls ze al kwamen, zo sporadisch dat er geen opslagruimte meer voor nodig was. Maar Hala had de sleutel nog. Ze haalde hem uit de zak van haar schort, legde hem op tafel en stond op.

Jakub moest zijn vader er maar heen brengen. Zelf zou ze zijn spullen inpakken. Ze zou ook eten inpakken, zodat hij het een tijdje kon volhouden. Ze zei niet welk eten, of waar ze het vandaan zou halen, en geen van beiden durfde het te vragen.

Een van Fabian Zajtmans favoriete verhalen ging over een berentemmer die de markten afging met zijn dansende beer. De berentemmer had geen naam, maar de beer heette Mikrut. Het bijzondere van deze beer, had Fabian Zajtman verteld, was dat Mikrut, zelfs wanneer ze van de ene stad naar de andere liepen, zijn poten niet van de schouder van de temmer afhaalde. Zo liepen ze van stad naar stad, onscheidbaar als een tandemfiets.

Zo'n tandem voelde Jakub zich toen hij met zijn vader door het getto liep. Straat in, straat uit liepen ze; de ene bekende straat na de andere, volkomen vreemd geworden door het uitgaansverbod. Nog maar kort geleden hadden zich duizenden mensen tussen kraampjes en stalletjes verdrongen. Nu drong er niemand. En er lekte ook geen streepje licht door de verduisteringsgordijnen. Vanaf acht uur 's avonds was het pikdonker in het getto.

Om te voorkomen dat arbeiders zich verborgen op hun werkplaats had de Voorzitter bevolen dat fabrieken na de laatste dienst werden gesloten en verzegeld. Maar de kolenopslag van de wasserij aan de Łagiewnickastraat zat niet in hetzelfde gebouw als de wasserij, maar in de kelder van het huis ertegenover. Jakub maakte hem open met de sleutel die Hala hem had gegeven. De deur was verroest en knarste vervaarlijk.

Heb je nog iets nodig?
Nee. Niets.
Ik kom morgen terug.
Kom maar wanneer je kunt. Ik red me wel.

Jakub staat met de deur in zijn ene hand en de sleutel in de andere. Zijn vaders gezicht in het halfduister, zijn lichaam gebogen, zijn ogen op de grond gericht. Jakub weet dat hij de deur nu moet dichtdoen en afsluiten, anders wordt het onverdraaglijk. Maar het staat hem tegen. Een zoon sluit de deur niet voor zijn vader. Hoe moet zijn vader trouwens de weg vinden in dit afschuwelijke hol? Is er wel genoeg lucht? Waar moet hij slapen?

Samuel verroert zich niet, zijn zoon evenmin. Ze staan daar ieder in zijn eigen besluiteloosheid, totdat er iets rammelt op straat, een metalen voorwerp dat geraakt is door een passerende laars. Dan een scherpe stem die iets roept in het Jiddisch. De Sonder.

Doe hem nu maar dicht, zegt zijn vader.

En dan doet Jakub de deur dicht. Het omdraaien van de sleutel gaat zo zwaar dat hij zijn hele lichaam tegen de deur moet duwen. Maar hij sluit zijn vader toch op, wacht tot hij denkt dat de Sonderpatrouille voorbij is en sluipt dan terug naar de straat.

◆

Jakub loopt met zijn beer door het bos. De bomen staan dicht bij elkaar en er is veel kreupelhout. De berentemmer kan de weg maar nauwelijks onderscheiden. Maar hij heeft in elk geval de trouwe poten van de beer op zijn schouders.

Dan gebeurt er iets. De berentemmer draait zich om, maar hoewel hij de poten van de beer op zijn rug voelt, is de beer verdwenen.

Hij weet dat hij toch door moet lopen.

Hij loopt maar door en terwijl hij loopt voelt hij hoe hij zelf verandert in een beer. Maar als hij de beer is – wie is dan zijn temmer?

Jakub houdt zijn onschuldige berenklauwen omhoog en kan de vraag niet beantwoorden.

Waar is je temmer? Keer op keer vragen ze het hem.

Het zijn vier mannen van de Sonder en ze staan allemaal op dezelfde afstand van elkaar, alsof ze op het punt staan zich van vier kanten tegelijkertijd op hem te werpen. En natuurlijk vragen ze niet naar de berentemmer.

Waar heb je je vader gelaten? vragen ze hem.

Er is vooral één politieman. Hij is blond en heeft blauwe ogen, een lang gezicht en een mond die alleen maar uit tanden bestaat. Steeds opnieuw komt deze glimlachende politieman binnen en gaat dan verdekt achter Jakubs rug staan; en steeds opnieuw komt er een ander naar voren en slaat Jakub hard met de wapenstok of met de vlakke hand in zijn gezicht.

Ergens waar heb je je vader verstopt? vraagt de blonde man met de glimmende tanden, en nu staat hij zo dicht achter Jakub dat hij de hete adem van de man in zijn nek voelt. Er klopt iets niet met de Poolse woordvolgorde van de man, maar Jakub krijgt geen tijd om erachter te komen wat, want de man laat zijn schouders weer los en de andere drie komen naar hem toe en slaan.

Na vier uur laten ze hem gaan.

Op de een of andere manier weet hij thuis te komen in de Gnieźnieńska-straat.

Zijn lichaam is in elk geval nog heel. Er is niets gebroken. Maar het is alsof zijn lichaam alle kracht heeft verloren. Hij weet de voordeur te bereiken, maar kan de trap niet meer op komen. Hala vindt hem onder aan de trap wanneer ze tegen zevenen 's avonds thuiskomt uit de wasserij. Ze tilt hem op haar rug en draagt hem alle trappen op alsof hij maar een zak aardappels is.

Boven steekt ze het fornuis aan, warmt een pan water op en wast zijn gezicht met een doekje. Als ze daarmee klaar is, strooit ze iets in het water wat op zout lijkt en wast hem opnieuw. Het doet ook zeer als zout, en Jakub gilt en trekt terug. Maar Hala knijpt zijn hoofd tussen haar benen en blijft zijn gezicht schuren en schrobben. Als ze hem eindelijk loslaat, brandt zijn gezicht alsof de hele huid weggevreten is. Hij rukt zich los – daarna herinnert hij zich niets meer. Hij moet in slaap zijn gevallen.

's Nachts komen de vier mannen opnieuw en sleuren hen uit bed.

Heeft hij wel in een bed geslapen?

Hij weet het niet meer. Hij weet alleen dat vreemde mannen hem beetpakken en tegen de muur duwen. Ze hebben hun wapenstokken weer bij zich en de slagen treffen hem van opzij, op het holle deel tussen lende en lies, waar het het zeerst doet. De pijn is zo vreselijk dat er geen plaats meer in zijn keel is om te schreeuwen. In plaats daarvan geeft hij over: een bleek, waterig braaksel. Maar dat maakt ze niet uit. Ze duwen zijn gezicht in het braaksel en drukken – wat, hun knieën, hun ellebogen? – zo hard als ze kunnen tegen zijn nek en schouderbladen tot hij geen adem meer kan krijgen.

Sla hem niet dood!

Hala schreeuwt.

Ondanks de pijn kan hij op zijn andere zij gaan liggen. Hij ziet zijn moeder naar achteren wankelen, terwijl het bloed uit haar neus spuit. Een van de mannen drukt haar tegen de muur.

Een hele tijd staan ze daar schijnbaar onbeweeglijk; de politieman drukt zich in een haast zorgzame omhelzing tegen zijn moeder aan. Dan brengt hij zijn onderlichaam langzaam met korte, houwende stoten in dat van zijn moeder. Nu pas ziet hij Hala's gezicht. Het enige wat daarvan te zien is boven de hand die hard op haar mond en neus drukt, zijn twee hulpeloos opengesperde ogen.

Jakub doet een poging om op de een of andere manier uit de verlamming te geraken die de pijn heeft veroorzaakt en naar zijn moeder te gaan, die in elkaar gekropen tegen de muur ligt.

Maar hoe hij ook zijn best doet, hij kan niet buiten zichzelf treden. Dan gaat de pijn over in een gruwelijke, misselijkmakende verdoving – en hij geeft opnieuw over.

◆

Jakub doet de deur open voor zijn vader.

Het donker van de kolenkelder zit nu ook in zijn vaders gezicht. Om hen heen en tussen hen in hangt de zurige stank van verse, vloeibare ontlasting, zo sterk dat hij zelfs de bijtende stank van vocht en schimmel verdringt.

Het is de geur van totale vernedering.

Voor de eerste keer in zijn leven is Jakub Wajsberg bang voor zijn vader. Hij is bang voor wat het donker en het isolement met hem zullen doen. Misschien al hebben gedaan.

Daarom neemt Jakub goed de tijd voordat hij tevoorschijn haalt wat hij heeft meegenomen.

Een kaarsje, dat hij op de vloer tussen hen in zet.

Als zijn vader vraagt wat de kaars heeft gekost, antwoordt hij: maar een paar pfennig. In werkelijkheid kostte hij anderhalve mark op de markt aan de Pieprzowa. De verduisteringsplicht heeft de kaarsen die de kinderen verkopen tot gewilde artikelen gemaakt. Dan de schaal met soep, waar Hala een deksel op heeft gelegd om hem warm te houden. En het brood.

Zijn vader drinkt gulzig van de soep en perst het brood met trillende handen in zijn mond, hoewel hij weet dat hij dat niet zou moeten doen. Het eten is waardeloos als het te snel door het lichaam gaat. In zijn vernedering ziet Samuel zijn eigen zwarte gezicht echter niet en ziet hij niet meer wat zijn eigen handen en lippen doen.

Uiteindelijk kunnen ze gaan praten.

'Ze hebben het quotum verhoogd tot zestienhonderd man,' zegt Jakub.

Samuel zegt niets. Jakub kan wel raden wat hij wil zeggen.

En hoeveel hebben er zich gemeld?

'Ze hebben het quotum nog niet gehaald,' beantwoordt hij zijn eigen vraag.

Een of meer avonden later zegt Jakub: 'Ze hebben het verhoogd tot zeventienhonderd man.'

En hoe groot is de arbeidsreserve nu?

Jakub perst zijn vingers op de koude stenen vloer.

En hoeveel hebben er zich gemeld? vraagt zijn vader niet, maar Jakub zegt: 'Nu mogen ook vrouwen zich melden voor de arbeidsreserve.'

Samuel Wajsberg vertrekt geen spier wanneer hij Jakub dat hoort zeggen.

Dan is het of het gezicht met zijn duisternis wordt uitgevouwen en samengetrokken.

En Jakub kan zich niet bedwingen: *Lieve pappa, laat ze mamma niet pakken.*

'Ga nu,' zegt Samuel en wendt zijn gezicht af van de kaars.

De volgende dag staat zijn vader achter de deur klaar wanneer Jakub de sleutel omdraait. Zijn vader heeft de paar spullen die hij heeft al gepakt en hij laat zijn zoon niet binnenkomen; hij werkt zich meteen zo onhandig en lomp naar buiten dat Jakub achteruit wankelt.

Waar ga je heen?

Nu is het genoeg.

Maar mamma heeft eten voor je meegegeven.

Ik hoef geen eten meer.

Zijn vader is echter lang niet zo woedend en sterk als hij net leek. Ze lopen een paar honderd meter, dan wankelt hij en moet steun zoeken tegen de muur van een huis. Na nog een paar honderd meter valt hij helemaal om. Jakub pakt hem bij de mouw van zijn jas en probeert hem overeind te trekken. Dat gaat niet. Pas wanneer hij op handen en voeten gaat zitten en zijn armen om zijn vaders lichaam heen slaat, laat die zich enigszins uit zijn gruwelijke verstening losmaken.

Langzaam zet de tandem zich weer in beweging.

Het is een kleine achthonderd meter van de wasserij aan de Łagiewnickastraat naar de hoofdingang van de Centrale Gevangenis. Het kost ze bijna een uur om er te komen. En terwijl Jakub zijn vader ondersteunt, kan hij niet nalaten zich erover te verbazen hoe hij zo verzwakt kan zijn. Hij heeft toch elke dag eten gebracht; zijn moeder is zelfs royaler geweest met de porties voor zijn vader dan toen Chaim nog leefde. De sneetjes van het zorgvuldig gespaarde brood werden met de dag dikker.

Honger maakt zwak. Maar duisternis is nog veel erger. Wanneer het duister zich eenmaal in iemand heeft vastgebeten, holt het zelfs het sterkste lichaam langzaam uit. Jakub denkt dat het misschien niet eens zijn vader meer is die daar naast hem loopt, maar een of ander afschuwelijk, blind evenbeeld.

Bij het hek van de Centrale Gevangenis staan twee Duitse agenten en daarnaast twee man van de Joodse ordedienst geposteerd. Wanneer Jakub eraan komt met zijn vader, stapt een van de ordebewakers wantrouwig op hen af. Jakub probeerde iets passends te bedenken om te zeggen, maar zijn vader is hem voor:

Ik ben Samuel Wajsberg.
Ik kom me melden voor de arbeidsreserve.

De wantrouwige bewaker begint te stralen. Hij steekt een hand op en gebaart naar zijn collega die van de andere kant komt. *Nou, dat werd onderhand tijd...!* zegt de collega, duidelijk aan het adres van de Duitse agenten, en om de machtige heren te laten zien wat hijzelf vermag, zwaait hij met zijn wapenstok en treft Samuel Wajsberg met een geweldige klap recht in zijn nek. Jakubs vader stort neer als een marionet waarvan de draden worden afgeknipt. De Duitse agenten vertrekken geen spier. De wantrouwige bewaker prikt met de punt van een laars in het lichaam. Het is alsof hij nog steeds niet helemaal durft te geloven wat zijn collega heeft gedaan. Hij doet een stapje terug.

'Je hebt je werk gedaan,' zegt hij tegen Jakub. 'Ga nu maar naar huis.'

Adam Rzepin was al het jaar daarvoor, in maart of april, bij Józef Feldman in de oude tuinderij in Marysin ingetrokken. Geen van beiden zou later hebben kunnen zeggen wanneer of hoe dat nu precies was gekomen. Ze werden het er gewoon over eens dat het voor hen allebei op die manier het meest praktisch was. Józef had in de verste hoek van de kas tussen emmers en troggen een ruimte vrijgemaakt voor een slaapplaats. Hier hadden in vroeger tijden klanten gelopen en ranke appel- en perenboompjes gekocht, met zakken om de wortelkluit gebonden. Op de stenen vloer had Adam een paar jutezakken en een versleten matras neergelegd met een paardendeken eroverheen, en hier lag hij te kijken hoe het ochtendlicht over de lage muur van de tuinderij naar binnen drong en een waterval van lichtscherven over de gebarsten glazen potten op de planken boven hem veroorzaakte. Het werd nu steeds lichter.

Op papier stond Adam Rzepin nog altijd ingeschreven bij zijn vader, maar Szaja had nu alleen nog de keuken ter beschikking, omdat er een ander gezin in het huis getrokken was, dat beslag had gelegd op de kamer. Af en toe gebeurde het wel dat Adam zijn vader aan de Gnieźnieńskastraat bezocht. Adam had doorgaans alleen zijn werkboek bij zich wanneer hij kwam. Zijn broodbonnen liet hij bij Szaja achter in een keukenla. Szaja had ook de taak op zich genomen om ze in te ruilen voor de weinige rantsoenen die er nog te krijgen waren. Zijn vader woog koppig alles op de weegschaal af wanneer Adam kwam en zorgde ervoor dat elk brood zorgvuldig in exact even grote stukken werd verdeeld, ook al had Adam vaak eten bij zich: aardappels die van de wagens waren gerold, knollen, kolen en bieten die hij in de wintermaanden bij elkaar had gescharreld. De nieuwe huurders keken jaloers toe vanuit de kamer. De zoon van Rzepin moest relaties hebben bij *di oberstn*, hoe kon hij anders avond aan avond met al die kostbaarheden komen aanzetten?

Adam had geleerd voorzichtig te zijn. De hele weg naar Marysin wemelde het van de Sonder. Ook wanneer hij het kleine stukje van Feldman naar de Radogoszczpoort liep, probeerde hij voor de zekerheid te zorgen dat hij in gezelschap van anderen uit zijn werkploeg was, meestal Jankiel Moskowicz en Marek Tzunwald en de twee jongere broers van laatstgenoemde, die ook laad- en loswerk deden op het goederenstation.

Jankiel was veertien, hooguit vijftien; hij had haar als een vuurtoren en een brede band van lichte sproeten op zijn neusrug, waardoor hij er zo mogelijk nog jonger uitzag. Jankiel had nog niet geleerd hoe je jezelf onopvallend maakt en dat je bovendien krachten spaart als je stil bent tijdens je werk. Hij had overal theorieën over en liet geen gelegenheid onbenut om die te ventileren. 'Dit komt allemaal van het oostfront,' zei hij bijvoorbeeld over een konvooi van militair materiaal dat de Jagiellońskastraat door hobbelde, inclusief hele tanks met klei tussen de rupsbanden en met vastgesjorde kanonlopen. 'Ze hebben mazzel gehad dat ze artillerie bij zich hadden, maar als ze denken dat ze hier een nieuw front kunnen opzetten, hebben ze het mis. Stalin rijdt er met zijn pantserwagens gewoon overheen.'

Niet alleen terugtrekkende Duitse artillerie werd via Radogoszcz vervoerd, ook de meeste goederen die de getto-industrieën de hele winter en het hele voorjaar in onvoorstelbare hoeveelheden produceerde. Deurplaten, raampanelen, huisgevels, soms hele kapspanten zaten vastgesnoerd op de laadvlakken van de vrachtwagens die als om strijd naar het goederenstation reden. Een hele stad in beweging.

Er was voortdurend vraag naar nieuwe arbeiders.

Enkele geprivilegieerde arbeiders kwamen met de tram; elke ochtend kon je twee aan elkaar gekoppelde wagens over het lange, platte kleiveld aan zien komen glijden. De meesten van deze vers gerekruteerden kwamen echter te voet, sommige nog in overhemd met mouwstukken, alsof ze dezelfde dag nog terug werden verwacht aan hun bureaus en rekenlessenaars.

(Sommige dwangrekruten kwamen met wilde verhalen over hoe Biebow persoonlijk was verschenen om erop toe te zien dat de kantoorbedienden hun werkplek verlieten. Tot bij de bonnenafdeling was hij gekomen. En ook bij de door hem zelf ingestelde Beroeps- en Controlekamer, waar hij tegenover een geschrokken groep boekhouders had verklaard dat ofwel hun chef, Józef Rumkowski, onmiddellijk 35 nieuwe, gezonde arbeiders tot zijn beschikking stelde ofwel meneer Rumkowski mocht zelf mee naar Marysin om stenen te kloppen.)

'Ze maken cementplaten,' verkondigde Jankiel op een dag trots. 'Herakliet!'

Jankiel had geprobeerd met een paar van die plaatwerkers te praten – de advocaten, zoals hij hen noemde – om via hen te trachten berichten aan zijn communistische kameraden over te brengen die nog in het getto werkten. Het was echter een afgeleefde, vermoeide en verdorven groep geweest die die winter in Radogoszcz arriveerde; er waren er maar weinig geschikt als koerier. Nauwelijks had meneer Olszer hen op de rol kunnen zetten of ze vielen van honger en uitputting om en moesten worden verzorgd in de provisorische ziekenboeg die de Voorzitter ter plaatse had mogen laten inrichten.

Zelfs Harry Olszer had geen eigen kantoor. Hij had zelfs niet eens een bureau, totdat Abteilungsführer Sonnenfarb hem op bevel van de stationschef zelf het kleine 'radiotafeltje' gaf dat in zijn wachthok op het laadperron stond. Aan dit tafeltje gezeten registreerde meneer Olszer de nieuwelingen nu, met een arm voor zijn ogen als bescherming tegen de regen en de sneeuwstorm.

Stukje bij beetje slaagden enkele ervaren bouwarbeiders van de Drewnowska erin een hangar-achtige houtstructuur neer te zetten, een stukje onder het goederenperron zelf. Deze hangar was negentig meter lang, drie meter hoog en had een overkapping van vijf meter, zo niet meer. Sommige paleismedewerkers werden overgeplaatst naar het magazijn, waar ze zand moesten scheppen en baksteengruis naar de kuil dragen waar de cementmolens stonden. De cementmolens werden bediend door Poolse arbeiders, die elke ochtend met de trein werden aangevoerd. Adam herkende een paar van hen, die al eerder bij het losperron hadden gewerkt; sommigen hadden zelfs sigaretten en geneesmiddelen het getto binnengesmokkeld. Geen van de Polen toonde er echter tekenen van hem nu te herkennen. Ze bleven gewoon de cementmolens vullen en draaien, en keken niet eens op wanneer het mengsel in de klaarliggende raamwerken moest worden gestort.

Om de heraklietplaten te gieten was de hangar gebouwd. Een mengsel van cement, baksteengruis en houtspaan werd in houten vormen gegoten. Dan kwamen ze met lange latten en streken het mengsel zo uit dat het helemaal vlak werd. Na een paar uur kwamen de voormannen en ingenieurs en voelden met lucifers of het al uitgehard was.

Dit was belangrijk voor de Duitsers, zeg! Alleen al de eerste twee weken van maart, terwijl de hangar werd gebouwd, verschenen er maar liefst vier delegaties uit Litzmannstadt. Biebow en zijn mannen kwamen op inspectie. Daarna ook de speciale commissie van *Fachleute* die Biebow had ingesteld en die werd geleid door Aron Jakubowicz. Ook de Joodse ingenieurs verschenen nu merkwaardig genoeg in auto's. Adam kon hun verschrikte gezichten door de achter- en zijruiten zien toen de stoet wagens voorbijreed. Alsof ze door de Duitsers in gijzeling waren genomen of zo.

In maart was het de beurt aan de Voorzitter.

Adam zou naderhand alle reden hebben om zich die dag te herinneren, niet alleen wegens de consequenties die deze voor hemzelf had, maar omdat hij toen voor het eerst echt begreep dat de oorlog op zijn eind liep. Niets anders dan wat de Voorzitter overkwam, had hem daarvan kunnen overtuigen. Niet de paniekerige bouw van *Behelfshäuser*, niet het geloei van de luchtafweersirenes die elke nacht tegen de lege hemel weerkaatsten, niet de schuttersputjes die achter de muren aan de Brackastraat werden gegraven, zelfs niet de geruchten die Jankiel en zijn kameraden nu bijna dagelijks verspreidden dat Russische verbindingsofficieren 's nachts in het geheim het getto binnenkwamen en besprekingen voerden met communistische verzetslieden. Maar toen ze zich omdraaiden en hun pijlen richtten op de *allerhoogste*, de Voorzitter zelf, toen het *zover was gekomen*, toen begreep hij het...

Tegen deze tijd waren de Polen en de Duitse ingenieurs erin geslaagd een prototype van het kant-en-klare huis te maken. Het prototype was, net als het kant-en-klare huis zelf, drie bij vijf meter groot, gebouwd van blauwgeschilderde heraklietplaten, en de ramen waren erin gezet alsof iemand ze in het voorbijgaan even tegen de muur had gestampt. Sonnenfarb werd er meteen verliefd op. Hij verhuisde er onmiddellijk zijn complete oude inboedel uit het wachthuis aan het goederenperron heen, liet Olszer de 'radiotafel' terugbrengen en hing de bedrijfsbel aan de buitenmuur. Zijn *prachthuis* noemde hij het, waarschijnlijk wegens de felblauwe kleur.

In Radogoszcz zat al jaren dezelfde Duitse bewakersploeg – in elk geval sinds Adam hier was gekomen. Twee wachtposten, Schalz en Henze; *drie* als je Abteilungsführer Didrik Sonnenfarb meetelde, maar die stelde er een eer in zich zo weinig mogelijk onder het gepeupel te laten zien. Alleen wanneer de soepwagen kwam – of wanneer het tijd was voor een ploegaflossing – stak Sonnenfarb allergenadigst een hand door het raam om de bedrijfsbel te luiden. Verder kwam hij alleen buiten als hij naar het gemak moest, wat hij gewoontegetrouw deed wanneer hij zijn meegebrachte middagmaal op had. Adam en de andere arbeiders stonden er altijd over te fantaseren wat voor lekkers hij toch elke ochtend in zijn rammelende potjes en schaaltjes bij zich had en ze stopten altijd even met werken om te kijken hoe de geweldige gestalte van Sonnenfarb na het eten in de richting van de 'arische' latrine van het goederenstation waggelde, verbaasd als ze waren dat iemand in één enkele maaltijd zoveel naar binnen kon werken dat hij gedwongen was *zich te legen* om ruimte te maken voor meer.

Op de terugweg schopte Sonnenfarb gewoonlijk een arbeider die toevallig in de weg stond, of hij stak zijn net geveegde achterwerk omhoog en deed alsof hij zijn minachting eruit ruftte.

Adam had allang geleerd deze routinematig uitgedeelde klappen en beledigingen te verdragen. Hij merkte ze nauwelijks op. Net zomin als hij de Duitse orders nog hoorde, dat hysterische Germaanse *gecommandeer* dat steeds, onophoudelijk, over hun hoofden heen ging: boven het lawaai uit van rangerende wagons, knarsende wagondeuren, ijzer tegen ijzer. Het enige wat de moeite waard was om je oren voor te spitsen, was de aankondiging van de middagsoep. Wanneer Sonnenfarb zijn grote, eeltige hand door het raam van zijn blauwe prachthuis stak en begon te zwengelen aan de klepel van de bedrijfsbel (die op exact dezelfde plaats was vastgeschroefd als bij het vorige wachthuis) luisterde ook Adam.

Een van de theorieën van Jankiel was dat de levensmiddelentransporten die zij losten uitsluitend voor de machtigen en welgestelden van het getto bestemd waren, dat zelfs de soep die zij dagelijks te eten kregen, verdund werd, zodat zij het concentraat konden krijgen. *Laten we eens kijken of de soep vandaag een omweg langs de kool heeft genomen*, zei hij altijd wanneer Sonnenfarb aan de klepel trok.

Dan kwam Schalz en gaf hem een klap tegen zijn hoofd, zodat hij voor de ogen van honderden geschrokken arbeiders soep morste. Jankiel toonde echter nooit angst. Hij maakte slechts een buiginkje. Alsof de Duitse

wachtposten, door hem de soep uit zijn handen te slaan, hem de kans gaven weer een circusnummertje te laten zien, namelijk *zijn* sluwe minachting voor *hen*.

Besloten was dat de Voorzitter die dag zijn eigen monstering zou houden:
eine Musterung des nach Radegast zugeteilten Menschenmaterials, zoals het heet
in de Kroniek.

Daar stonden de leden van de zogenaamde arbeidsreserve in Kino Marysin dan, hun rug gekromd tegen de regen en de sneeuw die tussen de
gammele planken van het bouwsel doorjoeg.

Er heerste onrust in de menigte. Een afgevaardigde van het kantoorpersoneel dat Biebow had opgeroepen, eiste dat alle vrouwelijke arbeiders
naar hun 'normale werk' mochten terugkeren, of toch in elk geval bin-
nenshuis mochten werken om beschermd te zijn tegen de wind. Een van
de mannelijke arbeiders klaagde dat ze hun handen en vingers opensne-
den aan het steengruis, dat ze geen werkgereedschap hadden, dat de soep
die geserveerd werd zo dun was dat je een munt op de bodem van de soep-
ketel kon zien liggen (als je al een munt had gehad om erin te gooien).

Beminde Joden, beminde, lijdende broeders en zusters, begon de Voorzitter,
maar toen hadden sommigen er al genoeg van en begonnen zich met hun
ellebogen door de volle schuur naar buiten te werken. Hoewel de opgeroepen Sonder een halfhartige poging deed om hen de weg te versperren,
werden de eerste arbeiders algauw door vele anderen gevolgd. Mensen
gingen terug naar hun werk en de ambtenaren van het Centrale Arbeidsbureau, die de monsterrol moesten controleren, bleven werkeloos achter
met hun lange namenlijsten.

Staking, mompelde iemand; *dit staat gelijk aan werkweigering…!*

Maar wat deed dat ertoe?

Het weer was al dagen zeer wisselvallig. Het ene ogenblik scheen de
zon aan een lucht die zo snel van grijs naar felblauw opklaarde dat het bijna zeer deed aan de ogen. Het volgende moment trokken er zware regen-
of sneeuwbuien over vanaf de uitgestrekte vlakte om de stad. In een oogwenk werden de velden aan de andere kant van het prikkeldraad en de
wachttorens wit als zink, en plotseling was er niets anders meer te zien
dan sneeuw die op dat moment – toen de arbeiders zich weer over hun berries en kruiwagens bogen – vanuit het land zelf leek op te stuiven.

Gezien het weer verwachtte iedereen dat de Voorzitter meteen na de mislukte monstering naar de veiligheid van zijn elektrisch verwarmde kantoor aan het Bałutyplein zou teruggaan. In plaats daarvan dwong hij Kuper de koets te keren en reed hij in een wervelende wolk van sneeuw naar Radogoszcz.

Hij moest ook zo nodig meteen de cementfabriek inspecteren, zoals Jankiel naderhand formuleerde. Hoewel hij daar helemaal niets mee te maken had. Het was immers het project van Biebow en Olszer!

De sneeuw die slechts even in zulke massa's was gevallen, was nu opgelost in een zware, dikke, waterige blubber, die nog blubberiger werd van alle karrenwielen, laarzen en klompen die voortdurend over de bouwplaats heen en weer gingen. Twee mannen met een berrie vol zand gleden uit; de een trok de ander mee in zijn val. Op hetzelfde moment bleef de wagen van de Voorzitter met zijn ene wiel in de modder steken en koetsier Kuper stapte af.

Toen zag Adam dat er iets niet was zoals het hoorde.

De lijfwachten die de Voorzitter altijd omgaven, waren nu nergens te bekennen. De Voorzitter was in de koets gaan staan, maar ging weer zitten toen hij besefte hoe alleen hij was.

Vanaf de houten steigers onder het dak van de hangar riep iemand plotseling:

Chaim, Chaim!
Geef ons brood, Chaim!

Het werd niet agressief geroepen, integendeel, het klonk haast vriendelijk. Adam zag de Voorzitter opkijken met ogen die heel even vervuld leken van een soort verwachting.

Toen viel de eerste steen.

Onvoorstelbaar, eigenlijk. En de arbeiders eromheen verstijfden.

Hoewel een van henzelf de stenengooier moet zijn geweest, leek niemand zoiets te hebben verwacht. De schrik was bij hen even groot als bij de Voorzitter, die nu deed wat hij even eerder al van plan was: opstaan om van de koets af te stappen.

Toen kwam de tweede steen aangevlogen.

Adam zag hem een duidelijke boog beschrijven tegen wat er nog aan lucht was en toen ergens achter de koets landen; en plotseling was de lucht vóór hem vol stenen, en niet alleen keien, maar ook stukken baksteen, oude ijzeren staven, losgerukte stukken hout uit de gieterij, aan de binnenkant nog vol cementvlekken. De sneeuw joeg bijna horizontaal over de grond en overal klonk opeens geschreeuw en gejoel, maar vooral de Voorzitter gilde met harde, schelle, bijna piepende stem, als een klein diertje dat op het punt staat per ongeluk dood te worden gedrukt.

En toen gebeurde het: een flinke klap wierp hem op de grond.

Hij heeft nooit gezien waarvandaan of van wie de klap kwam, kroop slechts in elkaar van de vreselijke pijn en zakte met zijn arm hulpeloos in de besneeuwde modder. Hij voelde iets nats uit zijn broekspijpen stromen en dacht *als ik maar niet doodbloed*, toen een schop uit het niets hem midden in zijn zij trof. Twee sterke handen grepen hem onder zijn oksels en heel even kon hij de modder die door de sneeuw uit zijn ogen gleed onmogelijk onderscheiden van de ogen die zich recht in de zijne boorden; daaronder een rij witte, van speeksel glimmende tanden in een mond die opengesperd was rondom een stem die maar schreeuwde:

Hé, SHÓITE – *hoe lang dacht je me nog te kunnen ontkomen?*

Volgens een aantal hooggeplaatste personen die getuige van het voorval waren, heette het dat de Voorzitter tijdens een inspectie in Radogoszcz ten gevolge van 'het slechte weer' was uitgegleden en met zijn hoofd tegen een cementtrog was gevallen, en dat hij daarom kortstondige medische verzorging nodig had. Anderen beweerden dat Biebow zich over de zieke Judenälteste heeft ontfermd en medische verzorging in een 'arisch ziekenhuis' in Litzmannstadt zelf heeft geregeld.

Niets daarvan is waar.

Het is niet waar dat de Voorzitter was uitgegleden en ook niet dat hij verzorging wilde of kreeg buiten het getto. Hij lag in zijn kamertje in de gezamenlijke zomerresidentie van hem en zijn broer aan de Karola Miarkistraat in Marysin, met een bebloed verband om zijn hoofd, en droomde dat het lente was en dat het water razendsnel steeg, zoals het om deze tijd van het jaar in Rusland altijd deed, en overal in het water stonden zijn kinderen toe te kijken hoe hij verdronk. Toen kwam zijn jonge redder naar hem toe waden, nam hem in zijn armen en droeg hem vastberaden terug naar het strand.

De Voorzitter: Wie bent u?

Samstag: Ich bin Werner Samstag, Leiter von der Sonderabteilung, vies Revier. Ik ben gekomen om u te vertellen dat de bevrijding nabij is. En ook om u te vertellen dat ik u zo-even het leven heb gered.

De Voorzitter: Voor dat huzarenstukje ben ik u natuurlijk eeuwig dankbaar!

Samstag: Ssschooo, mein Herr, weet u dat het waar is wat ze over de Russen zeggen? Ik zag er gisteren een. Hij stond in de rij voor het distributiecentrum, draaide zich om en zei tegen mij: 'Ne bojsja, osvobozjdenieje blizko... Wees niet bang, de bevrijding is nabij!' (Dat zei hij. Letterlijk!)

De Voorzitter: Als ik deze voortdurende geruchten serieus nam, had ik nooit iets voor elkaar gekregen. Zo'n ongekende slapheid!

Samstag: No, tak – nu begint u eindelijk weer als uzelf te klinken –
Baléidik nisht dem eibershtn er vet dir shlogn tsu der erd!

De Voorzitter: Wie ben jij?

Samstag: Wie ik ben? – niet jij! Maar wel: degene in het getto op wie jij het meeste lijkt.

De Voorzitter: Dat klinkt als een raadseltje. Heb ik dat verzonnen...?

Samstag: Uw evenbeeld verdragen ze in elk geval niet meer. Oif mit den altn, zeggen ze. U rijdt voorbij in uw mooie koets en uw eigen mensen keren u de rug toe en doen alsof ze met iets anders bezig zijn om u niet te hoeven zien. In feite is het hele getto één grote samenzwering tegen u. U bent de enige die het niet ziet.

De Voorzitter: Wat zeggen de mensen nog meer over me?

Samstag: De mensen zeggen dat u hun enige bescherming tegen de duisternis bent – Jest szczęs ciem w nieszczęsciu.

De Voorzitter: Dat is waar. Dat ben ik.

Samstag: Ze zeggen dat u de kinderen, de zieken en de ouden van dagen hebt weggegeven –

Ze zeggen: de weerlozen, die hebt u het eerst geofferd –
Ze zeggen: de dorstigsten, die hebt u laten sterven van dorst!

De Voorzitter: Ben jij er soms een van hen? Bist du ein Praeseskind...?

Samstag: Echt of onecht? Freund oder Feind?

Samstag oder Sonntag?

Ich bin der Sonstwastag – ein sonniges – ein glückliches Kind!

Ober hot nisht kejn moire. S'iz gut!

Ik stond niet op de lijst. Dat is alles.

De Voorzitter: Welke lijst?

Samstag: De lijst van uw kinderen – uw echte kinderen!

Ich bin ein eheliches Kind, ein echtes Gettokind!

(Je ziet toch wel: ik heb geen huid meer, ik heb geen neus en geen wangen – ik lijk op u! Niemand die mij ziet, kan zonder meer zeggen –
of ik vijand of vriend ben.

Gut oder Böse?

Ob man von einer guten Familie stammt oder nicht.

Ob man ein Jude ist – o d e r n i c h t!)

Ook u, heer Preses, moet leren Vijand van Vriend te onderscheiden –
U kunt niet zomaar op iedereen tegelijk een beroep doen.

Daarom moet er een LIJST worden opgesteld. Wie krijgt het voorrecht bij
u te blijven en wie wordt achtergelaten?

De Voorzitter: En als ik sterf? Als iemand me onderweg ombrengt?

Samstag: U kunt niet sterven – u bent toch mijn vader! (Ik heb bovendien
hoogstpersoonlijk maatregelen getroffen om ervoor te zorgen dat de verantwoordelijken voor dit afschuwelijke complot tegen u worden gearresteerd en gevangengezet.)

Bovendien – dood of niet – wat maakt dat uit?

Degenen die kwaad willen, zeggen dat u al dood was vanaf het moment
dat u dit getto binnenkwam –

Pan Śmierć? Bent u dat?

In dat geval zijn wij allemaal in dit getto kinderen van de Dood.

Nu staan we hier te wachten tot u ons hieruit leidt.

We roepen: Vader! Geef ons een bewijs van uw onsterfelijkheid!

Red uw kinderen – en u redt ook uzelf!

Adam Rzepin had verwacht dat ze hem zouden aanklagen wegens poging tot moord, in elk geval opruiing, en dat ze hem, als ze hem niet meteen doodsloegen, naar de 'bioscoop', de Centrale Gevangenis, zouden brengen en daarna de waarheid stukje bij beetje uit hem zouden trekken, zoals Schlomo Hercberg placht te doen. De methodes die Hercberg had gebruikt, genoten echter niet de voorkeur van de nieuwe gevangeniscommandant. Werner Samstag was er niet vies van om zelf af te dalen in de Groeve of zelfs tamelijk vertrouwelijk om te gaan met zijn gevangenen. Bij zijn bezoeken werd hij altijd omringd door een zwerm *politsajten* die allemaal zo gretig waren om een goede indruk op hun baas te maken dat ze niet eens het bevel van hun commandant afwachtten, maar de Presesmoordenaar meteen tegen een muur duwden, schopten en knietjes gaven in zijn buik en onderlijf totdat hij op de grond naar adem lag te happen.

Van deze *assistenten*, zoals Samstag hen noemde, hoorde Adam dat Poolse en Joodse artsen nu voor het leven van de Voorzitter vochten. Dat Biebow zelfs al met Bradfisch had overlegd of ze speciale troepen van de ss het getto in zouden sturen, zoals ze in augustus 1940 hadden gedaan om de opstand in de kiem te smoren, en dat de jonge Rzepin, als dat gebeurde, niet alleen het leven van de Voorzitter zelf op zijn geweten had, maar er uiteindelijk ook verantwoordelijk voor zou zijn of de resterende 80.000 Joden al dan niet zouden worden gedeporteerd.

Allemaal verzonnen, maar dat wist Adam Rzepin natuurlijk niet.

Pas nadat de assistenten al deze aanklachten hadden geuit, betrad Werner Samstag de cel. Van het verhoor dat volgde, kon Adam zich later alleen de glanzende glimlachjes herinneren die de nieuwe gevangeniscommandant hem liet zien. Alleen maar tanden, geen mond. Alsof je door de Dood zelf werd verhoord:

Samstag: Ben jij groot of klein, Rzepin?

Adam: Pardon?

Samstag: Ben jij een grote of een kleine Rzepin?

De assistenten: Is je naam Adam of Lajb?

Adam: Ik heet Adam...

De assistenten: We weten hoe je heet. Ben je groot of klein, Rzepin?

Adam: ... Rzepin.

De assistenten: Dat heb je al gezegd.

Hoe heet je oom?

Adam: Lajb. Mijn oom heet Lajb...

Samstag: Wanneer heb je hem voor het laatst gezien?

We willen weten waar hij is, wie er op zijn lijst staan.

De assistenten: Geef ons de namen van die bolsjewieken – die Duitse moorde-
naarslakeien – geef ze ons en je komt hieruit!

Samstag: We weten alles al over je –

Welke prijs je bereid was te betalen, de vorige keer dat je vrijkwam.

Weet je nog, Adam Rzepin?

Je oom Lajb kwam je toen vrijkopen.

En de prijs was je eigen zus.

De assistenten: Wanneer heb je je oom Lajb voor het laatst gezien?

Samstag: Je zit hier tot over je oren in, Adam.

Alles staat op papier: de brief van de uitreiscommissie, het vrijlatingsbe-
wijs van Schlomo Hercberg – uitgeschreven op jouw naam, de handtekening van je oom op het document dat hij ondertekende toen hij je kwam
halen –

De assistenten: We weten welke prijs je bereid was de vorige keer te betalen om
eruit te komen. Je eigen zus.

Samstag: Vertel ons waar hij is, je oom Lajb. Geef ons de namen van de ophit-
sers en opstandelingen op de lijst van je oom Lajb en ik geef je je vrijheid
terug.

◆

Hij lag met zijn hoofd naar de grond, helemaal tegen de tralies aan waar de
lange rij cellen begon, en om zich heen hoorde hij het geluid van voetstappen en laarzen die op het grind knarsten en kraakten. Ook 's nachts brach-

ten Samstags mannen nieuwe vrijwilligers binnen voor de arbeidsreserve van de Voorzitter in de Centrale Gevangenis.

Ze werden nooit anders dan *vrijwilligers* genoemd – ongeacht hoe lang het had geduurd voordat ze gehoor gaven aan de oproep en of het de Sonder was die hen had gedwongen te komen of hen had opgehaald.

De man die naast hem op de brits lag, zei dat de reserve nu uit drieduizend man bestond: alle arbeidsgeschikte mannen. Hij zei het met kennelijke tevredenheid, trots zelfs, en voegde eraan toe dat hij zich er erg op verheugde om naar de munitiefabriek in Częstochowa te gaan, waar volgens de geruchten alleen de *beste* arbeiders naartoe werden gebracht. Later boog hij vooroveren zei haast vertrouwelijk tegen Adam dat Hitlers dagen beslist geteld waren, maar dat de Duitsers nooit zouden toestaan dat het getto van Litzmannstadt bevrijd werd. De Joden moesten het getto eerst verlaten. Pas dan zouden de Russen of de Engelsen hen komen redden.

Er heerste trouwens toch een groot optimisme onder de 'vrijwilligen'. Adam begreep algauw dat dit voor een groot deel Samstags werk was. Sinds het aantreden van Samstag stonden alle celdeuren in de Centrale Gevangenis open; de gevangenen van de zogeheten 'externe' reserve konden komen en gaan naar believen (sommigen van hen lagen op tijdelijke bedden of britsen in de cellengang, alsof ze op weg waren heel ergens anders heen en hier alleen maar snel even hun kamp hadden opgeslagen). En 's morgens vroeg, wanneer de soepwagen met zijn vrolijk rammelende ketels en kommen naar binnen werd gereden, wie anders liep dan voorop dan Samstag zelf, als een echte schenkmadam, en hij riep in dat eigenaardige dialect van hem:

Hier is eten voor iedereen die wil werken!
ETEN VOOR IEDEREEN! ETEN VOOR IEDEREEN!

Adam merkte dat hij dieper omlaag in de gangen werd gebracht naarmate er meer 'vrijwilligers' arriveerden en het boven, op de cellenverdieping, drukker werd. Onder in de gangen zaten degenen die waren afgewezen voor de reserve, degenen die een handicap hadden, of een beroepskwaal die ze niet graag lieten zien.

De vorige keer dat hij hier in de Groeve had gezeten, was het hier warmer geweest. Bovendien had hij toen een hoog, gierend geluid gehoord, waar hij instinctief naartoe werd getrokken, ook al had hij nooit kunnen verklaren waarom. Alsof er een gat of een opening was, ergens verder beneden, waar lucht door een kier of een luik naar binnen kwam. Hoewel dat natuurlijk totaal onmogelijk was. Zou de rotsgrond waarop het getto rustte aan de onderkant dan helemaal uitgehold zijn?

Het wonderlijke geluid was er nog, al was het nu grover, breder – absoluut niet meer zo ondraaglijk scherp en doordringend. En net als toen leek het een soort akoestische onderdruk te hebben waardoor het in je hoofd ging trekken en draaien als een wervelstroom.

Verder onder in de Groeve zag Adam ook dat de gangen niet het cellengebouw uit gingen, zoals hij eerder had aangenomen, maar dat ze in een grove spiraalvorm de grond in gingen: zodat hij op een niveau van zo'n vijf of tien meter onder waar hij eerder was geweest, nog steeds hetzelfde geluid boven zich kon horen als wat hij de minuten of de dagen daarvoor had gehoord – maar dan zwakker: het gerammel van sleutels die werden omgedraaid in zinloze sloten, deuren die werden opengetrokken of op de haak gezet, het opgewonden gelach van de mannen van de reserve, die zo opgelucht waren dat ze eindelijk iets te eten kregen terwijl verder niemand in het getto iets kreeg, dat ze helemaal vergaten dat ze op het punt stonden gedeporteerd te worden.

– Steen op steen, in duidelijk afgebakende lagen

(en tussen en onder al deze lagen steen:

deze gangen, die steeds dieper omlaag bleven draaien en kronkelen) –

Wanneer begreep hij dat hij een drempel was overgegaan en zich niet meer in het rijk der levenden bevond? Misschien was het de manier waarop de afgewezenen zaten. Ineengedoken en afgewend, alsof ze zelfs geen gezichten meer hadden om te laten zien.

Maar het lied bleef toch hetzelfde. Een langgerekte toon die hier, zo diep onder de grond, meer een gerommel leek dat niet alleen je voorhoofd en je slapen, maar je hele kaakholte en schedel deed trillen. En het bleef maar stromen en gutsen in de latrinegoot die langs de rand van de grotgang liep, nu vermengd met water dat van het plafond en de muren van de grotgang naar beneden sijpelde en zelfs leek op te stijgen uit de oneffen stenen vloer onder hem. In sommige delen van de tunnel moest hij door diepe plassen troebel, stinkend rioolwater waden.

Maar hij kon nu lopen zonder zijn nek te hoeven buigen, en wanneer hij omhoog keek was het alsof de duisternis in de grotschacht poreuzer was, of in elk geval doorzichtiger. Een donker landschap breidde zich voor hem uit. Het plafond van de groevegang werd een stenen hemel, en voor hem kwam de latrinestroom uit in wat in het vocht en de nattigheid opzwol en zich verwijdde tot een ondergrondse zee met golven die in lange, olieachtige slagen tegen de verwrongen grotwanden deinden.

Hij was nu aan alle kanten omgeven door de doden –

Sommigen van hen hadden hun koffers en matrashopen bij zich, alsof ze zelfs hier niet van hun eigendommen konden scheiden. Maar de meesten zaten alleen of met zijn tweeën, met hun armen uitgestrekt alsof ook hun eigen ledematen opeens waren veranderd in vreemde voorwerpen.

Natuurlijk was ook Lida onder hen. Ze zat op een uitspringende rots, gekleed in de lichte katoenen jurk die hij elke ochtend over haar hoofd had getrokken, en ze had de engelenvleugels op haar rug waarvan ze altijd had gedroomd dat ze die zou krijgen. En naast haar zat Werner Samstag, met zijn ene voet in de latrinegoot en een zwarte zonnebril voor zijn ogen, als om zich te beschermen tegen het overweldigende licht dat hier scheen.

Samstag hoefde niets te zeggen. Het is de vraag of hij zich ooit beter verstaanbaar had gemaakt dan nu. *Een vader*, declameerde hij terwijl hij met een theatraal gebaar zijn arm om Lida's smalle schouders sloeg, *staat zijn eigen kinderen nooit af.*

Maar zelfs Werner Samstag kon Adam er niet van weerhouden Lida een laatste keer aan te raken. Hij greep haar handen bij haar vingertoppen vast en waadde ermee het bruine rioolwater onder het dode, witte licht in. Achter haar dreef haar lichaam alsof het opeens niets woog en de mouwloze jurk bolde op als een ballon of een stralend wit zeil – even maar, totdat het zwarte rioolwater de stof in drong en haar lichaam zwaar werd door de vreemde onderwaterstromen. Maar één minuscuul momentje had ze daar toch liggen drijven – net lang genoeg om een allervluchtigst glimlachje over haar gezicht te laten gaan. Bijna zoals wanneer hij met haar in de kruiwagen reed: een glimlachje van geluk dat ze zich vrij kon bewegen zonder de hele tijd te vallen.

En dan laat hij eindelijk los – en laat haar wegglijden naar de open zee die niets is.

Het verraad draag je altijd als een mes vlak bij je hart.

Toen Adam Rzepin na drie weken terugkwam van de reserve wilde Olszer hem eerst niet weer laten registreren. *We kunnen geen arbeiders met een gebrek gebruiken; ik snap er niks van waarom ze ons maar de hele tijd al die arbeiders met een gebrek blijven sturen!*

Bestuurscommissaris Olszer was vroeger Judenälteste in Wielun geweest; sinds die tijd (zei hij) wist hij hoe hij met mensen om moest gaan. Het hoofd van de opzichterseenheid van de Duitse gettobewaking in Radogoszcz, Abteilungsführer Didrik Sonnenfarb, meende ook te weten hoe je met mensen omgaat. Vanachter het raam van zijn blauwe prachthuis moet hij lang naar de beslommeringen van Olszer en Rzepin hebben staan kijken, want zodra Adam hinkend weer aan het werk ging in de zandgroeve onder de hangar, kwam hij naar buiten en ging aan diens rug hangen. Daarna liep hij in een parodiërende tandemgang achter Adam aan, terwijl hij net zo met zijn been sleepte als Adam – een stijve, draaiende heupbeweging die onmogelijk te onderscheiden was van de voor het getto zo typerende hongergang.

De Duitse wachtsoldaten en stationschefs lachten – zoals ze geacht werden te doen.

Alle anderen wendden hun blik af.

Plotseling was Adam zo iemand geworden met wie je niet sprak. Dat kwam door zijn terugkeer van de reserve. Als je bij de reserve was, was je in zekere zin al buiten het getto, ook al was het transport nog niet vertrokken. Iemand die uit de reserve terugkwam, moest op de een of andere manier afgewezen zijn. Of misschien was hij geworven als verklikker?

Aangezien er militair materieel voor overlading bleef binnenkomen, werd Adam geregeld teruggestuurd naar het losperron. Plotseling kwamen er ook grote hoeveelheden kool naar het getto. Gewone witte kool, waarvan de buitenste bladeren zo bleek en onrijp waren dat het leek of de stronk in verband was gewikkeld. Aangezien het oude groentedepot grotendeels onder water stond, werd Adam en zijn werkploeg gereedschap ter beschikking gesteld: breekijzers, mokers en kleine, onhandige houten hamers, die ze onder leiding van Schalz en de andere wachtposten gebruikten om kleine, houten kisten van ongeveer drie bij vier meter, op palen, te maken, waar de kolen op gestapeld konden worden in afwachting van verder transport naar het getto. Het was tekenend voor de verwarring bij de autoriteiten, of toch in elk geval voor de wanorde die steeds meer om zich heen greep, dat ze hun Joodse arbeiders met zulke potentieel levensgevaarlijke gereedschappen lieten werken. Dat zouden ze eerder nooit hebben gedaan.

Maar het was ook een merkwaardige smeltwinter. Ze moesten door smerig stinkend afvalwater waden om bij de hangar te kunnen komen; en elke dag als hun dienst erop zat, kregen ze van Olszer opdracht de klaargegoten heraklietplaten op te stapelen en te schragen, zodat die niet verloren zouden gaan in het geval dat het water 's nachts nog verder zou stijgen. Adam was waarschijnlijk de enige van zijn werkploeg die zich geen zorgen maakte over het water. Hij wist immers waar het vandaan kwam. Waar het gereedschap vandaan kwam wist hij ook. Zodra hij het gewicht van het mes en de beitel voelde, begreep hij dat een hogere macht dit gereedschap in zijn handen had gelegd.

Jankiel, Gabriel, de gebroeders Tzunwald en de anderen uit zijn oude ploeg zag hij pas toen de soepwagen werd voorgereden. Allemaal ontweken ze hem met hun ogen, behalve Jankiel, die nooit voor iemand week. Zodra Jankiel naast hem ging zitten, wist Adam dat hij hem zou moeten vragen naar oom Lajb. Hij noemde hem echter niet met name, maar beschreef slechts hoe hij eruitzag: het hoge, smalle gezicht in de vorm van een fietszadel, met kleine, smalle kiertjes als ogen; en daarna beschreef hij de blik uit deze spleetogen, die je recht aankeken, maar toch nooit goed leken te zien wat ze zagen.

Jankiel begreep meteen naar wie hij vroeg. Op zijn beurt had hij nu kunnen vragen wat Samstag en zijn mannen in de gevangenis met Adam hadden gedaan, kunnen vragen waarom Adam plotseling was vrijgelaten, kunnen vragen waarom hij niet bij de arbeidsreserve was ondergebracht,

zoals alle anderen die de Sonder 'graag mocht'. Maar dat deed Jankiel niet.
Hij zei wel:

*Is het waar wat ze zeggen, dat Lajb je oom is en dat je het aan hem te danken hebt
dat je deze baan hebt gekregen?*

En toen Adam wegkeek –

Heb je aan hem ook te danken dat je je baan weer hebt teruggekregen?

◆

Velen in Radogoszcz herinnerden zich hoe het de vorige keer was toen er
een soepstaking was uitgebroken in het getto. Dat was in juni 1943, ook
in Marysin: in de schoenmakerij die *Betrieb Izbicki* werd genoemd, waar
klompschoenen en eenvoudige houten sandalen werden vervaardigd die
voornamelijk bestonden uit een houten zool met inleg en een band eroverheen, maar die bij honderdduizenden konden worden geproduceerd tegen te verwaarlozen kosten.

De ploegbaas Berek Izbicki stond in het getto bekend als een echte *trä-
ger*. Voor de ogen van de autoriteiten deed hij zijn best om een toonbeeld
van efficiëntie te lijken, maar zodra de inspecteurs van het Centrale Arbeidsbureau hem de rug toekeerden, bezuinigde hij op alles en bovendien
behandelde hij zijn arbeiders slechter dan beesten. Izbicki's *resortka* werd
elke dag gezeefd. Terwijl de voormannen en ploegbazen, inclusief Izbicki
zelf, elke dag een geconcentreerd, voedzaam brouwsel met groenten
en plakjes kool kregen die je op een lepel kon doen, moesten de gewone
arbeiders zich tevredenstellen met een waterig afkooksel dat slechter
smaakte dan afvalwater.

Toen dat al maanden zo was gegaan, kreeg een van de arbeiders er genoeg van, smeet zijn soepbord weg en schreeuwde:

Dit is verdomme ondrinkbaar, dit drink ik niet.

De uitbarsting was geen vooropgezet plan. Toch gingen de woorden van
de arbeider van mond tot mond als een geheime mededeling, en bereik-

ten ten slotte Izbicki, die aan zijn middagmaal bestaande uit soep met zwoerdjes, rode biet en aardappel zat. Schuimend van woede liep hij langs de arbeiders die in de rij voor de uitschenkbalie stonden en vroeg: *Wie heeft er hier iets aan te merken op mijn soep?*

Toen de schoenmaker die zijn soep had weggesmeten ietwat schaapachtig een hand opstak, greep Izbicki hem bij de schouders en sloeg hem met de rug van zijn hand recht in zijn gezicht.

Maar toen gebeurde er iets ongehoords: in plaats van zich te schikken in zijn straf, hief de weerspannige schoenmaker zijn hand en gaf Izbicki zo'n harde klap dat de man plat op de grond viel. In de algehele verwarring die toen ontstond, kwam een handvol agenten van de ordepolitie met geheven wapenstok binnenrennen, maar in plaats van zich te verspreiden, zoals ze anders deden, bleven de arbeiders als aan de grond genageld staan, en toen Izbicki weer overeind krabbelde en zijn arbeiders met slaan en duwen naar de uitschenkbalie probeerde te drijven waar de schenkmadammen stonden te wachten, reageerde de een na de ander door de rij gewoon te verlaten en met lege handen terug te gaan naar zijn werkplek.

De eerste soepstaking was een feit.

De crisis werd als zo ernstig beschouwd dat de Voorzitter erbij werd gehaald, die ter plekke een reeks disciplinaire maatregelen invoerde die 'rechtvaardig' konden lijken, omdat ze iedereen betroffen. Eerst kreeg Izbicki een uitbrander omdat hij geweld had gebruikt tegen iemand van zijn personeel. Vervolgens dreigde hij de weerspannige schoenmaker met intrekking van zijn werkboek en zijn rantsoenbonnen als hij doorging met zijn pogingen tot opruiing. Meer consequenties had het incident niet. De schoenmaker slikte de soep gehoorzaam door, behield zijn werkboek en wist op die manier zijn vege lijf en dat van zijn gezin nog een poosje te redden.

In het getto beet het woordje *soepstaking* zich echter vast.

En de arbeiders hadden iets om te onthouden.

Want ook al heeft een arbeider niets om zich mee te verweren, zelfs zijn eigen leven niet, en niets om mee te onderhandelen omdat zijn werkgever toch niets te bieden heeft, toch kun je macht ontlenen aan dat simpele *gaan zitten en de soep weigeren...* De kier van een laatste kans, die zich plotseling opende wanneer zelfs je uiterste krachten niet meer toereikend waren. Zelfs de jonge Jankiel herhaalde elke dag: *Stel je voor dat we gewoon zouden gaan zitten en weigeren...!*

Op de soepstaking bij Izbicki in de zomer van 1943 volgde een lange, zware winter en in Marysin of op Radogoszcz was er niemand die zich om de arbeidsomstandigheden bekommerde: ze hadden het allemaal te druk met zwoegen en dragen en letten op de bevelen van de opzichters. Maar toen kwam de lente weer, nog een oorlogslente. En alsof er aan de andere kant van het prikkeldraad een duivelse intelligentie zat die alles had bedacht met als enige doel de gettobewoners nog meer te kwellen, begonnen er plotseling levensmiddelen op het goederenstation aan te komen.

Vier jaar lang had het getto om aardappels geschreeuwd – niet de volledig verrotte, door de vorst verslijmde, stinkende aardappelknollen die af en toe wel kwamen, maar echte aardappels. Rotte plekjes mochten ze best hebben, maar stevig en hard moesten ze zijn, liefst met sporen van *echte* aarde op de schil, zodat je je tenminste nog een voorstelling kon maken van de vruchtbare, stevige, rulle en tegelijkertijd licht vochtige teelaarde waaruit ze waren gerooid.

Vier jaar lang had niemand zulke aardappels gezien. Maar nu kwamen ze. Eerst al die kool, minstens een ton; elke wagon afgeladen met rijke, bleekgroene kolen die eruitzagen als 'kinderhoofdjes waarvan je de oren zou willen schrobben'. En toen dus aardappels, echte aardappels, genoeg wagons om de oude magazijnen aan de Jagiellońska weer te vullen. En massa's andere groenten: spinazie, snijbonen, rapen.

Geroep vanaf het laadperron: *De Duitsers hebben de uien weer uitgevonden!*

En blikken rode bieten. Onvoorstelbare hoeveelheden rode bieten in blik.

Er was al ruzie ontstaan onder de lossers over de vraag wie de eerste lading naar de depots mocht brengen. Pas bij het uitladen in de depots namelijk, buiten het zicht van de staalhelmen die de wacht hielden, kon het schuimen beginnen.

Ook bij de soepuitdeling heerste een voorzichtig, maar gegrond optimisme en de vermoeide grappen klonken energieker dan gewoonlijk:

benieuwd of de soep vandaag een omweg langs de kool heeft genomen
of dat de kool misschien op weg hiervandaan in de soep terecht is gekomen
per abuis in dat geval
het is Preseskool; dat kun je goed merken aan de smaak:
hij smaakt bedorven, maar je laat scheten van puur goud –

Maar er zat geen kool in de soep. En ook geen spoor van aardappel. Het was gewoon dezelfde lauwe, altijd even ranzige zetmeelbrij. Jankiel stond achter Adam, en achter hem strekte de rij voor de soepwagens zich eindeloos lang uit. Hier en daar stak een optimistisch hoofd omhoog om uit de reactie van de voor hem staande mensen af te leiden hoe de soep vandaag smaakte. Toen draaide Jankiel zich om, hield zijn soeppannetje boven zijn hoofd en smeet het met volle kracht op de grond:

Ik eet die rotzooi niet...

Staking: iedereen staarde als betoverd naar de jongeman met de sproeten en het vuurrode haar. Zijn ogen stonden wild, maar daarachter zat een zweem van iets anders. Wat? – Trots? Hoop? – Sonnenfarb kwam meteen uit zijn blauwe prachtkooi gekropen. Achter hem aan kwamen, in de gebruikelijke volgorde, Schalz en Henze.

Is er hier iemand die de soep weigert...?

Sonnenfarb hoefde het antwoord niet af te wachten om te begrijpen wie de schuldige was. Jankiels soeppannetje lag nog waar hij het neer had gesmeten – vlak voor zijn voeten.

Als een kogelslingeraar draaide Sonnenfarb zijn hele, enorme lichaam naar achteren; daarna schoot zijn hand weer naar voren en Jankiel stortte neer alsof hij door een moker was geveld. Meteen daarna richtte Schalz zijn geweerloop op het hoofd van de gevallen Jankiel: *Sieh zu, dass du deinen Arsch hochkriegst und deine Suppe verputzt sonst mache ich dir Beine...!*

Als Adam op dat moment zijn eigen dunne lichaam tussen de punt van het geweer en Jankiels hoofd had kunnen schuiven, waarvan de huid trilde als een vliesje op een schaal water, dan had hij dat gedaan. Schalz spande langzaam de haan. Jankiel vertrok zijn gezicht, zodat de tanden in zijn onderkaak zichtbaar werden. Maar er kwam geen schot. Plotseling liet iedereen in de rij voor en achter Jankiel zijn etenspannetje op de grond vallen. Het gerammel van honderden soeppannetjes die gelijktijdig de grond raakten, was zo oorverdovend dat zelfs Schalz zijn zelfbeheersing verloor en zich met zijn geweer in de aanslag omdraaide.

Er stond paniek in zijn ogen.

Mittagspause zu Ende, Mittagspause zu Ende, brulde hij, en hij zwaaide met zijn geweer in de lucht. *Los, an die Arbeit...*

De menigte ging weer aan het werk. Maar alles verliep nu heel traag. Nieuwe treinen arriveerden op het station, maar ondanks de woedende kreten van de Duitse bewakers gingen de lossers maar heel langzaam naar hun werkplek, en na een paar uur luidde Sonnenfarb de bedrijfsbel om aan te geven dat de dienst was afgelopen.

Toen deed het gerucht al de ronde dat ook in het getto zelf soepstakingen waren uitgebroken. In metaalpakhuis I en II aan de Łagiewnicka-straat hadden de mensen het werk neergelegd evenals in de zadelmakerij aan Jakuba 8.

En het water in het getto steeg, en bleef stijgen –

Elke nacht weer welde het smeltwater op uit de dode aarde.

Adam was zuinig op het gereedschap dat het toeval hem had bezorgd. Nu had hij een mes, een beitel, een moker en een houten hamer, en hij hield ze verborgen in de voering van zijn broek zoals hij daar vroeger medicijnen en berichten voor Feldman verborgen had gehouden. Niemand koesterde enig wantrouwen, omdat hij sinds zijn verblijf in de Groeve toch al die manier van lopen had waarbij hij met zijn heupen draaide. Een van die onbruikbaren, van die voor verder werk ongeschikten, die om een of andere onbegrijpelijke reden genade had gevonden bij de autoriteiten en mocht blijven. Een overlevende, of misschien alleen maar een levende dode? Op een dag besloot hij dat het genoeg was met al dat gestrompel en hij maakte zich los uit de marscolonne toen die op weg terug was naar het getto.

Waar ga je heen...? riep Jankiel hem na.

(Hij had zijn ogen niet in zijn zak, Jankiel.)

Ze schieten je neer als je die kant op gaat!

Maar hij ging toch.

Bij de Radogoszczpoort stond de wachttoren tot halverwege in de smeltsneeuw, en de soldaat helemaal bovenin tuurde over zijn spiegelbeeld in kolkend water heen. De versperring die het getto scheidde van de stad was geen versperring meer, maar een stuk draad over niets.

's Nachts gebeurde het weleens dat de zoeklichten aangingen: een golf van glanzend licht strekte zich uit van de aarde naar de doordrenkte lucht, terwijl de eenzame wachtsoldaat boven in de toren met zijn machinegeweer ratelde naar alles wat daar bewoog: *tra-atta-tata-tatta-ta-ttaaa...*

Men zei dat Joden onder dekking van de nacht zwemmend over die delen van het prikkeldraad probeerden te komen die nu onder water lagen. In feite schoten de wachtposten op ratten. De vrolijksten onder hen zeiden dat het slecht gesteld was als zelfs de ratten van Litzmannstadt probeerden te vluchten voor de 'bolsjewistische invasie'.

In het schijnsel van de water- en luchtspiegeling leek Marysin op een oeroud gezicht waarvan de trekken nu eens tevoorschijn kwamen en dan weer werden uitgewist. De telefoonpalen langs de Jagiellońska en de Zagajnikowa stonden als lange spaken boven de waterspiegel. Verspreid rondom deze spaken dreven de golfplaten daken van huizen en werkplaatsen in het windgerimpelde water.

Wat er nog over was van het Groene Huis hield zich redelijk staande op zijn helling, evenals de begraafplaats achter haar muren en de tuinderij van Józef Feldman iets verderop, met zijn gereedschapsschuur en zijn kassen.

Maar de oude wilgenboom bij Praszkiers werkplaats, op het kruispunt van de Okopowa en de Marysińska, lag als een medusahoofd op de grond met zijn lange, teergroene takken drijvend op het glanzende water. Als je het hele getto van bovenaf had kunnen zien, had je een lijn kunnen trekken van de verkalkte wilgenboom helemaal naar de afvalkuilen waarin de latrinedragers hun tonnen leegden.

Alles daartussen was door het water opgeslokt.

Adam dacht eerst dat de stank van de latrinekuilen kwam, maar deze geur was anders dan de doordringende, zurige salpeterlucht van de stronthopen: dikker, en met iets mufs, iets bedompts erdoor.

Het erf leidde omhoog, naar vastere grond. Hier stond wat ooit de feitelijke 'werkplaats' was geweest. Een langwerpig, houten gebouw met stallen en bijgebouwen, afgesloten door een groter, vrijstaand gebouw dat ooit dienst had gedaan als koetshuis. De toegangspoort tot een van deze door het weer verbleekte houten gebouwen was van de haak geschoten en stond nu te klapperen in de wind.

Adam bedacht, terwijl hij dichterbij kwam, dat iemand de scharnieren had moeten smeren.

Toen besefte hij opeens dat het hoge, snijdende geluid niet van de scharnieren kwam. En de stank ook niet. Het waren ratten.

Lajb was ouder geworden, de afgelopen paar jaar. Van een afstandje had je hem voor een van die Poolse boeren kunnen houden die hele dagen op hun velden liepen totdat hun huid zwartverbrand was van de zon. Maar dit was geen bruin van de zon. Van dichtbij zag de huid er gezwollen uit, alsof het vocht zich daaronder ophoopte en op het punt stond eruit te komen. Zijn ogen, die vroeger open en bleekgrijs waren, lagen nu ingebed in gezwollen huidrollen en zijn schedel was roodglimmend en nat; het leek wel een slijpsteen.

Lajb zat aan een lange tafel die hij naar het midden van de schuur had getrokken, en in kooien die op en onder elkaar en langs alle muren om hem heen stonden, renden de ratten rond, of ze klemden zich sissend met hun klauwen en hun scherpe tanden vast aan de tralies.

Treif...! zei Lajb slechts, waarbij het onduidelijk was of hij de ratten bedoelde of Adam, die op de drempel bleef staan, overweldigd door de ontzaglijke stank.

In het donkere, modderbruin-grijze halflicht zag hij Lajb van tafel opstaan en zijn hand in een grote, zwarte handschoen wurmen. Met zijn andere hand pakte hij een houten stok met een klauwvormige weerhaak aan het uiteinde, en daarmee sloeg hij de haak van een van de kooideuren open. De rat daarin greep instinctief de onderkant van de stok beet. Lajb pakte het dier razendsnel met zijn ene – gehandschoende – hand vast, draaide het om en sneed zijn buik met één krachtige haal van het mes open.

De ingewanden sneed hij uit boven een afvalemmer die hij tegelijkertijd met zijn voet bijtrok. De andere dieren raakten door het dolle heen toen ze de lucht van bloed en ingewanden roken, en even was er niets te zien, laat staan te horen, door al het kabaal en gekrijs dat de dieren in hun kooien ten beste gaven. Met een lange, gedecideerde beweging van beide armen, gooide Lajb de inhoud in de afvalemmer, zodat bloed en ingewanden tegen de tralies van de kooien spatten; toen zette hij het mes in het nog trillende rattenlijf en stroopte met een ervaren beweging het hele vel eraf.

Toen draaide hij zijn kale, verbrande gezicht naar Adam:

Ik weet dat je bent gekomen voor de lijst van mensen die de Voorzitter hebben geprobeerd te doden – pak hem, straks is er niet veel tijd meer...!

465

Adam had het geld al gezien dat Lajb op tafel had gelegd, in keurig geordende stapels en pakjes: munten apart, bankbiljetten apart: als een bank of een wisselkantoor. Echte valuta's bovendien: złoty's, reichsmarken en groene Amerikaanse dollarbiljetten. Sommige van die biljetten zo verkreukeld dat ze eruitzagen alsof ze tientallen jaren in zakken of voeringen gefrommeld hadden gezeten voordat ze tevoorschijn waren gehaald en door zorgvuldige vingers platgestreken.

Lajb veegde het bloed van zijn handen met een doek die speciaal voor dit doel onder de zitting van zijn stoel leek klaar te liggen, streek met de rug van zijn bloedige hand over zijn mond, pakte een stapeltje wasdoekschriften die hij openvouwde en op tafel neerlegde op dezelfde manier als waarop hij eerder het geld moest hebben gesorteerd. Of de onderdelen van zijn fiets, die hij ook uit elkaar haalde en zo neerlegde dat zelfs het kleinste vernikkelde schroefje en elk stuk van het frame apart lag: zorgvuldig en met ingehouden, precies afgemeten bewegingen, zoals wanneer de rabbi de seidertafel dekt of de koosjere slager zijn vlees in stukken verdeelt.

(En toen de autoriteiten bevel gaven dat alle fietsen in het getto moesten worden ingeleverd, stond Lajb helemaal vooraan in de rij op de inzamelplaats aan de Lutomierskastraat klaar om de zijne in te leveren. Het was in de maand waarin de eerste soepstaking uitbrak en Lajb was natuurlijk vlak daarvoor ook bij Izbicki geweest, en had de namen van alle onruststokers in zijn zwarte schrift geschreven. Adam wist nog hoe Lajbs gezicht eruitzag op de dag dat hij zijn fiets had ingeleverd. Vaag verontschuldigend, onderdanig, maar vooral trots. Alsof het hem bevrediging schonk, zelfs al ging het ten koste van hemzelf, om hieraan maar weer eens te zien hoe de machten van wet en orde zegevierden over het onbeteugelde, ongeregelde verval. En dan was er natuurlijk de beloning: *het geld* dat je ervoor kreeg; het maakte niet uit hoe luttel of hoe zinloos het bedrag was en dat je er niets voor kon kopen...)

Adam keek echter niet naar het geld op de tafel. Hij keek naar de muur van kooien, met achter elke rij tralies een warboel van verwrongen en gekwelde dieren; en heel even vroeg hij zich af wat er zou gebeuren als hij de haken van alle kooien gelijktijdig zou kunnen openslaan. Wat zou er gebeuren als – al was het maar voor even – deze hele moeizaam beheerste chaos werd losgelaten?

Maar de rusteloze dieren bewegen zo snel dat het onmogelijk is zelfs de simpelste gedachte vast te houden; de stank is zo weerzinwekkend dat je je niet eens een *buiten* kunt voorstellen – hoe vluchtig en kortstondig ook.

Adam ziet geen kooien of tralies meer. Wat hij ziet is een golf van trillende rattenlijven die zich van de ene naar de andere kant van de ruimte verplaatsen.

Ook Lajbs gezicht dat zich over de stapels bankbiljetten op de tafel buigt, is als een verlenging van die misselijkmakende golfbeweging. Lajbhoofd op rattenlijf. Keer op keer verliest het hoofd zijn vorm; het ene ogenblik verwijdt het zich tot een vleierig glimlachje, het volgende sluit het zich in een uitdrukking van bloederig snijdende haat. Lajb zelf – of wat er boven het kabaal van alle dieren uit van zijn stem overblijft – spreekt echter met kalme, bijna vaderlijk moraliserende stem. Alsof het allemaal maar een kwestie van een soort praktische verzorging was. En *vermoeid* – ja, zelfs de voortdurend waakzame opziener Lajb is vermoeid nu de tijd is gekomen om het resultaat van zijn werk over te dragen aan een opvolger:

Adam, luister goed nu –

Wanneer je naam op de lijst komt van degenen die uit het getto zullen worden gedeporteerd, moet je niet doen wat ze zeggen, maar dit geld nemen en proberen een veilige plek te vinden om je te verstoppen.

Vraag Feldman – hij zal je helpen.

Ze zullen zeggen dat alle gettobewoners naar een veiliger plaats moeten verhuizen. Ze zullen zeggen dat het getto te dicht bij het front ligt. Dat het hier niet veilig is. Maar er is geen veiliger plaats dan hier. Die is er nooit geweest.

Er is überhaupt geen andere plaats dan hier.

Adam doet een poging de stapels bankbiljetten en de handgeschreven schriften die Lajb hem heeft aangegeven weg te leggen. Maar er zijn geen lege plekjes in deze kamer om iets weg te leggen. En wanneer hij dat eenmaal inziet, heeft hij al te lang getwijfeld.

Als Adam goed en wel achter zijn oom aan buiten komt, is Lajb al halverwege de weg naar de Zagajnikowastraat. Dan pas ziet Adam wat hij de hele tijd heeft gezien zonder dat het tot hem doordrong. Lajb loopt op blote voeten door het water. Hij heeft de schoenen niet meer waar hij ooit zo trots op was.

Dezelfde avond nog, nadat Józef Feldman zich op zijn kantoor in zijn slaapvacht heeft gewikkeld, pakt Adam een lamp en leest de namen op Lajbs lijst.

Er zijn twaalf schriften; ze belichten een dozijn fabrieken en werkplaatsen in het getto, geordend op straatnaam en huisnummer. De Centrale Kleermakerij aan de Łagiewnickastraat is de *Centrale*. De kleermakerijen aan de Jakuba zijn *Jakuba* 18 respectievelijk *Jakuba* 15 en de kousenfabriek aan de Drewnowska is *Drewnowska* 75. Lajb heeft zijn informatie met een stomp potlood op grof gelinieerd papier genoteerd. In de marge heeft hij soms de namen opgetekend van de contactpersonen die hem de informatie hebben gegeven. De letters zijn klein en zonder krullen geschreven: alsof hij streefde naar de grootst mogelijke duidelijkheid op zo weinig mogelijk ruimte.

Na elk resort volgt, in alfabetische volgorde, een groot aantal namen van arbeiders. In sommige gevallen staan zelfs de woonadressen van de arbeiders erbij, evenals informatie over de gezinssituatie of hun politieke en religieuze overtuiging. *Bolsjewisme* is de meest voorkomende aanduiding; de afkorting PZ staat voor *Poale Zion*, O betekent orthodox (*Ag I* = Agudat Israel), terwijl bundisten alleen maar worden aangegeven met een B met een dikke streep erdoorheen.

Adam bladert door de handgeschreven bladzijden van het schrift; voorbij de zadelmakerij waar Lajb moet hebben gewerkt nadat hij was gestopt bij de meubelmakerij aan de Drewnowska, voorbij de spijker- en nagelfabriek en Izbicki's schoenenfabriek in Marysin, totdat hij bij de laad- en losafdeling in Radogoszcz komt. Maar onder welke naam was Lajb daar aangesteld? En hoe had hij hier maandenlang, misschien zelfs jarenlang, kunnen werken zonder dat Adam of iemand anders hem had herkend?

Op de bladzij over de Radogoszczbrigade staan ruim vijftig namen, waarvan Adam de meeste goed kent:

Marek Tzunwald – 21 jaar – Marysińska 25; bijgenaamd 'M met de klompvoet', ook bijgenaamd 'De Tartaar' (Adam had niemand Marek ooit anders horen noemen dan Marek of Marku)

Gabriel Gelibter – 34 jaar – bijgenaamd 'De Dokter' (omdat hij een keer een man had helpen verbinden die met zijn hand in een schroefblok had vastgezeten), vroeger lid van PZ

Pinkus Kleiman – 27 jaar – bekend bolsjewiek; vroeger bij het ontginningscommando; kwam daar in contact met Sefardek

En dan Jankiel, natuurlijk:

Jankiel Moskowicz – 17 jaar – v/h Gordonia-activist, nu communist, Marysińska 19. Woont bij zijn vader en moeder

Bekend handlanger van Niutek R. Geen broers en zussen. (Vader: Adam M, voorman op Brzezińska 56 – de zwakstroomfabriek)

Adam stond op het laadperron en zag de bewaakte stoet van de Gettoverwaltung langs alle goederenmagazijnen rijden en tot stilstand komen voor de helft van het stationsgebouw waar de stationschef en de hoofdopzichters hun kantoren hadden. Het was de tweede stakingsdag en Adams eerste gedachte was: nu is het gebeurd met ons, nu komen ze om ons allemaal te deporteren. Maar anders dan toen Biebow eerder ss'ers en delegaties hierheen gereisde kooplieden 'rondleidde', reed er nu maar één gewone auto mee in de stoet; de overigen waren motoragenten of mensen die deel uitmaakten van Biebows persoonlijke lijfwacht. Bovendien was het duidelijk dat het bezoek niet van tevoren aangekondigd was. Pas een halfuur nadat de stoet was gearriveerd, kwam Didrik Sonnenfarb zwaaiend met zijn armen naar buiten rennen; hij schreeuwde dat ze zich allemaal moesten verzamelen op het terrein van het goederenstation, waar Biebow de gettoarbeiders zou toespreken.

Herr Amtsleiter had echter niet het geduld om te wachten totdat de stationschef een geschikte plaats had aangewezen. Voor Sonnenfarbs prachthuis stond een platte laadkar. De laadvloer helde een beetje, maar Biebow wist erop te klauteren en met steun van twee van zijn lijfwachten min of meer rechtop te blijven staan.

Arbeiders van het getto!

Ik ben hierheen gekomen om u direct toe te spreken, teneinde u volledig te doordringen van de ernst van de situatie die is ontstaan.

Voor velen van u is dit de eerste keer dat u mij ziet — ik verzoek u dus extra goed naar me te luisteren, want wat ik nu zeg, zal ik niet nog een keer zeggen.

De situatie in Litzmannstadt is veranderd. De vijanden van het Rijk laten al bommen vallen aan de rand van de stad. Als een paar van deze bommen op het getto waren gevallen, zou geen van ons hier vandaag hebben gestaan. Ik kan u verzekeren dat we ons uiterste best zullen doen om uw veiligheid te garanderen en ook in de toekomst uw levensonderhoud veilig te stellen.

Dat geldt ook voor u stationsarbeiders.

Maar u bent ook zelf verantwoordelijk voor uw veiligheid.

Vandaag heb ik twee extra arbeidersbrigades bevel gegeven om loopgraven te graven. Er moet zo snel mogelijk een linie komen van de Ewaldstrasse naar de Bernhardstrasse. Een andere moet worden gegraven in de Bertholdstrasse, vanaf Kino Marysin naar buiten.

U krijgt zo dadelijk instructies over waar de graafbataljons zich moeten verzamelen. Degenen die omwille van de spanning mochten overwegen niet op te komen dagen, wil ik eraan herinneren dat het Häftlingskommando dat eerder in de Centrale Gevangenis is ingericht, nog altijd arbeiders aanneemt. Ik heb juist vandaag vernomen dat er arbeiders nodig zijn bij de Siemensfabrieken, bij de AG Union, bij de Schuckertfabrieken, overal waar munitie wordt geproduceerd zijn arbeiders nodig. Ook in Tschenstochau, waar velen van u, voor zover ik begrepen heb, al heen zijn gebracht.

Ik heb ook vernomen dat velen van u hebben geklaagd over het eten, zelfs hebben geweigerd te eten, omdat u plotseling hebt bedacht dat de soep die u krijgt van inferieure kwaliteit is. Dat u wilt eten en leven begrijp ik, en dat zúlt u ook. Maar het is van cruciaal belang dat levensmiddelen in eerste instantie diegenen ten deel vallen die ze nodig hebben. Waar leidt u uit af dat mensen er elders beter aan toe zijn? Elke dag worden Duitse steden gebombardeerd. Ook in Litzmannstadt zelf lijden mensen honger. Ook Volksdeutsche lijden honger. Het is onze plicht en taak om in de eerste plaats te zorgen voor mensen van onze eigen stam.

Maar we bekommeren ons natuurlijk ook om onze Joden. In al die jaren dat ik Amtsleiter ben, is er geen dag voorbijgegaan zonder dat ik alles heb gedaan wat in mijn vermogen lag om de omstandigheden voor mijn Joodse arbeiders te waarborgen. Hoewel het soms politiek nadelig was, heb ik door het binnenhalen van grote, belangrijke bestellingen voor het getto Joden werk bezorgd die anders gedeporteerd hadden moeten worden. Geen haar is u gekrenkt. Dat kunt u zelf getuigen.

Ik wil u er dan ook aan herinneren dat het van het allergrootste belang is dat elke bestelling stipt volgens bevel wordt uitgevoerd, dat elke materiaalleverantie uit Radegast prompt en snel wordt getransporteerd, en dat elk bevel onmiddellijk wordt opgevolgd. Wie doet wat hem wordt gezegd, zal ik uiterst welwillend behandelen.

MAAR IK WIL HIER NIET VOOR DOVEMANSOREN STAAN PRATEN!

Als u volhardt in uw verzet en uw voor iedereen schadelijke gedrag, als u blijft slabakken en weigert het werk te doen dat u wordt opgedragen, kan ik niet langer voor uw veiligheid instaan. Dus doe uw plicht – pak uw spullen en ga daarheen waar u hoort te zijn.

Zonder reacties af te wachten – alsof het enige doel van zijn overijlde uitstapje slechts was om deze woorden uit te spreken en verder niets – liet Biebow zich haastig van de kar af helpen en liep hij, gevolgd door zijn adjudanten, terug naar de auto. Op het laadperron en rondom de hangar stonden de arbeiders die waren bijeengedreven om te luisteren, nog te wachten wat er verder zou gebeuren – dat ze in de gewenste graafploegen werden ingedeeld, dat de deur van de materiaalopslag openging, dat er houwelen en schoppen werden doorgegeven.

Maar er gebeurde niets van dien aard.

Sonnenfarb stond even radeloos midden in de groep. Had Biebow hem zojuist een bevel gegeven of niet? Toen ging hij echter ogenschijnlijk machteloos naar zijn prachthuis. Uit het wijd open raam begon meteen daarna een radio te schetteren. Eerst klonk het als marsmuziek.

Degenen die het dichtst bij het goederenperron werkten, hadden Sonnenfarb wel eerder naar de radio horen luisteren, maar toen was het geluid door gesloten ramen heen gedrongen en het volume was altijd samenzweerderig omlaag gedraaid zodra de deur openging. Nu werd het volume juist steeds hoger gezet. Een opgewonden mannenstem slingerde zijn metalig klinkende ophitsing rechtstreeks het dode licht in:

Een oorlog van zo'n enorm historisch belang als waar wij nu in getrokken zijn, brengt natuurlijk geweldige offers en lasten met zich mee. Sommigen zijn niet in staat deze offers in een breder historisch perspectief te zien. Hoe meer mensen daartoe niet in staat zijn, hoe waarschijnlijker het is dat ook toekomstige strijdende generaties niet zullen inzien welke offers nodig zijn, of ze zelfs als te verwaarlozen zullen beschouwen.

Maar gezien in het perspectief van tijd en eeuwigheid veranderen onze opvatting over en onze inschatting van bepaalde historische gebeurtenissen.

We kunnen een aantal historische voorbeelden bedenken.

Vandaag de dag is het voor ons bijvoorbeeld onbegrijpelijk waarom de *tijdgenoten van Alexander de Grote of Julius Caesar deze mannen niet op hun juiste waarde wisten te schatten. Voor ons is er echter niets meer verborgen aan hun grootheid.*

Ik ken mensen die luisteren, hoorde Adam Marek Tzunwald mompelen, *maar toch niet naar die schreeuwlelijk...!*

Adam draaide zich om. Henze en Schalz waren allebei naar het huis van Sonnenfarb gegaan, maar omdat de deur gesloten was en het hun commandant niet behaagde zich te laten zien, wisten ze niet wat ze moesten doen. Dat de radio aanstond, was immers ontegenzeggelijk in strijd met de regels. De stationschef had bovendien een decreet uitgevaardigd waarin stond dat Joden die loswerkzaamheden verrichtten zich onder geen beding in de nabijheid van radio-ontvangers of andere communicatieapparatuur mochten ophouden. Maar kon je je eigen commandant bestraffen? En het was ook niet zomaar iemand die een toespraak hield, maar niemand minder dan Goebbels; en dat op Hitlers eigen verjaardag! In deze situatie proberen het apparaat uit te krijgen, zou hetzelfde zijn als proberen de Führer zelf tot zwijgen te brengen.

Op dat ogenblik werd de deur van het huis opengegooid, Sonnenfarb verscheen op de drempel en maakte bekend dat Herr Biebow vanuit het zesde politiedistrict telefonisch had laten mededelen dat alle arbeiders *ter ere van de grote dag* een extra portie soep werd toegekend.

Ergens vandaan kwam de soepwagen aanrollen. Plotseling was er iets te doen. Schalz en Henze haastten zich om te proberen de arbeiders zich in een rij te laten opstellen en op hun beurt te wachten. Maar de soeprij was wijdmazig, uitgewaaierd over vele, lusteloze meters. De mensen leken onwillig om zelfs maar te komen.

Sonnenfarb had zich weer in zijn prachthuis teruggetrokken en door de open ramen waren opnieuw Goebbels' bombastische uitvallen en het daaropvolgende donderende applaus te horen. Geen militair leek zich genoodzaakt te voelen een eind te maken aan dit gebazuin dat in strijd was met alle regels.

HEIL HITLER! klonk het triomfantelijk uit het huis, kennelijk in reactie op gelijkluidende huldigingsfrasen op de radio. Toen werd er weer een soeppannetje op de grond gegooid – een groepje loste op – arbeiders gingen vastbesloten in de weg staan voor de soepwagen, die nu alleen midden op het perron stond, glanzend en bijna onwerkelijk.

Sonnenfarb vertoonde zich weer in de deuropening:

Provocaties? Alweer?

– en plotseling stonden er allemaal bewapende Duitse gendarmes om hen heen. Waar kwamen die vandaan? De onwerkelijke lethargie die op het goederenperron heerste, sloeg opeens om in laarzenrennende, koppel-kletterende, hese Duitse stemmen die riepen: *Halt!*

Iemand in de drom arbeiders riep:

HIJ was het, HIJ was het...!

Adam zag dat Jankiel zich omdraaide naar Schalz, die zijn geweer al aan de schouder had gebracht. Jankiel hield met zijn ene hand zijn soeppannetje omhoog – als om te laten zien dat dat tot de rand toe was gevuld met Hitlers begeerlijke verjaardagssoep. Of was het alleen maar weer een honend gebaar?

Adam draaide zich om en op hetzelfde moment haalde Schalz de trekker over en schoot. De echo van het schot weergalmde in een stilte die wel een vacuüm leek.

Ze stonden allemaal als verdoofd om dat vacuüm heen. Voor hen, voor-overgevallen op de grond, lag Jankiel. Het bloed gutste uit een wond in zijn hals en verspreidde zich in een grote plas om hem heen, terwijl zijn ogen glanzend, het leek wel niet-begrijpend, staarden naar de plaats waar zijn soeppan lag – het was niet uit te maken of hij die zo ver had weggegooid als hij maar kon of dat hij, ook nu in de dood nog, zijn uiterste best deed om erbij te kunnen.

Maar de soeppan was leeg. Er was geen druppel soep in terechtgekomen.

◆

Adam liep over lege wegen naar huis. De zon brandde uit het niets. In de schaduwrijke lichtsplinters van de kas zag hij dat dezelfde auto's die eerder Biebow naar Radogoszcz hadden gebracht voor de tuinderij stonden te wachten, maar er zat geen Biebow in. De enige in de stoet die uitstapte, was Werner Samstag. Het was de eerste keer dat Adam hem zag in het nieuwe uniform dat de Sonder had besteld: grijsgroene korte jas met de rode en witte insignes van de ordepolitie op revers en epauletten, pet in dezelfde kleuren en hoge, zwarte laarzen.

Samstag glimlachte, zoals gewoonlijk, maar toen Adam vlak bij hem was gekomen, was er nog maar een grimas over van die glimlach: een grauwwitte rij tanden, gestoken in een gezicht dat leek los te raken van zijn aanhechtingen.

Waar is de lijst? vroeg Samstag slechts.

Adam kon zijn lichaam niet stil houden. De voortdurend knagende honger, de uitputting en de angst bezorgden hem krampen die in lange golven van zijn benen naar zijn borst en zijn schouders liepen. Hij deed een poging om zijn hoofd te schudden, maar klapperde alleen maar met zijn tanden, een beweging die 'de nieuwe' Samstag tot razernij bracht.

Opeens stond Adam met zijn rug tegen de muur gedrukt.

Waar? schreeuwde Samstag terwijl het speeksel over zijn lippen spoot. *We weten dat je Lajb hebt ontmoet. Waar is de lijst...?*

En voordat Adam zelfs maar had kunnen antwoorden: *Je liegt! Waarom lieg je?*

Adams eerste impuls was gewoon door de knieën te gaan. Jankiel was toch dood. Wat maakte het uit of zijn naam, of die van een van de andere arbeiders trouwens, op iemands lijst stond? Waarom Samstag niet gewoon de lijst geven die hij wilde hebben?

Maar Samstags woede leek in geen enkele verhouding te staan tot waar hij om vroeg. Bovendien – was het niet merkwaardig dat de Duitsers als escorte meegingen met hun Joodse ordecommissaris? Als de Duitsers al niet meer op hun onderworpen onderdanen vertrouwden, op wie kon je dan nog wel vertrouwen? En op wie kon Adam op zijn beurt dan nog vertrouwen?

In het kantoor van de tuinderij had Feldman vuur in de kachel gemaakt. Tussen de kieren in het roestige plaatijzer brandden de vlammen bleek, schijnbaar levenloos in het fletse zonneschijnsel. Samstag boog voorover en porde met de pook in de gloeiende houtblokken. Adam stond met zijn rug tegen de muur te kijken naar het gebogen, nog altijd jongensachtig tengere lichaam van de jonge politieman. Tegelijkertijd zag hij zichzelf daarnaast staan wachten op de straf die hem nu zou worden opgelegd. En de kaswand achter hem was een muur en de muur (dacht hij) zal er altijd zijn en hij zal overal hetzelfde zijn, en ongeacht wat er gebeurt, zal de overheid altijd iets hebben om mee te dreigen. Met deportatie, met mishandeling, met gloeiend ijzer in je gezicht.

Maar tegelijkertijd had hij nóg een gedachte, die in hem was opgewekt op het moment dat hij de autostoet geparkeerd zag staan voor de tuinderij, en Werner Samstag op zijn paasbest in de voorste auto, als een chauffeur in een ouderwetse livrei.

Welke resortlaiter (dacht hij) vindt het een goed idee om nieuwe uniformen te naaien voor een Joodse speciale eenheid die er misschien niet eens meer is als de uniformen goed en wel klaar zijn? En waarom zouden de Duitsers zich überhaupt druk maken om uniformen als er geen mensen meer waren om te bewaken?

Ze zijn bang.

(Dat dacht hij. Alleen maar dit simpele:) Er staat iets te gebeuren, maar wat weten ze niet – alleen dat alle macht die ze ooit hadden, hun nu langzaam begint te ontglippen. En terwijl hij daar stond met de zekerheid van hun angst in zijn rug, zei Adam bij zichzelf: nu geef ik ze niets meer. Ze mogen me helemaal in elkaar slaan, maar van nu af aan geef ik ze niets meer.

Samstag stond voor hem met de pook in de aanslag.

Toen kwam Józef Feldman tevoorschijn uit zijn naar grond stinkende pikkeduister en legde zijn arm om Samstags schouder: *Het heeft geen zin, Werner; hij heeft niets...*

De blikken van Samstag en Feldman ontmoetten elkaar zonder zich vast te hechten, maar toch lang genoeg om de pook die Samstag in zijn hand had te laten afkoelen. Toen ging de grimas op Samstags gezicht over in een uitdrukking van onuitsprekelijke walging en tegenzin, en met een geroutineerde hoofdknik beval hij zijn mannen Adam los te laten.

Wat er toen volgde, was een orgie van lukrake vernieling: Samstags mannen smeten eerst alle glazen bakken van de planken waar ze op stonden en daarna vielen ze aan op de wanden van de kas; ze zwaaiden hun stokken hoog boven hun hoofden en verbrijzelden de ruiten een voor een.

Toen gingen ze Feldmans 'kantoor' binnen, vernielden kasten en keuken-planken en gooiden schalen en borden aan gruzelementen. Zelfs het een-zame kookplaatje dat Feldman had geïnstalleerd hoewel er amper iets te koken viel, rukten de mannen van de muur waaraan het bevestigd was en smeten ze op de grond.

Te midden van deze ongebreidelde vernielzucht verscheen Samstag als in een hemelsblauwe nevel van verbrijzeld licht. In zijn handen had hij en-kele van de stapels bankbiljetten die Lajb aan Adam had gegeven.

Is dat je verradersloon? vroeg hij – waarbij het niet duidelijk was of hij het tegen Adam of tegen Feldman had; hij wachtte het antwoord echter niet af, maar ging op de rand van Adams matras het geld zitten tellen dat hij had gevonden. Toen hij tevreden was met het bedrag stopte hij de stapeltjes in de zakken van zijn nieuwe uniform en beende naar buiten, gevolgd door zijn mannen.

Er verstreken een paar minuten; toen hoorden ze de motoren van de auto's buiten de een na de ander starten; daarna verdwenen ze, de hele stoet dicht op elkaar naar de Zagajnikowastraat.

Adam en Feldman bleven achter in de ravage. Glazen vitrines die vroeger stuk voor stuk een wereld op zich bevatten, lagen nu overal om hen heen aan diggelen.

'Het spijt me,' zei Adam slechts.

'Het is niet jouw schuld,' zei Feldman.

In de kachel brandde het vuur nog met dezelfde fletse vlammen. Adam haalde Lajbs schriften tevoorschijn uit het matras waarin hij ze had ver-stopt, pakte toen de pook waarmee Samstag hem had bedreigd, scheurde de ene na de andere bladzij eruit en prikte ze vervolgens met de punt van de pook door het openstaande kacheldeurtje.

En zo verbrandden ze allemaal: Marek met zijn klompvoet, meneer Ge-libter, Pinkus Kleiman; en Jankiel natuurlijk. Adam schoof het deurtje weer dicht. Hij wist niet of hij hen op deze manier had gered of alleen maar veroordeeld tot een nog erger lot.

Ze zag hem opdoemen uit de trillende streep tussen de overstroomde grond en de verblindend lichte lucht – een klomp klei die opzwol en uitdijde, en een mens van vlees en bloed werd, die langzaam op haar toe liep.

Věra had Aleks al bijna tien maanden niet gezien, niet sinds de dag dat Biebow bevel had gegeven dat het paleis moest worden vernield. Aleks was echter niet erg veranderd. Hij was altijd al mager geweest en nu was hij nog magerder; zijn gezicht rondom zijn voorhoofd en jukbeenderen leek wel uitgehouwen. Maar zijn ogen waren nog hetzelfde. Ze bekeken haar met stijgende verbazing, alsof hij degene was die zich op dit moment het meest verwonderde over hun weerzien.

Tien maanden had ze min of meer opgesloten gezeten in de kelder onder het archief en puzzels gemaakt van de berichten die zij of de anderen van de groep hadden kunnen opvangen. Ook wanneer ze niets vernam, dwong ze zichzelf een notitie te maken in haar dagboek. Ze noteerde regen of sneeuw of de kleur van de lucht. Ze noteerde het aantal keren dat ze 's nachts door het luchtalarm waren gewekt. De sirenes die door het getto loeiden en het licht van de geweldige, heen en weer zwenkende schijnwerpers die uit de lucht vielen en plotseling een dak of een gevel of een verlaten straat verlichtten in het gettoduister dat ze voortdurend omgaf.

Maar bovenal noteerde ze wat de nieuwslezers zeiden. De stemmen die uit de radio kwamen, waren licht en scherp als naalden, en werden voortdurend overstemd door statische ruis: hoge, jankende, eigenaardig ondulerende golven van geluid, die haar deden denken aan grote, vibrerende hoepels die door de lucht aan kwamen vliegen.

Maar ten slotte slaagde ze er toch in om in elk geval iets te onderscheiden in de geweldige overvloed aan informatie die langskwam, en de woorden op papier te zetten. Ze maakte gebruik van de citaatcode die Aleks en zij al eerder hadden afgesproken. Op de dag dat de geallieerde troepen voor het eerst landden op het Apennijnse schiereiland – in januari 1944 – pakte ze er een oude Baedeker-atlas bij en streepte alle plaatsen aan waar later veldslagen zouden plaatsvinden, inclusief die bij Monte Cassino. In een boek met in het Pools vertaalde bekende Latijnse citaten voegde ze regels van Ovidius, Seneca en Petronius toe, zodat het mogelijk was op afstand de ontwikkeling van de veldtocht te volgen: *Omnia iam fient fieri quae posse negabam*. 'Alles waarvan ik placht te zeggen dat het nooit zou kunnen gebeuren, staat op het punt te gebeuren.'

Wie had willen nagaan wat ze wist, had elk boek van elke plank en elke stapel in de bibliotheek moeten halen en alle bladzijden eruit moeten scheuren. En dat was nog niet voldoende geweest, omdat de woorden en zinnen allemaal in een cijfercode waren omgezet en de kaarten die Aleks had getekend waren opgedeeld over zoveel kleine fragmenten en ingeplakt in zoveel verschillende boeken, dat je ze niet aan elkaar zou kunnen passen zelfs al kende je de hele kaart al bij voorbaat. Het was een zorgvuldige constructie. Door alles zo nauwkeurig mogelijk te noteren hoopte ze de werkelijkheid zo goed na te bootsen dat de grenzen tussen het getto waarin ze zich bevond en de wereld daarbuiten zo niet verdwenen, dan toch in elk geval niet meer zo zichtbaar waren.

Een onmogelijk project natuurlijk.

Maar de muren werden steeds dunner.

Op een ochtend hoorde ze Maman weer pianospelen. Ze speelde op de oude Pleyelpiano. Het was de piano die ze in de flat aan het Riegerpark in Praag hadden voordat ze de grote vleugel kochten. Věra herkende de droge klank met dezelfde onmiddellijke duidelijkheid als waarmee ze het lichte ruisen van haar moeders jurk herkende wanneer ze zich over de toetsen boog en de binnenkant van haar mouwen langs het bovenstuk van de jurk streek. Het waren eenvoudige oefenstukken – *Papillons* en *Kinderszenen*.

◆

Er waren vier luisteraars in de groep waartoe Věra behoorde. Ze wist hoe de anderen heetten, maar niet veel meer. Meestal wist ze niet waar of wanneer ze zouden luisteren voordat ze werd geroepen. De luisteraars hadden maar weinig vaste regels, maar daar hielden ze zich strak aan: als ze met de groep luisterden, dan verzamelden ze zich uitsluitend wanneer de leider van de groep hen bijeenriep.

Er waren ook een paar individuele luisteraars – zogeheten *solitairen*. Solitairen waren mensen die al voor de oorlog een radio thuis in de kelder hadden gehad of een kleine radio hadden meegenomen toen ze hierheen waren gedeporteerd, en deze niet hadden ingeleverd toen dat werd verordonneerd, ook al was het behoud ervan levensgevaarlijk. Věra was er zeker van dat er heel wat van zulke solitairen waren op het archief waar ze werkte. Ze meende dezelfde vreugde over hun gezicht te zien trekken als ze zelf elke keer voelde wanneer de geallieerden waren opgerukt of een strategisch belangrijk bruggenhoofd hadden veroverd. Veel solitairen hielden stil wat ze te weten kwamen. Maar er waren er ook die voortdurend hun mond voorbijpraatten. Op die manier lekte nieuws over de oorlog uit in het getto. Als er iets was wat Chaim Widawski en de andere 'echte' luisteraars vreesden, waren het niet de verklikkers van de Sonder – die zich tegenwoordig in elk trappenhuishoekje schuilhielden – maar was het dat al dat geklets over de oorlog, over de Russen, waar ze zich bevonden en wat ze deden, de Kripo vroeg of laat naar iemand zou brengen die *meer* wist, maar niets zei.

Chaim Widawski en Aron Altszuler vormden samen met Itzak Lublinski en de drie gebroeders Weksler een groep. In Marysin behoorde Aleks Gliksman tot een tweede groep; en rondom het toestel in de Brzezińskastraat vormde Věra, samen met twee Poolse Joden die Krzepicki en Bronowicz heetten en een Duitser genaamd Hahn, een derde.

En dan was er de jonge Shem, die *goniec* was en met berichten rondrende als iemand van hen ziek was of verhinderd, of als ze op een andere tijd moesten komen of misschien zelfs op een andere plaats, omdat 'het station' waar ze luisterden in de gaten werd gehouden. Alle groepen hielden er zulke loopjongens op na, die niet noodzakelijk op de hoogte hoefden te zijn van wat er verder bij de luisteraars gebeurde. Hoe minder ze wisten, hoe beter.

Wat de jonge Shem wist of niet wist, zou Věra nooit te weten komen. De jonge Shem had een stijf been, of het was misvormd. Hij bewoog zich voort door zijn gezonde heup voor zich uit te duwen en zijn slechte been achter zich aan te trekken, en daardoor liep hij vaak in elkaar gedoken, met zijn hoofd tussen zijn schouders getrokken in een houding van voortdurende onderdanigheid. Maar hij glimlachte de hele tijd, met toegeknepen ogen: alsof hij vol schrandere of misschien eerder instemmende verwachting was. (Věra wist nauwelijks meer over Krzepicki en Bronowicz – begreep amper wat ze zeiden, omdat ze uitsluitend Jiddisch of Pools spraken. Zelfs over Hahn wist ze niet meer met zekerheid, hoewel hij met een van de transporten uit Berlijn was gekomen en dus tot 'haar soort' zou moeten behoren.)

Ze ontvingen vooral de illegale uitzendingen van Radio Polskie. In die gevallen zat Krzepicki met de koptelefoon op. De Poolse radio veranderde voortdurend van frequentie. De ene keer zonden ze uit vanuit Białystok, de andere keer vanuit Kielce. Krzepicki probeerde af te stemmen op Warschau voor een betere ontvangst. Het lukte hem echter nooit. De Duitse zenders in Posen en Litzmannstadt verstoorden de ontvangst met een 'symfonieconcert' of de Duitse nieuwslezers maakten met de stem hoog in de strot melding van nieuwe successen aan het Russische front, waar het trotse Duitse leger er na zware gevechten – het waren altijd 'zware gevechten' – in was geslaagd de bolsjewistische aanvallen af te slaan.

Věra probeerde zich de plaatsnamen die werden genoemd in te prenten, zodat ze die kon invoeren in de losbladige kaart van Aleks, maar ze kon er maar een paar onthouden voordat de nieuwslezer overging op wat *Aussenpolitische Berichte* heette en altijd ging over welke diplomaten en ministers in Berlijn bijeen waren geweest en altijd uitmondde in lange, verbitterde tirades tegen *der Totengräber des britischen Imperiums* of *der gemeine englische Gauner*, zoals Winston Churchill werd genoemd, en Věra luisterde en hoopte op z'n minst een aanwijzing te krijgen over waaruit Churchills *Lügen und Betrügereien* concreet bestonden. Maar nooit. De nieuwslezer begon te praten over vlootmanoeuvres in de Oostzee of het nieuws werd gevolgd door een bijdrage waarin een verpleegster met veel ervaring gezondheidsadvies gaf over het schoonmaken en verbinden van wonden.

Naderhand spraken ze nooit over wat ze hadden gehoord. Degene die de koptelefoon die dag op had, vertaalde voor de anderen. Geen van de andere luisteraars schreef of noteerde iets. Het was een onuitgesproken regel dat er geen geschreven sporen van hun activiteiten te vinden mochten zijn

– al het nieuws moest van mond tot mond gaan. Maar wanneer het Krzepicki een heel enkele keer lukte de BBC te ontvangen en Věra met de koptelefoon zat, kon iedereen zien hoe Werner Hahn knikte en zich op de lippen beet, alsof hij elk woord dat er werd gezegd, hoe klein ook, in zijn geheugen probeerde te prenten. Misschien bouwde ook Hahn in het geheim een intern archief op van wat er aan de grote fronten gebeurde. Net als zijzelf. En de legendarische Chaim Widawski.

Widawski. Begin 1944 was hij net veertig, vrijgezel; hij woonde met zijn ouders in een krappe bovenwoning aan de Podrzecznastraat, dat ze ook nog deelden met twee van zijn neven.

Widawski werkte als inspecteur van de kaarten- en bonnenafdeling van het getto (*wydział-karta*). Van hieruit werden de levensmiddelenbonnen gedistribueerd. In alle stilte bekleedde hij dus een van de belangrijkste posities van het hele getto. Bonnen voor brood, melk, vlees en groenten ter waarde van duizenden marken gingen elke dag door Widawski's handen, maar merkwaardig genoeg schijnt hij nooit op het idee te zijn gekomen om zijn positie te gebruiken om zichzelf te bevoordelen.

Hij hield echter wél de boeken bij. In de marge van het grote registerboek waarin hij het controlenummer van de geïnspecteerde bonnen opschreef, stonden vanaf begin 1943 cijfer- en lettercodes die de Duitse en Russische frontposities beschreven – hoe ver van allerlei strategische plaatsen bepaalde legers of legerkorpsen zich bevonden – en de sterkte van die respectieve legers aangaven – bijvoorbeeld hoe goed de Duitse pantserdivisie en artillerie was die na de nederlaag bij Stalingrad werd ingezet om het tegenoffensief van generaal Zjoekov te weerstaan.

Hier openbaarde zich een eigenaardige paradox. Hoewel Widawski zijn gecodeerde oorlogsdagboek in het grootste geheim bijhield, wist iedereen in het getto dat je bij Widawski moest zijn als je informatie wilde krijgen over hoe het aan de diverse fronten *ging*. Als er *íemand op de hoogte was van oorlogsnieuws*, was het Widawski wel. Toch leek het of niemand begreep dat hij een van de luisteraars was. Iedereen was volkomen verrast toen dat werd onthuld.

Het was alsof er in het getto twee totaal verschillende soorten kennis waren, twee werelden die naast elkaar bestonden zonder elkaar ooit te raken.

Ook hier, tussen deze twee werelden, begonnen de muren nu echter dun te worden.

◆

Es geht alles vorüber
Es geht alles vorbei
Nach jedem Dezember
Kommt wieder der Mai

Dat had hij geschreven, met de letters dicht op elkaar, zodat ze allemaal pasten op het vettige, bruine pakpapier dat waarschijnlijk het enige was dat hij bij de hand had, maar in dat karakteristieke, licht vooroverhellende handschrift van hem, nog ongebroken. Het papier had op een ochtend aan het eind van de maand op haar bureau gelegen en was een van de tallo-ze bewijzen dat Aleks over het vermogen van een ware ontsnappingskun-stenaar beschikte en door alle gesloten en vergrendelde deuren heen kon als hij zijn berichten wilde bezorgen. Want sinds ze was begonnen met luisteren had helemaal niemand de met boeken beklede kelder onder het archief betreden. Dat wist ze, want meneer Schobek, een orthodoxe Jood die vele jaren werkzaam was geweest als conciërge van het archief en die de enige behalve zijzelf was die sleutels van beneden had, was ten slotte aan de tuberculose ten prooi gevallen en in de kliniek aan de Dworska-straat opgenomen.

Er was echter iets bijzonders met die schlager die zij, en hij vast ook, vaak op de Duitse radiostations hadden gehoord: nog lang na de Duitse inval (vertelde Aleks haar eens) zongen de *shomrim* in het getto 's avonds in het collectief vaak Duitse liedjes – in het *Duits* nog wel, als om uit te druk-ken dat de zo gewenste bevrijding voor alle volkeren van alle landen gold. Als Aleks een beroep op haar had willen doen om hem daar in de verstrooi-ing te komen opzoeken, had hij het niet beter of duidelijker kunnen for-muleren dan zo.

Marysin in mei. Het contrast tussen het lawaai en de gejaagdheid in het get-to zelf, waar alle resorts nu deelnamen aan de productie van Speers nood-woningen, en de oude tuinstad, die na de nachtelijke regen tot nieuw leven

483

onder bloeiende kersen- en appelbomen werd gewekt, had niet duidelijker kunnen zijn. Slechts een paar honderd meter van de waterplas aan de Dworskastraat, waar 'de stad' formeel ophield, wisselden kaarsrechte rijen zorgvuldig opgemeten en afgescheiden stukjes teeltgrond elkaar af. Het hele stuk van de Marysińskastraat en verder via de Brackastraat en de Jagiellońska leek wel één grote, bloeiende volkstuin, waarvan elk kaveltje was voorzien van keurige rijen dunne houtspaanders die de tere plantenstelen ondersteunden. Sommige grondstukjes waren zo klein dat bijna de hele ruimte in beslag werd genomen door kleine broeikasjes die op en naast elkaar waren gestapeld volgens een zo slim uitgedacht systeem, dat elke bak zoveel mogelijk zonlicht kreeg.

Later zou ze zich die dag blijven herinneren, die een van de laatste zou worden die Aleks en zij samen in het getto doorbrachten.

Aleks had haar kaveling, zoals hij het landje van Věra en haar broers noemde, geïnspecteerd, evenals de bewateringsinstallatie die Martin en Josel hadden aangelegd en die nu niet alleen hun eigen grond, maar ook verschillende daarnaast van water voorzag. En daarna hadden ze samen, alleen zij tweeën, door de smalle straten van Marysin gewandeld.

De lucht was een zeil van verblindend blauw. De leeuweriken zongen alsof ze trillend aan onzichtbare draden in de lucht hingen.

Het gras was warm.

(Toen ze over het 'uitstapje' van deze dag in haar dagboek schreef, bedacht ze dat ze zich de natuur nooit, ook niet in Praag, toen zij en haar broers wandelingen maakten in de heuvels bij Zbraslav, had voorgesteld als iets met organische eigenschappen. Zoals het haar of de huid of de achtergelaten kleren van een mens. Maar dat was het geval met wat er op die dag nog aan gras in het getto over was. Het was *warm*, lichaamswarm, bijna lauw.)

Aleks vertelde hoe het werk in de cement- en houtspaanfabriek in Radogoszcz vorderde, hoe hij en de rest van zijn arbeidsbrigade elke ochtend door de ordepolitie werden opgehaald en elke avond terug werden gemarcheerd. Door een gebeurtenis die evengoed toeval had kunnen zijn, was de hele werkploeg ondergebracht in hetzelfde gebouw aan de Próżnastraat waar de *shomrim* hadden gewoond. Daar bracht Aleks haar nu heen. Het was zondag, de enige vrije dag van de week. Van de arbeiders die hier woonden, herkende Věra een aantal voormalige personeelsleden van het archief en van het postkantoor, die ze vaak tegenkwam in het trappenhuis of in de rijen voor de distributiecentra bij de Baluter Ring, nu zo mogelijk nog magerder; ze droegen kapotgescheurde, half vernielde kleren en schoenen die voornamelijk uit aan elkaar geknoopte, smerige lappen bestonden. Het waren lang niet allemaal overtuigde zionisten, dat had Aleks haar al onderweg zorgvuldig uitgelegd. Alsof dat wat uitmaakte! Hier zaten ze in elk geval, arbeiders uit *alle* kampen, bij elkaar gedreven onder een en hetzelfde lekkende dak. Věra haalde een beetje tevoorschijn van wat ze op hun perceeltje hadden weten te verbouwen: een paar schamele aardappelknollen, komkommers, radijsjes, en ook ingemaakte groenten die Martin en zij hadden klaargezet 'voor de winter': rode bieten en witte kool. Andere leden van de brigade pakten wat zij hadden. Er was brood, en iets wat *babka* of *lofix* werd genoemd en bestond uit gewone koffiepoeder, aangemaakt met water en zetmeel, en dan opgestijfd en als koekjes gesneden.

In het schijnsel van de houtkachel die midden in de geweldige ruimte stond, zaten ze later te praten over de actie die de communistische arbeiders op het goederenstation waren begonnen. Er was een codewoord voor dat van mond tot mond ging, elke keer dat er een nieuwe wagonlading binnenkwam: *Pracuj pomału...!* 'Werk langzaam.' Het ging erom je met zo weinig mogelijk inspanning door elke verlengde of vertraagde ploegendienst heen te worstelen.

Er was ook opdracht gegeven om te weigeren in de rij te gaan staan voor de middagsoep.

Onder de Duitse stationscommandanten heerste verwarring. De stationschef was naar Biebow gegaan en had zich erover beklaagd dat de Joden zo sloom waren geworden en dat er waardevolle lading bleef liggen. Er was zowaar over gesproken of de voedingswaarde van de soep niet moest worden verhoogd – met andere woorden: niet meer *zeven*. Biebow was er op een dag hoogstpersoonlijk heen gereden om de arbeiders tot rede te brengen. Van de kant van de Duitsers zou men zich zelfs hebben afgevraagd of het werk sneller zou gaan als men marsmuziek over de luidsprekers zou laten horen!

Ze lachten er allemaal om, totdat Aleks plotseling zei dat hij had besloten zich in elk geval bij de communisten aan te sluiten; Niutek Radzuner en zijn mannen waren de enigen in het getto die in elk geval énig verzet boden tegen de Voorzitter. Anderen verklaarden dat ze het daar niet mee eens waren, en zo barstte een hevige discussie los die voortduurde totdat het donker het laatste licht aan de van insecten wemelende voorjaarslucht doofde en de vonken van de houtkachel hoog, hoog in de luchtstroom opstegen tot een in de schemering bijna onzichtbare rookkolom. En toen, opeens, volkomen spontaan, hief iemand een lied aan; iemand anders viel een beetje aarzelend in en toen zongen ze plotseling allemaal, eerst zacht, maar langzaam maar zeker steeds harder, steeds vastberadener:

Men darf tsi kemfn
Shtark tsi kemfn
Oi az der arbaiter zol nisht laidn noit!
Men tur nisht shvagn,
Nor hakn shabn;
Oi vet er ersht gringer krign a shtikl broit[22]

Die nacht, gehuld in Aleks' zware, grijze mantel die zuur rook naar sintels en ingedroogd zweet, dicht tegen zijn lichaam aan om de warmte vast te houden nu het koud was, fluisterde ze hem toe en ze zocht zijn ogen, die *Aleksogen*, die soms zo moe waren, maar tegelijkertijd zo wakker en alert.

Toen hij zag dat ze naar hem keek, glimlachte hij wat en noemde haar naam een keer, heel zacht. Věra, zei hij alleen maar, alsof de twee lettergrepen van haar naam iets waren wat je voorzichtig uit elkaar kon halen en dan even voorzichtig weer in elkaar kon zetten. In plaats van te antwoorden kwam ze nog dichterbij en legde haar handen om zijn gezicht. Zo, dacht ze, was hij eindelijk weer binnen haar reikwijdte: tastbaar.

En ze voelde op dat moment intens dat ze niet alleen verlangde naar alles wat hij haar te vertellen had, al die verboden berichten die hij altijd tussen de papiertjes en boeken stak die hij stiekem meenam naar haar kelder. Maar naar hem als geheel, naar alles wat hij was – zijn bleke gezicht, zijn onvoorstelbaar smalle schouders – ze pakte ze vast; en om zijn rug pakte ze hem ook vast, en om zijn heupen en om zijn middel. Ze kon het niet laten. Ze wilde hem bezitten. Als de bolsjewieken ooit kwamen en hen bevrijdden, dan was dit het enige wat ze wilde. Ze begeerde hem zoals ze nog nooit in haar hele leven iemand had begeerd en zoals ze niet had gedacht dat het zelfs maar mogelijk was om iemand te begeren in dit land van honger en deportatie.

Ze noemden hem 'de jonge Shem'; hij was hun lijfwacht en rattenvanger en degene – daar was Věra van overtuigd – die hen op het laatste moment allemaal redde.

Op de eerste verdieping van het huis aan de Brzezińskastraat waar ze op de droogzolder nog altijd de radio van Schmied bewaarden, woonde een zekere Szmul Borowicz. Ooit, pochte Borowicz, was hij de hoogste ambtenaar op de afdeling levensmiddelendistributie geweest, had hij een driekamerappartement gehad en zelfs geld om er een dienstmeisje op na te houden. Toen was het paleis echter gevallen; Borowicz was gedwongen zijn 'chique' baan op te geven en net als veel anderen in die onzekere dagen had hij zich laten werven door de Sonder, waar hij algauw in de rangen opklom, en tegenwoordig stond hij erop te worden aangesproken met 'kapitein'.

Nu en dan kwam de Kripo om Borowicz te verhoren. Er werd bij die gelegenheden veel met de deuren geslagen; de Duitsers eisten dat Borowicz onmiddellijk met sleutels kwam en allerlei kelders en voorraadruimtes opende en vertelde wat zich daar bevond. Maar het kwam er nooit van dat Borowicz zelf werd gearresteerd of zelfs maar voor nader verhoor werd meegenomen. Daaruit trokken alle bewoners van het huis de conclusie dat Borowicz als verklikker werkte.

Toen kwam de jonge Shem in beeld. Shem woonde met zijn vader op de tweede verdieping van het huis, dus in de woning boven Borowicz. Wanneer de Kripo langskwam, volgde Shem de bezigheden van Borowicz via een zakspiegeltje dat hij aan de buitenkant van het raam had gemonteerd of door te doen alsof hij zelfgemaakte rattenvallen voor de deur van de portier legde en dan onder de deur door te luisteren. In het spionnetje had hij een keer gezien hoe de in burger geklede mannen van de Kripo samen over papieren gebogen zaten die Borowicz voor hen op tafel had gelegd. Hij had ook gezien hoe een van de Kripo's Borowicz in het gezicht sloeg. Maar daarna groef de Duitser in de zak van zijn mantel en bood Borowicz een sigaret aan.

Nieuwsgierig als hij was, was Shem met zijn rattenvallen ook naar de droogzolder geslopen; daar had hij met grote ogen zitten toekijken terwijl Věra en haar luisteraars boven Schmieds oude radiotoestel gebogen zaten, en Krzepicki had gezegd: 'Of we zorgen dat de jonge Shem aan onze kant staat, of we kunnen dit van nu af aan vergeten.' Zo was de jonge Shem al vanaf het begin hun *goniec* geweest. Terwijl zij luisterden, hield hij met zijn vallen buiten of beneden in het trappenhuis de wacht.

Op aanraden van Krzepicki hadden ze Schmieds radio in een oude koffer gedaan, die ze naar de rommelkamer droegen. Het was de koffer die Werner Hahn bij zich had op het transport uit Berlijn: een koffer met ouderwets beslag, die je zowel op zijn lange als op zijn korte kant kon zetten. Krzepicki meende dat het welhaast een voordeel was dat de Sonder in het huis woonde waar je luisterde, maar dat je er wel op voorbereid moest zijn snel op te kunnen breken, en dat het uit dat oogpunt beter was om de radio in een koffer te doen dan achter haardplaten, waarbij het elke keer kostbare minuten duurde om hem uit te graven en weer te verstoppen.

Dat bleek een juiste gedachte te zijn. Slechts een paar weken nadat ze het radiotoestel in de koffer hadden gedaan, stuurde de jonge Shem een bericht naar boven dat Borowicz met twee Duitse agenten de trap op kwam. Snel gooiden ze het deksel van de koffer dicht, lieten de jonge Shem zich erbovenop leggen en droegen hem met koffer en al de trappen af, terwijl de jongen zich er schreeuwend en blèrend aan vasthield; meneer Borowicz keek hen aan en riep: *Ik wist wel dat die jongen de vallende ziekte had; ik wist het —*

De Duitsers stonden er met strenge gezichten naast.

Maar wie van hen zou vrijwillig een dol geworden Jood willen aanraken?

Zo slaagden ze erin zichzelf en de radio te redden. Hoewel het 'op een haar na' was, zoals Schmul Krzepicki het naderhand uitdrukte.

Ze verhuisden nu naar een lege kolenkelder in een huis aan de Marynarskastraat, aan een binnenplaats pal tegenover het huis van meneer Borowicz, maar met een houten schutting ertussen die misschien niet veel bescherming bood tegen inkijk, maar toch een schijn van veiligheid gaf.

Daar zaten ze op de ochtend toen het nieuws over de landing kwam. Buiten viel een zware, warme regen, die hard tegen het planken dak en de planken buitenmuren tikte. Věra zou later nog vaak aan dat geluid denken, hoe lastig het door het voortdurende gekletter van de regen was geweest om de stem in de koptelefoon te horen. Nu en dan kon ze door de brede openingen tussen de spijlen van de kelder een glimp opvangen van het doorweekte bovenlichaam van de jonge Shem en ze dacht: als hij nog maar één minuut stilzit, zodat ik dit kan horen, en op hetzelfde moment zei de stem aan de andere kant: *This is the* BBC *Home Service, here is a special bulletin read by John Snagge...*

Early this morning began the assault on the northwestern face of Hitler's European fortress... The first official news came just after half past nine when supreme headquarters of the allied expeditiary force... (usually called SHAPE *from its initials...) issued* COMMU-NIQUE NUMBER ONE, *this said: under the command of General Eisenhower allied naval forces supported by strong air forces began landing allied armies this morning on the northern coast of France...*

Op dat moment stond Shem natuurlijk op.

In haar herinnering stond elk detail als het ware gegrift: hoe ze over de koffer gebogen zaten, Krzepicki en Bronowicz naast haar, met hun armen en schouders in net zo'n stijve houding als je ziet bij kinderen die denken dat ze zich onzichtbaar kunnen maken voor volwassenen; en hoe groot de ogen in het hoofd van Werner Hahn werden toen de draagwijdte van wat Věra nu uit het Engels in het Duits vertaalde, langzaam tot hem doordrong.

Maar wat begreep Shem? Věra zou nooit weten of het wonderlijk starende, als het ware voortdurend borrelende jongensgezicht angst of verwachting uitdrukte. Hield de kramp in dat misvormde lichaam alleen maar de geweldige druk tegen die binnen in hem perste en bonkte om eruit te komen? Of was het juist angst die hem zo in kluisters sloeg? Hoe dan ook, ze zag zijn lichaam gespannen als een stalen veer achter het houten beschot van het schuurtje staan. Het volgende moment zag ze het niet meer. En het gezicht van Krzepicki drukte nu echt angst uit: *Sshhh! Mir muzn avék, di kúmt shoin!*

Maar toen was al het te laat: de jonge Shem had zijn verlamde been achter zich aan gesleept (ze konden de sporen ervan zien in de door de regen half opgeloste klei op de binnenplaats, helemaal tot aan de straat), en precies daar waar de Marynarska- en de Brzezińskastraat elkaar kruisten, stond hij zomaar voor zich uit te schreeuwen. Vanuit de portieken en de huizen eromheen kwamen mensen met geheven armen aanrennen. In een duizelingwekkend moment van helderheid besefte Věra dat het natuurlijk allemaal luisteraars waren – solitairen die hetzelfde nieuws hadden gehoord en nu naar buiten renden om het met elkaar te delen. Helemaal onder in de kluwen mensen die schreeuwden en elkaar streelden en kusten, lag de jonge Shem, in de klei gedrukt door zijn eigen vormeloze gewicht en de lachende massa daarboven.

Ditmaal deden Krzepicki en Bronowicz niet eens een poging om de radio in de koffer terug te stoppen. Ze vluchtten alleen maar. Werner Hahn hielp hen over de lage schutting, wat hen waarschijnlijk redde. Het volgende moment kwam de Sonder aangerend om de jubelende menigte op de Młynarskastraat uiteen te jagen, met in het voorste gelid kapitein Borowicz, en hij herkende de jonge Shem natuurlijk het eerst.

Als er iemand was die hij herkende, was het de jonge Shem.

◆

Toch was het niet de jonge Shem die hen aangaf.

In de martelkamers van het Rode Huis zei hij geen woord. Ook niet tijdens de confrontatie, toen ze een paar volkomen onschuldige mensen voor hem neerzetten en zeiden dat ze die allemaal zouden doden als hij hun niet vertelde wie 'de verraders' waren. Zelfs toen hij, met zijn handen op zijn rug gebonden, naar de binnenplaats werd gebracht en op zijn knieën werd gedwongen voor de lijken van de andere zojuist geëxecuteerde luisteraars, zei hij niets.

Een laatste kans krijg je nog! had de Kripocommissaris gezegd terwijl hij zijn pistool tegen Shems slaap hield en ontgrendelde. *Geef ons de namen van je kompanen en we laten je gaan.*

Maar achter zijn angstig kauwende gezicht bleef de jonge Shem hardnekkig zwijgen.

Widawski werd aangegeven door een man die Sankiewicz heette. Jarenlang waren Widawski en Sankiewicz buren geweest in het huis aan de Podrzecznastraat. Ze waren geen intieme vrienden geweest, maar hadden elkaar altijd gegroet en vriendelijke woorden uitgewisseld. Sankiewicz was bijvoorbeeld een van degenen geweest die altijd bij Widawski kwamen om te horen hoe het gesteld was met 'de toestand in de wereld'. Vanuit zijn raam had hij zorgvuldig geobserveerd op welke tijden van de dag

Widawski kwam en ging, en met wie hij kwam of ging. Maar hoewel iedereen in de buurt wist dat Sankiewicz *Spitzel* voor de Kripo was, had niemand ooit gedacht dat juist hij Widawski zou aangeven.

Dat waren die twee werelden weer.

Tegen zessen op de ochtend na de landing van de geallieerden in Normandië sloeg de Kripo toe. Mojze Altszuler zat samen met zijn zestienjarige zoon te ontbijten toen de politie kwam binnenstormen; hij ontkende natuurlijk stellig elke samenwerking met luisteraars. Toen nam de Kripo zijn zoon Aron mee naar een kamer ernaast en wachtte tot de vader diens geschreeuw niet meer kon verdragen en uit een oude naaimachinedoos de delen van een radio van het merk Grundig tevoorschijn haalde. Mojze Altszuler, een gediplomeerd elektricien, had zelf een koptelefoon gemaakt van koperdraad waarvan later zou blijken dat hij het had gestolen in de zwakstroomfabriek waar hij werkte.

Van Altszuler aan de Wolborskastraat ging de politie door naar de Młynarskastraat, waar ze met behulp van de portier een woning binnengingen die toebehoorde aan een zekere Mojze Tafel, die ze zogezegd *in flagrante delicto* betrapten. Tafel zat met de koptelefoon op en keek pas, als het ware vluchtig, op uit zijn intensieve luisteren toen de agenten hem omringden.

Na Mojze Tafel werd een zekere Lublinski aan de Niecałastraat opgepakt; daarna drie broers genaamd Weksler – Jakub, Szymon en Henoch – aan de Łagiewnickastraat. En dan is er ook nog die Chaim Widawski, wiens naam hardnekkig in elk verhoor opduikt.

Op de ochtend van 8 juni begeven recherchecommissaris Gerlow en twee van zijn assistenten zich naar het huis van Widawski aan de Podrzecznastraat, waar de doodsbange ouders van de jongeman verklaren dat hun zoon weliswaar dagenlang niet thuis is geweest, maar dat hij een eerlijk en rechtschapen mens is, die zeer zeker niets maar dan ook niets met luisteraars te maken heeft gehad. Ook op de bonnenafdeling werden de medewerkers van Widawski gedwongen te bekennen dat ze de jongeheer bonneninspecteur al een paar dagen niet hadden gezien, maar dat het beslist slechts ging om een tijdelijk ziekteverzuim. De agenten vragen Widawski's collega's dan het bericht te verspreiden dat, als de gevluchte verrader zich niet onmiddellijk zou melden, zij niet alleen Widawski's vader en moeder zouden laten arresteren, maar ook al het personeel van de afdeling, en dat ze hen een voor een zouden doden totdat alle illegale luisteraars waren gegrepen.

Dan gaan ze naar de volgende naam op de lijst.

◆

Věra schrijft. De hele dag zit ze tussen de stapels boeken, mappen en albums te schrijven. Ze schrijft onophoudelijk, en zo snel als ze kan met haar zere vingers; op lege of op de achterkant van al volgeschreven bladzijden schrijft ze, op cartotheekkaarten, op de glanzende titelpagina's van boeken of in de marge van oude schriften. Ze schrijft alles op wat ze ooit van de nieuwslezers heeft gehoord of meent te hebben gehoord.

Elke keer wanneer ze het schrapende geluid van stappen op de trap hoort of de schaduw meent te zien van een lichaam dat boven in het trappenhuis beweegt, kruipt ze in elkaar om zich onzichtbaar te maken. Wanneer ze het gerammel van de soepwagen hoort, gaat ze naar boven, naar het archief, neemt haar plaats in de rij in en staat daar zonder op of om te kijken op haar lepel soep te wachten, bang dat zelfs de minste blik, of het nu naar vriend of vijand is, haar zou kunnen verraden.

Ze denkt aan Aleks. Of ze daar in Marysin ook hebben gehoord van de invallen bij Altszuler en de Wekslers, en misschien ook tijd hebben gehad, net als Widawski, om zichzelf in veiligheid te brengen. Maar waar had Aleks dan heen gemoeten? Ze leven in een getto. Waar ergens zou je je veilig schuil kunnen houden?

Wanneer haar werkdag er om vijf uur op zit en de Kripo nog steeds niet is verschenen, pakt ze haar spullen. Maar in plaats van naar haar eigen huis te gaan, loopt ze verder door de Brzezińskastraat.

Op het kruispunt waar ze de jonge Shem voor het laatst had gezien, toen hij onder de voet werd gelopen door juichende solitairen, staat een groepje mensen met de rug naar haar toe. Ze blijft er even op een afstandje bij staan om zich ervan te vergewissen dat geen van de ruggen iemand toebehoort die in het huis woont, iemand die haar mogelijk zou kunnen herkennen en aangeven. Ten slotte pakt ze voorzichtig een man bij zijn elleboog, trekt hem uit het groepje en vraagt wat er aan de hand is. De man neemt haar wantrouwend op, van top tot teen. Dan is het alsof hij plotse ling een besluit neemt, en met een stem die naar buiten toe trilt van verontwaardiging maar inwendig overloopt van trots dat hij het kan vertellen, vertrouwt hij haar toe dat een van de gezochte luisteraars – de leider zelf! – vanmorgen zelfmoord heeft gepleegd. Een zekere Chaim Widawski, als die naam haar wellicht iets zegt. Mensen die in de buurt woonden, hadden hem de hele nacht voor het huis van zijn ouders zien staan zonder dat hij kon besluiten of hij zijn aanwezigheid kenbaar zou maken of niet. Tegen de ochtend had iemand hem iets uit de zak van zijn mantel zien halen, en gedacht: nu geeft hij het op, nu gaat hij eindelijk het huis in, de trap op naar zijn ouderlijk huis, maar hij was nog maar amper halverwege de voordeur of het gif werkte al en hij viel op de grond; *blauwzuur*, zegt de man en hij knikt gewichtig, hij had het al die tijd al bij zich. 'Hij stierf voor de ogen van zijn ouders; ze zagen hem allebei vanachter het raam.'

Věra vraagt of er ook arrestaties zijn verricht in dat huis, waar ze nu voor staan, en de man vertelt dat de Kripo daar ook is geweest en dat ze in een kolenkelder in het huis aan de overkant van de binnenplaats een radio hebben gevonden, heel slim verstopt in een oude koffer. Twee man hadden ze tot dusverre gegrepen – een tenger, acrobatisch type en een Duitse Jood die al was geïdentificeerd als de eigenaar van de koffer. Zijn naam en vroegere adres in Berlijn stonden op een etiket aan de binnenkant van het deksel.

Maar van Aleks geen woord.

Als ze hem niet hebben opgepakt is er nog maar één plaats waar hij kan zijn: het oude Hashomergebouw aan de Próznastraat. Halverwege de weg naar Marysin wordt ze weer door hongerduizelingen overvallen. De wereld begint op de bekende manier te weg te glijden, haar knieën beginnen te knikken en ze krijgt een flauwe, droge mond. Ze gaat op een steen aan de kant van de weg zitten en haalt uit haar zakdoek het stukje brood dat ze altijd voor dit soort gevallen bij zich heeft. Maar niet alleen krachteloosheid overvalt haar, ook een gevoel dat ze opeens alle controle en richting kwijt is. Vroeger was er een *binnen* en een *buiten*, en een even sterke en onwrikbare wil om de wereld buiten hier in het getto *naar binnen* te krijgen en zo (ongeveer zoals je een kledingstuk binnenstebuiten keert) op de een of andere manier zelf *naar buiten* te geraken. Nu is er niets meer – geen buiten, geen binnen. Het enige wat er is, is de zon achter lichte wolkenflarden, een bleke zon, die langzaam smelt in het wit, en alles om haar heen lost plotseling op en wordt even vormeloos heet en wit.

Wanneer ze bij het collectief aan de Próznastraat komt, is er al een melkwitte schemering gevallen en uitgeputte arbeiders liggen in elkaar gedoken op hun slaapplaatsen onder het ingestorte dak. Wanneer ze eindelijk naar de slaapplaats is gekrabbeld die ze met Aleks had gedeeld, zijn het matras en de dekens koud en onaangeroerd. De hele nacht ligt ze wakker en luistert ze naar de vleermuizen die op onzichtbare, snelle vleugels in het reusachtige duister onder het dak rondfladderen; maar hij komt niet.

Uit de Gettokroniek

Litzmannstadt Getto, donderdag/vrijdag 15-16 juni 1944:

Commissie in het Getto: Het getto bevindt zich weer in een toestand van uiterste opwinding. In de late middag arriveerde er een commissie in het getto, bestaande uit Oberbürgermeister Dr. Bradfisch, voormalig burgemeester Wentzke, regeringspresident Dr. Albers en een hoge officier (drager van
de ridderorde), waarschijnlijk van de luchtafweer.

Alle leden van de commissie begaven zich naar het kantoor van de Voorzitter, waar Dr. Bradfisch een gesprek van enkele minuten had met meneer
de Voorzitter. Meteen daarna verschenen de beide Gestapocommissaris-
sen Fuchs en Stromberg bij juffrouw Fuchs. Nauwelijks was het bezoek afgelopen of het getto was vervuld van wilde geruchten. Allemaal wezen ze in
dezelfde richting – uitzetting [*Aussiedlung*]. Nog wist niemand in het getto
wat er precies was gezegd in het kantoor van de Voorzitter, maar men meent
nu toch te weten dat het gaat om een grote uitzetting. Was er eerder vanmorgen nog sprake van vijf- tot zeshonderd man, later op de dag meende
men te begrijpen dat het om de uitzetting van duizenden mensen gaat, misschien de meerderheid van de hele bevolking van het getto – sommigen zijn
er zelfs van overtuigd dat de totale ontruiming van het getto nu ophanden
is.

[...] De bedoeling is dat enkele grote transporten met arbeiders het getto
verlaten. Volgens de berichten zal een eerste groep van vijfhonderd personen naar München worden gebracht om daar puin te ruimen na de recente
bombardementen. Een andere groep, van negenhonderd personen of daar-
omtrent, vertrekt nog deze week, waarschijnlijk al op vrijdag 23 juni. In de
daaropvolgende drie weken moeten er dan steeds drieduizend personen per
week vertrekken. Een transportleider, twee artsen, medisch personeel en
leden van de ordedienst zal opdracht krijgen met deze transporten mee te
gaan. Dit personeel zullen niet worden gerekruteerd uit de reguliere orde-

dienst van het getto, maar uit de mensen die deel uitmaken van de transporten zelf. [...] Waar deze grote transporten heen gaan, is nog niet bekend.

◆

Bekendmaking Nr. 416
Betreft: vrijwillige arbeidsinzet buiten het getto
ATTENTIE!

Hierbij delen wij mede dat mannen en vrouwen (ook gehuwden) zich kunnen aanmelden voor werk buiten het getto.

Ouders die kinderen hebben die de arbeidsgeschikte leeftijd hebben bereikt, hebben het recht ook deze kinderen te laten registreren voor werk buiten het getto.

Degenen die zich aanmelden, worden voorzien van alle noodzakelijke uitrusting: kleding, schoenen, ondergoed en kousen. Per persoon kan vijftien kilo bagage worden meegenomen.

Ik wil er speciaal op wijzen dat deze arbeiders toestemming is verleend gebruik te maken van de posterijen; ze hebben dus het recht brieven te verzenden. Ook is bevestigd dat degenen die zich voor werk buiten het getto aanmelden hun rantsoenen onmiddellijk kunnen laten uitkeren, zonder op hun beurt te hoeven wachten. Aanmeldingen voor bovenstaande kunnen worden gedaan op het Centrale Arbeidsbureau, Lutomierskastraat 13, vanaf vrijdag 16 juni 1944, dagelijks tussen 08.00 en 09.00 uur.

Litzmannstadt Getto, 16 juni 1944
Ch. Rumkowski. Judenälteste van Litzmannstadt

◆

Memorandum
(weergave van mondeling bevel)[23]

Elke maandag, woensdag en vrijdag dient een transport voor werk buiten het getto te vertrekken. Elk transport dient te bestaan uit duizend personen. Het eerste transport dient aanstaande woensdag, 21 juni 1944, te vertrekken (ca. zeshonderd mensen). De transporten dienen genummerd te zijn met Romeinse cijfers (Transport I enzovoorts). Elke arbeider die op reis gaat, dient te worden voorzien van een transportnummer. De persoon in kwestie dient dit nummer zichtbaar te dragen en hetzelfde nummer dient te worden bevestigd aan zijn bagage. Per persoon mag vijftien tot twintig kilo bepakking worden meegenomen; de bagage moet ook een klein kussen en een deken bevatten. Er moet eten voor twee à drie dagen worden meegenomen. Voor elk transport dient een transportleider te worden benoemd en deze dient tien assistenten te hebben; in totaal elf personen per transport.

De transporten dienen om 07.00 uur te vertrekken, dus het inladen moet stipt om 06.00 uur beginnen. Een arts of heelkundige en nog twee of drie verplegers dienen elke groep van duizend te begeleiden. Familieleden van medisch personeel mogen ook mee.

Bagage mag niet in lakens of dekens worden gewikkeld, maar moet zo compact mogelijk worden ingepakt, zodat ze in de trein gemakkelijk kan worden verstouwd.

Ten aanzien van de elf begeleiders: zij moeten petten en armbanden van de ordedienst dragen.

◆

Tagesbericht von Donnerstag,den 22.Juni 1944.   Tageschronik Nr.173

Das Wetter: Tagesmittel 19-30 Grad,sonnig.

Sterbefälle: 26,   Geburten : keine

Festnahmen: Verschiedenes: 1,   Diebstahl: 1

Bevölkerungsstand: 76.401

Selbstmordversuch: Am 21.6.1944 versuchte die Sachs Gerti geb.23.8.1905
in Brünn,durch Einnahme eines Schlafmittels Selbstmord
zu begehen.Die Genannte wurde durch die Rettungsbereit-
schaft ins Krankenhaus überführt.

T a g e s n a c h r i c h t e n

Der Präses befindet sich noch immer in Spitalspflege.

Ausreise.
.Das Getto steht ganz unter dem Eindruck
des Aderlasses,der ihm jetzt bevorsteht.Man glaubt allgemein,dass es si..
jetzt um den Beginn einer allmählichen Liquidierung des Gettos handle und
man befürchtet,dass nach Absolvierung der vorgesehenen Transporte,vielleicht
nach kurzer Unterbrechung,eine weitere Evakuierung vor sich gehen wird.
Gegen diese Annahme spricht der Umstand,dass die Gettoverwaltung nach wie
vor Aufträge für die Ressorts hereinnimmt und dass man bestrebt ist,die
wichtigen Ressorts,durch die Aussiedlung,in ihrer Produktion nicht zu störer

Abtrennung von weiteren Gettoteilen. Heute fand am Baluter-Ring eine Besprechung zwischen Vertreter der Gettoverwaltung und einigen jüdischen
Abteilungsleitern statt.Gegenstand der Besprechung war die Frage,unter wel-
chen Umständen gewisse Partien des Gettos abgetrennt und der Stadt einver-
leibt werden könnten.Es handelt sich um die Wohnblocks an der Hamburgerstrasse,Am Bach,Holzstrasse,Altmarkt und Rauchgasse.Bei Kassierung dieses
Teiles des Gettos würde eine Umsiedlung von ungefähr 10.000 Juden in andere
Teile d s Gettos erforderlich sein.Im Zusammenhang damit nahm auch der Leiter des Wohnungsamtes Wolfowicz an der Besprechung teil.Ing.Gutman soll
ein entsprechendes Gutachten über dieses Projekt ausarbeiten.

Zur Arbeit ausserhalb des Gettos.In der Nacht auf heute wurden durch weiter
Polizeistreifen Personen sichergestellt.und ins Zentralgefängnis gebracht.
Es handelt sich zunächst um die Sicherung des Kontingents für den 2.grösse-
ren Transport,der voraussichtlich Montag,d n 26.ds.Mts.abgehen soll.
Gestern wurden ca 600 Menschen für den 1.Transport bestimmt.Es heisst,dass
ca 50 Menschen hievon,separat über Baluter-Ring,zum Torfstechen abgehen sol-
len.Alle Reisefertigen erhielten heute 1 Brot,25 dkg Wurst,25 dkg Zucker
und 25 dkg Margarine.
Allmählich erfolgt die Deblockierung der Lebensmittelkarten von Personen
die die Aufforderung erhielten,von der Kommission jedoch befreit wurden.
Der Vorgang ist ziemlich kompliziert.Die Listen aus dem Zentralgefängnis
gehen zunächst an die Kartenstelle,die zufolge ihrer Mitarbeit an der Ak-
tion von der Stellung eines Kontingents befreit ist,und an die Approvisa-
tionsabteilung wo sich sämtliche Register befinden.Dort werden die Eintra-
gungen vorgenommen u.zw.unter Kontrolle der Sonderabteilung,die die Listen
ebenfalls erhält.Die im Laufe des Tages erfolgten Deblockierungen werden
dann d n Verteilungsläden bekanntgegeben,bzw.ersehen diese aus den Register

./.

Het volgende stond in de Kroniek.

Tegen vijf uur 's middags op vrijdag 16 juni 1944, op dezelfde dag waarop Oberbürgermeister Otto Bradfisch bij Rumkowski kwam om mee te delen dat het getto nu definitief zou worden ontruimd, arriveerde ook Hans Biebow op het Bałutyplein. Zwaar beschonken stormde hij het kantoor van de Voorzitter binnen, gaf al het personeel bevel de ruimte te verlaten, wierp zich vervolgens op de Voorzitter en begon hem met zijn stok af te tuigen.

Het was nu al de tweede keer in korte tijd dat de Voorzitter in een duidelijke vlaag van waanzin werd aangevallen, en zijn lichaam en gezicht droegen er zichtbaar de kentekenen van. Zijn eertijds zo vaste, zekere houding was nu gebogen en aarzelend, en het eens zo onbezoedelde, trotse gezicht onder zijn witte haardos, dat ooit wanden en bureaus in alle secretariaten en kanselarijen van het getto sierde, was als een masker van wonden en zwellingen.

Ook de beide medewerkers die Biebow bij zich had, de heren Czarnulla en Schwind, beseften dat er, als ze Herr Biebow niet tot bezinning konden brengen, iets zeer onaangenaams kon gebeuren. Van de Joodse functionarissen probeerden ook de heer Jakubowicz en juffrouw Fuchs Herr Biebow tot rede te brengen. Maar niets hielp.

Je blijft verdomme met je tengels van mijn Joden af! hoorden ze Biebow in de barak schreeuwen. Daarna sneuvelde de ruit in een regen van gebroken glas, en Biebows stem weerklonk luidkeels over het hele plein:

Jij vervloekte, laffe slappeling – ik kan geen man missen, maar als Herr Oberbürgermeister komt en zegt dat je elke week drieduizend man het getto uit moet sturen, zeg je alleen maar 'jawohl, Herr Oberbürgermeister, komt voor mekaar,

Herr Oberbürgermeister', want het enige wat jullie Joden kunnen is huichelach-
tig en onderdanig ja en amen op alles zeggen, terwijl ze het getto letterlijk onder
mijn ogen vandaan stelen!
Leg mij eens uit: hoe moet ik aan al mijn leveringsverplichtingen voldoen als
ik geen arbeiders meer heb om voor me te werken? Hoe moet ik hier in het getto
overleven als er geen Joden meer zijn?

Nadat hij van glasscherven was ontdaan en de wonden in zijn gezicht half-
slachtig waren gehecht en verbonden, werd de Preses op eigen verzoek
'naar huis' gebracht, naar het oude kamertje op de bovenverdieping van
zijn zomerresidentie aan de Karola Miarkistraat. Tegen die tijd dacht iedereen dat het laatste uur voor de Voorzitter had geslagen. Meneer Abramowicz zette zich aan zijn ziekbed en vroeg of hij nog een laatste wens
had, en de ouwe fluisterde dat hij wilde dat ze zijn oude getrouwe, de vroegere kinderverzorgster Rosa Smoleńska, zouden halen.

Later werd dat nog een hele kwestie. Ondanks alle opofferingen die de
vele oude getrouwen en naaste medewerkers zich al die jaren hadden getroost, was de enige die de ouwe op zijn sterfbed wilde zien een simpele
kinderverzorgster. Maar meneer Abramowicz ging met Kuper in de koets
naar de erkerwoning in de Brzezińskastraat waar mevrouw Smoleńska
woonde met een van de ter adoptie gegeven Preseskinderen; mevrouw
Smoleńska trok haar oude kinderverzorgstersuniform weer aan, en samen reden ze naar Marysin; meneer Abramowicz liet haar binnen in de
ziekenkamer waar de stervende Preses lag en trok toen de deur discreet
achter zich dicht. Meneer de Voorzitter monsterde haar van top tot teen,
maakte een vaag gebaar met zijn hand om aan te geven dat ze naast hem
moest gaan zitten en zei toen *waar het nu in de eerste plaats om gaat, zijn de kinderen*; en vanaf dat moment was alles precies zoals vroeger en zoals het altijd al was geweest.

De Voorzitter: Waar het nu in de eerste plaats om gaat, zijn de kinderen!
Mevrouw Smoleńska moet ze allemaal bijeenbrengen op een speciale
verzamelplaats, die ik pas later bekend zal maken. GEEN KIND UITGE-
ZONDERD. Heeft mevrouw Smoleńska dat begrepen? Er is een speciaal
transport besteld ten behoeve van de kinderen. Er moeten twee artsen
met het transport mee en twee verpleegsters die ik speciaal zal uitkiezen.

Wat zegt mevrouw Smoleńska ervan?

Heeft mevrouw Smoleńska zin om als kinderverzorgster met dit transport mee te gaan?

Rosa Smoleńska was al lang geleden de tel kwijtgeraakt van alle keren dat ze in de loop der jaren naar het kantoor of het kamertje was geroepen waar de Voorzitter 'ziek' of alleen maar 'onwel' het bed hield. (Als het niet 'het hart' was, dat hem in die tijd altijd kwelde, was het wel iets anders.)

Nu zag hij er echt ziek uit, zijn gezicht gezwollen, rood, en met zwarte bloedknopen waar de wonden aan zijn slaap, zijn beide wangen en een oog waren gehecht. Het verschrikkelijke was echter dat onder zijn kapotte gezicht nog steeds zijn oude gezicht zat. Dat gezicht glimlachte nu en knipoogde net zo sluw en schaamteloos samenzweerderig als het altijd had gedaan; en de stem die vanuit het verband sprak, was dezelfde die haar altijd bevelen had gegeven of had gedaan of hij haar zin zou doen als zij (op haar beurt) deed wat hij wilde:

De Voorzitter: Want mevrouw Smoleńska wil toch wel met haar dierbaren meegaan? In dat geval wil ik dat ze haar verantwoordelijkheid neemt en alle kinderen naar de verzamelplaats brengt die nog zal worden aangewezen en bekendgemaakt.

Kan mevrouw Smoleńska dat Rumkowski beloven?

Hij nam haar hand in zijn beide handen. Zijn handen waren tot boven de pols verbonden, waardoor zijn kleine vingers, zoals ze uit het gips staken, eruitzagen als mollige, witte deegklompjes. – *Maar het was dezelfde hand!* – En net als zovele keren eerder wanneer hij haar slinks had weten aan te raken, probeerde die hand nu ergens heen te gaan waar hij niets te zoeken had.

En hoe had ze hem kunnen vertellen dat de kinderen waarvan hij wilde dat zij ze bij elkaar zou brengen, allemaal weg waren?

Dat er geen kinderen meer waren om te redden?

Hij had er immers zelf aan meegewerkt om ze weg te sturen!

Maar ze kon het niet. Achter zijn kapotte gezicht keken de harteloze ogen haar andermaal smekend aan, en ze kon hem niet in de steek laten. En ze zei ja, *meneer de Voorzitter, ik zal doen wat ik kan, meneer de Voorzitter.* En

onder het pas gestreken kinderverzorgstersuniform betastten zijn verbonden deegklompvingertjes onhandig haar bovenbenen en haar kruis.
En wat kon ze doen? Ze glimlachte en huilde van dankbaarheid, natuurlijk. Zoals altijd.

De laatste deportaties uit het getto vonden plaats in twee etappes. Een eerste, redelijk geordend transport duurde van 16 juni tot halverwege de volgende maand. Daarna volgde er een pauze van twee weken, waarin het leven min of meer zijn normale gang leek te hernemen. Toen werden de deportaties echter hervat en nu was er geen sprake meer van transporten naar plaatsen buiten het getto, maar van een totale *Verlagerung*. Het hele getto, met mensen en machines en al, zou naar een andere plaats worden overgebracht.

Het front was nu zeer dichtbij. De luchtafweer jankte 's nachts vaak urenlang, en op de plek waar ze wakker lag, achter het gele gordijn van het huis van mevrouw Grabowska, kon Rosa Smoleńska de ontploffingen voelen van de verre bominslagen, die als doffe trillingen dwars door de muren van het huis en door haar eigen lichaam heen gingen. Deze laatste tijd werkte Debora Żurawska in de porseleinfabriek van Tusk op de hoek van de Lwowska- en de Zielnastraat. De fabriek produceerde porseleinen omhulsels voor zekeringen en isolatoren, en was een van de weinige bedrijven die Biebow als *kriegswichtig* had aangemerkt en die daarom in het getto mochten blijven, ook na het begin van de evacuaties. Debora had haar werkplek helemaal achter in de krappe, koud geworden barak, waar zij en nog een paar meisjes zekeringen die klaar waren in kleine, vierkante kartonnen doosjes verpakten. Twaalf stoppen per doosje, dat vervolgens werd gesloten door de flapjes aan de boven- en onderkant in evenzovele diagonale gleufjes aan de zijkanten van het doosje te schuiven. De doosjes werden vervolgens per twintig stuks in grotere dozen verpakt.

Dag in dag uit voerde Debora deze eenvoudige handelingen uit.

En toen op een dag kwam ze niet meer thuis. Later zou Rosa moeten toegeven dat ze niet kon zeggen *wanneer* Debora er precies vandoor was gegaan: of het al op de ochtend was gebeurd toen ze op weg was naar Tusk, of 's nachts, of zelfs al de avond ervoor. Het gebeurde de laatste tijd namelijk vrij vaak dat Debora ervandoor ging, of 'de weg kwijt was' zoals ze op de fabriek zeiden. Ze verliet de inpakruimte en verdwaalde ergens in die tegelijkertijd bekende en volkomen vreemde stegen die zich daarachter ontvouwden. Dat kon midden op de dag gebeuren of 's avonds nadat de fabrieksfluit had geklonken. Als het midden op de dag gebeurde, werd ze doorgaans al na een paar blokken door de Sonder aangehouden, die haar werkboek wilde zien. Als het echter na de ploegenwisseling gebeurde, was ze soms al heel ver weg voordat een buur of een bekende Rosa erop wees dat 'haar meisje' zich in een bepaalde buurt bevond. Een keer was ze zelfs over de houten brug bij Bałuty gelopen en dwaalde ze rond tussen de arbeiders van de meubelmakerij aan de Drukarskastraat, en het was puur toeval dat Rosa haar te pakken had voordat de Sonder dat deed.

Maar soms was Rosa domweg te moe. Tien uur per dag in de uniformmakerij, waar ze voeringen in handschoenen en wintermutsen moest naaien, dan elke avond drie uur in de rij voor een of ander armzalig rantsoen of water vanaf een van de collectieven naar huis dragen of wassen of het trappenhuis of de vloer schrobben. Soms was ze zo uitgeput dat ze gewoon op bed neerviel. Wanneer ze de volgende ochtend wakker werd, vond ze Debora soms volledig aangekleed zittend op de vloer voor de slaapalkoof, als betoverd starend naar de vliegen die rondvlogen achter de door de zon beschenen lappen die Rosa voor het raam had gehangen: hoe de schaduwen van de vliegen uitdijen vlak voordat ze op de lappen gingen zitten, en hoe ze krompen wanneer ze weer opvlogen. Dan was ze doorgaans de hele nacht op geweest en Rosa huiverde bij de gedachte aan wat er zou gebeuren als ze in haar verwarring te dicht bij het prikkeldraad kwam en een of andere Duitse wachtpost die zich verveelde, op het idee kwam om te gaan schieten.

Maar Debora was niet alleen in het getto 'de weg kwijt', ze kon ook verdwijnen achter de welwillendheid van anderen of achter haar eigen woorden of die van anderen.

'Zal ik u helpen?' vroeg ze dan bijvoorbeeld uitermate vriendelijk wanneer ze mevrouw Grabowska met de kolenkit aan zag komen, en dan ging ze op haar knieën zitten om de potkachel aan te steken. De Debora van nu schoot anderen net zo snel te hulp als het meisje dat Rosa in het Groene

Huis had leren kennen, maar de Debora *van nu* vergat de kolenkit of de emmer water de seconde nadat ze op pad was gegaan om die te halen of ze staarde Rosa alleen maar wantrouwend aan wanneer die haar de beste weg van de fabriek naar huis probeerde uit te leggen. De woorden ketsten af zoals de vliegen en de andere insecten afketsten tegen de buitenkant van het doek dat ze voor het raam hadden gespannen. Het waren slechts schaduwen en ze gingen haar net zo weinig aan.

In feite werd Rosa pas wantrouwend toen mevrouw Grabowska de volgende ochtend met de kolenkit kwam om de kachel aan te steken, en zich, terwijl ze daar stond met haar schep en haar asschraper, opeens herinnerde: *O ja, er was hier laatst iemand die naar de jongejuffrouw Debora vroeg.* Ze had gevraagd wie, maar mevrouw Grabowska had natuurlijk geen idee. Hoe kon ze ook? Er kwamen en gingen tegenwoordig zoveel mensen. Een vrij jonge man – Sonder of zo – was alles wat ze zich kon herinneren.

◆

Nog altijd werd in het getto het verhaal verteld over de stomme en verlamde vrouw Mara, die op een dag in de Zgierskastraat aan de andere kant van het prikkeldraad was gevonden, van wie de orthodoxe rabbijnen in het getto niets wilden weten en die daarom door de rebbe van de chassieden, een zekere Gutesfeld, werd verzorgd. Dag in dag uit hadden ze reb Gutesfeld en zijn *hilfer* met de verlamde vrouw op een simpele draagbaar zien rondlopen en de mensen waren in het geheim in het gebedshuis aan de Lutomierskastraat of in de synagoge in de oude Bajkabioscoop naar haar toe gegaan, omdat het gerucht ging dat ze de dochter van een *tsaddik* was en dus genezende krachten bezat.

Nooit echter sprak ze of bewoog ze zelfs maar een lichaamsdeel.

Toen voerden de nazi's de *Gehsperre* in en de mensen zaten angstig in hun huizen te wachten tot de Sonder en de SS zouden komen en hun bejaarden en hun kinderen van hen zouden afpakken. De laatste van de ouder wordende rabbijnen was uit het getto weggestuurd en de mensen waren ervan overtuigd dat ook de dochter van de *tsaddik* was gedeporteerd, als ze niet al ter plekke was doodgeschoten.

Maar toen ging het gerucht dat iemand in het getto haar had gezien. Het was de derde of wellicht de vierde dag nadat het uitgaansverbod van kracht was geworden en de agenten uit Gertlers Sonderabteilung die de waarneming rapporteerden, waren totaal verlamd van angst. Want de verlamde vrouw scheen nu rechtop te lopen, op haar eigen twee benen, niet steeds rechtuit, eerder wankelend van muur tot muur; nu en dan was ze gevallen, maar snel weer overeind gekomen. En toen dit gerucht eenmaal de ronde deed, bleken ook anderen de vrouw vanuit hun woningen te hebben gezien. En nu zou ze ook zijn gezien terwijl ze de huizen binnenging door de gesloten portiekdeuren en op elke verdieping waar ze kwam, zou ze de mezoeza aan de deurpost hebben aangeraakt; sommigen zouden haar volgens de geruchten zelfs binnen hebben gehaald, en ze zou dan tegen hen hebben gezegd dat de God van Israël met zijn volk is als het tijd is om te vertrekken, of het nu naar Babylon is of naar Mitsrajim. En als er onderweg één enkeling van Israëls stam vergaat, dat de profeet dan zegt dat allen vergaan. Maar één enkeling die vergaat, kan toch niet allen vernietigen. Want hoewel er enerzijds niet één steen uit de rots kan worden gehouwen zonder dat de hele rots wordt beschadigd, kunnen anderzijds alle stenen worden uitgehouwen en de rots zal toch blijven bestaan. Israëls stam is onverwoestbaar. Dat zou ze hebben gezegd.

Ook voorafgaande aan de deportatie die ditmaal ophanden was, waren er mensen die 's nachts van deur tot deur gingen. Dat waren echter niet bepaald heilige mannen en ze spraken niet zo veelbelovend over Sions onverwoestbare rots en *Eretz Israel* als de vrouw Mara, maar over de mogelijkheid voor ieder die wilde om zich tenminste voor één dag voordat het laatste transport vertrok, verzadigd en voldaan te eten. Rosa had zelf gehoord hoe ze met hun zijdezachte stemmen stonden te fluisteren achter het rode doek dat ze voor het raam had gespannen.

Drai...! zeiden ze bijvoorbeeld.

Of: *Drai en a halb...!*

Hoe langer het duurde voordat Debora terugkwam, hoe meer Rosa ervan overtuigd raakte dat ze aan een van deze fluisterende zieltjeswinners ten prooi was gevallen.

Het zat namelijk zo. Aangezien Biebow erop stond zoveel mogelijk fabrieken in bedrijf te houden, hadden alle *Ressort-Leiter* de opdracht gekregen lijsten op te stellen van welke arbeiders ze als onontbeerlijk beschouwden en welke ze desnoods zouden kunnen missen. Op basis van deze lijsten koos een speciaal *Inter-Ressort Komitee* vervolgens welke arbeiders met het volgende transport mee moesten en welke mochten blijven werken. Een resort kon ook arbeiders van het comité 'kopen' als er speciale behoeften bestonden of als Biebow had bepaald dat de productie van het betreffende resort van speciaal belang was.

Zo was er een voortdurende handel in mensen gaande.

Sommige fabrieksleiders gaven wel tien 'misbaren' in ruil voor een goede monteur.

Vandaar de behoefte aan al deze 'zielen'. Het ging meestal om heel jonge mannen of vrouwen, die tegen betaling in brood of voedselbonnen werden overgehaald om zich te laten deporteren in plaats van de gewilde arbeider, om het quotum aan gedeporteerden stabiel te houden.

Het was net een machine, een gigantisch sorteermechanisme dat in werking was: wie geld genoeg had, kocht nog een beetje tijd in het getto, wie geen geld had, had tenminste nog zijn 'ziel' om te verkopen.

Al vroeg in de ochtendschemering is de Brzezińskastraat gevuld door een zo hevig lawaai dat het een lichaam op zichzelf lijkt te vormen, een geluidslichaam dat hoog boven de mensenmassa zweeft die zich traag over de hele lengte van de straat heen en weer verplaatst.

Door de massa gaan twee stromen. Een onderweg *naar* het Plac Kościelny. Hier lopen de vrijgekochten, de uitgezonderden, degenen die nog werk hebben om naartoe te gaan, met rugzakken op hun rug en hun *menazki* vrijmoedig rammelend om hun middel. Een andere stroom is onderweg *vanaf* het Plac Kościelny. Hier lopen alle anderen: degenen die een uitreisbevel hebben ontvangen of die genoodzaakt waren hun ziel te verkopen.

Tegen de middag heeft de chaos bijna onwerkelijke proporties aangenomen. Midden op straat staan mensen met hun vracht aan meubels en huisraad gewoon maar te *staan*: vast in een ogenschijnlijk eindeloze karavaan van wagens en karren die zijn omgevallen of alleen maar vastgelopen, en die mensen nu weer overeind en op koers proberen te krijgen door te duwen of, getuigd met touwen en riemen, te trekken.

Onderweg naar het Bałutyplein passeert Rosa de zogeheten *opkoop*: een groot, omheind terrein, dat al bij de apotheek van Kron aan de voet van de houten brug begint en doorloopt tot aan het Jojne Pilsherplein. Alles wat eventueel te verkopen is, is hierheen gebracht: tafels, eetkamermeubels, kasten, deuren, versleten of volkomen kapotte maar toch misschien nog voor enig doel bruikbare tassen en koffers; ook kleding, vooral warme jassen en mantels, en winterschoenen en ander schoeisel. Sommige boedel koopt het getto terug: maar slechts weinigen van de mensen die hier zijn gekomen om hun laatste eigendommen van de hand te doen, willen zich daarvoor laten *betalen*. En niet met geld. De gettorumkies zijn nu waardeloos. Degenen die hun vertrek voorbereiden, willen voedsel hebben – brood, meel, suiker of conserven, alles wat je maar mee kunt nemen om te eten.

En overal staan mensen ruzie te maken, omdat ze vinden dat ze niet de juiste prijs hebben gekregen of niet wat hun was beloofd. De conflicten worden bekeken door een veertigtal politieagenten, die een los-vaste rij vormen vanaf de houten brug. Maar geen van de agenten grijpt in, of ze grijpen slechts symbolisch in om een paar bijzonder gewelddadige ruziemakers uit elkaar te halen. Misschien hebben ze bevel gehad om zich er niet mee te bemoeien, misschien durven ze het niet. Of ze staan daar alleen maar om hun eigen bezittingen te bewaken; misschien zitten hun eigen familieleden wel in een nabijgelegen gebouw of huizenblok.

Hier en daar in deze chaos meent ze een glimp van de koets van de Voorzitter waar te nemen, en van het boze gezicht van de Voorzitter onder een breedgerande hoed of onder de snel opgezette kap van de wagen. De Preses is deze laatste dagen onvermoeibaar bezig. Hij publiceert bekendmakingen. Hij houdt toespraken. Hij smeekt de gettobewoners die zich nog schuil houden het op te geven en tevoorschijn te komen.

Jidn fun geto bazint zich!

Soms vertonen hij en Biebow zich samen. Dat ziet er merkwaardig uit – de slaande en de geslagene zij aan zij. Biebow heeft immers nog steeds de hand waarmee hij de Voorzitter heeft geslagen in een verband en een draagdoek, en de Voorzitter draagt zijn bloedige snijwonden en zijn dichtgeslagen oog nog als een masker voor wat zijn echte gezicht zou moeten zijn. Ze souffleren elkaar zelfs broederlijk, net als het komisch duo in de Gettorevue van Moshe Puławer. Eerst zegt de Voorzitter enkele inleidende woorden. Dan spreekt Biebow.

Mijn Joden, zegt Biebow.

Dat heeft hij nog nooit gezegd.

Op een dag gaat het gerucht dat er etenswaren te verdelen zijn op de oude groentemarkt. Witte kool. Drie kilo per rantsoen. Een bijna onbevattelijke hoeveelheid voor een getto dat al jaren op rotte rapen en overgegiste zuurkool leeft.

Groenteweegschalen en gewichten stonden al midden op het plein opgesteld en mensen dringen op om hun open zakken te vullen. Dan is opeens het geluid van tractormotoren op volle toeren te horen, en vervolgens het scherp kletterende geluid van aanhangwagens die worden aangekoppeld, staal tegen staal. Een angstaanjagend geluid voor iedereen die zich de *szpera*-dagen van anderhalf jaar geleden herinnert. De mensen laten onmiddellijk alles uit hun handen vallen en proberen weg te rennen, maar ze komen niet verder dan een paar huizenblokken voordat de soldaten met de glanzende helmen het plein van alle kanten op komen stormen. Vanuit de Łagiewnickastraat komen versterkingen in de vorm van vrachtwagens vol Duitse politie; ze zijn zo snel dat het haast lijkt alsof ze uit de laadbak stromen, grijpen de vluchters en smijten ze zonder omhaal op de aanhangwagens.

Dan staan de Voorzitter en Biebow daar opeens weer – de slaande en de geslagene, de Duitser en de Jood – boven op de laadbak van een van de vrachtwagens. Biebow heft zelfs zijn verbonden hand in een bezwerend gebaar en roept: *Nein, nein, nein...!* En naast hem staat heer Preses met zijn kapotte gezicht, en ook hij steekt zijn arm op en roept: *Nee, nee, nee* – het lijkt wel een echo – en Biebow zegt: *Mijn Joden,* zegt hij.

Zo h a d d e n *we het kunnen doen.*
We hadden jullie op een vrachtwagen kunnen zetten en allemaal laten deporteren.
Aber so machen wir es nicht! Nein, nein, nein...!
We willen geen geweld gebruiken. Daar is geen reden toe.
Alle Joden in het getto zijn veilig en geborgen in onze handen.
Er is genoeg werk in Duitsland en er zijn nog steeds genoeg lege plaatsen in de treinen...
Ga nu naar huis, denk in alle rust na over de zaak en meld je dan morgenochtend met je kinderen en wederhelften op het Radegaststation.
Wij beloven dat we ons best zullen doen om het bestaan voor jullie zo draaglijk mogelijk te maken.

Rosa Smoleńska staat te midden van de anderen die zich om de vrachtwagen hebben verzameld om naar het tweetal te luisteren. In haar ene hand heeft ze de lijst van alle Preseskinderen die ze heeft kunnen samenstellen door in de verboden adoptiemappen op het kantoor van mevrouw Wołk te kijken. Op de lijst staan niet alleen de namen van de kinderen zelf, maar ook de namen van hun 'nieuwe' ouders of van familie, de namen van de fabrieken waar Wołk of Rumkowski werk voor hen heeft geregeld, en de namen van de *kierownicy* die tot taak hebben gekregen als beschermers van de kinderen op te treden, zoals meneer Tusk.

Ze gaat met de lijst van resort naar resort. Maar de fabrieksleiders zijn allang het zicht kwijt op wie ze wel of niet in dienst hebben. De arbeiders die ze ooit hadden, zijn allang geruild, of hun zielen zijn verkocht, of ze zijn verkocht en onder een andere naam teruggekomen, of in een andere gedaante omdat iemand met meer macht en invloed hen heeft vrijgekocht, of ze zijn gewoon niet meer op komen dagen. Er vertrekt nu elke dag een transport uit het getto. Mensen denken: als ze zich nog even schuil kunnen houden, redden ze het misschien tot aan de bevrijding. Maar ook het onderscheid tussen dood en levend is in deze laatste dagen bezig te verdwijnen. Er zijn mensen die beweren dat ze *neshomes* levend en wel door de straten van het getto hebben zien lopen, buren of collega's die zich hadden verkocht, die uit het getto waren gedeporteerd en van wie iedereen dacht dat ze dood en voorgoed verdwenen waren, maar die nu zijn teruggekomen om op te eisen wat hun rechtens toekomt.

Dat is op 8 augustus. Rosa Smoleńska is op weg terug naar huis van de handschoenen- en kousenfabriek aan de Młynarskastraat wanneer er heel dichtbij een schotenwisseling losbarst. Dat is niet voor het eerst, maar wel voor het eerst dat ze het geluid van zo dichtbij hoort.

Het klinkt aanvankelijk ook niet zo gevaarlijk. Lichte knallen, met tussenpozen.

Dan ziet ze dat de straat verderop vol mensen is. Ze komen schijnbaar overal vandaan: een traag stromende mensenmassa. Het lijkt even alsof de massa voor haar helemaal stilstaat. Maar niet omdat de mensen zich niet snel bewegen, maar omdat ze allemaal gelijktijdig proberen te bewegen en het daarom niemand lukt. Mensen duwen, slaan, dringen zich naar voren. Sommigen hebben hun bezittingen bij zich. Een mand met kleren en schoenen, een emaillen teil vol huisraad, een melkkan die heen en weer bungelt als een koebel. Ergens te midden van al deze zwijgende of schreeuwende, open of verbeten gezichten ontwaart ze mevrouw Grabowska, die meter voor meter vooruitkomt terwijl ze een geweldige koffer meesleept.

Van mevrouw Grabowska verneemt ze dat de Duitsers het getto definitief in zijn gekomen.

Maar niet vanaf de randen van het getto, zoals iedereen al weken vreesde en uitsprak, maar recht naar het hart van het getto; Łagiewnicka, Zawiszy, Brzezińska en Młynarska: alle vier de straten in het centrum van het getto zijn afgezet door Duitse tanks. De Sicherheitspolizei heeft provisorische *Schutzpunkte* ingesteld en prikkeldraad gespannen van het Bałuty-plein naar het oosten, en speciale ss-eenheden gaan de huurhuizen aan de Zawiszy- en de Berek Joselewiczstraat al binnen.

'Er is geen weg terug meer,' zegt mevrouw Grabowska.

En wie anders betreedt dan als eerste de afgezette straten dan Biebows trouwe volgeling, de Voorzitter? De soldaten die de wacht houden, laten hem door zoals een compagnie mijnenruimers een speurhond door zou laten. Alleen loopt hij daar, en ditmaal zonder lijfwachten, als om de ernst van zijn bedoelingen te onderstrepen. Mevrouw Grabowska heeft hem zelf op de drempel van een huis zien staan smeken. Zoals in de spotversie van het verhaal over de verlamde vrouw Mara – rechtop, verdorven en trots – legt hij de wachtende families uit dat dit hun laatste kans is om mee te gaan. Hij zegt dat hij er *persoonlijk* voor in kan staan dat hun geen haar op het hoofd zal worden gekrenkt.

◆

Die nacht blijft ze slapen bij een bekende van mevrouw Grabowska, die helemaal boven in een van de oude huurkazernes aan de Młynarskastraat woont. Vanuit het raam van dat bovenhuis ziet Rosa hoe de Duitse legervoertuigen uit Litzmannstadt het getto binnen komen rijden om de versperringen te versterken. De ene stoet zware vrachtwagens na de andere rolt het getto binnen met kettingen en rollen prikkeldraad op de laadbak.

Er zitten twintig mensen die zich nog niet voor vertrek hebben aangemeld in één enkele kamer, allemaal met hun gezicht verborgen achter opgetrokken schouders en knieën. Geen van hen heeft iets te eten of te drinken. Velen van hen hebben niet eens tijd gehad om hun soeppannetjes mee te nemen.

Het enige wat Rosa bij zich heeft is de lijst met Preseskinderen. Daar heeft ze een paar foto's bij gedaan die ze had bewaard. Een van de foto's is genomen in de keuken van het Groene Huis. Helemaal vooraan, bij de rij blinkende pannen en soepketels, staat kokkin Chaja Meyer met haar koksmuts en haar witte schort, en achter haar zitten alle kinderen naast elkaar, ook in het wit gekleed, de jongste met een slab om, maar allemaal gebogen over hun soepkommen, want het doel van deze fotosessie was alleen maar hun ontluisde hoofden te laten zien. Op een andere foto staan dezelfde kinderen op een rij voor het hek van het Grote Veld. Ze staan allemaal en profil, met hun handen op elkaars schouders, als een balletgezelschap of iets dergelijks vlak voor de afmars.

Maar het zijn slechts foto's. Jongens met geschoren hoofd, meisjes met vlechten.

Het hadden om het even welke kinderen kunnen zijn.

's Morgens heeft Rumkowski een nieuwe bekendmaking laten drukken. Die is aangeplakt aan alle huismuren van de Młynarskastraat tot aan de afvalplas op de Dworska:

Bekendmaking inzake verplaatsing van het getto

Alle fabrieken dienen gesloten te blijven:
Vanaf donderdag 10 augustus 1944 dienen alle fabrieken in het getto gesloten te blijven. In elke fabriek mogen maximaal tien personen aanwezig zijn voor het verpakken en verzenden van goederen.

Ontruiming van het westelijk deel van het getto:
Vanaf donderdag 10 augustus 1944 dienen de westelijke delen van het getto (aan de andere kant van de brug) gezuiverd te zijn van alle inwoners en arbeiders. Alle inwoners en arbeiders daar moeten verhuizen naar het oostelijk deel van het getto.

Vanaf donderdag 10 augustus 1944 zullen er geen levensmiddelen meer worden gedistribueerd in de westelijke delen van het getto.

Litzmannstadt Getto, 9 augustus 1944
Mordechai Ch. Rumkowski
Voorzitter van de Joodse Raad

De volgende dag ziet Rosa vanuit het raam lange colonnes mensen die op weg zijn naar Radogoszcz. Ze zien er rustig uit, ondanks de enorme lasten die ze dragen. Ergens onder het woud van rugzakken met vastgesnoerde dekens, matrassen en samengebonden pannen komt een vrouw tevoorschijn, trekt een paar takjes peterselie uit een tuin waar ze voorbijkomen en overhandigt die aan een vriendin achter haar in de stoet. Ze vraagt zich af waar ze vandaan komen, al deze mensen; of de autoriteiten nu begonnen zijn hele fabrieken leeg te halen. Ze vraagt zich ook af of ze naar beneden zal durven rennen en de namen en foto's van de Preseskinderen zal laten zien aan de mensen die voorbijmarcheren, in de hoop dat deze of gene misschien een naam of een gezicht van de lijst herkent.

Maar dat durft ze niet. Naast elke marscolonne lopen agenten van de ordepolitie en die houden streng toezicht. De agenten beletten de vrouw niet peterselie te plukken, maar ze zouden vast wel reageren als iemand van buitenaf de marsorde verstoorde.

Een hele dag wacht ze voordat ze zich naar buiten waagt. Zo 's zomers wordt het laat donker. En wanneer het daglicht zo ver is verbleekt dat de straat beneden nog maar een dunne band door het blauwachtige donker lijkt, stijgt er een heldere maan aan de hemel, en het wordt bijna zo licht als midden op de dag. Ze probeert dicht tegen de huismuren te blijven lopen en in schaduwen waar ze niet door het licht kan worden getroffen, maar in de Zgierskastraat is geen donker meer om zich in te verbergen. De volle maan hangt breed in de smalle doorgang tussen de twee gettohelften, en onder die geweldige maan ziet de houten brug zwart van de mensen die zich verdringen om eroverheen te komen. Wanneer ze dichterbij komt, hoort ze ook het geluid: het getrommel van duizenden trepki die op het kale hout van de brug stampen.

Op dat ogenblik weet ze dat het geen goed idee is om zelfs maar te proberen nog langer naar de kinderen te zoeken. Aan de westelijke voet van de brug, bij de Lutomierskastraat, staan ordebewakers die iedereen grijpen en opzij duwen die probeert voor te dringen. Ze zullen haar waarschijnlijk niet eens doorlaten. En voor degenen die aan de oostkant uitkomen met hun koffers en plunjezakken heeft het ook nauwelijks meer zin om om te keren.

Ze gaat op de uitgesleten stenen trap voor een portiek aan de Zgierskastraat zitten en probeert na te denken. Wat kan ze doen als ze zich niet meer vrij in het getto kan bewegen?

En wat moet ze tegen de ouwe zeggen als ze niet met de kinderen kan komen?

Ze waren er, ze waren er allemaal, maar ze verdwenen.

Of: ze waren er allemaal, maar ik kon hen niet bereiken.

Dat kan ze domweg niet zeggen.

◆

Nieuwe dag, nieuwe ochtendschemering. Opnieuw gaat ze richting Marysin. Op de Marysińskastraat loopt ze langs lange aanhangwagens voor tractoren, netjes opgesteld met twintig meter tussenruimte tussen de wagens. Halverwege de residentie van de Voorzitter hebben de Duitsers een versperring opgeworpen en daarbij staan een paar werkeloze mannen van de Sicherheitspolizei grappen te maken met de wachtpost.

Een paar laatkomers, vooral oudere mannen en vrouwen, alleen of in groepjes, lopen met hun bagage over de straat. Ze lijken haar veel kwetsbaarder nu ze niet meer in konvooi marcheren, en de mannen van de Sicherheitspolizei hebben die indruk ook. Plotseling ziet ze een van de agenten een flinke sprong maken (zijn lange, zwarte jas spreidt zich als een parasol over zijn hoge laarzen uit) en vervolgens met rammelende koppel een van de Joden op de weg omver rennen. – Wat heeft hij gedaan? Heeft hij te veel bagage bij zich? Komt hij te dicht bij de kant van de weg? – Plotseling staan alle vijf de agenten in een groepje om de op de grond gevallen man heen. Tussen hun gelach en geschreeuw door zijn de doffe stoten te horen waarmee de punten van hun laarzen tegen het zachte lichaam schoppen, en de vertwijfelde hulpkreten van de man.

Op hetzelfde moment hoort ze een vreemd, fluitend geluid en plotseling wordt alle lucht uit haar longen getrokken. Ze ziet de wachtpost bij de wegversperring twee stappen naar voren doen en met beide handen een soort afwerend gebaar maken; het fluitende geluid zwelt aan tot een dreun en onder haar rennende voeten schommelt de grond alsof ze op een trillende plaat staat.

Ze ziet zichzelf in de greppel liggen, boven op de mishandelde man; ze ziet de rook van de explosie opstijgen boven de zachte riemen van zijn rugzak. Tegelijkertijd reikt iemand van bovenaf naar haar, grijpt haar onder haar armen en zet haar weer op de weg. Het is Samstag. (Ze zou hem hebben herkend al stond hij vanuit haar diepste slaap ineens voor haar.) Wat doet hij hier? Maar er is geen tijd om dat te vragen.

Ren, zegt hij slechts, en hij wijst naar de huizen verderop in de Marysińskastraat.

Op de een of andere manier krijgt ze haar benen weer onder haar lichaam. Nog steeds lijkt het alsof ze zich op een scheepsdek bevindt dat voortdurend onder haar kiept en kantelt. Ook de gebouwen vlak bij de weg lijken heen en weer te wiegen; het ene ogenblik zijn ze gehuld in een wolk van opwellende dikke rook, het volgende moment zijn ze weer volledig zichtbaar. Pas wanneer ze erin slaagt door een portiekdeur naar binnen te gaan, beseft ze dat ze bij het huis terug is waar ze de vorige nacht heeft overnacht.

Het trappenhuis en de woningen waren toen tot barstens toe gevuld met vluchtende mensen. Nu is er geen mens te zien; er is alleen bagage achtergebleven: dekens, matrassen en pannen. Ze gaat de trappen op naar de kamer op de tweede verdieping. De ramen in het huis staan wijd open. Wanneer ze naar buiten kijkt, ziet ze de hele lange rij aanhangwagens waar ze zo-even langsliep, maar nu begrijpt ze dat de wagens daar niet staan in afwachting van de actie, maar dat de actie *al is uitgevoerd*. De ss'ers hebben het hele gebied 's nachts toen zij weg was, uitgekamd en schoongeveegd. Daarom zijn er geen mensen meer. Daarom hebben ze de wegversperring verderop in de straat gezet.

Opnieuw is daar Werner Samstag, achter haar in de deuropening.

Met een medelijden zo verheven en gedistantieerd dat het bijna sarcasme lijkt, staat hij daar naar het bloed te kijken dat de voorkant van haar jurk bedekt.

Dan buigt hij zich over haar heen. Eén ogenblik is ze er zeker van dat hij haar wil doden, maar hij grijpt haar alleen maar weer bij de armen en hijst haar met een verrassend soepele beweging op zijn rug. Nu pas, nu ze met haar hoofd over zijn schouder hangt, ziet ze dat ze nog steeds de lijst van Preseskinderen in haar ene hand heeft. In een even krampachtige greep heeft ze in haar andere hand de zakdoek met broodrestjes die ze heeft bewaard voor het geval dat ze een van de kinderen zou tegenkomen. Zo gaan ze alle met spullen bezaaide trappen af, het getto weer in.

Dat is nu echter een spookstad.

Overal deuren die klapperend open staan. Gapend lege ramen.

Het is alsof er een harde wind door alles heen heeft gewaaid, maar dan een wind zonder omvang of richting, een wind die alleen maar overal leegte veroorzaakt, zonder iets aan te raken.

Hoewel het licht is geworden, is de ochtendhemel volkomen zwart –

Vanaf Samstags rug waar ze zich aan vastklampt, vangt ze in de hoek van haar gezichtsveld onvaste beelden op van huizen, binnenplaatsen, afrasteringen en muren die in een gelijkmatig ritme voorbijkomen. Ze nemen een achterafweggetje. Samstag beweegt zich lenig als een dier, holt tussen rijen schuren en secreten door, waarvan de verschrikkelijke stank haar tegemoet slaat om de volgende seconde te worden weggespoeld door de zoet-zwoele geur van een nog niet geheel uitgebloeide sering. Een keer meent ze de met prikkeldraad gekroonde muren van de Centrale Gevangenis en de cellenblokken daar binnenin waar te nemen. Dan herkent ze opeens waar ze is. Ze staan op de binnenplaats van wat eens het kinderziekenhuis van het getto was, en een bordje, een stukje hoger aan de verweerde gevel, bevestigt dat:

KINDERHOSPITAL DES ÄLTESTEN DER JUDEN

Nog altijd zijn de sporen van de Grote Industrietentoonstelling van het Centrale Arbeidsbureau te zien. In de toegangshal staan de vitrines nog op hun sokkels en op de vloer; te midden van gebroken glas en hier en daar resten gordijnstof liggen stapels plakkaten vol statistieken in curven en kolommen: pathetisch nu, met smerige voetafdrukken duidelijk zichtbaar op de fraai geordende stapels cijfers.

Aan de achterkant, aan het binnenplein, staat een eenvoudig gebouwtje

zonder verdiepingen, met grove planken voor de ramen; hier gaat een on-
gemetselde, stenen trap steil naar beneden, zo te zien rechtstreeks de fun-
dering in, waar een smal keldergangetje begint dat als een tunnel onder
het gebouw door lijkt te lopen. Rosa voelt de muffe koude trek van de met
stenen bedekte aarden wanden en trekt instinctief haar hoofd in om het
niet tegen het plafond te stoten. Maar Samstag is voorzichtig. Alsof ze niet
meer dan een overgedimensioneerde pop is, tilt hij haar met één arm op. In
zijn andere hand heeft hij een brede booglamp. Zonder dat zij het merkte,
moet hij een hand hebben uitgestoken naar een lichtknopje ergens, want
plotseling staan de muren, het plafond en de vloer van de keldergang om
haar heen in een verblindend scherp licht. Verfpotten en flesjes met oplos-
middel op de planken; gereedschap, neergelegd en gesorteerd op vorm en
grootte. Midden op de vloer de resten van de grote drukpers van Pinkas
Szwarc. Hoe hebben ze het voor elkaar gekregen om dat gevaarte hierheen
te slepen? En achter de drukpers liggen op hun beurt, op een plank onder
het lage plafond, alle denkbare soorten muziekinstrumenten: een tuba,
een trombone en (aan haken die in de houten daklijst zijn geschroefd)
violen die aan hun halzen in lussen van zeer dunne pianosnaren hangen.

Maar tegen deze tijd heeft ze de kinderen van het Groene Huis al in het
oog gekregen.

Hun gezichten, op een rij naast elkaar als kralen op een telraam, lijken
bleek, verblind door het scherpe licht. Ze ziet het rimpelige hoofd van de
pianostemmer het eerst. Daarachter, als een kopie van de foto uit de keuken van het Groene Huis: Nataniel, Kazimir, Estera, Adam. Alle kinderen
van de lijst zijn er. Ook Debora Żurawska. Rosa ziet het meisje heel snel
opkijken en dan haar ogen haast beschaamd weer neerslaan. En Rosa wil
iets zeggen, maar de woorden waar ze naar zoekt, zijn niet meer te vinden.
In plaats daarvan perst ze zich tussen lage planken, de ruggen van trombones en de scherpe kant van een slijpmachine door. Het laatste stukje
moet ze op handen en voeten kruipen, met haar hoofd tussen haar schouders, terwijl los zand en stenen uit het plafond boven haar in haar nek drui-
pen. Dan is ze er eindelijk en kan ze de zakdoek met de gespaarde stukjes
brood openvouwen. Ze geeft een van de broodkorsten aan Debora, die helemaal aan de zijkant zit; dan breekt ze met trillende handen de rest van het
brood en verdeelt even grote stukken aan elk van de kinderen in de rij –

Nataniel, Kazimir, Estera – nog steeds zonder dat ze ook maar één woord over haar lippen heeft kunnen krijgen.

Achter de kinderen staat een lage stenen muur, waarvan de vooruitstekende stenen ooit met cement bepleisterd moeten zijn geweest. Het pleisterwerk heeft echter al lang geleden losgelaten. Ook de specie eronder is aan het verweren. Binnenkort zal de hele muur achter hen instorten.

Samstag kwam, zegt Nataniel, zijn stem net zo hees en raspend als het cement.

Samstag werkt nu bij de ordepolitie, vult Estera aan, een beetje overijverig (zoals altijd): alsof het woord *politie* nog altijd een verklarende waarde heeft.

Maar misschien heeft het dat ook wel – *voor hen*.

Ze herinnert zich een spel dat de kinderen vaak speelden toen ze in het Groene Huis woonden, 'het verboden spel', zoals Natasza het noemde. In het spel deden alle kinderen alsof ze druk waren met hun eigen bezigheden. Natasza zat gebogen over haar naaimachine, Debora speelde piano. Een van de kinderen werd dan uitgekozen om de hal in te gaan en te roepen: *Die-en-die komt eraan*. Als Kazimir werd gekozen, kwam hij terug en riep: *Churchill komt eraan!* Was Adam de uitverkorene, dan kwam hij terug en riep: *Roosevelt komt eraan!*

En dan gingen ze zich allemaal verstoppen. Ze herinnert zich nog een keer, voordat dokter Rubin al dergelijk spektakel woedend verbood: Kazimir had zich in het vloerkleed onder de piano in de Roze Kamer gerold en meteen daarna struikelde Werner Samstag met een steelpan op zijn hoofd en een bakspaan in zijn hand naar binnen: *De Voorzitter komt eraan...!*

En om hem heen zaten de kinderen kaarsrecht.

Op die manier was hij altijd degene die hen op het laatste moment redde. Toen ze weer opkeek nadat ze het brood had verdeeld, zag ze de schijnwerper nog bij de deur hangen, maar er stond niemand meer achter. De kinderen hadden vast wel gezien dat Samstag wegging, maar geen van hen reageerde erop. Samstag bleef komen en gaan als altijd.

Debora haalde een zakdoek onder het lijfje van haar jurk vandaan, rolde hem tot een dunne streng en bevochtigde het uiteinde daarvan met speeksel; daarna drukte ze Rosa's hoofd met een onzachte beweging tussen haar opgetrokken bovenbenen en begon met krachtige, maar toch behoedzame bewegingen het bloed en het vuil van haar gezicht te poetsen.

Rosa deed een poging haar hoofd terug te trekken. Ze had het gevoel dat ze iets uit moest leggen. De kinderen wisten niet hoe het getto er buiten deze nauwe kelder uitzag; ze wisten niet dat de buurt eromheen was afgezet en dat de Gestapo elk moment kon komen met zijn honden. Ze deed een poging dat te zeggen, maar toen ze zag dat Debora haar hoofd schoonmaakte met hetzelfde uitdrukkingsloze gezicht als waarmee je pannen afwast, gaf ze het op. Overmand door vermoeidheid en machteloosheid liet ze haar hoofd op de schoot van het meisje rusten.

'Je moet vertrouwen in me hebben, Debora,' zei ze. 'Waarom heb je dat niet?'

Maar Debora reageerde niet. Debora zal nooit reageren. Debora neemt mevrouw Grabowska de kolenschep uit handen of steekt haar hand uit naar het hengsel van de emmer die ze van de waterput voor het Groene Huis terugdragen. Maar ze zal nooit reageren: *Laat mij dat maar doen, zegt ze slechts. Ik ben toch al boven.*

Woorden die ze neerzet, precies zoals je om het even welk voorwerp neer kunt zetten, alleen maar om je er des te gemakkelijker achter onzichtbaar te maken. Precies zoals Debora haar rugzak met haar kam en spiegel onder de lappen voor het raam aan de Brzezińskastraat liet liggen of haar muziekschrift voor de muzikale revue van het Groene Huis achterliet. Precies zoals alles wat iedereen in het getto ooit had bezeten, nu voor altijd was achtergelaten. Of zoals Werner Samstag was weggegaan met achterlating van – ja, waarvan eigenlijk? Een grote, witte, verblindende lamp, die nog steeds brandde voor de kelderdeur die hen opsloot.

Dus ten slotte was alleen Rosa Smoleńska over, terwijl Debora over haar heen gebogen zat en het bloed en de smart uit haar gezicht poetste.

Dus ten slotte sloot ook Rosa haar pijnlijke ogen.

Dus ten slotte bleef ook Rosa Smoleńska's gezicht achter.

Er was gezegd dat de autoriteiten een auto zouden sturen om hen naar het station te brengen, maar er was nog steeds geen auto gekomen. Terwijl iedereen op de Miarkistraat, inclusief juffrouw Fuchs en haar broer, nog te midden van de meubels zat die ze naar buiten hadden gesleept, was Staszek in de reusachtige kruin van de kersenboom geklommen waar meneer Tausendgeld de dag voordat het paleis viel het geld van prinses Helena had verstopt. Nu staat mevrouw Helena erop dat het geld eruit wordt gehaald. Oom Józef heeft een ladder tegen de stam gezet, maar zelfs de hoogste tree is niet hoog genoeg voor Józef om in de kruin te kunnen komen. Zo ver in de geweldige boom kwam alleen meneer Tausendgeld met zijn inmiddels beruchte rechterarm; en uitgescholden om zijn onvermogen is Józef Rumkowski nu naar het getto teruggegaan om een stok of een schepnet of een ander lang voorwerp te halen om het geld uit de boom te plukken voordat ze het getto verlaten. Maar terwijl ze wachten, wie anders klimt er dan vol daadkracht in de kersenboom dan prinses Helena's eigen líbling, haar Stasiek, haar Stasiulek? Hij klimt als een kind, met zijn roodgeschaafde knieën naar buiten en zijn dijen stevig om de stam van de kersenboom geklemd, en hij voelt al die heerlijke kriebel wanneer zijn geslacht langs de ruwe bast schuurt.

Helemaal boven in de kruin van de kersenboom, onder de lobbige bladeren, hangen de zakjes met reichsmarken die meneer Tausendgeld heeft opgehangen. De zakjes zien eruit zoals zijn eigen gezicht er ooit uitzag, alsof ze zowel in de lengte als overdwars dichtgenaaid zijn. Wanneer Staszek een van de zakjes vastpakt, voelt hij daarbinnen iets bewegen als een kauwende kaak. Ver onder hem, onder de lobbige bladeren waar de zoete kersen hingen, staat alles wat ze uit hun huizen aan de Miarki- en de Okopowastraat hebben ingepakt, klaar in afwachting van het transport. Bedden en eetkamertafels, sofa's en ladekasten, de 'privé'-secretaire van de Voorzitter, de *credens* van prinses Helena (maar zonder glazen en servies – die heeft meneer Józef haar eruit laten halen) en haar vogelkooien, voor zover ze nog over zijn, vol kwetterende en gevleugelde wezens die tegen de wanden en de bovenkanten van de rieten kooien klimmen en dalen.

Aan de andere kant van het bladerdak strekt het getto zich uit. Een wir-war van lage huizen en houten schuren, waaruit een paar hogere gebou-wen omhoog steken als een scheve of vergroeide tand. Als Staszek een hand uitsteekt, kan hij het hele getto in één beweging vastpakken en om-keren. Hij spreidt zijn vingers en midden in het getto – midden in zijn ei-gen handpalm – staat zijn vader te wachten.

Ook zijn vader wacht op het beloofde transport.

Beloofd was dat het om drie uur op het Bałutyplein zou zijn, en het is nu drie uur *geweest*, en Rumkowski is zijn geduld allang kwijt en is op het plein gaan staan om naar de wagen uit te kijken. Net als thuis in de Miarkistraat zijn de meubels en archiefkasten naar buiten gedragen waarvan hij eerder heeft verklaard dat het absoluut noodzakelijk is dat ze meegaan. Dit is het laatste transport. Hij de enige die er nog is in de rij kantoorbarakken. Zelfs het personeel van de Duitse gettoadministratie is er niet meer.

Hij is alleen, maar boven hem is de hemel zo uitgestrekt en verlaten dat hij het gevoel heeft dat hij erin zou kunnen vallen als in een put.

De afgelopen nachten heeft hij verschillende keren gedroomd dat hij zo de hemel in viel en elke keer lag hij op een open plaats als deze. Het was donker en om hem heen in het donker lagen resten van in stukken gehakte mensen. Vanuit het donker kwamen zwarte vogels om op de lijken te gaan zitten. Soms kwamen de vogels zo dichtbij dat hij het ruisen van hun zach-te vleugels langs de nog steeds pijnlijke snijwonden in zijn gezicht kon voelen. En terwijl hij daar ligt, aan de grond gekluisterd op die heilige plaats, komen ze om ook hem uit elkaar te hakken. En op dat moment be-seft hij dat hij weliswaar gevangen was, maar dat dat niet kwam door de opsluiting – de mens is van nature opgesloten – of zelfs niet doordat het donker was om hem heen – het is altijd donker om ons heen – maar door-dat hij op deze manier voortdurend gescheiden was van datgene wat hem rechtens toekwam.

Dit inzicht gaf een zekere opluchting, een moment van toenemende helderheid in het donker dat nog bruiste van de vleugelslag van de grote vogels.

Heer, waaruit hebt u mij samengesteld –
dat ik me niet eens herken in mijn eigen beeld?

Op het moment dat hij dat denkt, arriveert het transport. Het is de grote wagen, de lijkwagen, die ooit werd gebouwd om het transport van de doden effectiever te maken, met niet minder dan 36 verschillende vakken en afdelingen op een en hetzelfde onderstel (de meeste bovendien uitschuifbaar, zoals je laden in een bureauladeblok of bakplaten in een oven schuift). Maar niet Meir Klamm zit op de bok, maar Amtsleiter Biebow; en op dat moment ziet hij hoe groot de lijkwagen is – de bovenkant ervan komt hoger dan alle daken van de op instorten staande huizen aan het plein.

Gaat u mee of niet? Het laatste transport vertrekt nu...! roept Biebow vanaf de bok, en de mannen van het ontruimingscommando die zijn meegekomen, beginnen al stoelen, bureaus en kasten in te laden. En boven in de boom, de grote kersenboom waarin de schenkingen aan de Voorzitter van de Joodse Raad van het getto hangen als zwarte vruchten, zwaait het Kind met zijn armen om aan iedereen die beneden op de grond staat te wachten te melden:

HET TRANSPORT...! HET TRANSPORT KOMT ERAAN...!

◆

Regina is vertwijfeld. *Ik rij niet in zo'n wagen,* zei ze, met haar ogen wijd open en haar wangen blozend van schaamte.

Maar natuurlijk doet ze dat wel. Wat moet ze anders?

Staszek zit helemaal achterin, met zijn rug tegen alle koffers en tassen die achter de bok zijn opgestapeld, en ziet het getto verdwijnen achter de droge, hete stofwolken die door de wagenwielen worden opgewoeld. Lege huizen tegen een zinloze hemel. Straten die geen straten meer zijn, maar slechts ontruimde doorgangen om beter bij afgelegen schuren of gemakken te komen. Een kolenopslagplaats waarvan de beveiligingsschutting is afgebroken en opgestookt, rijen kippenhokken met kapotgescheurd gaas, een pomp zonder zwengel.

Overal langs de bermgreppels, die overlopen van rioolwater, liggen voorwerpen die mensen hebben verloren of achtergelaten. Er ligt van alles, uiteenlopend van huisraad, dekens en matrassen tot koffers die door de val zijn opengesprongen en de inhoud – versleten kleren en afgedragen schoenen – die eruit is gevallen.

Af en toe komen ze ook langs in rijen of in kleine groepjes staande mensen. De meesten zijn op weg van de verzamelplaats bij de gevangenis; ze marcheren met hooguit vijf man naast elkaar, met een bewaker op tien meter afstand van elke groep. Soms schreeuwt de bewaker met luide stem een bevel, maar de groep wekt niet de indruk het te horen. Pas wanneer de grote wagen voorbijrijdt, langzaam en knarsend op zijn scheve wagenwielen, staan de marcheerders stil en staren ze hen na. Vanaf zijn hoge uitkijkpost ziet Staszek hun uitgemergelde gezichten langsglijden zonder ook maar een glimlach of een opgestoken hand bij wijze van groet.

Op Radogoszcz is het druk. Bij het pakhuis op het goederenstation staan of zitten mensen bij stapels bagage. Duitse wachtposten lopen onrustig en geïrriteerd tussen de wachtenden door en porren mensen die zijn gaan zitten met hun geweerkolven op om weer te gaan staan.

Een officier krijgt hun wagen in het oog en schreeuwt nors een bevel. Het scherpe bevel doet zelfs stationscommandanten en arbeiders bij houtstapels en metaalopslag een paar honderd meter verderop opkijken. Plotseling gaat het als een fluistering door de mensenmassa, eerst zeer gedempt, dan steeds luider: *Heer Preses komt...! Preses...! Preses...!*

Staszek ziet de ogen in de gezichten die de lijkwagen passeert, wijd openstaan van verbazing. Het is alsof niemand van hen had verwacht dat de Preses hier zou zijn, en nog wel in zo'n equipage! Toch *is* hij hier. Staszek denkt aan het document dat zijn vader eens behoedzaam tevoorschijn haalde en hem liet zien. Hij zei dat het was ondertekend door *Bradfisch persönlich* en hij wees plechtig op alle stempels. Dit document, legde hij uit, zou hun een vrijgeleide geven waarheen ze ook maar wensten te gaan.

'Dus wees maar niet bang, Staszek...!'

Maar Staszek is niet bang. De Voorzitter is bang. Vanaf zijn berg bagage ziet Staszek duidelijk hoe hij keer op keer met zijn hand over de zak van zijn colbert strijkt als om zich ervan te verzekeren dat het document daar nog steeds in zit.

De wagen heeft halt gehouden aan het eind van het spoor, waar het perron zou zijn opgehouden als er een perron was geweest. Er is alleen een abri met overhangend dak, waar de treinregelaars altijd staan als de grote goederentransporten binnenkomen. De trein is al voorgereden en Dora Fuchs en haar broer Bernhard wachten bij een van de open wagondeuren, alsof ze twijfelen of ze in zullen stappen. Een vrachtwagen met laadbak met dekzeil is naar hun wagen gereden; op de grond daarvoor ligt de bagage van het hele gezelschap, inclusief een stuk of vijf houten en rieten kooien waarin prinses Helena haar vogels houdt.

Wanneer de Voorzitter arriveert, is het alsof prinses Helena ontwaakt uit een soort verdoving. *Ze hebben ons een speciaal transport beloofd*, zegt ze beschuldigend, *en nu verlangen ze van ons dat we in zo'n ding stappen...!*

Haar man staat naast haar. Zijn gezichtsuitdrukking is verward, alsof hij op dit moment niet in staat is zijn gedachten onder woorden te brengen. Hij hoeft echter niets te zeggen. De bewakingssoldaten slaan plotseling met een gedempt *Heil Hitler* hun hakken tegen elkaar en Biebow dringt zich door de menigte naar voren.

Hij heeft zijn beide medewerkers Ribbe en Schwind bij zich; alle drie zien ze er beschaamd geamuseerd uit, alsof ze niet op een rangeerterrein staan, maar op een of andere obscene markt.

Biebow is echter vastbesloten in tred en toon.

Biebow: Dan is het nu tijd om te vertrekken.
De Voorzitter: Maar er was een afspraak over een transport.
Biebow: Dit is het transport.
De Voorzitter (graaft in de binnenzak van zijn colbert): Maar er was toch afgesproken...?
Biebow: Ik weet niet over wat voor afspraak u het hebt. Uit Litzmannstadt vertrekt nu een transport, en dat is dit.

De Voorzitter houdt hem de brief voor en ziet er op dit moment bijna jongensachtig onschuldig uit. Maar wanneer Biebow blijft weigeren ernaar te kijken, begint de verbazing op het gezicht van de Voorzitter langzaam plaats te maken voor een soort verbijstering. Er staat iets te gebeuren wat volkomen in strijd is met alles wat hij zich kan voorstellen. Op zijn onhandige en tekortschietende manier doet hij wat hij kan om de situatie te redden.

'Als we tenminste een wagon voor onszelf konden krijgen...' zegt hij en vouwt het document zorgvuldig weer op, en Biebow verandert als ware het op commando van toon: *Maar dat spreekt toch vanzelf!* zegt hij en geeft de beide mannen die bij hem staan een teken; zij geven op hun beurt de soldaten van de bewaking het teken mee te gaan de wagon in.

Na een poosje klinken er binnen verontwaardigde stemmen, en er stapt een handjevol oudere mannen uit die kennelijk de hele tijd in de wagon hebben gezeten. Ze kijken Rumkowski haast verwijtend aan en slepen dan hun koffers en lakenbundels langs het treinstel, hun ogen gericht op de wagons verderop, waar de gedeporteerden zich nu met honderden verdringen.

Dora Fuchs verdwijnt in de wagon om die te inspecteren. Ze komt terug met een uitdrukking van lichte walging op haar gezicht, maar haalt haar schouders op. Op bevel van de Duitse gendarmes beginnen enkele transportarbeiders van het rangeerterrein de bagage van het gezelschap in te laden. Er komen een paar ss-officieren voorbij. Ook zij hebben dat verholen, licht gegeneerde glimlachje op hun lippen, alsof ze getuige zijn van een of andere marktklucht.

Staszek stapt als een van de eersten in. De wagon is een heel gewone goederenwagon, die in het midden verdeeld is door een brede scheidingswand. Er ligt zaagsel op de vloer.

'Het spijt me dat het wellicht een tikje primitief is, maar u kunt na verloop van tijd wel in een comfortabeler wagon overstappen,' zegt Biebow. Maar hij kijkt hen niet aan terwijl hij dat zegt. Het is nu ook voor de Voorzitter duidelijk dat deze belofte niets waard is. Hij gaat achter Biebow aan weer naar buiten en doet een nieuwe poging hem de door Bradfisch ondertekende brief te laten zien. Maar ook deze keer wil Biebow niet eens naar het document kíjken.

Vanachter het raam van de wagon, waar Staszek staat, ziet hij een groep arbeiders in versleten en veel te wijde broeken haastig dichterbij komen, opgedreven door Joodse ordebewakers met geheven wapenstokken. Helemaal vooraan in het voortgejaagde groepje ziet hij een paar van de mannen die zo-even nog uit hun wagon werden gehaald. Een paar Duitse bewakers voegen zich erbij en met veel misbaar wordt de hele groep door de deur van Rumkowski's wagon naar binnen geperst.

Binnen staan Rumkowski en zijn broer op om te protesteren, maar ze kunnen maar een paar passen doen en worden dan door de druk van de mensenmenigte teruggedreven. Degenen die het laatst komen, klimmen haast boven op de rug van degenen voor hen om niet op de grond terug te vallen, waar Joodse ordebewakers nu duwen met alles wat ze hebben, vlakke handen, ellebogen en rubberen wapenstokken. In de wagon klinkt een hard, rammelend geluid, wanneer de afvalemmer omver wordt geschopt. Dan een dunne stem die gilt: *Laat me eruit, laat me eruit...!*

Het is de Voorzitter die koste wat kost naar de deur wil. Maar honderden uitgehongerde en wanhopige, schreeuwende en huilende mannen en vrouwen staan in de weg; ze hadden hem niet eens door kunnen laten al hadden ze het gewild.

Staszek staat nog bij het raam. Buiten ziet hij een paar rangeerders langs het spoor lopen. Een van hen houdt een schop vast en kijkt naar de grond voor zijn voeten, alsof hij iets zoekt wat hij heeft verloren. Achter de man met de schop begint het landschap langzaam naar achteren te glijden, alsof dat – het landschap – en niet de wagon zich in beweging heeft gezet. Hij draait zich om naar het donker en het gedrang in de wagon.

IV

Nachtzien

(augustus 1944 – januari 1945)

Iedereen slaapt; de doden komen nu uit hun graf en herleven. En zelfs dat doe ik niet, want ik ben niet dood en kan dus niet herleven, en als ik wel dood was zou ik ook niet kunnen herleven, want ik heb nooit geleefd.

Søren Kierkegaard

Een smalle reep licht: dat is het enige waar hij zich op kan richten.

Wanneer de lichtreep weg is, is het nacht. Wanneer de lichtreep terug-komt, is het dag.

De lichtreep is een laatste traptrede van licht, ongrijpbaar zwevend bo-ven de hoekige en ruwgesleten traptreden die omhoog leiden uit de aard-kelder.

Aardkelder is misschien niet het goede woord. In de tijd dat Feldman een handelstuinderij had, gebruikte hij deze ondergrondse bergplaats buiten zijn huis voor bollen en zaden en andere dingen die niet tegen licht en warmte kunnen. Maar het is hier zo krap dat hij meer het gevoel heeft dat hij is neergelaten in een put. Hij kan zijn schouders maar nauwelijks in het gat krijgen. Het is onmogelijk om te zitten of te liggen. Hij moet staan of half zitten met zijn heup of zijn onderrug tegen de aarden wal geperst. Helemaal onderin – er zijn vier traptreden, alle vier ongeveer een halve me-ter hoog – gaat de kelderput over in een smalle nis: een, twee meter lang en ongeveer half zo hoog. Hier doet hij zijn behoefte. Het plafond is zo laag dat hij het moet doen terwijl hij op zijn zij ligt, met zijn gezicht naar de kel-derschacht en zijn onderlichaam zo ver in het gat geperst als maar enigs-zins mogelijk is. Zijn ontlasting is warm en zacht, en stroomt langs de bin-nenkant van zijn bovenbenen, en hij heeft niets anders om zich mee af te vegen dan wat droog gras dat hij heeft meegenomen.

Maar ook al is het niet te harden, hij moet wel.

Van nu af aan ben je dood, had Feldman gezegd voordat hij het zware houten luik dichtdeed dat het dak van de aardkelder vormt.

Feldman beloofde dat hij zou proberen wat eten te komen brengen wanneer hij kon. Dat wil zeggen: wanneer het ontruimingscommando waarvan hij deel uitmaakte naar Marysin werd gestuurd. Dat was gemakkelijker dan ervantussen te gaan. Misschien lukte het, misschien niet. Niemand wist het. Maar als hij het voor elkaar kreeg naar de kelder te komen, zou hij drie keer op het kelderluik kloppen. Dat zou het signaal voor Adam zijn dat er buiten eten te halen was.

Voordat hij wegging, liet hij het weinige dat hij kon afstaan achter: een stuk brood, twee verschrompelde uien, een kool die van binnenuit al aan het rotten was.

Adam had het in elk geval niet koud. Iets van de overgebleven nazomerwarmte bereikte ook deze donkere aardschacht, en hij wist dat de aarde hem zelfs over enige tijd nog warm zou houden.

Het licht kwam en ging.

Hij probeerde de tel van de dagen bij te houden, maar ontdekte algauw dat het maar een paar dagen duurde of hij wist niet meer of het de derde of de vijfde dag was dat hij hier zat, of nog langer.

Hij stond meestentijds rechtop, of zat half, ineengedoken (om niet tegen het plafond te komen) op een van de uitgesleten traptreden.

Als hij sliep, deed hij dat met tussenpozen, zeer kort en diep: alsof hij bewusteloos was. Waken en slapen gleden in elkaar over en algauw maakte het niet uit of het licht of donker was. De honger was er wel steeds. De honger holde hem vanbinnen uit, net als het licht zou hebben gedaan. De honger verlichtte zijn mond, keel, maag. Het licht van de honger was droog en wit, ongrijpbaar, maar scherp en verblindend als een wond in zijn ogen.

Hij vroeg zich af hoe lang het zou duren voordat Feldman kwam.

Hij telde lichtspleten, zo uitgeput nu dat ze zich voor zijn ogen vermenigvuldigden. Een spleet werd duizenden spleten, een enkel etmaal werd hier duizenden etmalen. Hij begreep dat hij, als hij nog een dag in zijn aardhol bleef zitten, alle begrip van wat wat was zou verliezen. Wat binnen was, wat buiten was. Ruimte, tijd.

Toch bleef hij hier zitten.

Hij dacht aan de honden.

Vroeg of laat zou de Gestapo in zijn jacht op ontsnapten ook Feldmans handelstuinderij bereiken. Ze hadden hun lijsten; ze wisten wie hun deportatiebevel had gehoorzaamd en wie zich sindsdien schuil probeerde te houden. Ze zouden in het getto zelf beginnen en dan naar Marysin toe werken.

En waar zouden ze dan beginnen met zoeken?

Feldman was er absoluut zeker van geweest dat ze zich zouden beperken tot het kantoorgebouw en de kelder. Dus: de echte kelder. Die in het huis. Als ze geen mensen aantroffen in het huis, zouden ze waarschijnlijk de tuin niet meer doorzoeken en kon hij gerust zijn. Dacht Feldman.

Adam dacht ook dat hij aan de agenten wel zou kunnen ontkomen. Maar van de honden wist hij het niet. Die gedachte hield hem bezig, dag in dag uit – als ze honden bij zich hadden: zou hij dan op de een of andere manier die lichtspleet, die ook als luchtgat fungeerde, dicht kunnen houden? Zou dat überhaupt helpen? En zou hij ertegen kunnen om dag in dag uit in totale duisternis te zitten? Het ging zo ver dat hij het hijgen en aan de riem trekken van de honden al hoorde, en hun schrapen en krabben aan de rand van het luik. Hoe lang zou het duren voordat hij ook Feldmans magische drie klopjes meende te horen?

Hij besloot de lichtspleet voorlopig te laten voor wat die was.

Feldman kwam niet en ten slotte begreep hij dat hij eruit moest.

Hij werd gek van honger en dorst. Als hij hier nog een uur of nog een dag bleef, zou hij niet eens meer de kracht hebben om het luik op te tillen, en dan zou hij hier moeten blijven zitten tot hij doodgehongerd was en langzaam begon weg te rotten.

Hij bekeek de lichtspleet zorgvuldig. Toen het licht langzaam begon te vervagen, klom hij op de bovenste traptree en schoof het luik met zijn nek en zijn beide handen omhoog.

Buiten: zachte, vochtige septemberavond.

De lucht – de eerste inademingen: rauw en wrang in de longen die aan vochtige aarde en stof gewend zijn geraakt. Hij kon maar amper het ene been voor het andere krijgen. Hij sidderde over zijn hele lichaam als een aal en toen het gesidder maar niet ophield, moest hij zichzelf loslaten.

Hij liet zich vallen in vochtig, koud gras en lag een poosje doodstil te ademen en naar de donker wordende lucht te kijken.

Het was zo vochtig dat de sterren nauwelijks te zien waren; alleen een vaag opschuivende, grijze nevel aan de nachtelijke hemel, zo onbestemd dat hij niet meer zeker wist of hij überhaupt wel iets zag. Misschien waren het alleen maar lichtillusies doordat hij zo lang in het donker had gezeten.

Na een poosje meende hij stemmen te horen.

Ook met de stemmen was iets vreemds. Ze kwamen en gingen in golven. Soms waren ze dichtbij, soms dreven ze verder weg. Maar hoewel ze soms heel dichtbij leken, kon hij geen afzonderlijke stemmen onderscheiden. Hij hoorde niet eens welke taal ze spraken.

Het ontruimingscommando verbleef in de oude kleermakerij aan Jakuba 16. Volgens Feldman was daar driehonderd man ingekwartierd. Verder was er nog een groep gevestigd aan de Łagiewnickastraat, waar Aron Jakubowicz zich, naar men zei, ophield onder bescherming van Biebow. Dus nog eens twee- à driehonderd man. Verder was er niemand meer in het getto. Als er geen bevel was gegeven om loopgraven te graven, was het onwaarschijnlijk dat mensen van het ontruimingscommando om deze tijd van de dag opdracht zouden hebben gekregen om helemaal naar Marysin te gaan.

Van wie konden die stemmen dan zijn?

Van Duitsers?

Feldman had hem gewaarschuwd dat de kans bestond dat ze zouden besluiten de tuinderij te gebruiken als een soort kamp, ook al leek dat hem zelf tamelijk onwaarschijnlijk. De keuken en het kantoor waren onbruikbaar en de kas was niet erg geschikt om politie in te huisvesten. Het was veiliger om de troepen bij elkaar te houden in het getto en zich ertoe te beperken bij daglicht en voor concrete taken naar Marysin te gaan.

Of kwamen de stemmen van het Radogoszczstation? Waren ze daar nog steeds aan het laden en lossen? Maar met welk doel dan?

Adam liep een paar keer om de kas heen zonder erachter te komen wat hij hoorde. Het was overal donker. Toch spraken de stemmen met elkaar. Zelfs meer dan dat. Het was alsof ze verontwaardigd waren of iets dergelijks, waardoor ze elkaar onderbraken of voortdurend probeerden te overstemmen. Nog steeds zonder dat er ook maar één woord te onderscheiden was.

Hij deed de deur van het hoofdgebouw open. De deur gaf mee toen hij de klink beetpakte, alsof hij los in zijn scharnieren zat of op het punt stond stuk te rotten. Onder hem het broze, knarsende geluid van gebroken glas. De scherven lagen er nog sinds die dag dat Samstag en zijn mannen Feldmans particuliere verzameling kort en klein hadden geslagen.

Er hing hier een eigenaardig licht, zacht groenig, alsof het nog altijd door de rotte stof- en schimmellaag op de binnenkant van de ramen werd gefilterd.

In de keuken in Feldmans kantoor vond hij een theepot die hij tot de rand toe vulde met water uit de pomp bij de loodsen. Het water dat overbleef nadat hij zijn dorst had gelest, gebruikte hij om zich mee te wassen.

Eerst zijn kruis en zijn bovenbenen, toen ook zijn bovenlijf, onder zijn armen en in zijn gezicht.

Maar hij droogde zich niet af. Als ze met honden kwamen – en dat was slechts een kwestie van tijd – zouden handdoeken of lappen waarmee hij zich had afgedroogd een goed spoor zijn.

Hij liep naakt en kleumend terug naar het kantoor en bekeek daar de lompen die Feldman had achtergelaten. Wanneer het in de herfst koud en vochtig werd, had Feldman altijd een wijde, sjofele, schaapsleren broek aan gehad. Die zou Adam te kort zijn, maar omdat hij zo wijd was in het kruis zou hij hem vast wel passen. Hij vond ook een jas, en een deken die lekker kon zijn als steun voor zijn nek en rug wanneer hij tegen de kale stenen leunde.

Zijn eigen kleren rolde hij in elkaar tot een dikke prop. Die moest hij maar meenemen naar zijn kelderhol. Alles wat hij hier gebruikte, moest hij mee naar beneden nemen. Toch kon hij er niet toe komen meteen weer in de nauwe, stinkende schacht te kruipen. Als hij toch boven was, moest hij proberen iets te eten te vinden. Hij zat gewikkeld in Feldmans deken en probeerde zich de vroeger zo goed bewaakte fruittuinen voor de geest te halen. Via welk hek je in welke tuin kwam. De ontruiming van het getto was zo snel gegaan. Ergens moest toch nog ongeoogst fruit aan de bomen hangen.

Hij wachtte tot het helemaal donker was. Er waren nu geen stemmen. Hij verbeeldde zich dat de hele vochtige ruimte boven de grond haar adem inhield om zich op hem te storten zodra hij buitenkwam. Hij probeerde niet op gruis en stenen te lopen. Toch klonk het ruisende geluid toen hij door het vochtige gras liep, hem als geschreeuw in de oren. Langs de lage heuvel waarin de aardkelder zat, liep een laag, stenen muurtje. Aan de andere kant van het muurtje was een stuk grond afgescheiden voor de bietenteelt. In een smal reepje stenige grond dat tussen het omgeploegde bietenveld en de weg langs Praszkiers werkplaats lag, herinnerde hij zich dat een paar appelbomen stonden. Onverschrokken klauterde hij over de muur en daarna over een ijzeren hek waarvan hij niet wist of het er vroeger had gestaan, maar dat er nu wel stond: stukgeroest gaas dat als een kooi opstak uit middelhoog gras en wilde-frambozenstruiken.

En daar stond hij onder de bomen. Hun kruinen verdwenen in de nachtelijke nevel boven hem. Hij zag waar de takken begonnen, maar niet waar ze eindigden.

Het was doodstil om hem heen. Zelfs geen vogel vloog verschrikt, met fladderende vleugels op. Hij meende het hangende fruit als nog donkerdere vlekken in het duister te kunnen zien. Of verbeeldde hij zich dat alleen maar, omdat de gedachte dat er nog fruit aan de boom zou hangen hem zo allesoverheersend benevelde?

Met beide handen om de dikke stam probeerde hij de appels van de boom te schudden. De takken vlak boven hem bewogen nauwelijks. Toen sloeg hij zijn benen om de stam, kreeg een laaghangende tak te pakken en hees zich omhoog. Wat hij voor fruit had aangezien, bleken alleen maar dikkere bladeren te zijn; het fruit hing verder binnen in de boom en was onvolgroeid. Het smaakte zuur en ranzig; het brandde tegen zijn gehemelte en deed zeer aan zijn kaken. Maar hij at het toch, maakte toen een plooi in het midden van Feldmans dikke schaapsleren broek en vulde die plooi met al het fruit waar hij bij kon.

Daarna stond hij op de grond onder de boom, terwijl de stilte overal om hem heen gebarsten was. Maar toen de laatste tak weer omhoog was gezwaaid nadat hij had losgelaten, was er geen enkel geluid meer. Geen enkele beweging behalve zijn eigen ademhaling en het bloed dat ruiste achter zijn ogen.

Waar waren alle stemmen gebleven?

Die nacht droomde hij dat Lida en hij opgesloten waren in een van Feldmans vele glanzende glazen bakken. Het was zo krap tussen de glazen wanden dat ze zich geen van beiden konden verroeren. Toen het hem eindelijk was gelukt zijn hoofd los te wrikken en zijn kin naar beneden te dwingen, zag hij dat zijn eigen arm en Lida's kin en borst ook van glas waren en dat hun lichamen onder hun hals waren samengesmolten tot één enkel glazen lichaam. Borst, buik en bekken waren zeer stevig aaneengeplakt, hun half doorschijnende schouders en hoofden maar net genoeg gescheiden om met pijn en moeite elkaars gezichten te kunnen onderscheiden.

En geen van beiden kon zich verroeren.

Slijm, of was het alleen maar ongewoon taai speeksel, stroomde uit Lida's mond, en terwijl het stroomde, verstijfde ook dat, en het bevroor tot glas. Hij wilde vooroverbuigen en het koude slijm van haar lippen likken, maar het enige waar hij in slaagde, was zijn gezicht opzij draaien, en toen kwam zijn broze hoofd tegen de wand van de bak.

Daardoor likte hij niet aan haar lippen, maar aan de groene laag aan de binnenkant van het glas. Die laag was onverwacht dik en ruw, en hoewel er een zoetige, weeïge nasmaak op zijn tong achterbleef, kon hij niet ophouden en likte hij al dat groens op.

De honger deed nu zeer in zijn buik en spande die aan, alsof zijn lichaam, toen het samengegroeid was met dat van Lida, was opgezwollen tot een reusachtige glazen buil: een hongerbol die binnen in hem sneed met scherpe uitsteeksels.

Hij werd in het donker wakker met verschrikkelijke buikkrampen, en kon nog maar ternauwernood de richel bereiken die hij als latrineplek gebruikte voordat de ontlasting uit hem spoot.

In de ene kramp na de andere, totdat het hem duizelde.

Hij veegde zich zo goed en zo kwaad als het ging schoon met de kleren die hij daar had, maar begreep ook dat hij niet hier in deze kelderput kon blijven.

Hoe groot het risico van ontdekking ook was.

Van nu af aan was hij elke dag ten minste een paar uur 'boven'.

Het waren zachte dagen. Van het vocht dat 's avonds en 's nachts de lucht en het landschap in een cocon van ondoordringbare nevel hulde, bleef overdag slechts een lichte versluiering van het zonlicht over. De huizen en de houten schuren met hun ongeverfde houten wanden en grove hoekstijlen, de hekken en de muurtjes, de bomen met hun nu, in de herfst, zware, natte gebladerte: alles werd zachter. Het gras verbleekte onder zijn voeten. Waarschijnlijk droegen de slapheid en de honger bij aan dit gevoel dat alles zachter werd. Maar het voelde ook alsof hijzelf oploste. Of liever, vervaagde: in een soort onwerkelijk zweven.

Op een dag meende hij in de verte schoten te horen. Eerst afzonderlijke knallen, daarna het geratel van machinegeweren.

De schotenwisseling duurde misschien twintig minuten, met korte of langere tussenpozen. Hij luisterde intensief om te horen of de echo sneller kwam en de schoten dichterbij klonken. Maar niets daarvan gebeurde. Na een poosje werd het helemaal stil en hij vergat onmiddellijk wat hij had gehoord.

Op een andere dag meende hij gestalten te zien lopen op het grote veld bij het kerkhof. Wel een man of tien, vijftien: ze leken in een rij te lopen, achter elkaar aan. In de bleke warmtenevel vloeiden de omtrekken van de lichamen samen, en ten slotte waren ze helemaal verdwenen.

Hij dacht aan Feldman.

Waarom kwam hij niet? Hielden de Duitsers hem de hele tijd gevangen of onder zo strenge bewaking dat hij er niet even tussenuit kon? Of nog erger: hadden ze hem betrapt toen hij naar Marysin probeerde terug te gaan en hem doodgeschoten?

Hij wist dat dat een mogelijkheid was waarmee hij rekening moest houden.

Als Feldman niet kwam, moest hij zich op eigen kracht zien te redden.

Elke dag, voor zover zijn krachten het toelieten, breidde hij het gebied dat hij onderzocht uit.

De buurt aan de andere kant van de aardkelder waarin hij 's nachts de rimpelige, verschrompelde appels had geloosd, stond vol kleinere houten huizen en schuren, hurkend in hun overwoekerde vergetelheid. Veel van deze huizen waren vroeger bewoond door rijke 'stadsbewoners', mensen met plaitses. Als ze hier zelf niet woonden, hadden ze ze 'onderverhuurd' aan mensen met nog betere contacten. Iemand die Tausendgeld heette was de bemiddelaar.

In verschillende van deze huizen stonden de deuren en ramen nu wijd open in het herfstlicht.

Verlaten kamers: slaapkamers met omvergegooide bedden waarvan de veren uit de matrassen staken, open kastdeuren met de inhoud er half uit, vertrapte kledingstukken, en beddengoed overal op de vloer. In de keukens echter niet of nauwelijks iets van waarde.

Van waarde was wat eetbaar was. In een keukenkast die niet op slot zat, vond hij een verdroogd stuk brood, zo hard en beschimmeld dat hij zijn tanden er niet eens in kon zetten. Hij probeerde het door het hele stuk brood in zijn mond te houden, maar zelfs daar werd het niet zachter van.

In een ander huis vond hij een blik bonen. Na een paar uur werken lukte het hem met een steen en een grove beitel het deksel open te krijgen, alleen maar om de bedorven inhoud als giftig schuim over de rug van zijn hand te zien gisten. De stank was zo afschuwelijk dat die niet eens verdween toen hij zijn handen in koud water uit de put had gewassen en met zand had geschrobd.

In weer een ander huis vond hij geld op de bodem van een kast. Rumkies. Op de bodem van alle drie de laden van de kast was wasdoek vastgespijkerd, en daaronder lagen biljetten, honderden biljetten, netjes platgestreken, zodat niet de geringste hobbel te zien was. Hij stond met het waardeloze gettogeld in zijn handen, en toen hij eraan dacht hoe iemand jaar in jaar uit deze belachelijke papieren valuta had bijeengeschraapt en opgespaard in de verwachting dat hij er ooit iets voor kon kopen, begon hij te lachen. Minutenlang wankelde hij van de ene naar de andere kamer in dat huis, met de waardeloze bankbiljetten in zijn handen, hinnikend en huilend van het lachen. Ten slotte kwam hij tot bezinning. Als hij zo doorging met energie verspillen aan hysterische uitbarstingen, zou hij algauw geen kracht meer over hebben.

Hij was tot aan de Młynarska gekomen, tot de hoek met de Zbożowastraat. Aan de andere kant van deze buurt lag de Centrale Gevangenis, waar de machtige Schlomo Hercberg ooit de scepter had gezwaaid en waar degenen die veroordeeld waren tot de zogeheten arbeidsreserve later naartoe waren gebracht. Hij stond zich af te vragen of de gevangenis nog steeds bewoond zou zijn, misschien als kazerne, toen de lucht plotseling werd verscheurd door een verschrikkelijk kabaal.

Drie vliegtuigen in dichte formatie op beangstigend lage hoogte.

Hij wierp zich pardoes op de grond en sloeg zijn armen om zijn hoofd.

Een seconde later, alsof het er even over had moeten nadenken, begon het luchtalarm in Litzmannstadt te gillen. En tegen het onbedaarlijke gejank dat het luchtgewelf boven hem plotseling vulde, hielp het niet om je armen tegen je oren te drukken. Het lawaai bleef als een zaagblad door hem heen snijden. Toen werd de lucht doorsneden door een nieuw, verschrikkelijk kabaal, en de drie vliegtuigen vlogen steil van de daken van de huizen omhoog naar de hemel, ditmaal gevolgd door het zware, naar het scheen te late, geratel van de luchtafweer ergens ver weg.

Hij lag nog midden op de weg, waar de geluidsgolf hem had geveld. Hij had nog nooit buitenlandse gevechtsvliegtuigen van zo dichtbij gezien. Een soort euforie verspreidde warmte van zijn maag tot in zijn kleinste vingerkootje. Hun bevrijders moesten dus heel dichtbij zijn, misschien maar een paar kilometer verderop.

Zodra de sirenes ophielden, alsof het geluid zich op de een of andere manier in zichzelf opvouwde, begonnen er overal om hem heen opgewonden stemmen te schreeuwen, in het Pools en in het Duits. Hij draaide zijn hoofd om en zag dat er twee Wehrmachtsoldaten uit een huis op de hoek van de straat, tweehonderd meter verderop, kwamen rennen. De volgende seconde werden ze gevolgd door een grote tank, die waarschijnlijk verdekt opgesteld had gestaan op de binnenplaats van de Centrale Gevangenis. Even stond hij met zijn lange loop recht op Adam gericht. Toen volgden er nog meer bewegingen van soldaten voor en achter de tank, en de loop werd langzaam en waardig opzij gedraaid.

Hij besefte dat de Duitse soldaten hem zouden hebben gezien als ze niet zo'n haast hadden gehad en zelf niet zo geschrokken waren. En als hij niet op de grond had gelegen. Zodra ze waren verdwenen, greep hij zijn kans: hij stond op en holde gebukt het dichtstbijzijnde huis in.

Hij had moeten begrijpen welke risico's hij nam.

De stilte in het getto – de verlaten straten, de lege huizen – het was allemaal maar schijn.

In elk van de ogenschijnlijk lege gebouwen waar hij langsliep, kon een Duitse soldaat liggen die hem volgde met zijn vizierkijker of zijn geweerloop.

Dat mocht hij nooit meer vergeten.

De laatste keer dat hij in het oude kindertehuis aan de Okopowastraat was geweest, was toen hij Feldman hielp kolen voor het fornuis naar de kelder te dragen. Toen was het Groene Huis al geen kindertehuis meer en was het overgegaan naar de vage beheersvorm die ook te boek stond als 'rusthuis' voor de *dygnitarze* van het getto. Als er één gebouw in Marysin was waar je verstopt voedsel zou kunnen vinden, dacht Adam, was het dat.

Toch was het alsof het Groene Huis omgeven was door onzichtbare muren of hekken.

Hij liep er een paar keer voorbij zonder ertoe te kunnen komen naar binnen te gaan.

Het stond vast dat Lida hier nooit was opgesloten. Maar toch was er iets met het beeld dat hij in herinnering had van haar naakte, verkleumde lichaam op de drempel van een vreemd huis dat ook het beeld van dit huis veranderde. Of was het de gedachte aan alle kinderen die hier hadden gewoond? Hij herinnerde zich hoe ze hier meestal onbeweeglijk stonden, met hun vingers hangend aan het ijzerdraad van het hek dat het grote veld aan de achterkant omgaf. Bleke, schaduwachtige gezichten. Toch was het een vreedzaam huis geweest. Hij herinnerde zich het geluid van schel schreeuwende en lachende kinderstemmen dat in de wijde omtrek te horen was.

Ten slotte vatte hij moed en ging het huis in.

De lijkstank hier was bijna bedwelmend.

Hij had er de hele tijd rekening mee gehouden dat dit ergens een keer zou gebeuren. In een of meer huizen moesten doden zijn.

Mensen die te zwak waren om op eigen kracht naar de verzamelplaatsen te gaan. Mensen die op het laatste moment hadden geprobeerd zich te verstoppen. Mensen die net als hij geen eten en water hadden om zichzelf in leven te houden. Als de Duitsers de huizen niet al hadden doorzocht, degenen die ze hadden gevonden ter plekke hadden gedood en vervolgens hadden nagelaten de lijken weg te halen. Want waarom zou je je druk maken om de lichamen nu de laatste transporten het getto toch al hadden verlaten?

Als de andere huizen al duidelijke tekenen van een overhaast vertrek vertoonden, dan heerste in het Groene Huis iets wat het meeste leek op totale vandalisering. In de keuken waren alle tafels omvergesmeten; wat er aan huisraad was – pannen, potten, borden – was allemaal uit de kasten getrokken. In de nauwe gang tussen de vestibule en het kleine kamertje dat Feldman altijd de Roze Kamer noemde, had iemand de vloer opengebroken, zodat zich in het midden van de ruimte een grote, brede schacht opende. Van de piano die hier altijd stond, was geen spoor te bekennen. Waarschijnlijk was die geconfisqueerd toen Biebow besloot dat alle muziekinstrumenten in het getto moesten worden ingeleverd om te worden verkocht; als hij niet al lang daarvoor tot spaanders was geslagen.

Maar ook hier drong de stank door.

Hij scheurde een stuk gordijnstof af dat over de omvergegooide bank aan de andere kant van de kamer lag, en bond dat als een masker voor zijn neus en mond.

Toen ging hij de trap op.

Hij liep langzaam, aarzelde bij elke stap, luisterde.

De laatste mensen die hier waren geweest, hadden de trap kennelijk gebruikt om hun behoefte te doen, want her en der op de treden lagen opgedroogde resten van menselijke uitwerpselen. Tezamen met vodden, uit boeken gescheurde bladzijden en schriften van kinderen, en de resten van een schoen, een herenschoen waarvan zowel de hak als het bovenleer was afgesleten.

Op de bovenverdieping kon er geen twijfel over bestaan waar de lijkstank vandaan kwam.

Met de ene hand tegen het provisorische gezichtsmasker gedrukt en de andere steun zoekend tegen de muur liep hij de gang door naar de kamer van de directeur en hij duwde de deur open met zijn elleboog.

Werner Samstag lag op zijn rug op de smalle bank naast het bureau van directeur Rubin. Het leed geen twijfel dat hij het was. Hij had hetzelfde, waarschijnlijk nieuw gemaakte, maar nu vuilzwart geworden politie-uniform aan als die keer dat hij bij Feldman thuis opdook in een poging hem Lajbs lijst van vermeende aanslagplegers en verzetsmensen te ontfutselen.

Zijn hoofd had waarschijnlijk op de leuning van de bank gelegen, maar nadat het schot was afgevuurd (of ten gevolge daarvan) was het omlaag gegleden en nu hing het halverwege de vloer. Juist het feit dat het hoofd en het halve bovenlichaam naar beneden hingen, terwijl de rest van het lichaam nog recht op de bank lag, maakte dat het gezicht er vreemd uitzag. De linkerkant van het hoofd, waar de kogel naar binnen was gedrongen, was zwart van gestold bloed. De rest van het gezicht was gezwollen en bijna blauw; de tong hing naar buiten, zodat het leek alsof het dode hoofd naar hem grimaste.

Hij deed op goed geluk een stap in de kamer, en de vliegen stegen meteen in zwermen op van het gezwollen, stinkende lichaam. Hij zag dat het in de open, bruine wond in het hoofd en bij de hals krioelde van de insecten. Wat hem echter het meest interesseerde, was het pistool dat nog in Samstags rechterhand zat.

Hoe kwam hij aan dat wapen?

Het was volkomen ondenkbaar dat Samstag zoveel macht had weten te verwerven dat hij gewapend had kunnen rondlopen in het getto, als de eerste de beste Duitser.

Iemand moest hem een wapen hebben bezorgd – of het tegen hem hebben gebruikt.

Adam was nu heel dicht bij het lijk. Door de houding van het lichaam was bloed uit de schotwond in het hoofd langs de schouder en de onderkant van de arm door de mouw van zijn uniformjas naar beneden gestroomd om zich daarna te vertakken over de pols, die zwaar maar stevig op de vloer rustte. Ook de vingers die de kolf van het pistool omsloten, waren ingekapseld in dik, geronnen bloed. Hij haalde de stoflap voor zijn mond vandaan, wond die om zijn hand en probeerde toen de ene vinger van het lijk na de andere te strekken om het pistool te kunnen verwijderen.

Er leek een soort zucht door het lichaam te gaan, alsof het er zich ook in de dood tegen verzette dat iemand zich aan zijn eigendom vergreep. Maar na een poosje lukte het hem alle vingers recht te buigen en het bebloede wapen vrij te maken.

Hij wikkelde het pistool zorgvuldig in de lap stof en nam het mee naar de keuken, waar hij de tafels en de stoelen zo neerzette dat het min of meer leek op de manier waarop ze altijd hadden gestaan. Zo had hij tenminste ergens een plek gemaakt om te zitten.

Met behulp van water uit de put op de binnenplaats en nog een stuk gordijnstof slaagde hij erin de loop en de kolf schoon te maken. Te oordelen naar hoe het eruitzag, was het een heel gewoon Duits parabellumpistool, van het soort dat alle Duitse officieren in hun holster droegen. Adam Rzepin wist niet meer van wapens dan hoe ze eruitzagen en hoe de mensen zich gedroegen die ze hadden.

Patronen zaten er echter niet meer in het magazijn.

De kogel die Werner Samstag doodde, moest de laatste zijn geweest.

Als wapen beschouwd, was het pistool dus waardeloos, tenzij hij meer magazijnen vond, ergens boven, in Rubins kamer, verstopt.

Hij woog het wapen in zijn hand en probeerde zich voor te stellen hoeveel hij ervoor had kunnen krijgen als hij het had kunnen verkopen op de Pieprzowa; vast wel een paar duizend mark, als iemand het tenminste had durven aanschaffen of doorverkopen. Als de Gestapo erachter was gekomen dat er echte wapens in omloop waren op de zwarte markt, hadden ze ongetwijfeld het hele getto opgeblazen.

Maar of Samstag het wapen nu gekocht of gestolen had, deed er eigenlijk niet toe. Het belangrijkste was dat hij, Adam, het nu in zijn bezit had.

En Werner Samstag had hij ook in zijn bezit.

Twee dingen begreep Adam onmiddellijk: als het lijk hier bleef liggen bestond de kans dat hijzelf onopgemerkt zou blijven. De honden – als ze kwamen – zouden onmiddellijk het dode lichaam aanwijzen. De Duitsers die kwamen, zouden het lijk dan snel weghalen en begraven of verbranden. Daarna zouden ze zich hopelijk niet meer om het Groene Huis bekommeren.

Gezeten in de keuken van het Groene Huis, in het licht dat de ramen om hem heen snel uitwiste, besloot hij in te trekken bij de Samstag die er uiteindelijk voor had gekozen naar huis terug te gaan. Samstag mocht best in de directeurskamer van het Groene Huis blijven liggen. Zelf kon hij wel in de kelder wonen.

Slechts enkele dagen nadat hij zich in het Groene Huis had geïnstalleerd, kwamen ze inderdaad. Ze hadden honden bij zich, precies zoals hij had verwacht. Het enige wat hem verbaasde, was dat ze zo vroeg kwamen, zelfs voordat hij wakker was, en hij werd altijd lang voor het ochtendgloren wakker. Hij hoorde het piepende en schurende geluid van de soldatenlaarzen op de vloerplanken boven zich. Roepende stemmen. Harde klappen of bonzen van voorwerpen die weggetrokken of omvergegooid werden. Iemand vloekte, laag en langdurig, in het Duits.

Hij smeekte Lida om zich alsjeblieft in te houden.

Meteen toen hij het Groene Huis weer binnenkwam, had hij begrepen dat Lida dit niet zou kunnen verdragen. De ontdekking van Samstags lichaam had het er niet bepaald beter op gemaakt.

De hele dag was ze onrustig in beweging geweest en 's avonds had ze hem weer bestormd. Hij zat op zijn knieën in wat ooit de keuken van het Groene Huis was geweest en doorzocht een pannenkast. De schemering was al ingevallen, het donker reikte tot aan de glanzende tafelbladen, en het enige wat hij zag waren haar uitgespreide handen, die door het donker gingen met de vingers naar binnen gebogen, als wilde ze hem de ogen uitkrabben. Haar gezicht was weer van glas en haar lippen en wangen verstijfden in een uitdrukking die geen uitdrukking meer was, maar slechts een ondraaglijk masker of grimas. Snel kroop hij onder een van de tafels en hij zette het glanzende tafelblad als een schild voor zich.

Hij begreep nooit waar Lida's boosheid vandaan kwam. Hij had deze haat nooit meegemaakt toen ze nog leefde. Wat was er met haar gebeurd sinds ze de grens naar het rijk der doden over was gegaan, als het tenminste niet het feit op zich was dat er nog steeds een grens bestond tussen levenden en doden?

Nu bidt hij tot haar en houdt zijn bewegingen expres rustig en zacht om niet opnieuw haar woede op te wekken.

Maar nu staan de Duitsers voor de deur.

De honden blaffen en keffen en hun klauwen krabben aan het hout van het kelderluik.

Hij hoort laarzen die in cirkels rondstampen.

Waarschijnlijk zoeken ze naar de haak van het luik om het open te kunnen trekken.

In haar glazen gezicht houdt Lida haar adem in, net als hij.

Knarsend gaat het luik recht boven hem open. Een dwalende zaklampstraal vangt kale muren op, waarvan hij het aderige barstenpatroon nu voor het eerst ziet.

Dan klinkt er plotseling een stem achter de scherpe lichtstraal: *Franz! Komm zu mir hoch!* – en de amechtig hijgende bekken van de honden, die net nog over de rand van het luik hingen, worden aan hun riemen teruggetrokken en het luik valt dicht met een zware klap, die hem in een wolk van opdwarrelend kaf en oud kolenstof hult. In het donker zijn Lida en hij opnieuw lichamen zonder gewicht en omvang.

De Duitsers zijn nog een hele tijd op de vloer boven hem aan het rommelen. Hij hoort hout kraken en piepen onder het gewicht van langzame, slepende stappen. Waarschijnlijk gaan ze de trap af met het dode lichaam. Dan zijn ze plotseling buiten het huis. Hun stemmen hebben een andere klank, die snel door wind of afstand vervaagt. Vaag meent hij het geluid van scherpe spades te horen. Zijn ze van plan Samstag hier te begraven? En wat betekent dat voor hem? Kan hij hier blijven? Kunnen de doden horen?

Van nu af aan heeft hij het wapen altijd bij zich, gestoken in de band van Feldmans broek. De broek is zo wijd dat het wapen in zijn kruis zakt zodra hij een onverwachte beweging maakt. Hij zou nooit een flink stuk kunnen rennen met het wapen in zijn broek. Maar hij vindt het leuk om het te hebben en hij vindt het leuk om het af en toe vast te houden en wat beter te bekijken.

Stel je voor. Een Jood met een wapen.

Af en toe doet hij alsof hij de loop tegen het hoofd van een van de Duitsers zet voor wie Lida danste. Nou krijg je een koekje van eigen deeg! zegt hij en plant de onschadelijke pistoolloop tegen een huismuur of een boomstam of wat er maar net toevallig voorhanden is. De juiste woorden willen echter maar niet komen, en ook al is het een Duitse slaap waar hij in zijn verbeelding de loop van het pistool op richt, die wil toch niet echt in kruit, rook en bloed uiteenspatten wanneer hij het denkbeeldige schot goed en wel lost. Er ontbreekt iets.

Het is merkbaar kouder geworden.

Het vocht stijgt op uit de grond.

Bij de straten achter de Miarkistraat, waar de Voorzitter zijn zomerhuis had en waar ooit de bewakingstroepen van de Sonder patrouilleerden, staan eik en esdoorn in brand. De esdoorn brandt met lichtere vlammen dan de doffe, roestbruine van de eik; de bladeren zijn glanzend van vocht na dagen van regen of nevel en hebben een zwak zilveren randje na heldere vriesnachten.

Ja, de vorst is op komst. Hij weet dat hij vroeg of laat vuur zal moeten maken. Als hij maar iets kan vinden om dat mee te doen.

Tot nu toe slaapt hij op houten platen die hij uit de keukenvloer heeft gebroken en in de kelder van het Groene Huis heeft gelegd, gewikkeld in een oude paardendeken die hij bij Feldman heeft gevonden. Maar binnenkort is dat niet meer genoeg. Elke dag kruipt het vocht hoger in de muren. Het vreet zich overal waar het komt in: in de plooien van armen en liezen, onder de huid zelf. Ten slotte voelt het alsof het zich helemaal tot in het merg van zijn eigen botten zal vreten. Hij kan voelen hoe het zijn ruggengraat vastgrijpt, hoe het zelfs zijn schedel in een harde, schroevende greep neemt.

Zijn ademcondens licht voor hem op als de nevel van de dood.

Hij heeft geen besef van dag of datum. Uit de manier waarop het licht over de velden valt en de contouren bestrijkt van wat er nog aan groen tussen de boomstammen en muren over is, leidt hij echter af dat het eind oktober, begin november moet zijn.

Het vriest nu 's nachts vaker, en de langgerekte, witte koudenevel blijft soms tot laat op de dag hangen, dik als stroop.

Hij kijkt naar de zon, die boven de horizon ligt als hing hij in een gigantisch laken, bol en dichtgesnoerd. Vogels stijgen op vanachter de omheiningsmuren en cirkelen schreeuwend in de lucht; ze zien eruit als reusachtige, scheve wagenwielen die door de lucht draaien.

Hij zit op een dag op de stenen put bij het Groene Huis wanneer hij een man de Zagajnikowastraat in ziet komen.

Hoewel de man nog zo ver weg is dat hij niet meer dan de omtrekken van zijn lichaam kan zien, begrijpt hij dat het Feldman is. Dat zit 'm in Feldmans manier om voor elke stap door zijn knieën te gaan, zijn hele lichaam aanzettend tot een gestrekt, eigenwijs, mechanisch drafje. Niemand anders loopt zo.

Hij ontgrendelt zijn pistool en richt, waarbij hij zijn rechterarm met zijn linkerhand ondersteunt. Hij houdt zijn arm gestrekt totdat Feldman dicht genoeg is genaderd om te zien wat Adam in zijn handen heeft.

Feldman blijft staan, staart recht in de mond van het pistool. Woordeloos, niet-begrijpend.

Ook Adam beweegt niet.

Feldman begint langzaam zijwaarts te lopen, alsof hij zo uit de schootslijn kan komen. Adam volgt hem met zijn pistool. Feldman ziet er zo ontzet uit dat Adam zijn lachen niet kan inhouden. Hij laat het wapen zakken.

'Waar heb je dat in vredesnaam vandaan?' vraagt Feldman en hij komt eindelijk dichterbij. Hij lijkt onder zijn jas en muts zo mogelijk nog verder ineengeschrompeld dan hij al was, maar het is dezelfde Feldman.

'Waar bleef je zo lang?' vraagt Adam slechts.

Feldman legt uit dat ze de hele tijd ingekwartierd worden gehouden in de Jakubastraat. Soms worden ze 's morgens ingedeeld in werkbrigades en naar allerlei plaatsen in het getto gestuurd. Meestal gaat het om kantoren en departementen die moeten worden schoongemaakt. Elke dag halen ze kilo's papier uit archiefkasten en bureauladen en daarna verbranden ze het allemaal in grote tonnen. Hij had er geen idee van dat het getto zoveel *papier* produceerde, zei hij.

Verder zijn ze bezig met de werkplaatsen. Ze voeren snij- en slijpmachines af uit de houtfabrieken aan de Drukarska en de Bazarowa. Sommigen van hen halen zelfs de grote stoomwasketels, mangels en lakenpersen van de wasserijen uit elkaar. Alles tot aan Radogoszcz is weggehaald en afgevoerd op treinen naar het westen, weg van het front.

Dat verklaart dus de geluiden 's nachts. Het konvooi mannen dat hij aan de horizon zag marcheren, was dus onderweg naar het rangeerterrein.

'Is er daar nog iemand?' vraagt hij.

'Waar?'

'Bij Radogoszcz?'

Feldman schudt zijn hoofd.

'Alleen wij van het commando zijn er nog. Een paar honderd man hooguit.'

'Jankiel?'

'Weet ik niet. Jankiel is dood. De meesten zijn dood.'

Adam is niet overtuigd. Hij merkt dat het hem moeilijk begint te vallen bij te houden wie er dood zijn en wie nog in leven. Szaja, *zijn vader* – hij heeft een vaag beeld van hem terwijl hij in een rij mannen loopt die van de Centrale Gevangenis naar het station marcheren. En Lajb? In plaats van een gezicht ziet hij nu alleen maar ratten achter roestige tralies. Zelfs Lida zag er meer levend uit dan Lajb.

'Ik heb een beetje eten voor je,' zegt Feldman.

Hij rolt een pakje uit dat hij onder zijn jas had zitten, een vuile zakdoek vol stukjes droog brood, twintig decagram worst, twee verschrompelde aardappels. Adam ziet zichzelf al deze begerenswaardige zaken aanraken, niet haastig of begerig, maar zoals een insect een stukje fruit proeft, aarzelend en langzaam. Het moet weken hebben gekost om deze schat te verzamelen, elke dag een klein beetje gespaard uit zijn eigen krappe rantsoen.

'Hoe wist je dat ik hier was?' vraagt Adam.

'Dat wist ik niet. Ik kreeg bevel schoppen te halen.'

Adam vergeet de eenvoudigste dingen. Nu is hij vergeten te slikken. Het speeksel stroomt langs zijn kin. Feldman steekt een arm uit en strijkt het speeksel met de rug van zijn hand weg.

'Hier is geen schop,' zegt Adam. 'Ik heb al gezocht.'

Ze blijven een poosje zwijgend zitten.

Dan vraagt Feldman hoe het met hem is. Adam zegt dat het wel gaat. Hij loopt van het ene huis naar het andere. Hij neemt mee wat hij vindt. In veel tuinen zijn nog steeds vruchten: door vorst aangetaste, wormstekige appels met de smaak van onrijp fruit. Op de oude volkstuintjes zijn nog wat bieten uit de grond te wroeten. Hij heeft zelfs een plant met verse uien gevonden. Kun je het je voorstellen, Feldman? Echte uien. In een van de huizen heeft hij een petroleumstel gevonden. Maar geen petroleum. Hij heeft overwogen het op olie te laten branden. Het blik stookolie dat hij van het station heeft meegepikt, ligt immers nog in de tuinderij, maar hij durfde het niet, omdat hij bang was dat er mensen op af zouden komen. Behalve de Duitsers is hier de hele tijd niemand geweest, zegt hij.

Terwijl hij vertelt, zit Feldman naar het pistool op Adams schoot te kijken. Daarom moet Adam in elk geval over Samstag vertellen. Eigenlijk wil hij dat niet, maar hij begrijpt dat hij geen keus heeft.

Feldman blijft lang stil, zo lang dat Adam de indruk heeft dat hij niet van plan is erop in te gaan. Maar na een poosje zegt hij dat ze op de Jakuba over Samstag hebben gepraat. Sommigen menen te weten dat hij met het allerlaatste transport is meegegaan, dat waar ook Rumkowski en zijn familie bij zaten. Sommigen van zijn eigen mensen zeggen dat ze bevel hebben gekregen naar hem te zoeken. Dat zelfs de Duitsers hem in het getto hebben gezocht. Dat ze bang voor hem zijn. Vooral Biebow. Biebow zou zelfs een beloning hebben uitgeloofd voor degene of degenen die Samstag levend te pakken zouden krijgen.

Adam houdt zijn pistool omhoog.

Feldman schudt alleen maar zijn hoofd.

'En Biebow...?'

Zwalkt meestal stomdronken door het getto. Houdt zich bezig met geraffineerd scherpschieten op mensen. Blootshoofds en met zijn mouwen opgestroopt, met de fles in zijn ene hand en het dienstwapen in de andere. Ze roepen gewoonlijk: *Biebow komt eraan*. En zoeken dekking zodra hij de hoek om komt. Van de vroegere *dygnitarze* van het getto is alleen Jakubowicz er nog. Hij heeft de verantwoordelijkheid voor wat er nog over is van de Centrale Kleermakerij, is nu gedegradeerd tot *kierownik*, maar is in elk geval niet gedeporteerd, zoals alle andere hoge pieten. Maar nu is ook de Centrale Kleermakerij gesloten en ontmanteld – de machines zijn naar *Königs Wusterhausen* gegaan; ze zijn de hele vorige week bezig geweest met de verhuizing – en Biebow is zijn laatste vertrouweling kwijt, de enige Jood in het getto van wie hij waarschijnlijk het gevoel had dat hij er volkomen openhartig mee kon praten.

Ten slotte maakt Feldman aanstalten om op te staan.

'En wanneer komen de Russen?' vraagt Adam.

Hij vraagt het zoals een kind het zou vragen. Met woorden zo groot als op aanplakbiljetten en met zijn hand uitgestoken alsof hij verwacht dat Feldman het antwoord daarin zal leggen.

Maar Feldman haalt slechts zijn schouders op in zijn grote jas. Alsof de vraag al zo vaak en zo lang is gesteld dat ze irrelevant is geworden. Misschien hebben ze er wel spijt van zodra ze hier zijn. Misschien veroveren ze eerst de Balkan. Bulgarije heeft Duitsland al de oorlog verklaard. De geallieerden hebben België en Nederland al veroverd, op weg naar Parijs. Het is nog maar een kwestie van tijd. Maar de tijd, de tijd: wat gebeurt er met de tijd?

'Ik vries nog dood voordat ze komen,' zegt Adam.

Anders kan hij het niet uitdrukken.

'Jij vriest niet dood, Adam,' zegt Feldman. 'Mensen als jij vriezen niet dood.'

Dan draait hij zich om en loopt naar de oude handelstuinderij om zijn schoppen te halen.

Hij ligt alleen op de houtplaten in de kelder van het Groene Huis.

Hij denkt aan de tijd dat hij op het goederenstation werkte. Wat werd er toch allemaal geladen en gelost. Eerst werden mensen hierheen gevoerd, later werden ze weggevoerd. Machines werden hierheen getransporteerd, later weggetransporteerd. Hij dacht aan de lange goederentreinen met machineonderdelen die 's nachts binnenkwamen; hoe ze in het meedogenloze licht van de schijnwerpers de pakkisten naar de wachtende vrachtwagens droegen: gewoon op hun rug. Voor de allerzwaarste machineonderdelen moesten ze berries maken die met een kraan in de wagons werden neergelaten.

En nu werd dus alles weer het getto uit gebracht.

Hoeveel mensen zouden er nog bij het ontruimingscommando aan de Jakubastraat zijn? Feldman dacht dat het er maximaal vijfhonderd waren; vrouwen apart en mannen apart.

Waren vijfhonderd mensen genoeg om de herinnering aan een stad die eens enkele honderdduizenden mensen had geteld, uit te wissen?

Hij denkt aan Jankiels hoofd, dat als een vuile appel in het grind ligt; grind en kolengruis dat vast is gaan zitten in het uitgesmeerde bloed. Lida zit op haar hurken naast het gevallen lichaam en haar lange, smalle armen hangen levenloos tussen haar knieën.

Haar ogen zijn strak gericht op haar broer.

Achter haar komen alle anderen – Gelibter, Roszek, Tzunwald met zijn klompvoet – hun ruggen, hun schouderbladen, die hij zo vaak met kleine, nauwkeurige bewegingen zware houten kisten heeft zien optillen. Hij zou deze ruggen uit duizenden herkend hebben als hij ze weer had kunnen zien, stuk voor stuk, gebogen, krom, of trots en doorzakkend, zoals Jankiels rug wanneer hij opstond, met zijn buik naar voren en zijn stuitbeen naar binnen, alsof hij nooit moe werd te laten zien wat hij daar aan de voorkant had hangen. En altijd glimlachend. Daarom kwam Schalz altijd weer op hem af om hem te slaan. Om die spottende, sproetige glimlach van zijn gezicht te vegen.

Waar worden ze nu heen gebracht? En waarom is hij niet bij hen?

Terwijl hij daar in het kelderdonker ligt, denkt hij dat er toch ergens een breekpunt moet zijn, net als wanneer je tegengewichten op een weegschaal legt, en de weegschaal slaat opeens door.

Wanneer de verdrevenen en de doden met meer zijn dan de levenden, beginnen de doden in plaats van de levenden te praten. Er zijn gewoon niet meer voldoende levenden over om een hele werkelijkheid te kunnen dragen.

Nu begrijpt hij het. Dáár komen de stemmen vandaan.

Wanneer het donker en koud is en het vocht alle grenzen uitwist, verschuift het evenwicht, en de hemel boven hem is niet meer zijn hemel, maar hun hemel. De hemel waar zij onder lopen wanneer ze van de gevangenis aan de Czarnieckiegostraat helemaal naar Marysin lopen, met drie of vijf op een rij, en de bewakers een stukje links van hen; en de kinderen van het Groene Huis staan achter het hek van het kindertehuis toe te kijken, hun handen vergeten hangend in het gaas boven hen.

Toen was er geen geluid uit de marscolonne gekomen. Nu hoort hij opeens alle mannen zingen. Alle ruggen zingen. Een toonloos en machtig, rommelend aardlied, dat in hem groeit en aanzwelt. Want ook binnen in hem is het lied. De hele wereld dreunt en schudt van dit lied. Hij houdt allebei zijn handen voor zijn oren om het lied buiten te sluiten, maar het helpt niet. Wanneer de doden zingen, kent hun lied geen banden of boeien en er is niets om het mee te onderdrukken of te dempen.

Wanneer hij eindelijk wakker wordt, is alleen de echo van zijn schreeuw er nog. Maar hij reikt ver, die echo: ver buiten en weg van hemzelf, alsof hijzelf per ongeluk de contouren van al deze afwezigen en doden binnen een straal van honderden mijlen had getekend.

Wat blijft er dan van hemzelf over? Alleen en onverlost te midden van de nog levenden?

Hij kon zich niet herinneren dat hij ook maar één keer in zijn hele leven had gehuild. Zelfs toen ze Lida van hem afpakten, had hij niet gehuild. Nu

huilde hij, misschien wel vooral omdat er niemand meer was om wie hij
kon huilen.

De winter komt. Het lijdt geen verder uitstel.

Het jaar is als een oud molenrad: het draait rond met zijn zware schoepen. Soms snel, soms minder snel. Maar zonder zich ooit te laten stoppen.

Op een ochtend strijkt er sneeuw over de lange, licht aflopende helling voor het Groene Huis. Het is de eerste sneeuw van het jaar. De wind drijft de sneeuw in dunne, witte sluiers op of vormt kleine, maar heftige sneeuwvlagen die als het ware over de nog groene velden bezemen.

Hij weet dat de tijd nu dringt als hij voldoende eten en brandstof wil zoeken voor een hele winter.

Feldman is nog een paar keer hier geweest.

De al zwakke discipline bij de groep in de Jakubastraat lijkt nog verder te zijn ontaard. Het ontruimingscommando gaat steeds sporadischer op pad. De Duitse commandanten zitten vooral te drinken en te kaarten. Eten is steeds moeilijker te krijgen, en kolen of hout in flinke hoeveelheden kan Feldman onmogelijk ongezien meenemen.

Adam heeft al in de oude gereedschapsschuur gerommeld en twee lege houtzakken gevonden. Geen flintertje brandhout is er meer over, maar helemaal onderin liggen wat vochtige, brokkelige houtspaanders. Dat moet houtafval van een zagerij zijn geweest; misschien een keer cadeau gedaan aan Feldman. Hij stopt de twee lege houtzakken onder zijn jas en gaat naar buiten, de sneeuwjacht in.

Ergens moet hij hebben gedacht dat de sneeuwval maar tijdelijk zou zijn. De wind duidde daarop. Snel en buiig, en bijtend scherp in gezicht en handen.

De wind gaat echter liggen zonder dat het ophoudt met sneeuwen. Het sneeuwt juist steeds harder. Het wordt helemaal stil. Hij loopt door een zuilenhal van dicht vallende sneeuw.

Hij beseft dat de sporen in de sneeuw hem kunnen verraden, maar nu is hij al te ver in de Marysińskastraat, nu is het niet meer de moeite waard om om te draaien.

Hij moet toch ergens mee terugkomen. Anders heeft hij nodeloos energie verspild.

Hij denkt aan de eerdere gettowinters. Zodra de eerste sneeuw viel, werd het smerig en vies. Van oude as, ontlasting en afval. En dan die lange looppaden die mensen plattrapten: als smalle, zwarte gangen door de ongeruimde sneeuw.

In de sneeuwgordijnen van nu is het bijna onwerkelijk wit en stil en kalm. Geen sporen.

Hij loopt, maar het is of hij helemaal niet loopt. Hij loopt door de dichter wordende flarden langzaam vallende sneeuw alsof hij wordt gedragen, of liever: wordt opgetild.

Het Centrale Kolenmagazijn ligt aan de Spacerowastraat, bijna op de hoek met de Łagiewnicka, zo'n honderd meter van het Bałutyplein.

Zo dicht bij het hart van het getto heeft hij zich nog niet eerder gewaagd.

Het kolenmagazijn was altijd een van de strengst bewaakte plaatsen van het getto. Voor de ingang stonden dag en nacht Joodse politieagenten. Ook langs het hoge hek dat om het magazijn heen stond en aan de achterkant, voor het geval dat iemand zou proberen via de parallelweg aan de noordkant van het plein naar binnen te komen. Het hoge hek is er nog, maar de poort staat open en er zijn geen wachtposten te zien.

Wanneer hij de straat oversteekt, laten zijn voetstappen diepe afdrukken achter in de sneeuw. Hij vraagt zich af of hij zijn sporen achter zich moet wegvegen, maar waarschijnlijk zou dat het alleen maar erger maken. De sneeuw is nu zacht; hij ziet hoe het smeltwater in de voetafdrukken wordt gezogen. Het is slechts een kwestie van tijd voordat de sneeuwval overgaat in regen, en dan wordt het nog zinlozer.

Hij gaat het terrein verder op. Wanneer de brandstofrantsoenen waren bekendgemaakt, stonden hier altijd duizenden mensen in de rij om hun brikettenrantsoenen van vijf of tien kilo op te halen. Hij weet nog dat de lange, slangvormige rij al begon voor het smalle pakhuis, een barak die bijna identiek was aan die van de gettoadministratie op het Bałutyplein, en dan doorging tot ver op de Łagiewnickastraat. Het was een sport geweest om de rij te slim af te zijn, om te beweren dat een of andere denkbeeldige tante of oom een plaats voor je bezet hield, vooraan bij de balie. Elke keer als er zo'n poging tot voordringen werd gedaan, ontstond er tumult verder achter in de rij. Mensen schreeuwden protesten en de dienstdoende bewakers kwamen aanrennen en begonnen met hun stokken op iedereen in te slaan achter wiens rug zich een indringer leek te verbergen.

Nu staat hier niemand. Het opslagterrein ligt wijd open en leeg onder de sneeuw die maar uit de lucht blijft vallen.

Eigenlijk koestert hij geen enkele hoop om iets te vinden. Als er hier nog kolen te halen waren geweest nadat de laatste marscolonnes het getto hadden verlaten, was dat vast al lang geleden gebeurd.

De deur van het magazijn staat bovendien half open en is ook onmogelijk af te sluiten, omdat (ziet hij nu) de tong van het slot en de klink zijn gedemonteerd. Hij stapt het halfduister in; zijn aarzelende voetstappen galmen droog en bevroren tegen het dak en de kale wanden. Hij kan in het donker nauwelijks iets onderscheiden. Een lage bank helemaal vooraan, en daarachter een deur die waarschijnlijk naar de opslag zelf leidt. Ook die zit niet op slot, maar daarachter wordt het zo mogelijk nog donkerder. Hij ziet nu haast geen hand meer voor ogen, doet op goed geluk een paar stappen, stoot tegen een muur, en dan valt hij haast van een trap af. Onder aan de trap is echter een deur die hij open kan schuiven.

Hij is buiten, op een gesloten binnenplaats van ongeveer twintig bij twintig meter, bedekt met een laag onbetreden sneeuw van een decimeter dik, en aan de achterkant omheind met een hoge muur. Hier moet de brikettenopslag zijn geweest. Bij de muur die de grens vormt naar het huurpand aan de andere kant staat een schuurtje, een soort gereedschappenberging. Hij loopt erheen en trekt de deur zonder veel verwachtingen open.

Binnen liggen geen gereedschappen – als hij dat al had verwacht – maar tegen de muur ligt houtafval opgestapeld. Twee flinke stapels van ruim een meter elk, bovendien samengebonden met touw, alsof ze hier gewoon waren opgestapeld in afwachting van iemand als hij, die het zou komen ophalen. Simpele stukken hout, van verschillende lengtes, waarschijnlijk bouwhout; de meeste stukken doormidden gebroken. Maar hij is al aan het rekenen. In elke zak zou hij twee of drie pakken hout kunnen proppen; en dan kon hij er nog twee of drie onder zijn arm nemen. In het ergste geval, als het te zwaar wordt, kan hij onderweg een paar pakken hout verstoppen om later op te halen.

Zonder dralen maakt hij de zakken open en begint in te laden. Hij is juist begonnen de tweede zak te vullen wanneer hij geluid achter zich hoort.

Een dun, knapperend, schrapend geluid. Het zou hem niet zijn opgevallen als er door de sneeuwval niet zo'n absolute stilte had geheerst.

Stappen op een koude stenen vloer; exact hetzelfde geluid dat versterkt om hemzelf heen klonk toen hij het magazijn binnenging.

Er komt iemand naar hem toe, iemand die waarschijnlijk zijn sporen in de sneeuw heeft gezien.

Hij duwt het laatste stapeltje hout in de tweede zak, sleept beide zakken midden over de met sneeuw bedekte binnenplaats en perst zijn rug tegen de muur aan de andere kant.

Er is een Duitse soldaat in het gebouw. Dat kun je horen aan de stevige, ruwe, zij het wat aarzelende stappen. Het metalig rammelende geluid van een geweer dat uit zijn draagriem wordt gehaald en dan langzaam omlaagglijdt langs de knopen en het belegsel van de uniformjas. Na een poosje hoort hij ook de diepe, aarzelende ademhaling van de soldaat. Nu ziet ook de Duitser wat Adam zelf allang heeft gezien: de wirwar van voetafdrukken die elkaar op de binnenplaats kruisen en bovendien nog de sleepsporen van de twee zakken. De soldaat zet een paar stappen op de binnenplaats; het is of hij dichterbij moet komen om te begrijpen wat hij ziet. Op dat moment zet Adam twee stappen naar voren en heft hij met beide handen zijn pistool.

De jonge soldaat draait zich om, zijn gezicht leeg, zijn ogen opengesperd. *Een Jood met een pistool.*

Het is zo onbegrijpelijk dat hij niet eens weet hoe hij moet reageren.

Adam doet snel nog een stap naar voren, zet de loop van het pistool tegen het hoofd van de man en gebaart dat die zijn geweer moet loslaten.

Gek genoeg gehoorzaamt de man.

Adam grijpt de riem van het geweer met één hand, zet de kolf op zijn knie en richt de lange geweerloop. Voordat de man begrijpt wat er gebeurt, spant Adam zijn vinger om de trekker en drukt af.

Het schot moet de zijkant van de hals van de man hebben geraakt, want zijn lichaam draait een halve slag rond, terwijl het bloed als een fontein uit de zijkant van zijn hoofd spuit. De Duitser landt op zijn rug in de sneeuw, met zijn armen uitgespreid als voor een omarming. Adam staat naast hem en drukt de loop van het geweer tegen zijn hoofd, maar het is niet meer nodig. Het bloed stroomt uit de wond in zijn hals als uit een tapkraan. De man beweegt niet, hapt alleen maar als een vis met zijn mond, alsof hij woorden zoekt. Maar hij zegt niets, of het is niet te horen omdat de echo van het schot om hen heen blijft weergalmen, en Adam weet dat het – zo stil als het nu is – in het hele getto te horen moet zijn geweest.

Hij slingert het geweer van de soldaat over zijn schouder en sleept de twee zakken hout van de binnenplaats de loods in en dan naar het voorterrein. Vervolgens langs de Łagiewnickastraat, waar hij nu, met zijn zakken hout midden op straat, een makkelijk doelwit is. De eerste de beste die hem ziet, kan hem op de korrel nemen en schieten.

Maar niemand ziet hem – niemand schiet.

De sneeuw is overgegaan in regen, en in de regen is een lichte nevel dichter aan het worden die de kleur aanneemt van de vallende schemering. Het laatste wat hij ziet voordat hij van de Łagiewnickastraat afslaat, is de grote gettoklok die hier altijd al heeft gestaan. *Gettotijd*: een heel speciale tijd, die zich onderscheidde van alle andere tijden ter wereld. Nu geven de wijzers op de bleke wijzerplaat vier uur en veertig minuten aan.

Tien over half vijf. Sneeuw wordt regen. Een Jood heeft zojuist een Duitser gedood.

Nog een paar blokken verder: hij heeft een stukje afgestoken door de Spacerowa en is daarna door de Młynarskastraat verdergegaan; hij is uiterst rechts blijven lopen, de kant van de straat die door bomen wordt beschaduwd. Daar beseft hij dat het domste wat hij nu kan doen, is teruggaan naar het Groene Huis. Daar zullen de Duitsers het eerst gaan zoeken. Als ze bovendien de leden van het ontruimingscommando gaan ondervragen, zou Feldman weleens gedwongen kunnen worden het Groene Huis en de tuinderij te noemen.

Aan de overkant van de straat: een lange rij eenvoudige huurhuizen. Van de sneeuw is nu nog maar een lichte regen over. Zijn sporen zullen binnen hooguit een uur zijn uitgewist. Hij gaat een van de donkere portieken in en sleept de beide zakken hout achter zich aan. Hij gaat zo hoog het huis in als hij maar kan. Eerste verdieping, tweede.

De deur van een woning: hij duwt hem met zijn schouder open.

Twee kamers, behang waarvan de banen loshangen aan muren vol vochtvlekken, een raam aan de straatkant, een beroet fornuis.

Hij laat de zakken los. Gaat op een doorzakkende bedbodem zitten. Heeft stekende pijn in zijn liezen. Hij voelt dat er geen plaats in zijn longen is voor de adem die hij naar binnen probeert te persen. Hij ligt op zijn rug op het ijskoude bed en probeert zichzelf te dwingen rustiger adem te halen.

Dwars over het plafond een ingewikkeld patroon van barsten in het pleisterwerk dat door het vocht heeft losgelaten.

Hij heeft dus hout – twee zakken vol. Hij zou zelfs vuur hebben kunnen maken als hij iets had gehad om het mee aan te steken en als ze hem niet meteen te pakken zouden hebben als hij dat deed.

Net als het pistool, om nog maar te zwijgen van het geweer, is nu ook het hout volkomen onbruikbaar.

Hij blijft drie etmalen in de kamer aan de Młynarskastraat. In die tijd gaat de regen meerdere malen over in sneeuw, en op de ochtend van de derde dag daalt de temperatuur sterk. Hij wordt wakker van de kou, lang voordat het licht is. De kou zit onder Feldmans oude schaapsleren broek om zijn lichaam als een ring van afwijzend metaal. In deze ijzeren ring kan hij zich nauwelijks bewegen. Hij voelt de huid van zijn gezicht niet wanneer hij die aanraakt. Ook het gevoel in zijn vingers en tenen is weg. Hij heeft wel vaker hevige kou meegemaakt – maar niet zó. Wanneer hij zich met moeite in een half zittende positie weet te hijsen, ziet hij dat het vocht de binnenkant van het raam met een ijzig ruitpatroon heeft bedekt. Het dampt overal van de vorst. Niet alleen uit zijn mond, wanneer hij uitademt, maar ook van het plafond, de vloer en de muren. Met tegenzin verlaat hij het bed om op zoek te gaan naar eten. In een van de woningen heeft de sneeuw die door een raam naar binnen is gewaaid al een wal van een halve meter tussen het bed in de hoek en het vervuilde fornuis gevormd. Het raam sluit niet en klappert in zijn piepende scharnieren; het is helemaal vervuld van dit zinloze, slepende, piepende geluid – zonder menselijke betekenis.

Hij weet met absolute zekerheid dat hij zal sterven als hij hier ook nog maar één minuut langer blijft. Dan heeft hij alle woningen in het pand al doorzocht zonder iets te eten te vinden. Hij weet dat hij goed moet nadenken: in het Groene Huis heeft hij het weinige bewaard waar hij tot nu toe van af kon blijven. Restjes droog brood, een paar decagram mais- en roggemeel dat hij van de bodem van oude voorraadpotten heeft geschraapt, een paar stijf bevroren bieten en knollen die hij in de verlaten volkstuintjes uit de grond heeft gegraven. De appels: rot daar waar ze op de grond hebben gelegen, maar verder volledig eetbaar.

Met die proviand zou hij het nog zeker een paar weken kunnen uithouden. Maar als het zo koud blijft, moet hij vuur maken. Maakt het uit of hij hier vuur maakt of in de houtkachel in het Groene Huis? Als de Duitsers in de buurt komen, zullen ze de rooklucht van het hout ruiken, ongeacht waar hij zich bevindt. Dan is het beter om terug te gaan naar het Groene Huis. Daar heeft hij bovendien meer kans om ervandoor te gaan en zich schuil te houden als ze weer zouden opduiken.

En waarom denkt hij nou eigenlijk dat ze juist naar hem op zoek zijn? Of dat ze sowieso tijd hebben om te zoeken? Of reden? Misschien hebben ze het schot gehoord, maar konden ze niet uitmaken waar het vandaan kwam. Het lijk ligt misschien nog – ongezien – in het bevroren afvalwater op de krappe binnenplaats van het kolen- en brikettenmagazijn.

Niet erg waarschijnlijk. Maar hij moet toegeven dat het heel goed mogelijk is.

Wanneer de schemering is gevallen, raapt hij dus zijn schaarse bezittingen bijeen, slingert het geweer van de Duitse soldaat over zijn schouder, pakt de twee zakken met hout op en sleept ze mee naar buiten.

De kou houdt aan. Adam loopt over langzaam knerpend ijs. De wind perst een ijskoud gloeiend masker tegen zijn wangen en voorhoofd.

Algauw zijn zijn vingers, die de zakken omklemmen, door de kou gevoelloos geworden.

Hij is zo slap van de honger dat zijn benen hem nog maar nauwelijks kunnen dragen. De wil om vooruit te komen is er nog, maar die wil voert een gevecht in een vacuüm.

Hij kan ook niet gaan zitten.

Hij denkt aan wat zijn vader vaak zei, dat het een keer zo koud was geweest in het getto dat zelfs het speeksel in je mond bevroor. Zou hem dat hier ook overkomen, net als Samstag? Omgekomen onderweg naar huis, met zijn pathetische zakken hout. Gestolen goed ook nog.

Dus blijft hij zich toch voortbewegen. De nachtelijke hemel is als een helm die hem over zijn voorhoofd is gedrukt. Daaronder opent zijn blik slechts een smalle tunnel voor hem uit. Daardoorheen verplaatst hij zich, zonder te stoppen of om zich heen te kijken om zich ervan te vergewissen dat er daar in het donker, onder de hemelhelm, niemand anders is die hem kan zien en volgen.

Hij loopt langs Praszkiers werkplaats, slaat de Okopowastraat in en is weer bij de hoek met de Zagajnikowa. Langs de kant van de weg en achter het tuinhek liggen bergen sneeuw die eerst zijn gesmolten en toen weer bevroren. De sneeuw is echter onberoerd. Nergens, voor zover hij kan zien, sporen van voetafdrukken. Als hij überhaupt nog iets kan zien. Zijn ogen zijn troebel, hij kan ze bijna niet openhouden wanneer hij ze op iets probeert te vestigen.

Hij is nu zo zwak dat hij moet leunen tegen alles wat hij tegenkomt.

Tuinhek, huismuur, dan de deur naar de vestibule en vanuit de (godzijdank!) donkere vestibule naar beneden, de beschermende kelder in.

Alles wat hij nodig heeft, heeft hij al bij elkaar gelegd. Onder meer asfaltpapier om op de bodem van de kachel te leggen, zodat het vocht het hout niet onbruikbaar maakt. Hij schuift een paar nog niet ontbladerde eikentakken in de oven en bouwt een torentje van aanmaakhoutjes die hij heeft verzameld. Het vuur pakt bijna onmiddellijk, hij laat het trekken in de tocht en sluit dan zorgvuldig het deurtje, zodat de warmte zich in de ruimte kan verspreiden en het vuur niet alleen maar walmt.

De rook van het vuur is vast op kilometers afstand te zien.

Maar dat kan hem niet schelen. Het vuur in de kachel gloeit en het trekt rustig en krachtig; hij begint er gewoon van te zweten in Feldmans grote jas. Het zweet gutst in stromen van zijn lichaam, zelfs de stijf bevroren huid van zijn gezicht zweet. Het loopt langs zijn oren en ogen en lippen.

En hij voelt zich in het even onverwachte als verleidelijke welbehagen dat hij om zich heen heeft gecreëerd bijna als een duivel in zijn hol. Volstrekt laakbare onverantwoordelijkheid.

Laat ze maar komen.

Maar er komt niemand.

Uiteindelijk worden de vlammen achter de kachelruitjes zwakker. Het vuur gaat uit en met verbazende snelheid neemt de kou de hele ruimte weer in bezit.

Terwijl hij half wakker ligt te rillen en te luisteren of hij geluid hoort, gaat hij in gedachten terug naar de Duitse soldaat die hij heeft doodgeschoten.

De dood heeft hij al vaak gezien, maar het is de eerste keer dat hij iemand heeft gedood.

Een Duitser nog wel. Sommigen zullen ongetwijfeld zeggen: net goed dat de schoft dood is.

Maar voor hem is de daad nog te groot om in woorden of gedachten volledig te bevatten.

Eerst dacht hij: hij heeft iemand gedood. Daarom zullen ze achter hem aan komen. Ze zullen niet rusten voordat ze wraak genomen hebben. Ze zullen hem villen, zoals ze met die Jood Pinkas deden, of hoe hij ook maar heette, die goudsmid met die winkel aan de Piotrkowskastraat, voordat het getto was gevormd, die, toen de Duitsers kwamen, al zijn bezittingen op allerlei plaatsen in zijn woning en bij vrienden en bekenden probeerde te verstoppen. Toen Pinkas weigerde te vertellen waar hij zijn goud verstopt had, hadden ze hem geslagen, hem al zijn kleren van het lijf gerukt, een touw onder zijn oksels geknoopt, dat vastgebonden aan een motor met zijspan en vervolgens Pinkas naakt de hele Piotrkowskastraat van het Grand Hotel tot aan Plac Wolności door gesleept, totdat zijn huid eraf geschuurd was, en van de bloederige rest die overbleef ook de armen en benen. Ten slotte waren alleen zijn hoofd en romp nog over.

Dat zouden ze met hem ook doen. Stelde hij zich voor.

Maar toen ze maar niet kwamen, werd hij onzeker.

Misschien was wat er gebeurd was, niet gebeurd. Misschien was het alleen maar iets wat hij had gedroomd, zoals hij soms dacht of droomde dat Lida bij hem was.

Ze was er, hoewel ze er eigenlijk niet was.

Bovendien was de soldaat die hij had gedood niet echt dood, omdat hij een Duitser was en Duitsers kunnen, zoals bekend, niet sterven. Hij zag de bloedfontein die uit de open halsslagader spoot, terugstromen in het lichaam. Hij zag de soldaat opstaan, zijn eerdere zelfbeheersing hervinden, zijn geweer weer grijpen en zich geërgerd naar hem toe keren.

Sterven? Als er hier iemand moest sterven, was hij het toch – de Jood.

Dat de Jood moest sterven, was al vanaf het allereerste begin bepaald, en zoals het ooit was bepaald, zo moest het uiteindelijk ook geschieden. Wie dacht hij trouwens wel dat hij was? Heerser over de geschiedenis? Zelfs een Duitser was niet zo gek dat hij zich verbeeldde over alles te heersen alleen maar omdat hij alleen op de wereld was.

Er valt nieuwe sneeuw, en nu blijft de sneeuw in zijn duisternis liggen.

En de duisternis blijft en verdiept ook wat er om hem heen is.

Hij bevindt zich in het hart van deze winter, erin ingebed als een steen in de maag van een groot, slapend dier.

De kou is er, maar de sneeuw isoleert vreemd genoeg ook.

Het is niet meer zo guur en vochtig in het Groene Huis.

Hij breekt de vloer van de hal open en zaagt de vloerplanken tot brandhout. Hij gebruikt een oud, verroest ijzeren rooster dat hij ergens heeft gevonden om de as van het vuur gelijkmatiger te verspreiden en zo de warmte langer vast te houden.

Langzaam, uiterst langzaam raakt het Groene Huis weer bevolkt.

Op een nacht meent hij pianomuziek te horen in de Roze Kamer.

Maar de muziek is niet compleet. Het enige wat er te horen is, is het mechanische gedreun van de houten hamers die tegen de stalen snaren in de enorme buik van het instrument slaan. Een *inwendige* muziek. De slagen worden harder, komen sneller achter elkaar. Ten slotte wordt het geluid oorverdovend: een kakofonie van koud gehamer, die zich als trillingen door zijn eigen lichaam voortplant.

Hij beseft dat hij ziek is.

De koorts spoelt in golven door hem heen, afwisselend hete en koude. Er is een doezeling in zijn lichaam waarvan hij instinctief voelt dat hij er niet aan mag toegeven. Om te voorkomen dat de doezeling het van hem wint, begint hij te schreeuwen. Hij schreeuwt in het wilde weg, met alle kracht die hij in zijn longen heeft. Hij schreeuwt de naam van Feldman. Hij schreeuwt de naam van zijn vader. Hij schreeuwt de naam van Lida. Wanneer hij niet op meer namen kan komen, begint hij de namen te schreeuwen van plaatsen die hij heeft bezocht, van allerlei plaatsen in het getto.

Komen de schreeuwen werkelijk naar buiten en galmen ze door de kamers, of verlaten ze hem als zwakke, fluisterende ademtochten? Hij durft niet meer op zijn gehoor te vertrouwen. Onmogelijk om te zeggen of wat hij zelf hoort, ook is wat buiten de kamer te horen is.

Ten slotte laten ook alle stemmen hem in de steek en hij bezwijkt voor de matheid.

In zijn koorts kruipt hij als een baby over de vloer.

Ook andere kinderen kruipen op handen en voeten rond.

De kamer is vol kinderen. Het is zoals het moet zijn.

Ook Lida is een kind. Een reusachtig hoofd met een warme, natte, kwijlende mond. Ze is, zoals gewoonlijk, gewikkeld in een smerig laken, met krappe gaten voor haar armen en benen, zodat ze zich niet kan besmeuren met haar eigen ontlasting.

En elke dag trok moeder het laken van haar af, waste en droogde het en trok het haar weer over haar hoofd aan.

Maar nu is Lida schoon. Ze sleept haar lange lichaam achter zich aan alsof het niet meer is dan een krap en omvangrijk omhulsel, de pop waar de larve zo dadelijk uit zal breken.

En ze glimlacht breed vanuit haar natte mond. Een glanzende, open, vertrouwende glimlach.

Ik ben nooit dood, zegt ze.

Hij hoort al dagen nu en dan het geluid van schotenwisselingen zonder dat hij begrijpt waar hij naar luistert. Niet de zware geluidstapijten van de vliegtuigen van overkomende geallieerden, niet het huilende geluid en de geweldige ontploffingen van bommen die inslaan. Niet de terugstoot van granaatwerpers – zelfs niet het heftige geratel van machinegeweervuur.

Nee, *mechanische* schotenwisselingen – daar luistert hij naar.

Een haastig, onregelmatig geschraap tegen wat nu zijn buitenste hemel is, de hemel die hij steeds wanneer hij wakker wordt om zijn hoofd en schouders draagt als een helm.

Grijs als email staat de hemel boven de lage muren en de verminkte bomen van de begraafplaats. Hij kan niet geloven dat het hetzelfde landschap is, hetzelfde landschap dat dag in dag uit terugkomt, en zijn eerste impuls is weer te gaan liggen: de honger tarten door tenminste te proberen te slapen. De schotenwisselingen worden ten slotte een even vertrouwd geluid als het getik van de regen of het sijpelen van water langs de gevels van de huizen na een nacht waarin veel sneeuw is gevallen en die is gaan smelten.

Pas wanneer er stemmen met de schotenwisselingen meekomen, wordt hij echt wakker.

De stemmen zijn nu eens dichtbij, dan weer ver weg, en het is opnieuw moeilijk uit te maken of ze van binnen of van buiten hemzelf komen.

Voor de zekerheid slingert hij de riem met het geweer over zijn schouder en gaat naar buiten.

Na zo'n lange tijd van onbeweeglijkheid is het moeilijk zich vrij te bewegen. Het is of iemand zware blokken hout aan zijn armen en benen heeft gehangen. Zijn hoofd wordt voortdurend omlaag getrokken, wil in elk geval voortdurend naar beneden buigen. Wie hem nu ziet, zal zeggen dat hij slechts een schaduw van zichzelf is.

En misschien is dat ook zo. Hij heeft in elk geval zichzelf overleefd.

Tegen alle verwachtingen in heeft hij het overleefd.

Een verblindend wit winterlicht over de velden en weiden die nog bedekt zijn met sneeuw.

Maar niet helemaal: stukjes van de donkere aarde eronder zijn langzaam op weg zich door de sneeuw heen te branden. De wereld is wit en zwart, met sneeuwstrengen die over de zwarte velden lopen als spiegelingen van de geweldige witheid van de hemel.

Tegen dat wit ziet hij mensen bewegen. Ze volgen dezelfde weg als eens de marscolonnes naar het Radogoszczstation. Maar de mensen die hier nu lopen, bewegen zich vrijer, alsof ze weigeren zich door een of andere militaire eenheid bij elkaar te laten houden. Af en toe stopt een van de marcherende mensen en schreeuwt iets of zwaait met zijn armen boven zijn hoofd. Wanneer dat gebeurt, staat de hele colonne stil, en ook andere mannen beginnen te schreeuwen en te roepen en met hun armen te zwaaien. Onmogelijk om te horen wat ze zeggen. De stemmen vloeien samen tot een akoestische muur, even scherp en afwijzend als de lichtmuur, de hemel.

Proberen ze iets naar hém te seinen? Is al dat geroep en gezwaai voor hém bedoeld? Maar hoe kunnen ze hem überhaupt zien als hij hen nauwelijks kan onderscheiden? Daarvoor zou de afstand toch te groot moeten zijn.

Dan maken zich enkele gestalten uit de groep los en ze beginnen naar hem toe te rennen.

Het zijn drie mensen. Voorop rent Józef Feldman. Hij herkent duidelijk de snelle, doorbuigende, ogenschijnlijk voortdurend voorovervallende manier van lopen. Het hoofd in zijn jas is helemaal rood – tegelijkertijd opgewonden en angstig – alsof het hem moeilijk valt de verschillende onderdelen van zichzelf tot een samenhangend gezicht samen te voegen.

Feldman schreeuwt iets, en uit die schreeuw maken zich afzonderlijke woorden los.

Hij vat het op als: *De... Russen... zijn... gekomen...*

Dan, alsof Feldmans woorden een geheime regieaanwijzing zijn, draaien de eerste Russische legervoertuigen de Zagajnikowastraat in. Het zijn echte pantserwagens: KV-tanks op rupsbanden, tot aan de kanonloop vol moddervlekken, de rode vlag met de hamer en de sikkel aan de achterkant gebonden, boven de bulderende, uitlaatgassen dampende motoren. Er zitten twee of drie mannen op de toren. Sommigen van hen zingen. In elk geval meent hij iets op te vangen wat op gezang lijkt en wat om hem heen stijgt en daalt.

Te midden van dat gezang en het hevige gebulder van de motoren probeert Feldman nog iets te roepen, maar het gezang overstemt hem. Adam kan zich niet meer beheersen, maar rent naar de Zagajnikowastraat, waar het ene na het andere konvooi vandaan komt: tanks en ondersteuningsvoertuigen met radioverbindingen.

Halverwege de Russische pantsereenheid draait hij zich om en wenkt.

Ook Feldman wenkt. Met lange, krachtige armzwaaien.

Kom hier... hier... lijkt hij te zeggen.

Maar Adam negeert hem. Hij moet dit heerlijke moment van de bevrijding met zijn hele lichaam in zich opnemen. Anders zal het nooit werkelijkheid worden.

En nu ziet hij het ook. Aan de andere kant van de Zagajnikowastraat zijn het prikkeldraad en de omheining neergehaald, de wachttoren waar de Duitse gettobewaker altijd stond met zijn machinegeweer op zijn buik, ligt omver. Aan de andere kant van de grens ligt hetzelfde landschap als hier. Hetzelfde vlakke zonlicht, dezelfde smerige vlakte van smeltende sneeuw. Hij kan zich niet langer bedwingen. Hij rent langs de neergehaalde prikkeldraadversperring het vrije weiland in en begint te dansen, met zijn armen in de lucht – juichend – naar de grenzeloze, witte hemel.

Dan valt het eerste schot. Meteen daarna nog één.

Hij begrijpt maar niet waarom zijn benen hem plotseling weigeren te gehoorzamen. In een golf van paniek beseft hij dat ze op *hem* schieten.

Waar komen de schoten vandaan? Wie is het die schiet?

Hij draait zich om om weer te wenken, om op de een of andere manier duidelijk te maken dat het een misverstand is. Ze zijn bevrijd. Zelf is hij nooit iemands vijand geweest.

Maar nu galmt er nog een schot over Marysin en zijn lichaam wordt met het gezicht naar voren de zoete, zwarte kleigrond in gedrukt.

Hij probeert uit alle macht zijn gezicht uit de klei te dwingen en omhoog, naar het licht, te draaien.

In die hoek blijft de hemel staan. Dan is hij er niet meer.

Personen

Gettoverwaltung (het 'civiele' Duitse gettobestuur)

Hans Biebow, Amtsleiter, hoogstverantwoordelijke voor het civiele gettobestuur.

Joseph Hämmerle, hoofd financiën en centrale inkoop van het gettobestuur.

Wilhelm Ribbe, verantwoordelijk (binnen het gettobestuur) voor de inkoop van materialen en in- en externe goederenleveranties.

Erich Czarnulla, verantwoordelijk (binnen het gettobestuur) voor de gehele metaalwarenproductie en -leverantie voor de Wehrmacht.

Heinrich Schwind, verantwoordelijk voor het materiaalbeheer aan de Baluter Ring en bij Radegast, ook verantwoordelijk voor de invoer van levensmiddelen in het getto.

Overige Duitse beambten (incl. militair en politiebestuur)

ss-Obersturmbannführer *Otto Bradfisch*, vanaf 21 januari 1942 *Leiter der Stapostelle* Litzmannstadt en hoogstverantwoordelijke voor de deportaties uit het getto naar Chełmno die toen begonnen; eerder werkzaam bij een ss-Einsatzkommando in Oekraïne. Met ingang van 2 juli 1943 Oberbürgermeister van Litzmannstadt (na Werner Ventszki).

ss-Hauptsturmführer en recherchecommissaris *Günther Fuchs*, hoogstverantwoordelijke voor Referat 11 B 4, later iv B 4, de afdeling voor 'Joodse aangelegenheden'.

ss-Sturmscharführer en recherchesecretaris *Albert Richter*, verantwoordelijk voor het hoofdkwartier van de Gestapo in het getto zelf (Limanowskiegostraat 1) en plaatsvervangend hoofd van de afdeling voor 'Jodenzaken'.

Kriminaloberassistent *Alfred Stromberg*, werkzaam bij Referat 11 B 4 voor 'Jodenzaken' bij Gestapo-Dienststelle Ghetto Litzmannstadt.

Voorzitter van de Joodse Raad van Litzmannstadt (het 'Joodse' gettobestuur)

Mordechai Chaim Rumkowski, Judenälteste, Voorzitter van de bestuurlijke 'Joodse Raad' (Beirat); werd op 28 augustus 1944 met het laatste transport naar Auschwitz gebracht en daar samen met zijn hele familie vermoord, waarschijnlijk nog dezelfde dag.

Dora Fuchs, Rumkowski's (hoofd)secretaresse en hoofd van het gehele secretariaat van de Voorzitter (tevens hoofdverantwoordelijke voor de contacten met de Duitse 'autoriteiten'). Dora Fuchs overleefde de oorlog en emigreerde naar Israël.

Mieczysław Abramowicz, secretaris en persoonlijk assistent van Rumkowski.

Józef Rumkowski, Rumkowski's broer, directeur van het grootste ziekenhuis van het getto en tevens hoofd van de 'hoogste rekenkamer' – later omgedoopt tot FUKR: Fach- und Kontrollreferat – die ingesteld was ter bestrijding van de corruptie in het getto. Verliet het getto in augustus 1944 met het laatste transport en werd samen met de rest van zijn familie in Auschwitz vermoord.

Rut Wołk, hoofd van Rumkowski's kanselarijen, het zogeheten 'presidiale secretariaat', later (tot begin 1944) het Secretariaat aan de Dworskastraat, het Secretariaat Wołkowna.

Dokter Wiktor Miller, hoofd van gezondheidsinspectie van het getto (volgde in 1941 dokter Leon Szykier in deze functie op).

Leon Rozenblat, hoofd van de reguliere politie van het getto (t/m september 1940 HIOD, Hilfsordnungsdienst, geheten), die later werd overschaduwd door de Sonderabteilung; had lange tijd de voornamelijk symbolische functie van 'adjunct'-Judenälteste.

Schlomo Hercberg, voorzitter van Forshtand Marysin, dat bestuurlijk werd beschouwd als een afzonderlijke stadsdeelenclave in het getto; ook commandant van de Centrale Gevangenis en van Revier VI (district Marysin) van de gettopolitie. Werd in 1942 met zijn hele familie uit het getto gedeporteerd en vermoord.

Aron Jakubowicz, hoofd van het Centrale Arbeidsbureau (Centraler Arbeits-Ressort); werd uit Litzmannstadt Getto naar een door Hans Biebow speciaal opgerichte arbeidseenheid in Sachsenhausen gebracht. Jakubowicz heeft de oorlog overleefd.

Stanisław (Szaja) Jakobson, voorzitter van de Joodse rechtbank van het getto; in augustus 1944 naar Auschwitz gedeporteerd en daar vermoord.

Dawid Warszawski, hoofd van de Centrale Kleermakerij; in 1944 in Auschwitz vermoord.

Henryk Neftalin, hoofd van de afdeling Statistiek, tevens bevolkingsregister van het getto (Meldeamt, statistische Abteilung), en het archief; in 1944 in Auschwitz vermoord.

Szmul Rozenstajn, beheerder van de enige drukkerij van het getto; in die hoedanigheid ook benoemd tot chef van de 'propaganda-afdeling' van de Voorzitter. Szmul Rozenstajn was ook redacteur van de 'Geto-Tsajtung', die gedurende de eerste negen maanden van het bestaan van het getto werd uitgegeven.

Dokter Michał Eliasberg, lijfarts van de Voorzitter (was een van de dertien artsen die Rumkowski in Warschau wierf en die in mei 1941 in Łódź aankwam).

De speciale afdeling
(Sonderkommando, met ingang van september 1942 Sonderabteilung)
Dawid Gertler (in het getto gearresteerd op 12 juli 1943).
Marek (Mordka) Klieger (in juli 1943 benoemd tot opvolger van Gertler).

Rumkowski's familie (en staf)
Mordechai Chaim Rumkowski, Judenälteste.
Regina Rumkowska (Ruchla), Rumkowski's vrouw (sinds december 1941).
Stanisław Rumkowski (geboren Stern, 1927), aangenomen zoon (sinds september 1942).
Józef Rumkowski, broer van Rumkowski.
Helena Rumkowska ('prinses Helena'), vrouw van Józef Rumkowski, verantwoordelijk voor de

gaarkeukens en collectieve voedselvoorzieningslokalen in het getto nadat deze allemaal waren 'genationaliseerd' (ook die die werden geleid door verschillende partijen, en belangen- en vrijwilligersorganisaties).

Jakub Tausendgeld, advocaat en beheerder van de 'activa' van de familie Rumkowski, inclusief die van Chaim Rumkowski zelf.

Dokter Herz Garfinkel, persoonlijk arts van prinses Helena.

Lev Kuper, stalmeester en koetsier.

Dana Koszmar, huishoudster bij de familie Rumkowski.

De families aan de Gnieźnieńskastraat

Ada Herszkowicz, conciërge, huismeester.

Adam Rzepin, los werkman.

Lida Rzepin, Adams zus.

Szaja Rzepin, vader van Adam en Lida.

Lajb Rzepin, broer van Szaja Rzepin; ten tijde van de algemene staking in 1940 werkzaam bij de meubelmakerij aan de Drukarskastraat – daarna rapporteur en aangever voor de Sonderabteilung en de Kripo.

Hala Wajsberg, nicht van de poppenmaker Fabian Zajtman.

Samuel Wajsberg, meubelmaker.

Jakub en Chaim, hun kinderen.

Moshe en Krystyna Pinczewski.

Maria Pinczewska, hun dochter.

Jakub en Rakel Frydman.

Feliks en Dawid, hun kinderen.

Personeel en kinderen van het Groene Huis (het kindertehuis aan de Okopowastraat)

Dokter Józef Rubin, directeur.

Malwina Kempel, kinderverzorgster; ook secretaresse van directeur Rubin.

Rosa Smoleńska, kinderverzorgster.

Dokter Adrian Zysman, kinderarts.

Chaja Meyer, huishoudster/kokkin.

Józef Feldman, huismeester, stoker.

(oudere kinderen:)

Debora Żurawska.

Kazimir Majerowicz ('de Moriaan').

Nataniel Sztuk.

Werner Samstag.

Mirjam Szygorska (overleden in februari 1942).

Estera Lubinska.

Natasza Maliniak.

Adam Gonik.

Stanisław Stern (later Rumkowski).

(jongere kinderen:)
de tweeling *Abram* en *Leon Moserowicz.*
Dawid, Teresa, Sofie, Natan (uit Helenówek).
Liba, Chawa (e.a.).

De familie Schulz (uit het collectief aan Franciszkańskastraat 27)
Arnošt Schulz, arts.
Irena Schulzová (Maman), zijn vrouw.
Véra Schulzová, hun dochter.
Martin en Josef (Josel) Schulz, hun zonen.

Het archief (eigenlijk een onderafdeling van de afdeling Statistiek van het getto)
Henryk Neftalin, afdelingshoofd en lid van de Joodse Raad.
Dokter *Oskar Singer,* dokter *Oskar Rosenfeld* en *Alicja de Buton* (onzichtbaar in de tekst, maar
   voortdurend aanwezige schrijvers van de Gettokroniek).
Aleksander (Aleks) *Gliksman,* archivaris.
Rabbi (eigenlijk 'ingenieur') *Yitshak Einhorn.*
Pinkas Szwarc, graficus, kunstenaar, scenograaf.
Mendel Grossman, fotograaf.

Luisteraars aan de Brzezińskastraat
Werner Hahn, Schmul Krzepicki, Moszje Bronowicz, de 'jonge' *Shem.*

De arbeidsbrigade in Radogoszcz
Harry ('Herry') *Olszer,* 'Verwaltungsleiter' (ingenieur), verantwoordelijk voor de bouwafdeling
   in Marysin.

Arbeiders
Marek Tzunwald, Jankiel Moskowicz, Gabriel Gelibter, Simon Roszek, Pinkus Kleiman, Herz Szyfer
   (e.a.).

De Duitse bewakingstroepen (Schupo en Bahnhofspolizei in Radegast)
Abteilungsführer *Didrik Sonnenfarb.*
Gruppenführer *Lothar Schalz.*
Agent *Markus Henze.*

Woordenlijst²⁴

D = Duits
H = Hongaars
J = Jiddisch
P = Pools

Aleinhilf (J)	Joodse zelfhulporganisatie
Approvisation	(Oostenrijkse kanselarijtaal) in het getto gebruikt woord voor levensmiddelendistributie; verantwoordelijk voor de 'approvisatieafdeling' was Maks (Awigdor Mendel) Szczęśliwy
Beirat (D)	een andere benaming voor de door de nazi's ingestelde zogeheten 'Ältestenrat', de Joodse Raad waarvan Rumkowski voorzitter was
bocher (J)	Talmoedstudent
botwinki (P; mv.)	rodebietenloof
Bund (J)	de Joodse socialistische partij; bijv. de Verenigde Joodse Arbeiderspartij in Polen, Litouwen en Rusland (was tegen zowel 'assimilatie' als 'emigratie')
Chanoeka	Joods feest in december; wordt gevierd ter herinnering aan de herinwijding van de tempel van Jeruzalem
dibek (J)	boze geest
dietka (P)	speciale winkels in het getto die o.m. melkproducten verkochten (op recept)
dróshke (J)	taxi, huurrijtuig; dorozka (P)
dygnitarze (P)	ambtenaar, (hooggeplaatste, Joodse) functionaris in het getto
działka (P; mv. działki)	lapje grond; volkstuin
eved hagermanim (H)	slaaf van de Duitsers

feldsher (J)	eenvoudige chirurg; chirurgijn
felsher (J)	vervalser

ganef (J; mv. *ganeivim*)	lummel, dief
glik (J)	geluk; *a glik* geluksvogel, mazzelaar
goniec (P)	loper (schaakstuk); gettotaal voor loopjongen, boodschapper
Gordonia (J)	zionistische jeugdorganisatie; gesticht door de progressieve zionist Aharon David Gordon (1856-1922)
grober (J)	doodgraver

hachshara (J; mv. *hachsharot*)	collectieve landbouw voor jonge pioniers op weg naar Palestina

Hashomer Hatsair	marxistisch ingestelde zionistische jeugdorganisatie
hilfer (J)	stagiair, leerling

jarmulke (J)	keppeltje (hoofdbedekking voor Joodse mannen)
jeke (J)	Oost-Joodse aanduiding voor Duitser; in het getto aanduiding voor de West-Europese ('Duitse') Joden die vanaf september 1941 naar het getto kwamen
Jom Kipoer	Grote Verzoendag

kaddisj (H)	begrafenisgebed
kehila (kehile, kehal)	Joodse gemeenteraad. Voor de oorlog maakten alle Poolse gemeenteraden deel uit van één bestuurlijke centrale raad, *Vaad Arba Aratzot*. Deze stelde een Joods parlement in als tegenhanger van het Poolse parlement (sejm = *sejmik*), met bestuurlijke en wetgevende macht over alle Joodse gemeenteraden op Pools grondgebied. Het hele door de nazi's misbruikte, zelfs geperverteerde, idee van een 'oudstenraad' (*Ältestenrat*) of 'Joodse Raad' vindt zijn oorsprong in deze wetgevende machtsverdeling tussen de Poolse en de Joodse natie in Polen.
khevre (chevre)	gilde; beroepsvereniging; vriendenkring
kierownik (P)	fabrieks- of werkplaatsdirecteur
kolejka (P)	rij (bij distributiecentra en dergelijke)

macht (J)	een in het getto zeer gebruikelijke omschrijving van de Duitse Gettoverwaltung, hier vertaald met *de autoriteiten* (= het Duitse civiele gettobestuur)
matse (J)	ongegist brood, wordt gegeten met Pesach, ter herinnering aan de uittocht uit Egypte
melamed (J)	onderwijzer (voor kleine kinderen)

menaschka (D/J; mv. menaschki)	pan, meestal om het middel bevestigd, om soep in te bewaren en mee te nemen. Het woord komt oorspronkelijk uit Oostenrijk. In het Oostenrijkse leger werd het woord *menage* gebruikt in de betekenis 'eten en drinken'; vandaar het woord *Menageschale* (etensschaal); Poolse spelling *menażka/menażki*.
minjen (H)	gebedsgroep
Mitsrajim (J)	Egypte
neshome (J)	ziel
(di) oberstn (J)	machthebbers
ochronki (P)	weeshuis
Ordnungsdienst (D)	de Joodse gettopolitie (tot september 1941)
opiekuni (P)	toezichthouder of opzichter bij fabrieken, gaarkeukens e.d.
pekl (J)	bundel
plaitses (J)	bescherming; ook *protekcja* (P)
plotka (P; mv. plotki)	roddelverhaal
ratsie (J)	rantsoen
resort (P)	van het Duitse *Arbeits-Ressort*, aanduiding voor fabrieken en grotere werkplaatsen in het getto
resortka (P)	gettotaal voor de (middag)soep die alle arbeiders bij de *resorty* tegen betaling ontvingen op hun werkplek
rohliky (Tsjechisch)	croissants
Rosj Hasjana	(Joods) Nieuwjaar
sheine (jidn) (J)	letterlijk: de 'mooie' Joden, de rijke en welgestelde bovenklasse, vgl: di *balebatim* (de gerespecteerden, de burgerklasse) en *proste* (de gewone man)
shiske (J)	potentaat, 'hoge piet'
shobecht (J)	aardappelschillen
shofet (H, J)	rechter
shoifer (H)	hoorn die wordt gebruikt bij religieuze plechtigheden, bijv. de Joodse nieuwjaarsviering, Rosj Hasjana, en bij het verlaten van de synagoge op Jom Kipoer; de uitdrukking *Ivan blust shoifer* betekent dat iemand anders (oorspronkelijk de Russen, nu de Duitse bezetters) Joodse zaken regelen
shóite (J)	domoor
shokeln (J)	schudden, heen en weer bewegen (bij het bidden)
shomer (H)	redder, beschermer; verlosser

shomrim (H)	leden van het zionistische jeugdcollectief Hashomer Hatsair (= redder, beschermer); de meeste leden van deze jeugdorganisatie waren zionisten van een duidelijk niet-religieuze, marxistische overtuiging
shpere (J; van D: *Gehsperre*, P: *szpera*, uitgaansverbod); di *groise shpere*	in het getto de aanduiding voor de door de ss geleide zuiveringsacties en massamoorden op de Joden die plaatsvond tussen 5 en 11 september 1942
shpitsn (J)	hoogwaardigheidsbekleders, 'hoge pieten', vgl. *dygnitarze*
shtetl (J; mv. *shtetlech*)	dorp of kleine stad met Joodse inwoners
shtreimel (J)	(Chassidische) bontmuts
Sonderkommando (D), later: *Sonder(abteilung)*	aanduiding voor de speciale eenheid van de Joodse gettopolitie die de Gestapo hielp bij het in beslag nemen van waardevolle goederen in het getto, later ook bij het verzamelen van mensen voor deportaties en dwangarbeid; werd tot juli 1943 geleid door Dawid Gertler, daarna door Marek Klieger
świetlica (P)	dagverblijf of gemeenschappelijke ruimte
talliet (H)	gebedssjaal
Talmoed Thora (H)	een soort (algemene) Joodse basisschool, met basisonderwijs in rekenen, schrijven, Hebreeuws e.d.; de leraren op de Talmoed-Thoraschool, *melamed*, woonden meestal met hun gezin in de schoolruimtes waar het onderwijs werd gegeven
tefillin (H)	gebedsriemen; bijv. kleine (kubusvormige) leren doosjes die bij het gebed aan de arm en op het voorhoofd worden bevestigd
tnojim (J)	huwelijks- of verlovingscontract; werd in het getto gebruikt als omschrijving van het uitwijzingsbevel dat aan 'ongewenste' inwoners van het getto werd gestuurd
treif (J)	niet-koosjer voedsel, afval
trepki (P)	klompen
tsaddik (J; mv. *tsaddikim*)	een heilig, eig. 'rechtvaardig' man, geestelijk leider van een Chassidische gemeenschap: *tsaddikot* dochter van zo'n heilige man
tsdóke (J)	liefdadigheid
tsholent (J)	Joods aardappelgerecht
(pani) *Wydzielaczka* (P)	gettotaal voor de meestal jonge vrouwen die soep opdienden in de fabriekskantines en gaarkeukens

Commentaar

Veel van de personages die in dit boek voorkomen, verdwijnen uit de geschiedenis bij de definitieve ontruiming van het getto in augustus 1944. Er zijn echter uitzonderingen. Een daarvan is Dawid Gertler, die vooral in het derde deel van de roman een rol speelt. Hoewel Gertler door zijn tijdgenoten een welhaast mythisch vermogen tot overleven werd toegedicht, werd algemeen aangenomen dat hij door de nazi's was vermoord nadat de Gestapo hem in juli 1943 uit het getto had gehaald. Onverwacht bleek echter dat Gertler zowel de verhoren als het daaropvolgende verblijf in een concentratiekamp had overleefd. In 1961 duikt hij in Hannover op als getuige in de rechtszaak tegen Günther Fuchs die dan dient. Fuchs was de hoogstverantwoordelijke van de afdeling van de Sicherheitspolizei die zich in het door de Duitsers opgerichte getto van Litzmannstadt bezighield met wat 'Joodse aangelegenheden' heette. Fuchs was dus in de praktijk verantwoordelijk voor de massamoord die begin januari 1942 werd uitgevoerd, evenals voor de zogeheten *szpera*-actie in september van datzelfde jaar, die zulke catastrofale gevolgen voor de bevolking van het getto had.

In zijn getuigenverklaring tegen Fuchs geeft Gertler echter een beeld van wat er in deze dramatische dagen gebeurde dat enigszins afwijkend is van wat er tot dan toe bekend was. Hij beweert bijvoorbeeld dat Rumkowski, nadat hij zijn redevoering van 4 september 1942 had gehouden – waarin hij de gettobevolking vertelt dat de nazi's hebben besloten alle kinderen onder de tien jaar te laten deporteren – op het laatste moment door twijfel werd overvallen. Volgens Gertler zou Rumkowski na zijn redevoering persoonlijk naar Fuchs zijn gegaan om te vertellen dat hij het bevel niet kon uitvoeren, en zou hij zich daarna hebben teruggetrokken en zich in principe niet meer in het openbaar hebben vertoond totdat het uitgaansverbod tien dagen later werd opgeheven. Gedurende de tien dagen van het uitgaansverbod, de zogeheten *szpera*-periode, zou het daardoor op Dawid Gertler zijn neergekomen om te proberen het effect van het besluit van de nazi's te verzachten en op dit voor het getto 'meest kritieke ogenblik' zoveel mogelijk levens te redden:

> *Ik ging naar Fuchs en Bibow [sic!] toe om te proberen met hen te onderhandelen over de vraag hoe de kinderen konden worden vrijgekocht. Bibow had ik al in mijn plannen ingewijd, omdat hij anders problemen had kunnen veroorzaken. Voor de transactie zelf was de Gestapo verantwoordelijk, en daarmee Fuchs. Op die manier slaagde ik erin om namens de gettobewoners die geld hadden een groot aantal kinderen vrij te kopen. Omdat de Gestapo en ook Bibow praktisch uit mijn hand aten, gingen sommige autoriteiten er bij deze transacties zelfs mee akkoord kinderen vrij te laten zonder dat ze ervoor betaald werden. Op die manier gingen er in totaal 12.300 of 12.700 mensen op transport in plaats van de 20.000 die oorspronkelijk de bedoeling waren...*

Ongeacht welke betekenis men aan dit getuigenis hecht – Gertler was er natuurlijk in eerste instantie op uit zijn eigen reputatie te verbeteren – het geeft toch gedeeltelijk een ander beeld van Rumkowski als mens dan eerder was ontstaan (bij historici als Isaiah Trunk, bijvoorbeeld).

In de meeste getuigenissen die Rumkowski hebben overleefd – en dat zijn er ondanks alles nog heel wat – wordt hij voorgesteld als een gewetenloze carrièrejager en collaborateur, die tot vrijwel alles bereid was om de decreten van de Duitse bezetters uit te voeren. Toch is er kennelijk een punt waarop zelfs Mordechai Chaim Rumkowski zich gedwongen zag zich af te wenden en nee te zeggen. Deze roman draait om dit punt. Wat werd er van hem geëist, dat zelfs de sterke man van het getto weigerde te gehoorzamen? En waarom weigerde hij? En welke prijs moest hij betalen voor deze (zoals Gertler het in zijn getuigenverhoor nog steeds – paradoxaal genoeg – noemt) *onverantwoordelijke zwakheid?*

In grote lijnen en met enige toevoegingen volgt de handeling in deze roman het verloop van de gebeurtenissen in het getto zoals beschreven in de Gettokroniek.

De Gettokroniek is een document van ruim drieduizend pagina's, dat is geschreven door een klein handjevol medewerkers van het gettoarchief gezamenlijk. De archiefafdeling viel op haar beurt onder de door Rumkowski begin 1940 opgerichte *Statistische Abteilung*, een afdeling die later ook het bevolkingsregister van het getto zou omvatten (*Meldebüro* of *Meldeamt*). In de loop der jaren zouden deze afdelingen samensmelten en groeien, zodat ze begin 1944 in totaal 44 medewerkers, één directeur, 23 secretariaats- en kantoormedewerkers, twaalf tekenaars en grafici, vier fotografen en *vier overige* (sonstige) *werknemers* telde, zoals het heet in een rapport dat de Kroniek ongeveer tezelfdertijd citeert.

De afdeling Statistiek had al vanaf het begin een aantal duidelijk omschreven taken: *gedeeltelijk moest ze dagelijkse berichten aan de nationale recherche en aan de desbetreffende instanties van het gettobestuur verschaffen inzake de gezondheidssituatie van de bevolking (inclusief geboorten en sterfgevallen), alsmede uitvoerige verslagen van demografische aard over de toestand van het personeel en de productie van de fabrieken, en over eventuele eisen van de kant van de Judenälteste. En gedeeltelijk moest ze statistisch materiaal voor andere belangengroepen, visuele illustraties bij statistische gegevens en fotomontages voor onderwijs- of propagandadoelen samenstellen, alsmede [...] beeldmateriaal voor archivering en voor diverse praktische doeleinden vervaardigen.*

Behalve deze specifieke taken was er ook een meer algemene opdracht, die bestond uit het *in alle stilte* – dat staat er echt! – *verzamelen van materiaal voor een toekomstige beschrijving (= geschiedenis) van het getto en het zelf maken van notities die aan dit doel beantwoorden.*

Al vanaf de dag waarop het eerste artikel in de Kroniek werd geschreven – 12 januari 1941 – tot aan het laatste artikel – een maand voor de ontruiming van het getto – is de Kroniek dus in eerste instantie bedoeld als getuigenis voor toekomstige lezers.

Voor lezers van nu is dat misschien niet onmiddellijk zonneklaar. Tot en met september 1941 lijkt de Kroniek, die in die tijd in het Pools werd geschreven, niet zozeer op een collectief dagboek als wel op een soort invulformulier waarin bepaalde regelmatig voorkomende gebeurtenissen doorlopend werden geregistreerd. Ze doet in dat opzicht denken aan de *pinkas* of *Gemeindebücher* die voordien al generaties lang in Joodse gemeenten in Polen en in oostelijk Europa in het algemeen werden bijgehouden. De Kroniek wijdt bijvoorbeeld kolommen aan het weer en aan het aantal geboorten en sterfgevallen; er staan uittreksels van politierapporten in, informatie over uitgevoerde of komende voedsel- en brandstoftransporten, notities over veranderde werktijden en werkomstandigheden in de fabrieken van het getto en dergelijke. De Kroniek drukt bovendien de meeste bekendmakingen af die Rumkowski's secretariaat of de Duitse Gettoverwaltung uitbrengen, evenals (in stenografische vorm) bijna alle toespraken van de Voorzitter.

Vooral deze laatstgenoemde, documenterende functie was belangrijk. Rumkowski kon op die manier, via de Kroniek, zelf kennis nemen van de geschiedenis zoals die op dat moment over zijn bestuur werd geschreven.

Langzaam maar zeker vindt er echter een verschuiving plaats in vorm en inhoud van de Kroniek. Het duidelijkst merkbaar is die vanaf de herfst van 1941, wanneer enkele van de nieuw aangekomen, zogeheten 'West-Joden' bij de archiefafdeling worden aangesteld en in de Kroniek beginnen te schrijven. Ten minste twee van hen, Oskar Singer en Oskar Rosenfeld, zijn al gevestigde schrijvers en journalisten, met vele jaren ervaring in het werken onder allerlei vormen van bureaucratische censuur. Van nu af aan wordt de Kroniek minder formalistisch en meerstemmiger; verschillende genres worden geïntroduceerd, ook open, kritische stemmen laten zich horen (vaak in de vorm van een satire). Het is echter belangrijk niet te vergeten dat ze ook hierna nog voornamelijk het beeld van de gebeurtenissen weergeeft (en zich daaraan onderwerpt) dat door Rumkowski is gesanctioneerd.

Het karakter van de Gettokroniek als voortzetter van de traditie en getuige van de tijd, maar ook als spreekbuis van Rumkowski, maakt het blad concreet en exact (tot in detail), maar tegelijkertijd ook op een overkoepelend niveau onbetrouwbaar als bron voor wat er nu werkelijk in het getto gebeurde.

Wie de Kroniek vandaag de dag leest, moet bovendien onderscheid leren maken tussen wat het nageslacht (*nu*) weet van wat de chroniqueurs (*toen*) slechts vermoedden. Tegenwoordig weten we misschien niet in alle opzichten *meer* dan wat de mensen wisten die opgesloten zaten in het getto. Maar we weten het *op een andere manier*: met een historisch perspectief en een helderheid tot in alle details die de mensen in het getto niet hadden.

Al in februari of maart 1942 beschikte men in het getto over ondubbelzinnige bewijzen dat de meeste 'transporten' die het getto sinds de jaarwisseling 1941/42 hadden verlaten, rechtstreeks naar vernietigingskampen waren gegaan. Zeer zeker wist Rumkowski zelf al in een heel vroeg stadium, zo niet al vanaf het allereerste begin, dat de bevolking van het getto onder zijn ogen werd vermoord. Maar lang niet iedereen wist dat, en het ontbreken van honderd procent zekerheid creeerde die vreemde grijze zone tussen hoop en wanhoop waarin de hele Kroniek is geschreven. Ondanks alles wat op het tegendeel wees, waren er toch mensen die hardnekkig bleven geloven dat er leven buiten het getto was, ergens en in enigerlei vorm; en dit geloof, gevoegd bij de hoop om te overleven, tekent *ondanks alles* de schrijvers van de Gettokroniek tot aan de allerlaatste dag. Het tekent ook tot op het laatst het beeld dat de Kroniek geeft van Chaim Rumkowski, de man die de onzekerheid tot staatsideologie verhief om ongehinderd materiaal te kunnen blijven leveren voor de nazistische vernietigingsmachine.

Nog laat, in januari 1944, probeerden sommige Kroniekschrijvers het bestaan in het getto samen te vatten in een Getto-encyclopedie. De Encyclopedie kan worden beschouwd als een soort aanhangsel of appendix bij de Kroniek of, zo men wil, als nog een poging om de *eigen tijd* voor het nageslacht zichtbaar te maken.

In de Getto-encyclopedie staan op kleine bibliotheekkaartjes een groot aantal mensen en verschijnselen genoemd die relevant waren voor het dagelijks leven en voor het bestuur en beheer van het getto. Behalve een verklaring en verantwoording van een aantal typische gettowoorden en -uitdrukkingen, neologismen en leenwoorden (meestal uit het Pools of van de Oostenrijkse kanselarijtaal die de 'buitenlandse' Joden meenamen) biedt de Encyclopedie een handvol miniatuurbiografieën van de leidende mannen en vrouwen van het getto. Tot de invloedrijke personen die in de Encyclopedie worden geportretteerd, behoren onder meer Aron Jakubowicz, het hoofd van het Centrale Arbeidsbureau, Dawid Gertler, en diens opvolger als hoofd van de machtige Sonderabteilung, Mordka Klieger.

Maar niet Mordechai Chaim Rumkowski.

Dat een kaart over Rumkowski ontbreekt, kan verschillende oorzaken hebben. Ofwel er is nooit een kaart over hem geweest – maar dat lijkt onwaarschijnlijk, want hij was toch de machtigste man van het getto – ofwel de kaart is op enig moment weggehaald en vernietigd. In dat geval levert de Encyclopedie nogmaals een bewijs van wat de Kroniek ook indirect aantoont: dat de fictie, of misschien liever de *redactie* van de fictie over het getto, al begon terwijl de Duitse bezetting nog voortduurde.

Hoewel de meeste dingen die in het getto voorvielen ongewoon goed zijn gedocumenteerd, zitten er dus gaten in het handelingsverloop, waarin betrouwbare getuigenverklaringen schaars zijn. Dat betreft bijvoorbeeld wat er gebeurde tijdens de zogeheten *szpera*-dagen, toen Chaim Rumkowski zich 'afzijdig' verkoos te houden en de onderhandelingen met de autoriteiten liever overliet aan Dawid Gertler. Dat betreft ook de passage over Rumkowski's adoptie van een kind uit een van de kindertehuizen: hoe dit precies in zijn werk ging en hoe zijn relatie tot dit kind was. Dat Rumkowski zich systematisch vergreep aan de kinderen in zijn kindertehuizen is, zeker gezien de omstandigheden, wel ongewoon goed gedocumenteerd. In haar boek *Rumkowski and the Orphans of Łódź* (1999) interpreteert Lucille Eichengreen deze aanrandingen en verkrachtingen, waarvan ze zelf niet alleen getuige maar ook slachtoffer was, niet zozeer als blijk van Rumkowski's seksuele geaardheid, maar veeleer als blijk van zijn voortdurende behoefte om zijn macht en autoriteit op alle niveaus van het getto te bewijzen. In een wereld waar geen andere alternatieven bestaan dan overleving of onderwerping is het moeilijk de rol van seksualiteit precies aan te geven, maar ook onmogelijk die te onderschatten. Vĕra Schulz' omschrijving in haar gefingeerde dagboek dat Rumkowski 'een monster' is, is in werkelijkheid afkomstig uit het boek van Eichengreen. Op een soortgelijke manier ben ik met de getuigenissen van veel andere overlevenden omgegaan. Zo gaat bijvoorbeeld de lange beschrijving van de eerste ontmoeting van de zogeheten 'West-Joden' met het getto van Łódź (blz. 110-114) grotendeels terug op Oskar Rosenfelds beschrijving van de tocht van het Radogoszczstation naar het getto in *Wozu noch Welt: Aufzeichnungen aus dem Getto Lodz* (1994).

Anders dan Rosenfeld, die in het gehele boek anoniem blijft, treden de meeste ambtenaren en functionarissen van enig belang in dit verhaal op onder hun ware naam. Dit in de eerste plaats omdat hun daden en wandaden zo goed gedocumenteerd zijn, niet in het minst door de artikelen over hun uiteenlopende achtergronden en handelingen in de Kroniek en de Encyclopedie, dat pogingen om gefingeerde namen te gebruiken slechts een overbodige maskering zouden hebben geleken. Ik ben bovendien van mening dat de aard van de gebeurtenissen die plaatsvonden in Łódź 1940-44 een dergelijke maskering moreel twijfelachtig maakt.

Ten slotte enkele zinnen over de foto op de omslag van dit boek. Het is er één van in totaal vierhonderd die zijn genomen door de administrateur van de Duitse Gettoverwaltung, een Oostenrijker genaamd Walter Genewein. Genewein maakte voor al zijn fotowerk gebruik van voor die tijd ongebruikelijke kleurenfilms, die hij rechtstreeks bij de laboratoria van IG Farben in Zwitserland bestelde. Niemand wist van het bestaan van deze opnames af, totdat in 1988 een familielid van de toen juist overleden Genewein de negatieven aan een antiquariaat in Wenen wilde verkopen. Genewein, een overtuigd nazi, werkte voor het Duitse bestuursapparaat vrijwel zo lang dat bestond, dus waarschijnlijk zijn de foto's op bestelling gemaakt. Iemand van de Gettoverwaltung, misschien Biebow zelf wel, heeft de amateurfotograaf Genewein opdracht gegeven de werkelijkheid van het getto vast te leggen. Het treffende van deze foto's is ook hoe weinig ze laten zien van de *eigenlijke* werkelijkheid; hoe weinig van de honger, de ziektes, de nood, de armoede. Zelfs de in het getto alomtegenwoordige dood is bij Genewein slechts zichtbaar als een soort stilering van wolken en tramleidingen boven vervallen huizen en werkplaatsen.

Wat we op de afbeeldingen van Genewein zien is de geschiedenis van het getto zoals Genewein en de andere Duitse ambtenaren haar zagen – of zich verbeeldden dat ze eruit zou zien wanneer ze naderhand zou worden geschreven. Het zijn *toekomstige* kijkers waardoor Geneweins foto's willen worden gezien, net zoals de schrijvers van de Kroniek en de Getto-encyclopedie zich in hun dagboekaantekeningen en miniatuurbiografieën (zij het om totaal tegenovergestelde redenen) wenden tot lezers van 'later tijden' of lezers 'die niet vertrouwd zijn met de gettowerkelijkheid'. Niets in Geneweins foto's duidt er echter op dat hij bewust de werkelijkheid die hij in beeld bracht, arrangeerde of verfraaide. Zoals het getto er op zijn foto's uitziet, zag hij het waarschijnlijk zelf ook. Uit een brief die hij naar zijn familie in Oostenrijk stuurde, blijkt duidelijk dat hij het getto zag als een weliswaar afgesloten en door politie bewaakt, maar toch volkomen neutraal deel van de stad Łódź/Litzmannstadt, waar arme Joden woonden, die min of meer eerzaam in hun onderhoud voorzagen op arbeidsplaatsen die de Duitsers hun in hun eindeloze gulheid verschaften.

De vraag of Rumkowski moet worden beschouwd als verlosser of verrader, als held of zondebok (een vraag die de geschiedschrijving over het getto al van het begin af aan bezighoudt) is dus tot op zekere hoogte volkomen theoretisch. Dat hangt helemaal af van welk perspectief men kiest. Het is heel wel mogelijk zich een ander verloop van de geschiedenis voor te stellen, waarbij de afloop ook voor Rumkowski heel anders had kunnen zijn. Bijvoorbeeld als Von Stauffenbergs coup tegen Hitler in juli 1944 geslaagd was of als Stalin niet had ingestemd met het staken van het offensief van het Rode Leger bij de rivier de Wisła. Dan zou Polen misschien een halfjaar eerder van zijn Duitse bezetters zijn bevrijd en was Mordechai Chaim Rumkowski uit de ruïnes van wat ooit het Joodse getto van de stad Łódź was, tevoorschijn getreden als degene die hij al die tijd al zo graag wilde zijn: als de bevrijder van zijn gekerkerde volk – en niet, zoals de geschiedenis hem nu meestal beschrijft: als een van de gehoorzaamste werktuigen van de nazibeulen.

Dankwoord

Dank aan Helge Axelsson Johnsons Stiftelse in Stockholm en aan het Institut für die Wissenschaften vom Menschen (IWM) in Wenen voor beurzen en werkfaciliteiten.

Een bijzonder woord van dank aan dr. Sascha Feuchert en zijn medewerkers aan de Arbeitsstelle Holocaustliteratur van het Instituut voor Germanistiek van de Justus Liebiguniversiteit in Giessen, Duitsland, alsmede aan wijlen Julian Baranowski van het Staatsarchief in Łódź omdat hij mij deelgenoot maakte van toen nog ongeredigeerde delen van de Gettokroniek en ander ongepubliceerd materiaal: onder meer openbare bekendmakingen, foto's en briefwisselingen.

Van de Gettokroniek bestaat sinds november 2007 een onverkorte Duitse uitgave in vijf delen, meer dan 3000 bladzijden, *Die Chronik des Gettos Lodz/Litzmannstadt* (Wallstein Verlag) met Sascha Feuchert, Erwin Liebfried en Jörg Riecke als hoofdredacteuren, in samenwerking met dr. Julian Baranowski, Joanna Podolska, Krystyna Radzieszewska en Jacek Walicki. Dank aan het personeel van de universiteitsbibliotheek in Wenen (de instituten voor judaïstiek en voor eigentijdse geschiedenis) alsmede de Joodse bibliotheek in Stockholm; aan Zbigniew Janeczek voor de toestemming voor de publicatie van de kaart op bladzijde 8.

Veel dank ook aan Andrea Löw, Dirk Rupnow en Klaus Nellen (Wenen); aan Jakub Ringart en Artur Zonabend (Stockholm); dank ook aan Magnus Bergh, Anders Bodegård, Aimée Delblanc, Stephen Farran-Lee, Carl Henrik Fredriksson, Peter Fröberg Idling, Joakim Hansson, Dagmar Hartlová, Tora Hedin, Lars Jakobson, Lennart Kerbel, Charlotte Kitzinger, Gisela Kosubek, Irena Kowadlo-Przedmojska, Ola Larsmo, Paul Levine, Magnus Ljunggren, Johanna Mo, Birgit Munkhammar, Helen Rubinstein, Björn Sandmark, Kaj Schueler, Tomasz Zbikowski en Andrea Zederbauer voor

advies, aanbevelingen, leessteun, hulp bij het vertalen en nog veel meer.
Voor Katerina en Sasha.

Noten

1 In de brondocumenten wordt hier het Jiddische woord *macht* gebruikt, een in het getto gebruikelijke omschrijving voor het Duitse gettobestuur (in het Duits *die Gettoverwaltung*).

2 *Knechting kenmerkt onze tijd,*
   Schaamte- en gewetenloosheid
   Niemand geeft nog, ieder steelt toch
   Van één wens nog maar bezeten:
   Zich voor één keer vol te eten.

3 'Arbeiders van Zion', een oorspronkelijk marxistische beweging die een grote rol speelde in de opstand in het getto van Warschau.

4 In de Poolse versie van de toespraak van de Voorzitter wordt de uitdrukking *szkodnicy* gebruikt, in de Duitse *Schädlinge*.

5 *Je hebt me geschonden...!*
   Moge een boze geest jou en je huis in bezit nemen...

6 De naam die de Duitsers na de bezetting van Polen in 1939 aan het gebied in Zuidwest-Polen gaven dat als Rijksduits werd beschouwd en 'gezuiverd' werd van 'niet-Duitse elementen', d.w.z. Joden en Polen.

7 *Ongeluk, angst en overmacht*
   Van wie ook of waarvandaan
   Nu en van geslacht op geslacht
   Hebben wij moeten doorstaan

8 *Schreeuw, Joden, schreeuw het uit*
   Schreeuw luider nog dan luid;
   Zorg dat de ouwe ontwaakt –
   't Is toch duidelijk dat hij slaapt?
   Wie denkt hij te bedriegen?
   Wat zijn wij voor hem – vliegen?
   Onze beloning komt niet te vroeg
   O, nu is het wel genoeg

9 *Verbrijzeld, verworpen, vermoord*
   Beroofd van wie bij hen hoort
   Vrouwen van hun echtgenoot

Kinderen van de moederschoot
Schreeuw, kinderen, schreeuw het uit.
Schreeuw luider nog dan luid;
Zorg dat vader ontwaakt –
't Is toch duidelijk dat hij slaapt?
Voor jou wenen ze, klagen ze,
Zelfs de kinderen in de wieg,
Zeg nu eindelijk, vragen ze je:
O, nu is het wel genoeg

10 Poznań.

11 Geef je eigen kinderen maar weg; wij zijn niet van plan onze kinderen af te staan.

12 Eig. Preventorium Nr. 2 voor de bestrijding van longtuberculose.

13 Je bent mijn zoon, mijn geliefde zoon...

14 *Gertler, onze nieuwe keizer*
Een Jood en een echte leider
Belooft dat wij het zullen beleven
Pool of Jid dat is om het even
Eens gaat, zo doet hij ons hopen,
de poort van het getto weer open

15 *In het land Israël moet ik lijden*
Ik hou van je en ik lijd
Jouw gevoelens ken ik niet
Met bloemen moet ik
mijn lijdende hart genezen

16 Schenkmadam, ik zeg het niet voor de LOL:
– Een beetje dieper, een beetje VOL!

17 Schreeuw niet zo, we staan hier niet op het toneel!

18 Niet huilen, lieverd; niet huilen...

19 *Parasieten, jullie hebben steeds van ons geleefd,*
Nu is het jullie beurt om in de drek te graven!
Maak maar eens benen, jullie nietsnutten!

20 Uit de Gettokroniek:
'Amtsleiter Hans Biebow werd door commandant Leon Rozenblat vanuit de coulissen het toneel op begeleid, en zodra hij op het podium stond, riep hij alle aanwezige vertegenwoordigers van de Kriminalpolizei op om achter hem plaats te nemen. Deze agenten zaten dus achter hem op het podium en lieten, zolang de toespraak duurde, hun waakzame ogen over de menigte gaan. Tegen Biebows uitdrukkelijke verbod op het stenografische opnemen van de toespraak was met andere woorden niets te doen; daarom is de tekst die [hieronder] volgt een reconstructie op basis van aantekeningen die sommigen van de aanwezigen uit het hoofd hebben gemaakt.'

21 Woordelijk: Ein solcher Leiter würde etwas erleben, woran er nicht im Traume denkt: er würde nämlich von der Bühne des Lebens abtreten müssen...

22 *We moeten vechten*
    Hard vechten
    O, anders lijdt de arbeider nood!
    Blijf niet terzijde,
    Trek mee ten strijde!
    O, wat een moeite voor een stuk brood!

23 Op 18 juni 1944 door D. Fuchs opgetekend in het diarium van de Voorzitter.

24 De Jiddische woorden die in dit boek zijn gebruikt, zijn hier zoveel mogelijk in het zoge-
    heten standaard-Jiddisch weergegeven, ook in die gevallen waarin lokale of dialectale
    woorden mogelijk andere spellings- of verbuigingsvormen vereisten. In de Nederland-
    se vertaling zijn sommige woorden aangepast aan de gangbare Nederlandse spelling.